2023

국가직 | 지방직 | 법원직 | 검찰직 | 소방직
국회직 | 사회복지직 | 교육행정직 | 계리직

선우한국사 기출족보 1500제

2 심화편

편저자 선우빈

기출문제가 예상문제이다!

단원별/유형별/키워드별 주요 기출문제 완벽 정리
난이도에 따른 기본편과 심화편 구별
PLUS 선지 OX 정리

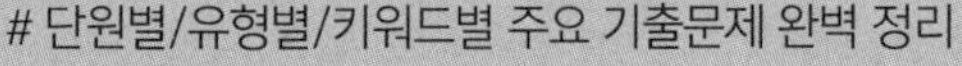

동영상강의 www.pmg.co.kr

이 책의 **머리말**

2022년 개편된 공무원 시험 제도, 이제 공부 방법도 달라져야 합니다.

2022년 공무원 시험 제도가 개편되면서 국어, 영어, 한국사, 직렬별 전공 2개 총 5과목이 모두 원점수가 되었습니다. 개편된 제도에서 합격의 당락을 결정하는 과목은 전공과목과 영어라는 것을 다들 잘 아실 것입니다. 2022년 개편된 제도에 의해 치뤄진 국가직·지방직 시험에서 한국사는 꼭 알아야 할 기본 개념을 중심으로 기출문제를 약간 변형한 문제들로 평이하게 출제되었습니다.

기출문제가 또 다른 예상문제입니다.

한국사는 과목의 특성상 과거의 우리 역사적 지식을 물어보는 문제이기에 중요한 역사적 사건이나 사실이 반복되어 출제됩니다. 즉 사료가 살짝 바뀌거나, 사료나 지문은 거의 그대로 유지한 상태에서 선지를 조금 변형하는 수준의 문제들이 70~80% 정도 출제됩니다. 그렇지만 운전면허 시험처럼 기출문제에 무조건 답을 달고 눈으로 익히는 그런 시험은 아닙니다.

기출문제는 언제 푸는 것이 좋을까요?

우선 어느 정도 이론이 공부된 상태에서 푸는 것이 좋습니다. 처음 공부하는 단계에서는 한국사의 기본 개념을 정확히 파악하는 것이 중요합니다. 물론 이론을 공부하면서 본인이 이론을 제대로 이해했는지 파악하기 위해서 가장 기본적인 기출문제를 풀어보는 것이 효율적인 공부 방법입니다. 이렇게 공부하면 이론의 힘이 왜 중요한지를 알게 되고 나아가 공무원 시험 문제 유형을 자연스럽게 익히게 됩니다. 이론을 어느 정도 파악하였다면 그 다음에 기출문제를 본격적으로 푸는 단계가 필요합니다. 문제를 많이 풀어보면서 문제를 시간 안에 푸는 훈련을 함과 동시에 문제를 통해 이론을 다시 정리하고 정확하게 암기할 것들을 파악해야 합니다.

2023년 기출족보의 즐거운 반란

2003년 출간된 이후 20년의 역사를 지닌 기출족보는 시중에 출간된 기출문제집과는 구성부터 달랐고 기출문제에 대한 해설도 단순 풀이가 아니고 이론 배경을 적절하게, 무엇보다 정확하게 다루어 주었습니다. 기출족보를 공부하는 것만으로도 이론을 제대로 파악할 수 있게 한 거지요. 그래서 합격생분들 사이에서 기출족보에 대한 좋은 피드백이 많이 언급되었습니다. 그러나 2022년 개편된 시험 제도 결과 한국사 문제가 평이하게 출제되고 또한 한국사를 시험보는 공무원 시험이 9급 국가직·지방직(서울시)·소방직, 계리직, 법원직, 국회, 8급 간호직으로 대폭 축소된 상황에서 『기출족보』도 대대적인 개편을 해야만 했습니다.

새로운 기출족보는 초시생도 재시생도 각자의 한국사 공부 수준에 맞게 공부할 수 있도록 기본편과 심화편으로 구성하였습니다. 책을 처음 쓰는 것과 같은 시간과 노력이 들어가는 작업이었지만 새 기출족보를 통해 좀 더 쉽게 한국사를 공부할 제자분들을 생각하니 그 자체로 즐거웠습니다.

기출족보 기본편과 심화편의 차이

기본편은 기출문제의 1단계로, 최근 평이하게 출제된 9급 문제들로 구성하였습니다. 처음 공부하시는 분들에게 필수 과정이 될 것입니다. 심화편은 기출문제의 2단계로, 기본편과 동일하게 단원별로 구성하였지만 기본편보다는 한 단계 높은 수준의 문제들로 구성하였습니다. 재시생분들은 심화편에서 시작하셔도 됩니다. 그러나 기본편을 무시하지는 마시고 꼭 한 번은 풀어주시길 바랍니다.

20년간 유지하였던 틀을 다 바꾸는 과정은 책을 처음쓰는 것보다 손과 마음이 더 많이 가는 과정이었습니다. 조원숙 연구실장님이 계셨기에 용기를 내서 작업할 수 있었습니다. 늘 수험생들을 위해 함께 해주셔서 감사드립니다. 좋은 수험서를 위해 함께 고민해주시는 박문각 출판부의 김현실 국장님, 새 생명을 품고 평소보다 두 배로 힘을 내주고 계신 이수연 주임님, 멋진 청년 조교 우종직과 진지환, 노세진에게도 감사드립니다.

누구나 희망을 꿈꿉니다. 그러나 희망을 현실로 바꾸기는 쉽지 않습니다.
『선우한국사 기출족보 1500제』가 수험생 여러분의 희망이 현실로 이루어지는 데 소중한 밑거름이 되기를 기대합니다.

뜨거운 여름을 함께 한, 숲속의 벗을 그리면서
선우 빈

기출족보 1500제의 사용 설명서

❶ 이론서와 병행

기출문제집을 볼 때는 꼭 이론서와 함께 보셔야 합니다. 각자 가지고 있는 이론서의 한 시대나 한 단원을 공부하고 난 후 문제편을 보면서 확인 학습을 해 둡니다.
기출문제편을 먼저 푼 경우도 마찬가지로 이론서를 확인해 두시고, 출제자가 만점을 방지하기 위해 낸 지엽적인 내용은 기본서에 없을 수도 있으니 그 경우는 이론서에 간단히 기록해 둡니다.

❷ 문제 옆 □□□ 이용법

- 회독 수와 함께 문제 오답 유형을 표시해 둡니다.
- 1회독 때는 첫 번째 박스에, 2회독 때는 두 번째 박스에, 3회독 때는 세 번째 박스에 오답 표시를 해 둡니다.
  - 문제를 확실하게 이해하고 맞혔을 경우 ⇨ ⓞ
  - 문제를 맞히기는 하였으나 확실하게 이해하고 푼 것이 아닌, 애매한 경우 ⇨ △
  - 문제를 틀린 경우 ⇨ ×
- 1회독 때 ○△× 표시를 해 두면 2회독, 3회독 때 공부의 범위를 좁힐 수 있고, 본인의 약점을 파악하기가 수월해집니다. 이후 복습할 때 ○△× 표시를 보면서 ○표시된 문제는 가볍게 보고 넘어가고, △와 ×가 표시된 문제를 중점적으로 풉니다. 그래도 이해가 안 되는 경우는 선우쌤의 네이버 카페(cafe.naver.com/swkuksa)로 오셔서 학습Q&A를 이용하시면 됩니다.

❸ 기본편과 심화편의 활용

- 1회독 때: 기본서 1회독 때는 한 단원을 마치면 우선 기본편 문제만 풀어 봅니다.
- 2회독 이상 때: 기본서 2회독이나 그 이상이 될 때는 심화편 문제를 같이 풉니다. 이때 한국사검정 문제는 난도 상의 문제들이 많기 때문에 처음에는 풀지 않아도 됩니다.

❹ PLUS 선지 O×의 활용

행정안전부 이외에 타직렬에서 출제한 문제 중 주요 선지들을 모아 PLUS 선지 ○×를 구성하였습니다. 지엽적이지만 ○× 문제를 통해 다시 한번 주요 개념을 확인하는 효과가 있을 것입니다.

이 책의 차례

2권
심화편

제1편 역사 인식 및 선사 시대와 국가의 형성

제1장 역사 인식 ··· 8
제2장 선사 시대의 전개 ··· 10
제3장 국가의 형성 ··· 16

제2편 고대 사회의 발전

제1장 고대 사회의 성립 ··· 24
제2장 고대의 정치 ··· 28
제3장 고대의 사회 ··· 44
제4장 고대의 경제 ··· 48
제5장 고대의 문화 ··· 52

제3편 중세 사회의 발전

제1장 중세 사회로의 전환 ··· 66
제2장 고려의 정치 ··· 68
제3장 고려의 사회 ··· 86
제4장 고려의 경제 ··· 92
제5장 고려의 문화 ··· 96

제4편 근세 사회의 발전(조선 전기)

제1장 근세 사회로의 전환 ··· 110
제2장 조선 전기의 정치 ··· 114
제3장 조선 전기의 사회 ··· 132
제4장 조선 전기의 경제 ··· 138
제5장 조선 전기의 문화 ··· 146

제5편 근대 사회의 태동(조선 후기)

제1장 조선 후기의 정치 ··· 162
제2장 조선 후기의 경제 ··· 172
제3장 조선 후기의 사회 ··· 178
제4장 조선 후기의 문화 ··· 188

제6편 근대 사회의 발전(개화기)

제1장 근대 사회로의 진전 ··· 204
제2장 근대 사회 발전기의 정치 ··· 212
제3장 근대 사회 발전기의 경제 ··· 232
제4장 근대 사회 발전기의 사회 ··· 238
제5장 근대 사회 발전기의 문화 ··· 240

제7편 민족의 독립운동기(일제 강점기)

제1장 민족의 수난 ··· 250
제2장 항일 독립운동의 전개 ··· 258
제3장 민족 독립운동기의 경제 ··· 272
제4장 민족 독립운동기의 사회 ··· 274
제5장 민족 독립운동기의 문화 ··· 280

제8편 현대 사회의 발전

제1장 현대 사회의 성립 ··· 290
제2장 대한민국의 수립 ··· 298
제3장 민주주의의 시련과 발전 ··· 304
제4장 현대의 경제·사회·문화 ··· 320

부록

제1장 유네스코 지정 문화유산 관련 문제 ··· 330
제2장 조선의 문화유산 관련 한능검 문제 ··· 336

기출문제가
예상문제이다!

01 편

역사 인식 및 선사 시대와 국가의 형성

제1장 역사 인식
제2장 선사 시대의 전개
제3장 국가의 형성

역사 인식

최근 5년간 국가직·지방직 출제 비율

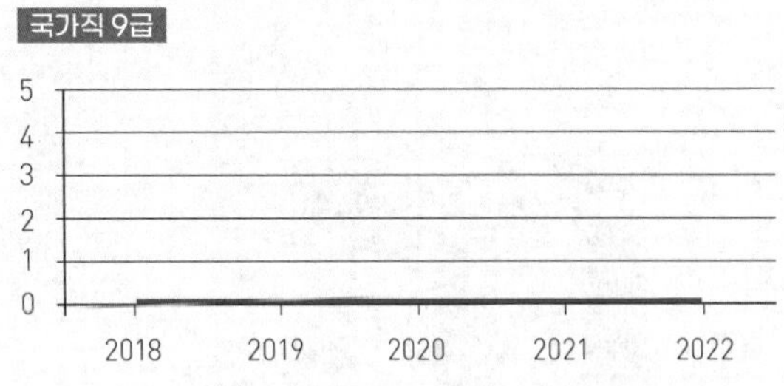

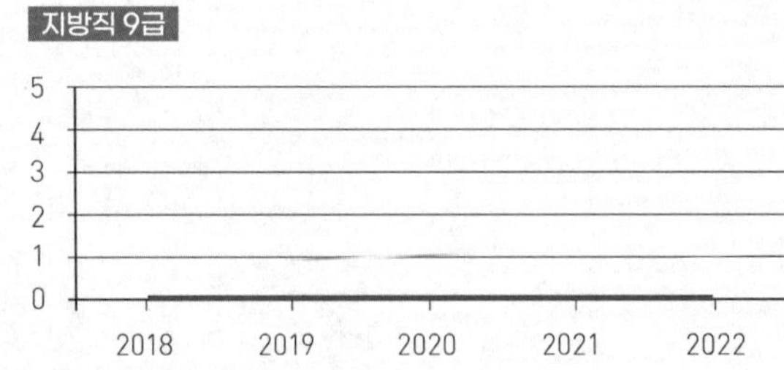

- 모든 계열에서 거의 출제되지 않았다.
- 최근 5년간 국가직과 지방직에서도 단 한 문제도 출제되지 않았다.

주요 고난도 문제 키워드

#기록으로서의 역사

고난도 이론 정리 선우쌤 PICK

역사 인식	
[1] 로서의 역사	[2] 으로서의 역사
• 어원: 독일어 'Geschichte'(일어난 일) • 과거에 일어났던 사실 그 자체 • 객관적 의미의 역사 • 19세기 랑케: "역사가는 자신을 죽이고 오직 역사적 사실만을 이야기하여야 한다." ⇨ 역사의 객관성 강조	• 어원: 영어 'history'(찾아서 안다) • 사실로서의 역사를 토대로 역사가가 주관적으로 재구성한 역사 • 주관적 의미의 역사 • 20세기 크로체: "모든 역사는 현재의 역사" ⇨ 역사가의 현재 주관성 강조 • E. H. Carr: "역사란 과거와 현재의 끊임없는 대화" ⇨ 과거와 현재의 상호 작용

정답 1. 사실 2. 기록

한국사의 바른 이해

0001

다음 사료를 통해 추론할 수 있는 역사 서술의 특징과 맥락을 같이 하는 사례를 〈보기〉에서 고른 것은? 2009. 국가직 9급

> 부여는 장성의 북쪽에 있으며 현도에서 천 리쯤 떨어져 있다. …… 사람들의 체격은 매우 크고 성품이 강직 용맹하며 근엄 후덕해서 다른 나라를 노략질하지 않았다.
> 고구려는 요동의 동쪽 천 리에 있다. …… 좋은 밭이 없어서 힘들여 일구어도 배를 채우기에는 부족하였다. 사람들의 성품은 흉악하고 급해서 노략질하기를 좋아했다. 『삼국지』 동이전

보기

㉠ 김부식의 『삼국사기』에는 불교 관련 기사가 거의 없다.
㉡ 『고려사』는 우왕을 부정적으로 기록하였다.
㉢ 한백겸의 『동국지리지』는 문헌 고증에 입각한 객관적인 역사 연구를 추구하였다.
㉣ 사마천의 『사기』는 기전체로서 역사를 본기 · 세가 · 지 · 열전 · 연표 등으로 나누어 설명하였다.

① ㉠, ㉡ ② ㉠, ㉢
③ ㉡, ㉢ ④ ㉢, ㉣

0002

다음 역사서 편찬 당시 저자의 성향과 사관 등으로 미루어 이 책의 열전(列傳)에 입전(入傳)되지 않은 사람은? 제2회 한국사능력검정시험 고급

> "지금의 학사, 대부는 오경과 제자(諸子)의 글 및 진(秦), 한(漢) 역대의 역사에 대해서는 두루 통하고 자상히 설명하는 자가 더러 있으나, 우리나라의 일에 이르러서는 도리어 아득하여 그 시말을 알지 못하니, 매우 한탄스럽다." …… 또 그 고기(古記)라는 것도 글이 거칠고 볼품없으며 사건의 기록이 누락되어 있어서, 군후(君后)의 선악과 신자(臣子)의 충사(忠邪)와 국가의 안위와 인민의 치란(治亂)을 모두 드러내어 경계로 삼도록 하지 못하였습니다. …… 삼가 본기(本紀) 28권, 연표(年表) 3권, 지(志) 9권, 열전 10권을 찬술하여 ……

① 원효, 의상 등 승려
② 우륵, 솔거 등 예술인
③ 흑치상지, 계백 등 백제인
④ 온달, 연개소문 등 고구려인
⑤ 견훤, 궁예 등 왕건의 경쟁자

0001

출제영역 〉 역사 인식 정답 ▶ ①

정답찾기 '기록으로서의 역사'는 과거 사실을 바탕으로 후대 역사가가 재구성한 것으로, 그 과정에서 역사가의 주관적 평가가 개입된다. 제시된 사료에서 부여와 고구려에 대하여 상반적으로 서술한 것은 당시 중국이 부여와 외교 관계를 수립하였고, 고구려와는 갈등 관계였기 때문이다.
㉠ 김부식의 『삼국사기』는 고려 중기 인종 때 유교주의적 입장에서 서술한 역사서로서 삼국 시대 불교 관련 기사는 거의 서술하지 않았다.
㉡ 조선 15세기 세종 때 편찬이 시작되어 문종 때 완성된 『고려사』는 고려 왕조의 역사를 자주적 입장에서 재정리한 기전체 사서로, 조선 건국을 합리화하는 과정에서 고려 말 우왕, 창왕 대의 사실이 왜곡되었다.

선지분석 ㉢ 17세기 광해군 때 북인 한백겸이 쓴 『동국지리지』는 역사 지리서의 효시로 고증을 통한 실증적 역사학의 시초라고 할 수 있다.
㉣ 기전체는 '사실로서의 역사'에 적합한 역사 서술 체제이다.

0002

출제영역 〉 역사 인식 정답 ▶ ①

정답찾기 제시문 중 '본기 28권'에서 『삼국사기』임을 알아야 한다. 『삼국사기』는 본기 28권, 연표 3권, 지 9권, 열전 10권으로 구성되어 있다. 전체의 절반 이상이 본기로, 열전 위주의 중국 문헌과는 근본적으로 다르다.
① 김부식의 『삼국사기』는 고려 중기 인종 때 편찬된 유교주의적 입장의 역사서로서, 김부식의 주관적 판단에 의해 삼국 시대 불교 관련 기사는 거의 나오지 않는다. 따라서 원효, 의상 등의 승려에 대한 내용은 서술되지 않았다.

선사 시대의 전개

최근 5년간 국가직·지방직 출제 비율

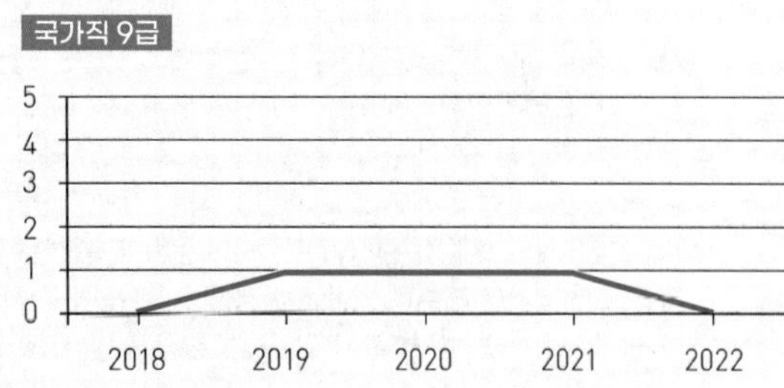

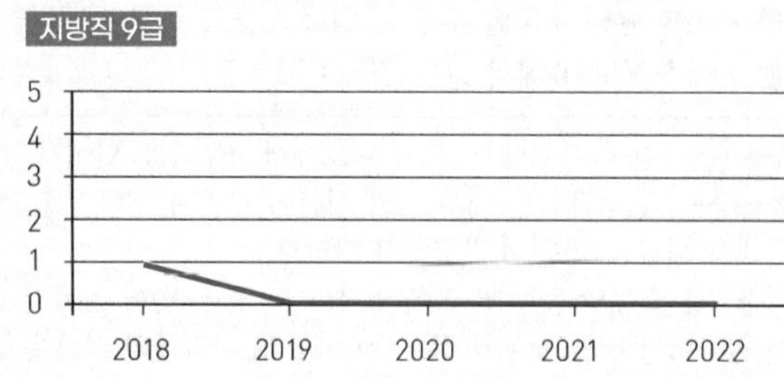

- 최근 출제 비중이 감소하고 있다.
- 2022년에는 국가직과 지방직에서 단 한 문제도 출제되지 않았다.

주요 고난도 문제 키워드

#구석기 유적지 #신석기 유적지 #청동기 유물 #철기 유물

고난도 이론 정리 선우쌤 PICK

구분	내용
구석기 유적	• 전국적 분포 • 충북 단양 금굴: 우리나라 최고(最古) 유적지(70만 년 전) • 평남 상원 [1] 동굴: 주먹 도끼, 긁개 발견 • 충남 공주 [2] : 남한 최초의 유적 발견지(1964), 전기~후기 유적지 • 경기 연천 [3] : 전기 – 유럽 아슐리안계 [4] 출토, 전기~후기 유적지 • 양구 상무룡리: 백두산 산지 추정의 [5] 출토 • 충북 청원 [6] : 흥수아이, 국화꽃을 뿌린 장례 의식 확인 • 함북 종성 [7] : 한반도 최초의 구석기 발견지(1933) • 충북 [8] : 석기 제작지, 눈금새김돌 출토
신석기 유적	• 평남 온천 궁산리: 뼈바늘 등 • 평양 남경: 빗살무늬 토기, 탄화된 좁쌀 등 • 웅기 굴포리 서포항: 조개더미 – 인골(동침신전앙와장 ⇨ [9] 숭배, 내세관), 토기, 화살촉 등 • 황해도 [10] : 탄화된 좁쌀 등 • 서울 [11] : 빗살무늬 토기, 움집 터 등 • 부산 [12] : 이른 민무늬 토기, 조개더미, 흑요석(일본 규슈 산지) 등 • 제주 한경 고산리: 우리나라 최고(最古) 신석기 유적지(B.C. 8,000) • 강원 [13] : 흑요석(백두산 산지), 빗살무늬 토기 등 • 강원도 고성 문암리: 동아시아 최초 신석기 [14] 유적지 발견(2012)
청동기 유물	• [15] (추수용 농기구), 홈자귀 등 • 청동기: [16] 동검, 거친무늬 거울, 농경 관련 청동기 × • 토기: 덧띠새김무늬 토기, [17] (청동기 시대 대표 토기), 미송리식 토기, 붉은 간 토기 • 청동 제품: 주술적 의미 예 청동 방울 • 바위그림: [18] (동물, 어로, 수렵 묘사), [19] (동심원 등 기하학적 무늬 ⇨ 제사 터 의미)
철기 유물	• [20] (낫, 괭이, 보습 등) 사용 ⇨ 농경 발달 • 청동기의 의기화(儀器化) • 독자적 청동기 문화: [21] (한국식 동검), [22] 거울, [23] (청동 제작 틀)의 출현 • 토기: 민무늬 토기, 덧띠 토기, 검은 간 토기, 가지무늬 토기 등

정답 1. 검은모루 2. 석장리 3. 전곡리 4. 주먹 도끼 5. 흑요석 6. 두루봉 동굴 7. 동관진 8. 단양 수양개 9. 태양 10. 봉산 지탑리 11. 암사동 12. 동삼동 13. 양양 오산리 14. 밭[田] 15. 반달 돌칼 16. 비파형 17. 민무늬 토기 18. 울주 반구대 19. 고령 장기리 20. 철제 농기구 21. 세형동검 22. 잔무늬 23. 거푸집

한민족의 형성

0003 □□□

우리나라의 원류인 동이족에 대한 설명으로 잘못된 것은?

2003. 국가직 7급

① 한국인은 동이족의 주류로서 동이족, 예맥족, 한족(韓族) 등으로 불리기도 하였다.
② 청동기 시대의 민무늬 토기인들이 우리 민족의 주류를 이루었다.
③ 언어상 알타이 어를 쓰고 인류학상 북몽골 인종에 속하였다.
④ 한족 문화권, 남방 문화권, 북방 문화권을 포괄하는 지역에 거주하였다.

구석기 · 신석기 시대

0004 □□□

다음은 우리나라의 구석기 유적지를 답사하기 위한 계획표이다. 지도에서 이동해야 할 경로를 옳게 표시한 것은?

제4회 한국사능력검정시험 고급

일차	유적 이름	유적 개요
첫째날	○○리	아슐리안형 주먹 도끼가 아시아에서 처음 발견됨.
둘째날	△△리	남한 지역에서 최초로 발굴 · 조사된 구석기 유적임.
셋째날	□□□ 동굴	후기 구석기 시대에 살았던 것으로 추정되는 어린아이 유골이 출토되어 '흥수아이'로 이름 붙여짐.
넷째날	◇◇ 바위 그늘	동굴이 아닌 바위 그늘 유적으로, 호모 사피엔스의 인골이 출토됨.

① (가) – (나) – (다) – (라)
② (가) – (라) – (다) – (나)
③ (나) – (가) – (라) – (다)
④ (나) – (다) – (라) – (가)
⑤ (라) – (다) – (나) – (가)

0003

출제영역 선사 시대 및 민족 형성 　 정답 ▶ ④

정답찾기 ④ 우리 민족은 동방 문화권 지역(만주, 한반도)에 거주하였다. 신석기인이 해안이나 강변 지역에 정착하기 시작하면서 농경 생활을 바탕으로 독자적인 문화(동방 문화권)를 형성하였다. 이들은 중국 요령(랴오닝)성, 길림(지린)성을 포함하는 만주 지역과 한반도를 중심으로 동북아시아에 넓게 분포하였는데, 이들이 바로 우리 민족을 형성하는 근간이 되었다.

더⊕알아보기 **한(韓)민족의 형성**

1. **구석기**: 사람 살기 시작(직접적 조상은 아님.)
2. **신석기~청동기**: 민족의 형성(요령, 만주, 한반도 분포)
   - **근간 형성**: 신석기 빗살무늬 토기인(고아시아족)
   - **주류 형성**: 청동기 민무늬 토기인(예맥족)
3. **동방 문화권 형성**: 하나의 민족 단위, 농경을 바탕으로 독자적 문화 형성

0004

출제영역 구석기의 이해 　 정답 ▶ ②

정답찾기 (가) 경기도 연천 전곡리 ⇨ (라) 공주 석장리 ⇨ (다) 청원 두루봉 동굴 ⇨ (나) 단양 상시 바위 그늘

더⊕알아보기 **구석기 시대 대표 유적지**

- **단양 금굴**: 70만 년 전[최고(最古) 유적지]
- **공주 석장리**: 기둥 자리(⇨ 막집), 불 땐 자리(⇨ 불 사용), 개 모양 석상(⇨ 원시 주술적 예술)
- **연천 전곡리**: 전기 – 유럽 아슐리안계 주먹 도끼 출토(동아시아 최초)
- **청원 두루봉 동굴**(후기): 흥수아이(꽃가루 출토)
- **단양 수양개**(후기): 석기 제작지, 눈금새김돌 출토
- **양구 상무룡리**: 백두산 산지 추정의 흑요석 출토

0005

1960년대 전반 남북한에서 각기 조사 발굴되어 한국사에서 구석기 시대의 존재를 확인시켜 준 유적들을 바르게 짝지은 것은?

2014. 국가직 9급

	남한	북한
①	제주 빌레못 유적	상원 검은모루 유적
②	공주 석장리 유적	웅기 굴포리 유적
③	단양 상시리 유적	덕천 승리산 유적
④	연천 전곡리 유적	평양 만달리 유적

0005

출제영역 〉 구석기의 이해

정답 ▶ ②

정답찾기 이러한 문제는 9급 공무원 시험에서 자주 출제되는 유형은 아니다. 다만 2014년은 공주 석장리 발굴 50주년이 되는 해였기 때문에 학술 대회가 활발하게 전개되었고, 그러한 사회적 분위기가 문제에 반영되었다.

② 공주 석장리 유적은 남한 최초의 구석기 유적 발견지로 1964년에, 웅기 굴포리 유적은 해방 이후 북한 최초의 구석기 유적 발견지로 1963년에 발굴되었다.

청동기 · 철기 시대

0006

다음의 설명에 대한 유적으로 옳은 것은?

2012. 경찰간부

- 국보 제285호로 지정된 암각화이다.
- 최근 이 유적의 보존 문제가 사회 문제로 대두되고 있다.
- 사슴, 고래, 거북, 물고기, 호랑이, 멧돼지, 곰, 성기를 노출한 사람의 모습 등과 함께 배와 어부의 모습, 사냥하는 장면 등 많은 그림이 그려져 있다.

① 울주 천전리 암각화
② 울주 대곡리(반구대) 암각화
③ 고령 양전리 암각화
④ 영일 칠포리 암각화

0006

출제영역 〉 청동기의 이해

정답 ▶ ②

정답찾기 제시문은 울주 대곡리(반구대) 암각화에 대한 설명이다. 울주 반구대 암각화는 300여 점의 사실적인 그림이 새겨져 있는데, 이것은 청동기인들의 사냥과 고기잡이의 성공과 풍요를 비는 염원의 표현으로 보인다.

0007

다음 중 비파형 동검과 세형동검을 기반으로 한 청동기 문화에 대한 설명으로 옳은 것을 모두 고르면?

2008. 지방직 7급

㉠ 동호(東胡)의 유적에서도 비파형 동검 문화가 발견된다.
㉡ 은(殷)이나 주(周)의 청동기 문화와 구별되는 개성을 지녔다.
㉢ 농경이 널리 행하여져 경제생활에서 농업의 비중이 커졌다.
㉣ 내몽골 지역의 오르도스식 청동기와 문화 계통이 다르다는 것을 말해 준다.

① ㉠
② ㉠, ㉡
③ ㉠, ㉡, ㉢
④ ㉠, ㉡, ㉢, ㉣

0007

출제영역 〉 청동기의 이해

정답 ▶ ④

정답찾기 ㉠㉡㉣ 청동기 비파형 동검 문화는 중국 황하 유역의 은(殷)이나 주(周)의 청동기 문화나 유목민인 흉노족 등의 오르도스식 청동기 문화와는 다른 스키토 시베리안 양식의 특징과 개성을 지녔다.

㉢ 청동기 시대에는 농경이 발달하여 농업의 비중이 커지고 생산량이 증가하여 잉여 생산물이 발생하였다. 농경의 발달로 수렵이나 어로의 비중은 낮아졌다.

선사 시기 구분

0008 □□□

다음은 각 유물과 그것이 사용되던 시기의 사회 모습에 대한 설명이다. 옳은 것만을 모두 고르면? 2018. 지방직 9급

> ㉠ 슴베찌르개 – 벼농사를 짓기 시작하였고 나무로 만든 농기구를 사용하였다.
> ㉡ 붉은 간 토기 – 거친무늬 거울을 사용하여 제사를 지내거나 의식을 거행하였다.
> ㉢ 반달 돌칼 – 농사를 짓기 시작했지만 아직 지배와 피지배 관계는 발생하지 않았다.
> ㉣ 눌러찍기무늬 토기 – 가락바퀴와 뼈바늘을 이용하여 옷이나 그물을 만들어 사용하였다.

① ㉠, ㉡ ② ㉠, ㉢
③ ㉡, ㉣ ④ ㉢, ㉣

0008

출제영역〉 선사 시대의 이해 정답 ▶ ③

정답찾기 ㉡ 붉은 간 토기와 거친무늬 거울 모두 청동기 시대의 대표적인 유물이다.
㉣ 신석기 시대에 대한 설명이다.

선지분석 ㉠ 슴베찌르개는 슴베(자루)가 달린 찌르개로 창의 기능을 하였으며, 구석기 후기에 사용하였다. 벼농사가 시작된 것은 청동기 시대이다.
㉢ 반달 돌칼은 청동기 시대에 사용된 농기구로, 청동기 시대에는 생산 증가에 따른 잉여 생산물의 축적과 사적 소유로 빈부 차이와 계급이 발생하였다. 농사를 짓기 시작했지만 지배와 피지배 관계가 발생하지 않은 시기는 신석기 시대이다.

0009 □□□

(가)~(라)에 들어갈 내용으로 가장 옳은 것은? 2015. 법원직

〈당시 사람들의 생활 방식 체험 활동〉

유적지	유적 개요	체험 활동
연천 전곡리	아슐리안 석기 형태를 갖춘 주먹 도끼와 박편도끼가 동아시아에서 처음 발견됨.	(가)
서울 암사동	한강변에 위치하며, 원형 혹은 귀퉁이를 없앤 사각형의 움집이 다수 발굴됨.	(나)
여주 흔암리	구릉 경사지에 반움집 형태의 주거지를 형성하였으며 탄화된 쌀이 발견됨.	(다)
강화 부근리	높이 2.6m, 덮개돌의 추정 무게 약 50톤 이상의 탁자식 고인돌을 비롯한 여러 기의 고인돌이 있음.	(라)

① (가) – 돌을 갈아서 돌도끼 만들기
② (나) – 반달 돌칼로 벼 이삭 따기
③ (다) – 흙을 빚어 그릇 만들기
④ (라) – 쇠쟁기로 밭 갈기

0009

출제영역〉 선사 시대의 이해 정답 ▶ ③

정답찾기 ③ 여주 흔암리는 청동기 유적지로 이곳에서 탄화미가 출토되었다. 청동기 시기에 민무늬 토기 등을 제작하였다.

선지분석 ① 연천 전곡리(구석기 유적지) – 간석기(신석기)
② 서울 암사동(신석기 유적지) – 반달 돌칼(청동기)
④ 강화 부근리(청동기 유적지) – 쇠쟁기 등 철제 농기구(철기)

0010 □□□

다음의 유적지에 대한 설명으로 가장 옳은 것은?

2017. 서울시 사회복지직 9급

① 사천 늑도 유적에서 반량이라는 글자가 새겨진 청동 화폐가 출토되었다.
② 부산 동삼동 패총에서는 주춧돌을 사용한 지상 가옥이 발견되었다.
③ 단양 수양개에서 발견된 아이의 뼈를 '흥수아이'라 부른다.
④ 울주 반구대에는 사각형 또는 방패 모양의 그림이 주로 새겨져 있다.

0010

출제영역 〉 선사 시대의 이해 정답 ▶ ①

정답찾기 〉 ① 경남 사천 늑도 패총 유적지에서는 진(秦)에서 사용한 청동 화폐인 반량전이 발견되었다. 기타 한반도 남부 유적지(해남 군곡리 패총, 고흥 거문도 패총, 창원 성산 패총 등)에서 중국 화폐가 출토되어 당시 중국과의 교류를 짐작하게 한다.

선지분석 〉 ② 부산 동삼동 패총은 신석기 시대의 유적지이다. 주춧돌을 사용한 지상 가옥은 청동기 시대의 주거 형태이다.
③ '흥수아이'라 불리는 어린 아이의 뼈가 발견된 곳은 청원 두루봉 흥수 동굴이다. 단양 수양개는 후기 구석기 유적지로 석기 제작지, 고래와 물고기 조각품, '눈금새김돌'이 발견되었다.
④ 울주 반구대(대곡리) 암각화는 사슴, 고래, 거북, 물고기, 호랑이, 멧돼지 등 사실적인 그림이 새겨져 있다. 고령 장기리(구 지명, 양전동) 바위그림에 사각형, 동심원 등 기하학적 그림이 새겨져 있다.

0011 □□□

(가)~(라)에 대한 설명으로 옳은 것을 〈보기〉에서 모두 고른 것은?

2011. 지방직 7급 / 2011. 법원직 · 수능 유사

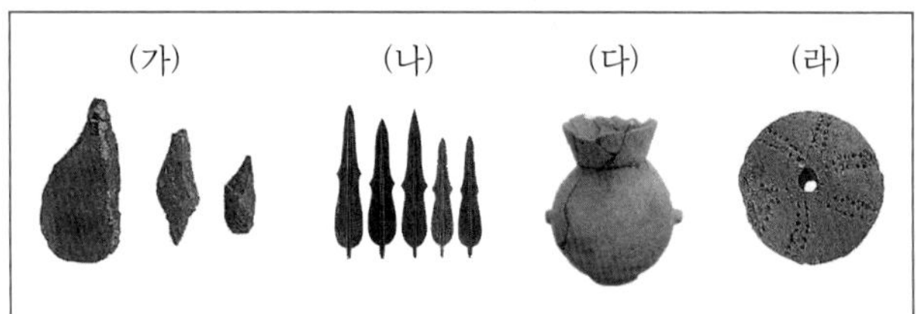

보기
㉠ (가)의 슴베찌르개는 주로 구석기 시대 후기에 이르러 사용하였는데, 이것은 창의 기능을 하였다.
㉡ (나)는 만주로부터 한반도에 이르는 넓은 지역에서 출토되어, 이 지역이 같은 문화권에 속하였음을 보여 준다.
㉢ (다)는 신석기 시대의 대표적인 토기이다.
㉣ (라)는 원시적 수공업 생산이 이루어졌음을 보여 주는 유물이다.

① ㉠, ㉡
② ㉡, ㉢
③ ㉠, ㉡, ㉣
④ ㉡, ㉢, ㉣

0011

출제영역 〉 선사 시대의 이해 정답 ▶ ③

정답찾기 〉 (가) 슴베찌르개(구석기 후기), (나) 비파형 동검(청동기), (다) 미송리식 토기(청동기), (라) 가락바퀴(신석기)

선지분석 〉 ㉢ 신석기 시대의 대표적인 토기는 빗살무늬 토기이다.

PLUS⁺ 선지 OX 선사 시대의 전개

01 구석기 전기에는 큰 석기 한 개를 가지고 여러 용도로 사용했으며, 중기에는 쐐기 같은 것을 대고 때려 형태가 같은 여러 개의 돌날 격지를 만드는 데까지 발달하였다. 2009. 서울시 9급 O X

02 구석기 평양 대현동 유적에서 역포인이, 덕천 승리산 동굴에서 용곡인이 출토되었다. 2021. 경찰간부 O X

03 1935년 두만강 가의 함경북도 종성군 동관진에서 한반도 최초로 구석기 시대 유물인 석기와 골각기 등이 발견되었다. 2020. 국가직 9급 O X

04 구석기 시대 유적지인 충청북도 제천 점말 동굴에서 털코뿔이 뼈가 출토되었다. 2018. 경찰간부 O X

05 신석기 농포동 유적에서는 흙으로 만든 남성 조각품이 출토되어 신석기 시대 후기에는 이미 가부장제 사회로 진입하였음을 확인할 수 있다. 2013. 경찰 1차 O X

06 씨족별로 대략 20~30명씩 무리를 이루어 사냥과 고기잡이, 채집 등을 행하며 공동체 삶을 영위하였던 시기의 대표적인 유적으로 부여 송국리, 고령 장기리가 있다. 2016. 계리직 O X

07 제주 고산리 유적에서는 덧무늬 토기가, 여주 흔암리 유적에서는 붉은 간 토기가 출토되었다. 2021. 경찰 2차 O X

08 신석기 시대의 움집은 중앙에 화덕을 설치하고 햇빛을 많이 받는 남쪽으로 출입문을 내었다. 2019. 경찰간부 O X

09 서울 암사동에서 출토된 빗살무늬 토기는 바닥이 납작한 평저(平底)를 특징으로 한다. 2015. 국가직 7급 O X

10 청동기 시대의 토기로는 미송리식 토기, 이른 민무늬 토기, 덧무늬 토기가 대표적이다. 2016. 경찰 1차 O X

PLUS⁺ 선지 OX 해설 선사 시대의 전개

01 ☒ 쐐기 같은 것을 대고 때려 형태가 같은 여러 개의 돌날 격지를 만드는 데까지 석기를 만드는 방식이 발전한 것은 구석기 후기이다.

02 ☒ 평양 대현동 유적에서는 7, 8세 정도의 어린아이의 유골인 역포인이 발견되었으며, 덕천 승리산 동굴에서는 35세 가량의 남자 유골인 승리산인이 출토되었다. 용곡인은 평양 상원군 용곡리 유적에서 출토되었다.

03 ⓞ 한반도 최초의 구석기 발견지는 함경북도 종성 동관진 유적지이다.

04 ⓞ 제천 점말 동굴 유적에서는 털코뿔이·동굴곰·짧은꼬리 원숭이 등의 동물 화석 20종이 발견되었다.

05 ☒ 신석기 농포동 유적에서는 흙으로 만든 여인상이 출토되었다. 또한 신석기 시대는 모계 사회였다.

06 ☒ 씨족별로 대략 20~30명씩 무리를 이루어 사냥과 고기잡이, 채집 등을 행하며 공동체 삶을 영위하였던 시기는 신석기 시대이고, 부여 송국리와 고령 장기리는 청동기 시대의 대표 유적지이다.

07 ⓞ 제주 고산리 유적지는 우리나라 최고(最古)의 신석기 유적지로, 덧무늬 토기와 삼각형 모양의 돌화살촉이 출토되었다. 여주 흔암리는 대표적인 청동기 유적지로, 비파형 동검, 붉은 간 토기, 반달 돌칼 등 청동기 시대의 전형적인 유물이 출토되었다.

08 ⓞ 신석기 시대의 움집은 중앙에 불씨를 보관하거나 취사나 난방을 위한 화덕이 있었으며, 햇볕을 많이 받는 남쪽으로 출입문을 냈다.

09 ☒ 서울 암사동 빗살무늬 토기는 강이나 바다 부근의 부드러운 땅에 고정하기 쉽도록 토기 밑부분이 뾰족하였다.

10 ☒ 이른 민무늬 토기와 덧무늬 토기는 신석기 시대의 대표적인 토기이다.

CHAPTER

03 국가의 형성

최근 5년간 국가직·지방직 출제 비율

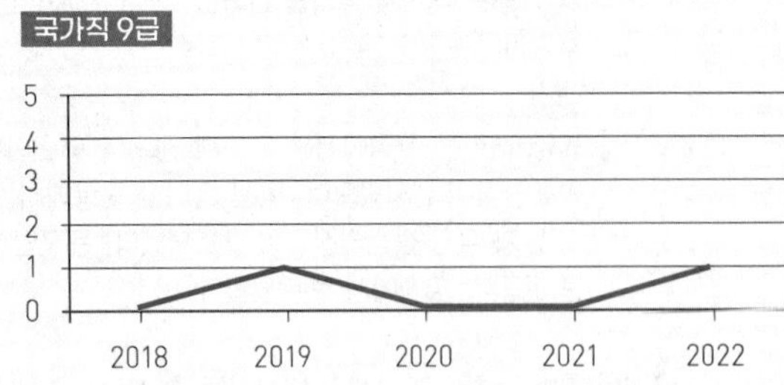

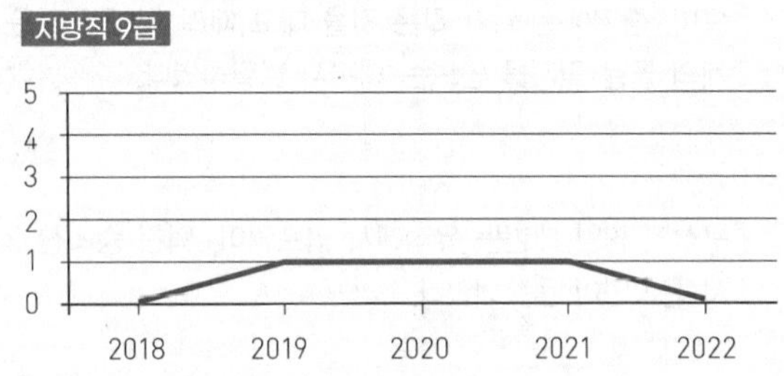

- 평균 한 문제 정도 출제된다.
- 최근 고조선의 출제 비중이 현저히 감소되었다(최근 5년간 출제 안됨).
- 최근 5년간 '옥저'의 출제 비중은 증가하였다(2022 국가직, 2019 · 2020 지방직).

주요 고난도 문제 키워드

#고조선에 대한 후대인의 인식 #고조선이 기록된 사서 #부여의 우제점법
#초기 국가의 장례 풍습 #초기 국가의 위치

고난도 이론 정리 선우쌤 PICK

고조선 기록	단군 건국 이야기	[1] ______ (일연, 고려 충렬왕), 『제왕운기』(이승휴, 고려 충렬왕), 『세종실록지리지』(춘추관, 조선 단종), 『응제시주』(권람, 조선 세조), [2] ______ (노사신, 조선 성종)	
	8조법	[3] ______ 지리지(현재 – 3조항 전해짐.)	
	고조선 기록	[4] ______ ('조선'이란 명칭이 처음 나온 중국 문헌), 『위략』, 『산해경』, 『동국사략』, 『삼국사절요』, 『동국통감』 등	
단군 조선, 기자 조선, 위만 조선에 대한 후대 인식	조선 전기	• 조선의 국호(단군 조선 – 기자 조선) • 15C [5] ______ (단군>기자) vs 16C 사림파(단군<기자)	
	조선 후기	17세기	• 『동국통감제강』(홍여하): 기자 조선 – 마한 – 신라를 정통으로 인식(단군 조선 제외) • 『동사』(허목): 단군 조선 – 기자 조선 – 신라를 이상 시대로 인식
		18세기	• 『동국역대총목』(홍만종): 단군 조선 – 기자 조선 – 마한 – 신라를 정통으로 인식(단기 정통론) • [6] ______ (이종휘): 단군 조선에서 고려까지 서술(통사), 단군 조선 – 기자 조선 – 삼한 – 부여 – 고구려 – 발해로 이어지는 역사 인식 제시 • [7] ______ (안정복): 단군 조선 – 기자 조선 – 삼한(마한) – (통일) 신라를 정통으로 인식(삼한 정통론) ⇨ 중국 중심의 역사관 탈피
	근대	• 1909년 나철의 [8] ______ 창시(단군 숭배) • 『조선상고사』(신채호): 고대사의 체계를 단군 ⇨ 부여 ⇨ 고구려로 연결	

정답 1. 『삼국유사』 2. 『동국여지승람』 3. 『한서』 4. 『관자』 5. 훈구파 6. 『동사』 7. 『동사강목』 8. 대종교

고조선

0012

다음 그림에 대한 설명으로 옳은 것은? 2009. 지방직 7급

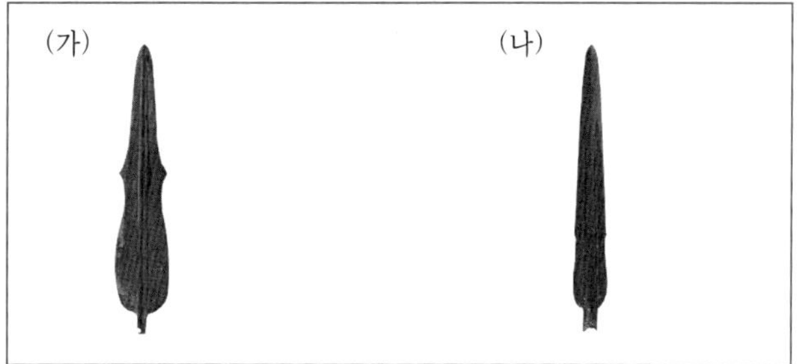

① (나) 시기의 지배자는 스스로 '왕'이라 일컫고, 중국의 연(燕)나라를 공격할 계획을 세우기도 하였다.
② (가) 시기의 사람들은 주로 바닷가의 움집에서 빗살무늬 토기를 사용하였다.
③ (가)는 대체로 요하 일대, 요동반도 그리고 한반도 서북 지역에서 발견되며 후기 고조선의 대표적 유물이다.
④ (나)는 독자적 양식으로 옛 마한 지역을 중심으로 분포하며 청동제 농기구와 함께 발견되고 있다.

0013

다음 역사적 사건을 발생한 순서대로 가장 적절하게 나열한 것은? 2017. 경찰 2차

㉠ 우거왕이 살해되고, 왕검성이 함락되었다.
㉡ 위만이 고조선의 준왕을 축출하고 스스로 왕이 되었다.
㉢ 한(漢)은 고조선 영토에 네 개의 군현을 설치하였다.
㉣ 예(濊)의 남려가 28만여 명의 주민을 이끌고 한(漢)에 투항하였다.
㉤ 고조선이 군대를 보내 요동도위 섭하를 살해하였다.

① ㉡ – ㉠ – ㉤ – ㉣ – ㉢　② ㉡ – ㉣ – ㉤ – ㉠ – ㉢
③ ㉡ – ㉤ – ㉣ – ㉠ – ㉢　④ ㉤ – ㉡ – ㉢ – ㉠ – ㉣

0014

다음 신화에 대한 설명으로 옳지 않은 것은? 2018. 지방직 7급

옛날에 환인의 아들 환웅이 있었는데, 자주 천하를 차지할 뜻을 두고 사람이 사는 세상을 탐내고 있었다. 그 아버지가 아들의 뜻을 알고 아래로 삼위태백을 내려다보니, (그곳이) 인간을 널리 이롭게 해 줄만 하였다. 이에 (환인은) 천부인 세 개를 (환웅에게) 주고, 가서 인간의 세계를 다스리게 하였다. 『삼국유사』

① 신화의 내용이 『고기(古記)』에 수록되어 있었다.
② 고조선이 중국의 제(齊)와 교역하였음을 전하고 있다.
③ 단군이 중국의 요(堯)가 재위하던 시기에 건국하였다고 한다.
④ 환웅이 풍백·우사·운사를 거느리고 세상을 다스렸다고 한다.

0012

출제영역 〉 고조선의 발전 과정 이해 정답 ▶ ①

정답찾기 (가) 비파형 동검(청동기), (나) 세형동검(철기)
① 중국 사서 『위략』에 의하면 B.C. 4세기경 조선후는 스스로 왕이라 칭하고 군사를 일으켜 연을 공격할 계획도 세웠다고 기록되어 있다.

선지분석 ② 신석기 시대에 대한 설명이다.
③ (가)는 고조선 전기 대표 유물이다.
④ 청동제 농기구는 존재하지 않으며, 세형동검은 철제 농기구와 함께 발견되고 있다.

0013

출제영역 〉 고조선의 발전 과정 이해 정답 ▶ ②

정답찾기 ㉡ B.C. 194년 ⇨ ㉣ B.C. 128년 ⇨ ㉤ B.C. 109년 ⇨ ㉠ B.C. 108년 ⇨ ㉢ 고조선 멸망(B.C. 108년) 이후

0014

출제영역 〉 고조선 사회 성격 이해 정답 ▶ ②

정답찾기 ② 고조선이 중국의 제나라와 교역하였음을 보여 주는 문헌은 『관자』 '발조선(發朝鮮)' 편이다. 『삼국유사』의 단군 신화 내용으로는 고조선이 중국과 교류한 내용을 찾아볼 수 없다.

선지분석 ① 단군의 건국 이야기가 실린 『삼국유사』는 중국 『위서』와 『고기』에 기록된 단군 신화 내용을 인용하였다.
③ 『삼국유사』에 실린 『위서』 내용에 단군왕검이 도읍을 아사달에 정하고 나라를 세워 이름을 조선이라 하였는데 중국 요임금과 같은 시대였다는 내용이 나온다. '여고동시(與高同時)'란 고조선의 건국이 요임금과 같은 시대였다는 뜻이다.
④ 단군 신화에 의하면 당시 지배 계급이 바람, 비, 구름 등 농경과 관련된 관리를 두어 농경과 형벌 등의 사회생활을 주관했다고 한다.

0015 □□□

다음과 같은 유물을 남긴 나라에 대한 후대 사람들의 인식으로 옳지 않은 것은? 수능

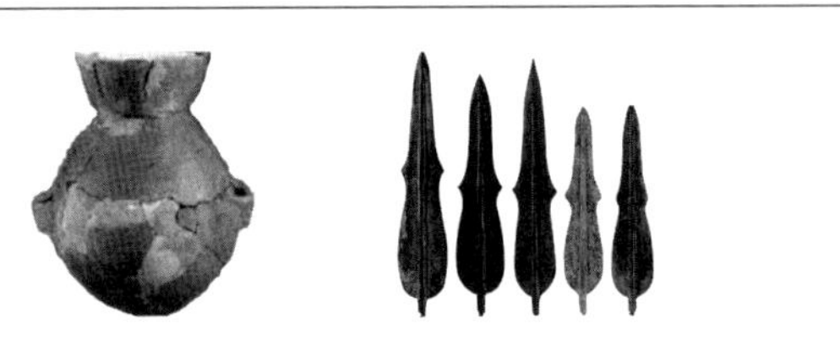

① 고려 초에는 이 나라를 계승했다는 인식이 강해 그 땅을 찾고자 북진 정책을 추진하였다.
② 몽골 침입기에는 민족의식이 고양되어 이 나라를 민족사의 기원으로 확고하게 인식하였다.
③ 조선 왕조가 국호를 '조선'으로 정한 것은 이 나라의 영광을 계승한다는 뜻에서였다.
④ 일제 강점기에는 민족주의 사학자 및 대종교 등 민족 운동의 정신적 구심점이 되었다.
⑤ 현재 우리나라 헌법의 홍익인간 이념으로 계승되고 있으며 민족 통일 운동의 역사적 배경이 되고 있다.

0016 □□□

다음 중 단군 조선의 역사를 다룬 책으로 옳은 것은? 2017. 서울시 9급

① 『삼국사기』　② 『표제음주동국사략』
③ 『연려실기술』　④ 『고려사절요』

0017 □□□

단군에 대한 인식을 설명한 것으로 옳지 않은 것은? 2019. 국가직 9급

① 이승휴의 『제왕운기』에서는 우리 역사를 단군부터 서술하였다.
② 홍만종의 『동국역대총목』은 단군 정통론의 입장에서 기술하였다.
③ 이규보의 『동명왕편』은 단군의 건국 과정을 다루고 있다.
④ 「기미 독립 선언서」에서 '조선 건국 4252년'으로 연도를 표기하였다.

0018 □□□

기자에 대한 인식의 변천을 설명한 것으로 옳지 않은 것은?

2018. 지방직 7급

① 고구려에서는 기자신에게 제사를 지냈다.
② 고려 시대에는 평양에 기자 사당을 세우고 제사를 지냈다.
③ 한백겸은 토지 개혁론의 입장에서 기자의 정전(井田)에 주목하였다.
④ 이익은 '삼한 정통론'에서 기자가 조선에 봉해졌다는 주장을 부정하였다.

0015

출제영역 고조선에 대한 후대인의 인식 정답 ▶ ①

정답찾기 제시된 유물은 미송리식 토기와 비파형 동검으로, 고조선의 세력 범위와 관련된 유물이다.
① 고려는 고조선이 아니라 고구려 계승 이념을 강조하여 북진 정책을 전개하였다.

선지분석 ②③④⑤ 모두 고조선, 단군과 관련된 내용이다.

0016

출제영역 고조선에 대한 후대인의 인식 정답 ▶ ②

정답찾기 ② 『표제음주동국사략』은 조선 중종 때 유희령이 『동국통감』을 대본으로 하여 단군부터 고려 시대까지를 간략히 줄여 쓴 통사이다.

선지분석 ① 『삼국사기』(고려 인종, 김부식)는 삼국의 역사를 다룬 기전체 사서이다.
③ 『연려실기술』(조선 후기, 이긍익)은 조선사를 다룬 기사본말체 사서이다.
④ 『고려사절요』(조선 문종, 김종서)는 고려사를 다룬 편년체 사서이다.

0017

출제영역 고조선에 대한 후대인의 인식 정답 ▶ ③

정답찾기 ③ 이규보의 『동명왕편』은 고구려 건국 영웅인 동명왕의 업적을 칭송한 서사시이다.

선지분석 ① 이승휴의 『제왕운기』는 우리 역사를 단군에서부터 서술하여 중국 역사와 우리 역사가 대등함을 강조하였다.
② 홍만종의 『동국역대총목』은 단군에서 정통이 시작되어 기자로 이어졌다고 이해하는 단기 정통론을 제시하였다.
④ 「기미 독립 선언서」의 맨 마지막에 '조선 건국 4252년 3월 1일 조선 민족 대표'로 적어 단군으로부터 우리의 역사가 시작되었음을 밝히고 있다.

0018

출제영역 고조선에 대한 후대인의 인식 정답 ▶ ④

정답찾기 ④ 이익은 단군 조선 – 기자 조선 – 삼한(마한)을 정통으로 보는 '삼한 정통론'을 주장하였다.

선지분석 ①② 기자를 우리나라를 도덕 국가로 발전시킨 성왕(聖王)으로 존경하여 고구려에서는 평양에서 기자신에 대한 제사를 지냈으며, 고려 시대에는 평양에 기자 사당을 세우기도 하였다.
③ 기자의 정전은 중국 은나라 사람인 기자가 평양에 설치하였다고 전하는 정전(井田)인데, 그 명칭은 『고려사』 지리지에 처음 보이고, 조선 시대 한백겸이 구체적으로 조사・연구하였다.

여러 나라의 성장

0019 □□□

다음 자료에 해당하는 나라에 대한 설명으로 옳지 않은 것은?

2017. 하반기 지방직 9급

> • 대가(大家)들은 농사를 짓지 않고, 앉아서 먹는 자[坐食者]가 1만 여 명이나 된다. 하호가 멀리서 쌀, 곡물, 물고기, 소금을 져서 날라 공급한다.
> • 큰 창고가 없고 집집마다 작은 창고가 있어 부경(桴京)이라고 부른다. 『삼국지』

① 전쟁에 나갈 때 우제점(牛蹄占)을 쳐서 승패를 예측했다.
② 거처의 좌우에 큰 집을 지어 귀신을 제사하고, 영성과 사직에도 제사했다.
③ 금, 은의 폐물로써 후하게 장례를 치렀으며 돌무지무덤(적석총)을 만들었다.
④ 신랑은 처가 쪽에 머물며 자식이 장성한 다음에야 부인을 데리고 본가로 돌아왔다.

0020 □□□

다음과 같은 풍속이 행해진 국가의 사회 모습에 대한 설명으로 옳지 않은 것은?

2014. 국가직 9급 / 2012. 국가직 7급 유사

> 그 풍속에 혼인을 할 때 구두로 이미 정해지면 여자의 집에는 대옥(大屋) 뒤에 소옥(小屋)을 만드는데, 이를 서옥(婿屋)이라고 한다. 저녁에 사위가 여자의 집에 이르러 문 밖에서 자신의 이름을 말하고 꿇어앉아 절하면서 여자와 동숙하게 해줄 것을 애걸한다. 이렇게 두세 차례 하면 여자의 부모가 듣고는 소옥에 나아가 자게 한다. 그리고 옆에는 전백(錢帛)을 놓아둔다. 『삼국지』 동이전

① 고국천왕 사후, 왕비인 우씨와 왕의 동생인 산상왕과의 결합은 취수혼의 실례를 보여 준다.
② 계루부 고씨의 왕위 계승권이 확립된 이후 연나부 명림씨 출신의 왕비를 맞이하는 관례가 있었다.
③ 관나부인(貫那夫人)이 왕비를 모함하여 죽이려다가 도리어 자기가 질투죄로 사형을 받았다.
④ 김흠운의 딸을 왕비로 맞이하는 과정은 국왕이 중국식 혼인 제도를 수용했다는 사실을 알려 주고 있다.

0021 □□□

다음 (　　)의 국가에 대한 설명으로 옳은 것은?

2021. 계리직

> 지금 (　　)의 창고에는 옥으로 된 벽(璧)·규(珪)·찬(瓚) 등 여러 대에 걸쳐 내려온 물건이 있어 대대로 보물로 여기는데, 원로들이 말하길 선대(先代) 왕이 하사받은 것이라 한다. 그 인문(印文)은 '예왕지인(濊王之印)'이다. 『삼국지』 위서 동이전

① 추수가 끝나는 10월에 동맹이라는 제천 행사를 열었다.
② 단궁, 과하마, 반어피 등의 특산물이 생산되었고 10월에 무천이라는 제천 행사를 하였다.
③ 해마다 씨를 뿌리고 난 5월과 추수를 마친 10월에는 계절제를 열어 하늘에 제사를 지냈다.
④ 사출도를 두었으며 12월에 영고라는 제천 행사를 개최하였다.

0019

출제영역 〉 초기 국가의 이해　　**정답 ▶ 답 없음**

정답찾기 제시문에서 설명하고 있는 국가는 고구려이다.
이 문제는 2017년 출제 당시 ①이 정답이었으나, 이의제기 결과 '답 없음' 처리되었다. 출제위원은 사료 안에 『삼국지』라는 책을 제시하여 『삼국지』 위서 동이전에는 고구려의 우제점(복)에 대한 기록이 없고 부여조에만 기록이 나오는 점을 강조하여 답을 ①로 보았으나, 문제 발문에 『삼국지』 기록이라는 조건이 없는 점, 『삼국지』가 아닌 중국 다른 기록에 고구려의 우제점복이 기록된 점에서 결국 '답 없음'으로 처리되었다.

0020

출제영역 〉 초기 국가의 이해　　**정답 ▶ ④**

정답찾기 제시문은 고구려의 '데릴사위제(서옥제)'에 대한 설명이다.
④ 『삼국사기』에 의하면 신라의 신문왕이 일길찬 김흠운의 작은딸을 왕비로 맞을 때 폐백이 15수레, 쌀·술·기름·꿀·간장·된장·포·식혜가 135수레, 벼가 150수레였다고 한다.

선지분석 ①②③ 고구려에 대한 설명이다.

더⊕알아보기 〉 관나부인(貫那夫人)
고구려 중천왕 때의 소비(小妃)이다. 고구려 관노부 출신이었으며 얼굴이 아름답고 특히 두발이 길어 중천왕의 총애를 받았으나 왕비를 모함하여 죽이려다가 거짓임이 탄로나 바다에 던져져 죽임을 당하였다.

0021

출제영역 〉 초기 국가의 이해　　**정답 ▶ ④**

정답찾기 괄호 안에 들어갈 국가는 부여이다.
④ 부여에서 중앙의 가(加)들은 따로 사출도라는 행정 구역을 설정하고 각기 대사자·사자를 두어 직접 통치하였으며, 음력 12월에 영고라는 제천 행사를 개최하여 형옥을 중단하고 죄수를 풀어주었다.

선지분석 ① 고구려, ② 동예, ③ 삼한에 대한 설명이다.

0022 □□□

다음은 3세기 무렵 만주와 한반도 북부 지역에 있었던 나라들의 장례 풍습에 관한 기록이다. (가)~(다) 나라에 대한 설명으로 옳은 것은? 수능

> (가) 여름에 사람이 죽으면 얼음을 넣어 장사 지낸다. 사람을 죽여 순장을 하는데, 많을 때는 백 명을 헤아린다.
> (나) 죽은 자는 모두 가매장했다가 살이 썩으면 뼈를 추려서 큰 목곽 안에 안치한다. 온 가족이 모두 한 곽을 쓴다.
> (다) 장례를 후하게 치러 금·은·재화를 무덤에 넣는다. 돌을 쌓아 봉분을 만들고 주위에 소나무와 잣나무를 심는다.
> 『삼국지』 위서 동이전

① (가)에서는 여(呂)자나 철(凸)자 모양의 집을 많이 짓고 살았다.
② (나)의 지배층 사이에는 형사취수제와 서옥제의 혼인 풍습이 있었다.
③ (다)는 중국과 우호 관계를 맺으며 발전하다가 선비족의 침략을 받고 쇠퇴하였다.
④ (나)는 (가)에 복속되어 소금·어물 등을 공납으로 바쳐야 했다.
⑤ 백제는 시조가 (다)로부터 내려왔으나, 성왕 때에 (가)의 계승을 표방하며 국호를 바꾸었다.

0023 □□□

다음은 어느 초기 국가에 대한 기록이다. 이 나라가 있었던 지역에서 후대에 벌어진 사실로 옳은 것은? 제3회 한국사능력검정시험 고급

> 여자의 나이가 열 살이 되기 전에 혼인을 약속하고 신랑 집에서 맞이하여 장성할 때까지 기른다. 여자가 성인이 되면 다시 친정으로 돌아간다. 여자의 친정에서 돈을 요구하는데, 신랑 집에서 그 돈을 지불한 후에 여자를 다시 데리고 와서 아내로 삼는다. 『삼국지』

① 김윤후가 군민의 힘을 모아 몽골군의 침입을 격퇴하였다.
② 발해가 멸망한 후 정안국이 세워져 부흥 운동을 전개하였다.
③ 서희의 활약으로 거란의 침략을 물리친 후 강동 6주를 두었다.
④ 공민왕 때 쌍성총관부를 공격하여 원으로부터 영토를 수복하였다.
⑤ 갑신정변 직후, 영국이 러시아의 남하를 막기 위해 기지를 설치하였다.

0024 □□□

밑줄 친 '이 지역'에서 발전했던 초기 국가에 대한 설명으로 옳은 것은? 제2회 한국사능력검정시험 고급

> <u>이 지역</u>은 중국과의 교통이 편하고 물산이 풍부하여, 고조선에서 망명한 준왕의 정치 집단이 정착한 곳이었다.

① 철을 많이 생산하여 낙랑, 왜 등에 수출하였다.
② 50여 소국으로 이루어졌고, 제사장인 천군이 지배하던 소도가 있었다.
③ 읍락에는 후, 읍군, 삼로 등의 군장이 있었고, 책화의 풍습이 엄격히 지켜졌다.
④ 남의 물건을 훔쳤을 때에는 물건값의 12배를 배상하게 하고, 질투하는 아내는 죽였다.
⑤ 혼인한 뒤 처가에서 자식을 낳아 기르다가 자식이 장성하면 아내를 데리고 자기 집으로 돌아가는 풍속이 있었다.

0025 □□□

다음 풍속이 행해진 나라의 중심지와 가장 가까운 곳에 위치하였던 문화유산으로 옳은 것은? 2018. 국가직 7급

> 이곳 사람들은 시체를 가매장했다가 썩은 뒤에 다시 뼈만 추려서 큰 목곽에 넣는다. 가족들의 시신도 모두 여기에 합장했으며, 죽은 사람의 모습을 닮은 인형을 만들어 목곽 옆에 두었다. 『삼국지』

① 창녕비 ② 황초령비
③ 사택지적비 ④ 충주 고구려비

0022

출제영역 〉 초기 국가의 매장 풍습 이해 정답 ▶ ⑤

정답찾기 (가) 부여, (나) 옥저, (다) 고구려
⑤ 백제를 건국한 온조는 고구려에서 내려왔다. 이후 성왕은 국력 강화를 위해 사비(부여)로 천도하고 국호를 남부여로 개칭하여 부여 계승 의식을 강조하였다.

선지분석 ① 동예, ② 고구려, ③ 부여에 대한 설명이다.
④ 옥저는 부여가 아니라 고구려에 복속되어 공납을 바쳤다.

0023

출제영역 〉 특정 지역의 역사 이해 정답 ▶ ④

정답찾기 제시문은 옥저의 민며느리제에 대한 설명으로, 옥저는 함경도와 함흥 일대에 위치한 군장 국가였다.
④ 쌍성총관부는 지금의 함경남도 영흥 지역에 위치하였다.

선지분석 ① 김윤후는 몽골 침입 때 처인성(용인)과 충주에서 활동하였다.
② 발해 멸망 이후 발해 유민들이 세운 정안국은 압록강 일대에 세워졌다.
③ 고려 성종 때 거란의 1차 침입 당시 서희가 외교 담판으로 얻어낸 강동 6주는 청천강 이북에서 압록강 이남 지역[홍화진(의주), 용주(용천), 통주(선주), 철주(철산), 귀주(귀성), 곽주(곽산)]이다.
⑤ 1885년 영국이 남하하는 러시아를 견제하기 위해 기지를 설치한 곳은 거문도(전남 여수)이다.

0024

출제영역 〉 특정 지역의 역사 이해 정답 ▶ ②

정답찾기 위만에게 나라를 빼앗긴 준왕은 남쪽의 진나라로 내려가게 되었다. 이 진나라가 삼한으로 발전하는데, 그중 준왕이 정착한 곳인 밑줄 친 '이 지역'은 마한이다.

선지분석 ① 변한, ③ 동예, ④ 부여, ⑤ 고구려에 대한 설명이다.

0025

출제영역 〉 특정 지역의 역사 이해 정답 ▶ ②

정답찾기 제시문은 옥저의 장례 풍습으로, 옥저는 함경도 및 강원도 북부의 동해안 지방에 위치하고 있었다.
② 황초령비(568, 진흥왕 29년)는 진흥왕이 함흥 지방에 진출한 내용을 기록하고 있다.

선지분석 ① 창녕비(561, 진흥왕 22년)는 진흥왕이 창녕 지역을 정벌한 기념으로 건립한 비이다.
③ 사택지적비는 사택지적이란 인물이 말년에 늙어 가는 것을 탄식하여 불교에 귀의하고 불당과 탑을 건립한 것을 기념하기 위해 세운 백제 시대 말기의 비로, 부여에서 발견되었다.
④ 충주(중원) 고구려비는 장수왕이 남한강 유역의 여러 성을 공략하여 개척한 후 세운 기념비로 추정되는 것으로, 충청북도 충주에 위치하고 있다.

PLUS⁺ 선지 OX 국가의 형성

01 중국 측 기록인 『관자』나 『산해경』 등에는 고조선과 관련된 기록이 등장한다. 2017. 서울시 사회복지직 9급 O X

02 단군 신화가 기록된 책으로는 『동국이상국집』, 『제왕운기』, 『세종실록지리지』 등이 있다. 2017. 경찰간부 O X

03 『삼국유사』의 찬자인 일연은 『위서』와 『고기』의 단군 신화를 인용하였다. 2021. 경찰간부 O X

04 『삼국사기』에는 '단군'이라는 직접적인 언급은 없지만 '평양은 본디 선인 왕검이 살던 곳'이라는 설명이 있다. 2021. 경찰간부 O X

05 단군 기원은 『삼국유사』의 요임금 즉위 50년(기원전 2283년)을 따른 것이다. 2021. 경찰간부 O X

06 조선 시대에는 기자 동래설(箕子東來說)을 인정하였다. 2019. 경찰 1차 O X

07 집집마다 부경(桴京)이라는 작은 창고가 있는 나라에서는 금, 은의 폐물로써 후하게 장례를 치렀으며 돌무지무덤(적석총)을 만들었다. 2017. 하반기 지방직 9급 O X

08 다른 읍락을 함부로 침범하면 노비와 소, 말로 변상하게 하는 나라에서는 아이가 출생하면 돌로 머리를 눌러 납작하게 하는 풍습이 있었다. 2017. 국가직 9급 O X

09 감옥과 같은 모양의 성책(城柵)을 둥글게 만든 국가의 사람들은 남녀 모두 몸에 문신을 하였다. 2019. 계리직 O X

10 삼한 사회는 철기 문화를 바탕으로 하는 농경 사회로, 특히 마한에서는 철이 많이 생산되어 낙랑, 왜 등에 수출하였다. 2016. 경찰 2차 O X

PLUS⁺ 선지 OX 해설 국가의 형성

01 ⓞ 중국 측 기록인 『관자(管子)』는 조선이란 명칭이 처음 나온 책으로, 기원전 7C 이전에 조선이 성립된 사실을 기록하고 있다. 『산해경』에는 조선의 위치가 열양(열수의 북이라는 뜻)의 동쪽이라는 기록이 있다.

02 ⊠ 이규보의 『동국이상국집』에는 단군 건국 이야기가 아니라 『동명왕편』이 수록되어 있다. 단군 건국 이야기가 수록된 문헌은 『삼국유사』, 『제왕운기』, 『세종실록지리지』, 『응제시주』, 『동국여지승람』 등이다.

03 ⓞ 단군 건국 이야기가 실린 『삼국유사』에는 중국 『위서』와 『고기』에 기록된 단군 신화 내용이 인용되었다.

04 ⓞ 『삼국사기』에는 고조선에 대한 내용은 없으나, 고구려 동천왕조에 '평양성을 쌓아 백성과 종묘와 사직을 옮겼다. 평양은 본래 선인(仙人) 왕검(王儉)의 집이었다.'라는 기록이 남아 있다.

05 ⊠ 『삼국유사』와 『동국통감』의 기록에 따르면 고조선은 단군왕검에 의해 B.C. 2,333년에 건국되었다.

06 ⓞ 조선 시대에는 기자 사당을 숭인전(崇仁殿)이라 하여 제사를 지내고, 기자를 8조법의 윤리와 정전제의 이상적 토지 제도를 실시한 교화지군(敎化之君)으로 인식하였다.

07 ⓞ 집집마다 부경이라는 창고를 둔 것은 고구려이다. 고구려에서는 혼인 때부터 수의를 마련하고, 장례 때에는 금·은, 돈, 폐백 같은 것을 후하게 썼다. 고구려 지배층은 돌무지무덤을 조성하고 그 앞에 소나무와 잣나무를 심기도 하였다.

08 ⊠ 다른 읍락을 침범하면 노비·소·말로 변상하는 것은 동예의 책화에 대한 설명이다. 그러나 아이가 출생하면 돌로 머리를 눌러 납작하게 하는 편두는 변한의 풍습이다.

09 ⊠ 성책(성을 둘러싼 울타리)을 둥글게 만든 국가는 부여이다. 그러나 남녀 모두 몸에 문신을 한 것은 삼한 중 마한과 변한이다.

10 ⊠ 철이 많이 생산되어 낙랑, 왜 등에 수출한 것은 마한이 아니라 변한이다.

기출문제가
예상문제이다!

02편

고대 사회의 발전

제1장 고대 사회의 성립
제2장 고대의 정치
제3장 고대의 사회
제4장 고대의 경제
제5장 고대의 문화

고대 사회의 성립

최근 5년간 국가직·지방직 출제 비율

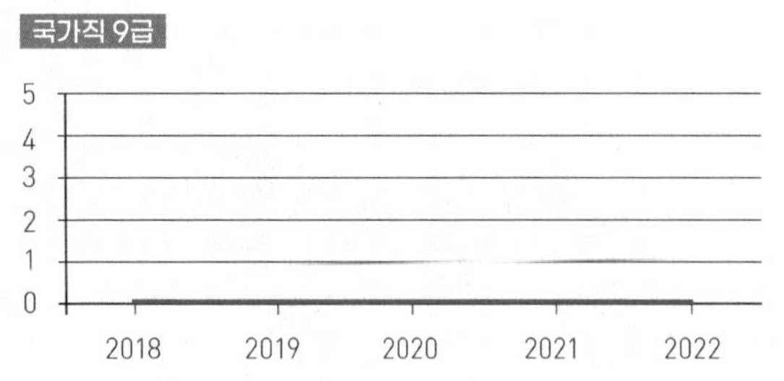

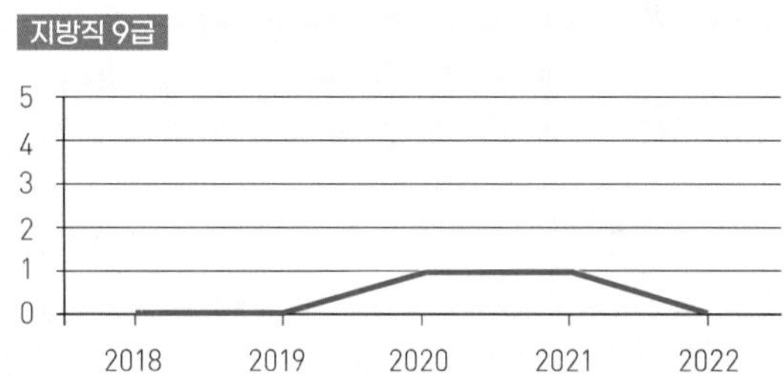

• 최근 5년간 지방직에서 가야 문제 출제 비율이 증가하였다.

주요 고난도 문제 키워드

#신라의 왕호 변천에 따른 발전 과정 #가야 발전 과정

고난도 이론 정리 선우쌤 PICK

신라의 왕호 변천에 따른 발전 과정	거서간	박혁거세	신라 건립, 경주의 토착 집단 세력이 유이민 세력 흡수
	차차웅	남해왕	
	이사금	유리왕	
	마립간	내물왕	• [1] 에 의한 왕위 세습(형제 세습) • 왜 격퇴(광개토 대왕의 도움) : [2] 그릇
		눌지왕	• 왕위 [3] 세습 • [4] 동맹(with 백제 [5], 433)
		자비왕	수도의 방리(坊里)명을 정함.
		[6]	• 우역·시사(시장) 설치 • 부족적 6촌 ⇨ 행정적 [7] 개편 • 백제 동성왕과 결혼 동맹(493)
	왕(王)	지증왕	• 한화 정책 • 순장 금지, [8] 실시(502), [9] 복속(이사부, 512) • 지방 제도 정비 : 주·군 제도 실시, 각 주에 [10] 파견 • 경주에 동시(시장) 및 [11] (시장 감독 관청) 설치
	불교식 왕명	법흥왕	• [12] 설치(517), 율령 반포(520) • 공복 제정, 골품제 정비 • [13] 제도 마련[화백 회의의 장(長)] • '[14]' 연호 사용 • [15] 공인(이차돈의 순교, 527) • [16] 가야 병합(532)
		진흥왕	• [17] 유역 확보[한강 상류 차지(551, 단양 적성비), 한강 하류 차지(555, [18])] ⇨ 당항성 구축(당과 직접 교역) • 함경도 진출(황초령비, 마운령비), [19] 정복(562) cf 창녕비 건립(561) • [20] 공인 : 씨족 사회 유풍인 청소년 단체 • 역사서 편찬 : [21] (거칠부, 545) • '개국', '대창', '홍제' 연호 사용 • 불교 장려 : 황룡사 건립, 고구려 승려 [22] 을 맞아 불교 교단 조직
		진평왕	• '건복' 연호 사용 • 친중국 정책 : [23] 의 걸사표(수나라에 보내 군사 요청)
		선덕 여왕	[24] 9층 목탑, 분황사, 첨성대 건립
		진덕 여왕	• [25] 설치(왕권 강화) : 상대등 약화, 품주를 집사부와 창부로 개편 • [26] 동맹 체결(648), 당에 '태평송' 바침, 중국식 복제와 중국 연호 사용

정답 1. 김씨 2. 호우명 3. 부자 4. 나·제 5. 비유왕 6. 소지왕 7. 6부 8. 우경 9. 우산국 10. 군주 11. 동시전 12. 병부 13. 상대등 14. 건원 15. 불교 16. 금관 17. 한강 18. 북한산비 19. 대가야 20. 화랑도 21. 『국사』 22. 혜량 23. 원광 24. 황룡사 25. 집사부 26. 나·당

신라 왕호 변천

0026 □□□

㉠~㉣에 해당하는 국왕으로 옳지 않은 것은? 2019. 기상직 9급

> 왕을 부르기를 ㉠ 거서간(居西干)이라고 하는데, 진(辰)의 말로 왕이며 혹은 귀인(貴人)을 부르는 칭호라고도 한다. 또 ㉡ 차차웅(次次雄) 혹은 자충(慈充)이라고도 한다. …… 또 ㉢ 이사금(尼師今)이라고도 하는데, 잇금을 이른 말이다. …… 혹자는 (왕을) ㉣ 마립간(麻立干)이라고도 부른다. …… 거서간과 차차웅으로 불린 사람이 (각) 1명, 이사금으로 불린 사람이 16명, 마립간으로 불린 사람이 4명이다. 『삼국유사』

① ㉠ – 혁거세　② ㉡ – 남해
③ ㉢ – 파사　④ ㉣ – 미추

0026

출제영역 〉 신라의 왕호 변천 과정 이해　정답 ▶ ④

정답찾기 ④ 마립간의 칭호는 17대 내물왕 때부터 사용하였다. 미추왕은 이사금의 칭호를 사용하였다.

더⊕알아보기 〉 **신라의 왕호 변천**

1. 거서간(居西干)	1대 박혁거세	귀인·추장·군장의 우두머리로 해석
2. 차차웅(次次雄)	2대 남해	제주(祭主)·제사장·자충(慈充) 등으로 해석
3. 이사금(尼師今)	3대 유리	연장자·계승자 등으로 해석
4. 마립간(麻立干)	17대 내물	대수장(大首長)·마립(麻立, 머리)·마루(瑪樓) 등으로 해석
5. 왕(王)	22대 지증왕	지증왕은 한화 정책(漢化政策)을 추진한 왕으로서, 중국식으로 국호 '신라(新羅)', 왕호 '왕(王)'을 사용
6. 불교식 왕명	23대 법흥왕	법흥왕~진덕 여왕 때에는 불교식 왕명을 사용
7. 중국식 시호	29대 무열왕	무열왕부터는 중국식 시호를 사용

0027 □□□

신라에서 '마립간'이라는 왕호를 사용하던 시대에 있었던 역사적 사실로 옳은 것은? 2011. 기상직 9급

① 병부의 설치와 율령의 반포, 공복의 제정 등을 통하여 통치 질서를 확립하였다.
② 왜를 물리치는 과정에서 고구려의 군대가 신라의 영토 내에 머무르기도 하였다.
③ 수도와 지방의 행정 구역을 정리하였고, 대외적으로는 우산국을 복속시켰다.
④ 진골 귀족에 의한 왕위 계승권이 확립되었다.

0027

출제영역 〉 신라의 왕호 변천 과정 이해　정답 ▶ ②

정답찾기 마립간 시기는 17대 내물왕(356~402)~21대 소지왕(479~500) 때이다.
② 4세기 내물왕 때의 사실이다. 내물왕 때 고구려 광개토 대왕의 도움으로 왜를 격퇴하고 고구려에 조공을 바쳤으며 고구려 군대가 신라 영토 내에 머물기도 하였다.

선지분석 ① 6세기 법흥왕(불교식 왕명기), ③ 6세기 초 지증왕(한자식 '王' 사용), ④ 7세기 무열왕(중국식 시호 사용) 때의 사실이다.

0028 □□□

다음은 신라에서 최초로 우역이 설치된 기록이다. 그 시대적 상황과 가장 거리가 먼 것은? 2010. 계리직

> 비로소 사방에 우역(郵驛)을 두고 맡은 관청에 명하여 관도(官道)를 수리하게 하였다. 『삼국사기』

① 왕위의 부자 상속제 확립
② 활발한 정복 사업의 전개
③ 수도의 방리(坊里) 명칭 제정
④ 수도에 시장 설치

0028

출제영역 〉 신라의 왕호 변천 과정 이해　정답 ▶ ②

정답찾기 제시문은 소지 마립간(479~500)의 업적이다.
① 눌지 마립간(417~458), ② 진흥왕(540~576), ③ 자비 마립간(458~479), ④ 소지 마립간(479~500) 때의 사실로, 소지 마립간의 시대적 상황과 가장 거리가 먼 것은 ② 진흥왕이다.

가야

0029 □□□

지도의 (A)와 (B) 두 지역에 있었던 가야 소국을 비교한 내용으로 옳지 않은 것은?

제2회 한국사능력검정시험 고급

낙
동
(A) 강
남 강 (B)

		(A)	(B)
①	위상	후기 가야 연맹의 맹주	전기 가야 연맹의 맹주
②	성장 배경	높은 농업 생산력과 철 생산	낙랑과 왜를 잇는 중계 무역
③	대표 유적	지산동 고분군	대성동 고분군
④	쇠퇴 배경	고구려군의 침공	백제의 군사적 압박
⑤	멸망	신라 진흥왕 대	신라 법흥왕 대

0030 □□□

금관가야에 대한 설명으로 올바른 것은?

2019. 경찰 1차

① 낙동강 동쪽의 진한 지역에서 독자적 세력으로 성장하였다.
② 낙랑군 등과의 원거리 교역을 통해 중계 무역을 해 왔다.
③ 소백산맥 이남에서 이례적으로 비옥한 농경 지대를 기반으로 성장하였다.
④ 포상 8국(浦上八國)의 난을 계기로 신라 세력을 축출하고 가야 연맹의 맹주로 등극하였다.

0029

출제영역 가야의 발전 과정 이해 　정답 ▶ ④

정답찾기 (A) – 고령의 대가야, (B) – 김해의 금관가야
④ 금관가야는 400년 고구려군의 침공으로 세력이 약화되었고, 대가야는 신라의 낙동강 진출, 529년 신라와의 결혼 동맹 결렬 및 신라의 침략, 554년 관산성 전투에서의 백제(성왕) + 대가야 + 왜 연합군 패배 등의 이유로 멸망하였다.

더+알아보기 **전기 가야 연맹과 후기 가야 연맹**

전기 가야 연맹	형성	김수로, 금관가야 건국(42) ⇨ 3세기 전기 가야 연맹의 중심이 됨(김해, 낙동강 유역 일대).
	쇠퇴	4세기 백제와 신라의 팽창에 밀려 약화 ⇨ 4세기 말 ~5세기 초 광개토 대왕의 왜구 격퇴 과정 중 공격받음. ⇨ 중심 세력 해체 ⇨ 신라 법흥왕에 의해 멸망(532)
후기 가야 연맹	형성	5세기 후반 고령 지역의 대가야를 중심으로 후기 가야 연맹 형성(시조 : 이진아시왕)
	발전	• 5세기 후반 중국 남조와 통교, 신라 + 백제군과 고구려 공격 • 6세기 이뇌왕 때 신라 법흥왕과 결혼 동맹(522) 체결
	쇠퇴	백제 · 가야 · 왜 연합군 vs 신라 ⇨ 관산성 전투(554) ⇨ 신라 승리 ⇨ 신라 진흥왕에 의해 멸망(562)

0030

출제영역 가야의 발전 과정 이해 　정답 ▶ ②

정답찾기 ② 금관가야에서는 풍부한 철 생산과 해상 교통을 이용하여 낙랑, 대방, 왜의 규슈 지방을 연결하는 중계 무역이 발달하였다.

선지분석 ① 금관가야는 진한 지역이 아닌 변한 지역에서 철기 문화를 토대로 농업 생산력의 증대와 점진적인 사회 통합을 거쳐서 발달하였다.
③ 대가야에 대한 설명이다.
④ 포상 8국의 난은 낙동강 하류 및 지금의 경상남도 남해안 일대에 있던 8개의 소국이 금관가야를 공격하자 금관가야가 신라에 구원을 요청하여 이를 물리친 사건을 말한다. 이로 인해 가야 연맹에 대한 신라의 영향력이 확대되었으며, 소국의 공격으로 인해 금관가야가 주도하던 전기 가야 연맹이 약화되기 시작하였다.

PLUS⁺ 선지 OX 고대 사회의 성립

01 신라에서 마립간의 호칭을 사용하던 시기에, 율령을 반포하고 건원이라는 독자적인 연호를 사용하였다. 2017. 하반기 국가직 7급 O X

02 신라에서 왕이라는 명칭을 사용하던 시기에 부자 상속이 이루어졌고, 6부를 설치하였다. 2007. 인천시 9급 O X

03 고령 대가야 시조는 아유타국에서 온 공주와 혼인을 하였다고 전한다. 2017. 국가직 7급 O X

04 고령의 대가야는 호남 동부 지역까지 세력을 확장하였다. 2020. 지방직 9급 O X

05 신라에 투항하여 신라 왕에게 본국을 식읍으로 받은 김구해와 관련된 나라는 중국 남조와 교류하였다. 2021. 경찰간부 O X

06 '구지가'를 건국 신화로 하는 나라 사람인 우륵은 나라가 망할 즈음 가야금을 가지고 신라로 들어갔다. 2020. 경찰간부 O X

07 진흥왕에 의해 복속된 가야 연맹의 시조는 수로왕이며, 그 나라에는 구지봉 전설이 있다. 2017. 지방직 7급 O X

08 금관가야는 낙동강 동쪽의 진한 지역에서 독자적 세력으로 성장하였으며, 철의 생산과 벼농사 발달 및 해상 교통의 유리함에 힘입어 전기 가야 연맹의 주도권을 잡았다. 2019. 경찰 1차 O X

09 금관가야의 일부 왕족이 나라가 멸망한 이후 신라의 진골로 편입되었다. 한능검 O X

10 전기 가야 연맹 시대에는 신라와 거의 비슷한 돌무지덧널무덤이 유행하였다. 2011. 지방직 7급 O X

PLUS⁺ 선지 OX 해설 고대 사회의 성립

01 ☒ 율령을 반포하고 건원이라는 독자적인 연호를 사용한 것은 법흥왕으로 이 시기는 불교식 왕명을 사용하였다.

02 ☒ 부자 상속(5C 눌지 마립간)과 행정적 6부(5C 소지 마립간) 설치는 마립간 시기에 해당한다. 왕(王)이라는 명칭은 6C 지증왕 때부터 사용하였다.

03 ☒ 아유타국에서 온 공주와 혼인을 한 것은 금관가야의 수로왕(김수로)이다.

04 ⓞ 합천, 산청, 함양, 남원, 장수 지역에서 출토된 유물들이 고령 지산동 유적에서 출토된 유물들과 유사성을 보이는 점에서 대가야의 세력이 전라도까지 확산되었음을 유추할 수 있다.

05 ☒ 김구해는 금관가야의 마지막 왕이다. 금관가야는 한 군현이나 동해안의 예, 남쪽의 왜와 교역하였다. 중국 남조와 교류한 것은 백제이다.

06 ☒ '구지가'는 금관가야의 건국 신화이다. 우륵은 대가야 사람으로 진흥왕 때 신라에 귀화하여 국원소경(충주)에서 신라 음악 발전에 기여하였다.

07 ☒ 진흥왕에 의해 복속된 것은 고령의 대가야이다. 시조가 수로왕이며, 구지봉 전설을 가지고 있는 것은 김해의 금관가야이다.

08 ☒ 금관가야는 진한 지역이 아닌 변한 지역에서 성장하였다.

09 ⓞ 금관가야의 마지막 왕인 구해왕과 그 자손(김유신으로 이어짐.)들은 신라의 진골로 편입되었다.

10 ☒ 돌무지덧널무덤은 4~6세기경에 축조된 신라 고유의 무덤이다. 가야 지역에서는 돌방무덤, 활석돌널무덤, 판석돌널무덤 등이 출토되었다.

CHAPTER

02 고대의 정치

최근 5년간 국가직·지방직 출제 비율

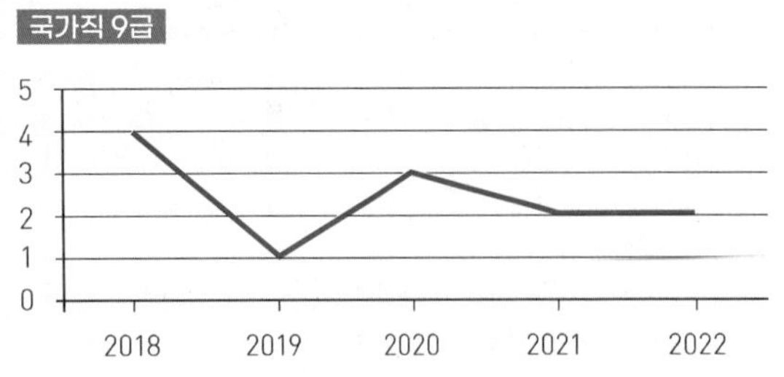

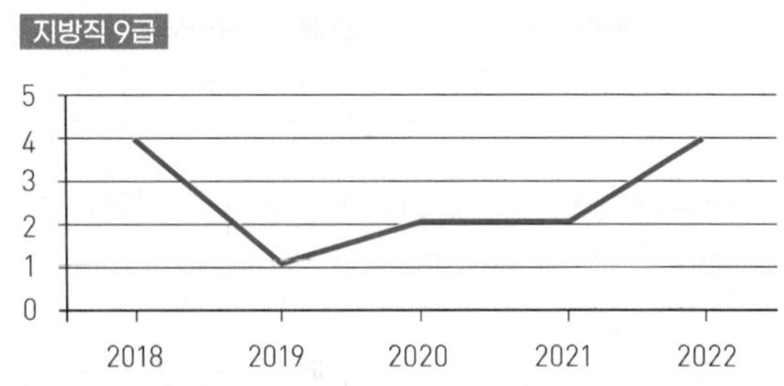

- 최근 5년간 국가직과 지방직에서 꾸준히 2~4문제가 출제되었다.
- 최근 고대의 주요 왕(광개토 대왕, 지증왕, 진흥왕, 발해 무왕)의 업적을 묻는 문제의 비중이 늘고 있다.

주요 고난도 문제 키워드

#7세기 삼국 통일 과정 #발해 특정 왕 재위 시기의 신라의 역사 #중국과 일본의 역사 왜곡

고난도 이론 정리 선우쌤 PICK

	구분	신라	발해
발해와 신라의 시대별 비교	7C	• 무열왕(654~661) – 최초 [1] 출신 왕, 집사부 [2] 강화 • 문무왕(661~681) – 삼국 통일(676), [3] 창건(의상) • 신문왕(681~692) – 전제 왕권 확립([4]의 모역 사건 진압) – 중앙 관청 정비 – 지방 행정 조직(9주 [5]) 정비 – 군사 조직 정비(중앙군 – [6], 지방군 – [7]) – 관리에게 [8] 지급(687) ⇨ [9] 폐지(689) – [10] 설립(유학 사상 강조)	• 고구려 멸망(668) • 대조영의 발해 건국(698)
	8C	• 성덕왕(702~737) – 일반 백성에게 [11] 지급 • 효성왕(737~742) • 경덕왕(742~765) – 관료전 폐지, 녹읍 부활 – 국학 ⇨ [12]으로 명칭 변경 – 불국사·석굴암 창건 • 선덕왕(780~785) • 원성왕(785~798) – [13] 실시(관리 등용 제도, 788)	• 무왕(719~737) – 연호 : [14] – [15]로 하여금 당의 산둥반도 덩저우를 공격하게 함(732). • 문왕(737~793) – 연호 : [16] ⇨ 보력 ⇨ 대흥 – 황제 국가 체제 : 고려국 표방, '황상'의 칭호 사용 – 수도 천도(중경 ⇨ [17] ⇨ 동경) – 당과 국교 수립, 당의 3성 6부 도입 – [18](국립 대학) 설치 – [19] 개설 : 신라와 경제적·문화적 교류 • 5대 성왕(793~794) – 연호 '중흥', 상경 천도
	9C	진성 여왕(887~897) – 원종·애노의 난	선왕(818~830) – 연호 : [20] – 최대 전성기([21]으로 불림), 요동 지역 진출 – [22]의 지방 제도 정비
	10C	• 후백제 건국(900) • 후고구려 건국(901) • 고려 건국(918) • 신라 멸망(935)	대인선 : 거란에 멸망(926)

정답 1. 진골 2. 시중 3. 부석사 4. 김흠돌 5. 5소경 6. 9서당 7. 10정 8. 관료전 9. 녹읍 10. 국학 11. 정전 12. 태학감 13. 독서삼품과 14. 인안 15. 장문휴 16. 대흥 17. 상경 18. 주자감 19. 신라도 20. 건흥 21. 해동성국 22. 5경 15부 62주

고구려의 발전(주요 왕)

0031 □□□

(가)와 (나)의 사건 사이에 발생한 일로 옳은 것은?

2012. 계리직 / 2019. 지방직 9급 유사

> (가) (왕) 41년 10월에 백제왕이 군사 3만 명을 거느리고 평양성을 공격해 왔다. 왕은 군대를 내어 막다가 화살에 맞아 죽었다. 고국의 들에 장사 지냈다. 『삼국사기』
> (나) 즉위년 7월에 남쪽으로 백제를 정벌하여 10성을 함락시켰다. 10월에는 백제의 관미성을 쳐서 함락시켰다. 『삼국사기』

① 국내성에서 평양으로 수도를 옮겼다.
② 낙랑군과 대방군을 한반도 밖으로 쫓아냈다.
③ 불교를 공인하고, 율령을 반포하였다.
④ 빈민 구제를 위해 진대법을 처음 시행하였다.

0032 □□□

밑줄 친 '그'에 대한 설명으로 옳은 것은?

2021. 지방직 9급

> 그가 왕에게 아뢰었다. "삼교는 솥의 발과 같아서 하나라도 없어서는 안 됩니다. 지금 유교와 불교는 모두 흥하는데 도교는 아직 번성하지 않으니, 소위 천하의 도술(道術)을 갖추었다고 할 수 없습니다. 엎드려 청하오니 당에 사신을 보내 도교를 구해 와서 나라 사람들을 가르치게 하소서." 『삼국사기』

① 당나라와 동맹을 체결하였다.
② 천리장성의 축조를 맡아 수행하였다.
③ 수나라의 군대를 살수에서 격퇴하였다.
④ 남진 정책을 추진하여 한성을 점령하였다.

백제의 발전(주요 왕)

0033 □□□

(가)~(라)의 시기에 해당하는 백제 역사에 대한 설명으로 옳지 않은 것은?

2016. 국가직 9급

기원전 18년 건국	(가)	475년 웅진 천도	(나)	538년 사비 천도	(다)	660년 사비성 함락	(라)	665년 문무왕과 회맹

① (가) – 관등제를 정비하고 공복제를 도입하는 등 국가 통치 체제의 근간을 마련하였다.
② (나) – 남쪽의 마한 잔여 세력을 정복하고, 수군을 정비하여 요서 지방까지 진출하였다.
③ (다) – 신라와 연합하여 한강 유역 일부 지역을 수복했으나 얼마 후 신라에게 빼앗겼다.
④ (라) – 복신과 도침 등이 주류성에서 군사를 일으켜 사비성의 당나라 군대를 공격하였다.

0031

출제영역 고구려 발전 순서 이해 정답 ▶ ③

정답찾기 (가) 4세기 중반 고구려 고국원왕, (나) 4세기 말~5세기 초 고구려 광개토 대왕
③ 4세기 후반 소수림왕 때 불교를 공인(372)하고, 율령을 반포(373)하였다.

선지분석 ① 5세기 장수왕, ② 4세기 초 미천왕, ④ 2세기 고국천왕의 업적이다.

0032

출제영역 고구려 발전 과정 이해 정답 ▶ ②

정답찾기 밑줄 친 '그'는 연개소문이다.
② 연개소문은 당나라 침략에 대비하여 부여성에서 비사성에 이르는 천리장성을 만들었다.

선지분석 ① 신라 진덕 여왕 때 김춘추(후에 무열왕), ③ 을지문덕, ④ 장수왕에 대한 설명이다.

0033

출제영역 백제 발전 순서 이해 정답 ▶ ②

정답찾기 ② (가) 4세기 근초고왕 때의 사실이다.

선지분석 ① 3세기 고이왕, ③ 6세기 성왕, ④ 7세기 백제 부흥 운동 때의 사실이다.

0034 □□□

(가)~(라) 시기에 해당하는 백제 역사에 대한 설명으로 옳은 것을 〈보기〉에서 고른 것은? 2017. 교육행정직 9급

260년		371년		475년		554년		660년
	(가)		(나)		(다)		(라)	
관등 제정		평양성 공격		웅진 천도		관산성 전투		사비성 함락

보기
㉠ (가) – 마라난타가 불교를 전하였다.
㉡ (나) – 신라의 눌지왕과 동맹을 맺었다.
㉢ (다) – 지방의 22담로에 왕족을 파견하였다.
㉣ (라) – 국호가 남부여로 개칭되었다.

① ㉠, ㉡ ② ㉠, ㉣
③ ㉡, ㉢ ④ ㉢, ㉣

0035 □□□

밑줄 친 '대왕'이 재위하던 시기의 사실로 옳은 것은? 2016. 국가직 7급

> 우리 왕후께서는 좌평 사택적덕의 따님으로 … (중략) … 기해년 정월 29일에 사리를 받들어 맞이하셨다. 원하오니, 우리 대왕의 수명을 산악과 같이 견고하게 하시고 치세는 천지와 함께 영구하게 하소서.

① 사비의 왕흥사가 낙성되었다.
② 22담로에 왕족을 보냈다.
③ 박사 고흥이 『서기』를 편찬하였다.
④ 노리사치계가 왜에 불상과 불경을 전하였다.

0036 □□□

다음은 백제에서 제작된 유물이다. 〈보기〉에서 이 유물이 제작되었던 시기에 대한 역사적 상황만을 모두 고른 것은? 2020. 경찰 2차

  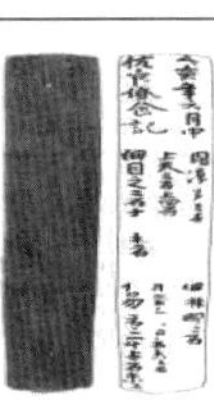 

보기
㉠ 고구려의 공격을 받아 수도가 함락되었다.
㉡ 벽돌을 쌓아서 무덤을 제작하였다.
㉢ 익산에 미륵사를 창건하였다.
㉣ 국호를 남부여로 바꾸었다.
㉤ 한강 유역을 신라에 빼앗겼다.

① ㉠, ㉡, ㉣ ② ㉠, ㉡, ㉤
③ ㉡, ㉢, ㉤ ④ ㉢, ㉣, ㉤

0034

출제영역 〉 백제 발전 순서 이해 정답 ▶ ③

정답찾기 관등 제정 – 고이왕, 평양성 공격 – 근초고왕, 웅진 천도 – 문주왕, 관산성 전투 – 성왕, 사비성 함락 – 의자왕
㉡ 백제 비유왕은 고구려 장수왕의 남하에 대비하여 신라의 눌지왕과 나·제 동맹(433)을 체결하였다.
㉢ 백제 무령왕(재위 501~523)은 지방에 22담로라는 특별 행정 구역을 설치하여 지방 세력을 견제하였다.

선지분석 ㉠ 불교 수용(384, 침류왕) – (나)
㉣ 남부여로 국호 개칭(538, 성왕) – (다)

0035

출제영역 〉 백제 발전 과정 이해 정답 ▶ ①

정답찾기 제시문은 2009년 미륵사지 석탑의 탑신 해체 과정에서 발견된 사리장엄의 문구이다. 이 문구에는 미륵사를 창건한 사람이 무왕의 부인으로, 당시 귀족 사택 집안의 딸이라고 새겨져 있으므로, 밑줄 친 '대왕'은 백제의 무왕이다.
① 무왕은 위덕왕이 창건한 왕흥사를 완성하였다.

선지분석 ② 무령왕, ③ 근초고왕, ④ 성왕 때의 사실이다.

0036

출제영역 〉 백제 특정 시기의 이해 정답 ▶ ④

정답찾기 첫 번째 화보는 백제 의자왕 때 대신이었던 사택지적이 남긴 사택지적비, 두 번째 화보는 부여 능산리지 절터에서 발견된 백제 금동 대향로, 세 번째 화보는 부여 쌍북리에서 출토된 목간 좌관대식기, 네 번째 화보는 2009년 1월 미륵사지 석탑의 탑신 해체 작업 중 발견된 사리장엄이다. 모두 백제의 수도가 사비(부여)였을 시기에 만들어진 것이다.
㉢ 익산 미륵사는 사비 시기인 백제 무왕 때 창건되었다.
㉣ 백제 성왕은 538년 사비(부여)로 천도하고, 국호를 남부여라고 하였다.
㉤ 성왕 때 신라와 협력하여 한강 유역을 일시적으로 회복하였으나, 신라 진흥왕에게 다시 빼앗겼다(553).

선지분석 ㉠ 백제 개로왕 때의 사실로, 당시 수도는 한성이었다.
㉡ 무령왕릉에 대한 설명으로, 웅진(공주) 시기 사실이다.

신라의 발전(주요 왕)

0037

밑줄 친 (   )의 재위 기간에 있었던 사실로 옳은 것은?

2022. 계리직

> (_____) 9년 3월에 사방(四方)의 우역(郵驛)을 비로소 설치하고, 담당 관리에게 명하여 관도(官道)를 수리하게 하였다. 『삼국사기』

① 처음으로 수도에 시장을 열어 사방의 물자를 유통시켰다.
② 중앙 관서를 22부로 정비하고 수도를 5부로 편제하였다.
③ 우산국으로 불리던 울릉도를 정복하여 영토로 편입하였다.
④ 9주와 5소경을 설치하여 지방 행정을 새롭게 정비하였다.

0038

다음 사건이 발생한 왕의 재위 기간에 있었던 사실로 옳은 것은?

2018. 지방직 7급 / 2019. 소방직 유사

> 우산국은 명주의 동쪽 바다에 있는 섬으로, 울릉도라고도 한다. 땅은 사방 백 리인데, 지세가 험한 것을 믿고 복종하지 않았다. 이찬 이사부가 하슬라주 군주가 되어, '우산국 사람은 어리석고도 사나워서 힘으로 다루기는 어렵고 계책으로 복종시킬 수 있다.'고 생각하였다. 이에 나무 사자[木偶師子]를 많이 만들어 전선에 나누어 싣고 그 나라 해안에 다다랐다. … (중략) … 그 나라 사람들이 두려워 즉시 항복하였다.

① 상대등 제도를 시행하였다.
② 아시촌에 소경을 설치하였다.
③ 고구려 승려 혜량을 승통으로 삼았다.
④ 사방에 우역(郵驛)을 처음으로 두었다.

0039

〈보기〉의 밑줄 친 '왕' 대에 이루어진 내용을 옳게 고른 것은?

2019. 서울시 사회복지직 9급

> 보기
> 재위 19년에는 금관국주인 김구해가 비와 세 아들을 데리고 와 항복하자 왕은 예로써 대접하고 상등(上等)의 벼슬을 주었으며, 23년에는 처음으로 연호를 칭하여 건원(建元) 원년이라 하였다.

> ㉠ 국호를 사로국에서 '신라'로, 왕호를 마립간에서 '왕'으로 고쳤다.
> ㉡ 왕은 연호를 고쳐 '개국(開國)'이라 하였으며 『국사』를 편찬토록 하였다.
> ㉢ 왕호를 '성법흥대왕'이라 쓰기도 하였다.
> ㉣ '신라육부'가 새겨진 울진 봉평 신라비가 세워졌다.
> ㉤ 연호를 '인평(仁平)'으로 고쳤으며 분황사와 영묘사를 창건하였다.

① ㉠, ㉡ ② ㉡, ㉢
③ ㉢, ㉣ ④ ㉣, ㉤

0037

출제영역 신라 발전 과정의 이해 정답 ▶ ①

정답찾기 괄호 안에 들어갈 왕은 신라 소지왕(마립간)이다. 신라 소지왕 때 국가 공문서의 송달을 위해 우역(郵驛)을 설치하였다.
① 신라 소지왕 때 경주에 시사라는 시장을 설치하였다(490).

선지분석 ② 백제 성왕, ③ 신라 지증왕, ④ 신라 신문왕에 대한 내용이다.

0038

출제영역 신라 발전 과정의 이해 정답 ▶ ②

정답찾기 제시문은 이사부의 우산국(울릉도, 독도) 정벌 관련 내용으로, 지증왕 때 일이다.
② 아시촌소경은 지증왕 15년(514)에 설치된 최초의 소경이다.

선지분석 ① 법흥왕, ③ 진흥왕, ④ 소지왕의 업적이다.

0039

출제영역 신라 발전 과정의 이해 정답 ▶ ③

정답찾기 밑줄 친 '왕'은 법흥왕이다.
㉢ 울주 천전리 서석의 을묘명에 법흥왕을 '성법흥대왕'이라 칭한 기록이 남아 있다.
㉣ 울진 봉평 신라비에는 모즉지매금왕(법흥왕)을 비롯한 14명의 6부 귀족들이 울진 지역의 화재 사건과 관련하여 주민을 처벌한 내용이 기록되어 있다.

선지분석 ㉠ 지증왕, ㉡ 진흥왕, ㉤ 선덕 여왕에 대한 설명이다.

0040

□□□

신라의 발전 과정에 대한 사실들을 시대순으로 바르게 나열한 것은?

2021. 계리직

> ㉠ 고령의 대가야를 병합하여 영토를 확장하였다.
> ㉡ 호국의 염원을 담아 황룡사 9층 목탑을 세웠다.
> ㉢ 행정 기관인 병부(兵部)를 설치하여 왕권을 강화하였다.
> ㉣ 주군현(州郡縣)의 제도를 정하고 실직주(悉直州)를 두었다.

① ㉢ ㉣ – ㉠ – ㉡　② ㉢ – ㉣ – ㉡ – ㉠
③ ㉣ – ㉢ – ㉠ – ㉡　④ ㉣ – ㉢ – ㉡ – ㉠

0040

출제영역 〉 신라 발전 순서 이해　정답 ▶ ③

정답찾기 ㉣ 중국식 주군현 제도 도입 및 실직주 설치(505, 지증왕 6년) ⇨ ㉢ 병부 설치(517, 법흥왕 4년) ⇨ ㉠ 대가야 정복(562, 진흥왕 23년) ⇨ ㉡ 황룡사 9층 목탑 건립(645, 선덕 여왕 14년)

삼국의 항쟁 과정 및 7세기 통일 과정

0041

□□□

(가)~(라)에 해당하는 사실로 옳지 않은 것은?

2020. 국가직 9급

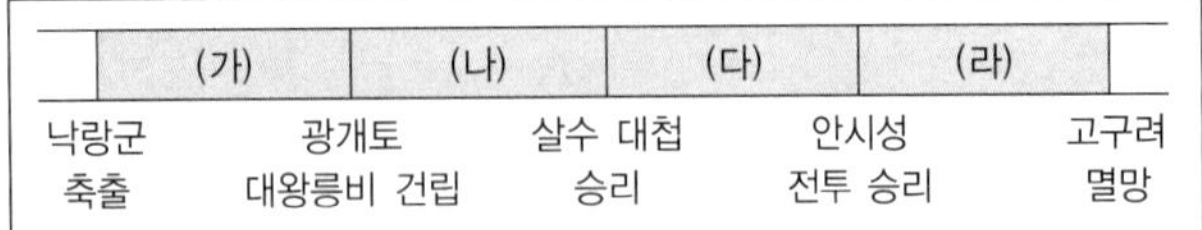

	(가)		(나)		(다)		(라)	
낙랑군 축출		광개토 대왕릉비 건립		살수 대첩 승리		안시성 전투 승리		고구려 멸망

① (가) – 백제 침류왕이 불교를 받아들였다.
② (나) – 고구려 영양왕이 요서 지방을 선제공격하였다.
③ (다) – 백제가 신라 대야성을 공격하여 함락시켰다.
④ (라) – 신라가 매소성에서 당군을 격파하였다.

0041

출제영역 〉 삼국 항쟁 과정의 이해　정답 ▶ ④

정답찾기 낙랑군 축출(4세기 초 미천왕) ⇨ (가) ⇨ 광개토 대왕릉비 건립(414, 장수왕 2년) ⇨ (나) ⇨ 살수 대첩(612, 영양왕 23년) ⇨ (다) ⇨ 안시성 전투(645, 보장왕 4년) ⇨ (라) ⇨ 고구려 멸망(668)
④ 매소성 싸움(675, 문무왕 15년)

선지분석 ① 침류왕의 불교 수용(384), ② 영양왕의 요서 지방 선제공격(598), ③ 백제 의자왕의 신라 대야성 공격(642)

0042

□□□

(가)~(라) 시기에 있었던 사실로 옳은 것은?

2020. 국가직 7급

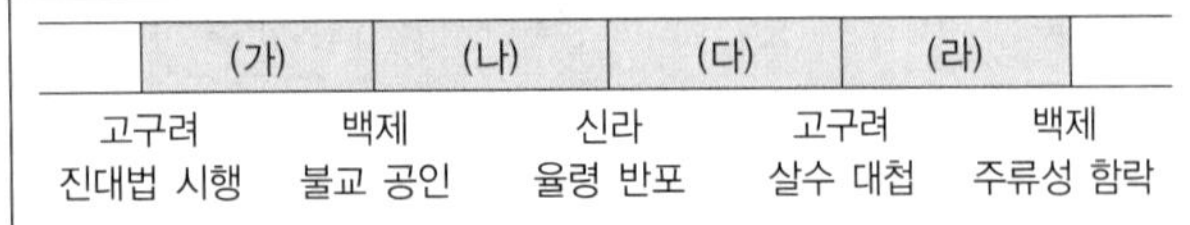

	(가)		(나)		(다)		(라)	
고구려 진대법 시행		백제 불교 공인		신라 율령 반포		고구려 살수 대첩		백제 주류성 함락

① (가) – 신라가 대가야를 병합하였다.
② (나) – 고구려가 한반도에서 낙랑군을 축출하였다.
③ (다) – 백제가 사비로 천도하였다.
④ (라) – 신라가 북한산에 순수비를 세웠다.

0042

출제영역 〉 삼국 항쟁 과정의 이해　정답 ▶ ③

정답찾기 진대법 시행(194, 고국천왕 16년) ⇨ (가) ⇨ 백제 불교 공인(384, 침류왕 원년) ⇨ (나) ⇨ 신라 율령 반포(520, 법흥왕 7년) ⇨ (다) ⇨ 살수 대첩(612, 영양왕 23년) ⇨ (라) ⇨ 백제 주류성 함락(663, 백제 부흥 운동)
③ 백제의 사비 천도(538, 성왕 16년)

선지분석 ① 신라의 대가야 병합(562, 진흥왕 23년), ② 낙랑군 축출(313, 미천왕 14년), ④ 북한산 순수비 건립(555, 진흥왕 16년)

0043 □□□

(가) 시기에 해당되는 사실로 옳은 것만을 〈보기〉에서 모두 고르면?

2018. 지방직 9급 / 2020. 국회직 · 2018. 서울시 7급 1차 유사

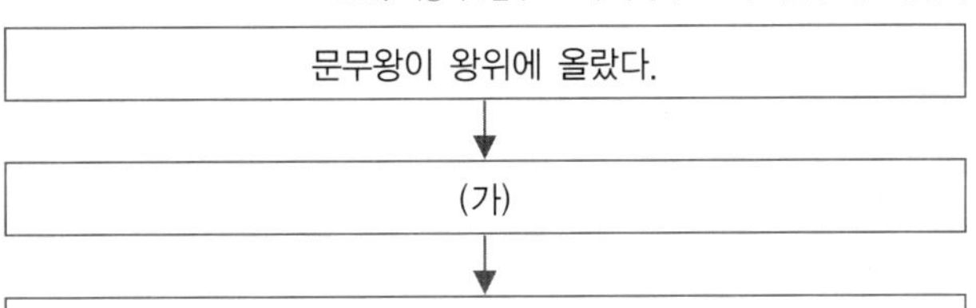

보기

㉠ 신라가 안승을 고구려왕에 봉했다.
㉡ 당나라가 신라를 계림 대도독부로 삼았다.
㉢ 신라가 황산벌 전투에서 백제군을 무찔렀다.
㉣ 보장왕이 요동 지역에서 고구려 부흥을 꾀했다.

① ㉠, ㉡　② ㉠, ㉢
③ ㉡, ㉣　④ ㉢, ㉣

0044 □□□

신라 문무왕의 유언이다. 밑줄 친 ㉠~㉣의 내용과 부합하지 않는 것은?

2018. 국가직 9급

> 과인은 운수가 어지럽고 전쟁을 하여야 하는 때를 만나서 ㉠ 서쪽을 정벌하고 ㉡ 북쪽을 토벌하여 영토를 안정시켰고, ㉢ 배반하는 무리를 토벌하고 ㉣ 협조하는 무리를 불러들여 멀고 가까운 곳을 모두 안정시켰다. 『삼국사기』

① ㉠ – 태자로서 참전하여 백제를 멸망시켰다.
② ㉡ – 당나라 군대와 함께 고구려를 멸망시켰다.
③ ㉢ – 백제 부흥 운동을 주도한 복신을 공격하였다.
④ ㉣ – 임존성에서 저항하던 지수신의 투항을 받아주었다.

삼국의 대외 관계

0045 □□□

다음은 중국의 왕조 변천 과정이다. 각 시기와 관련된 우리나라의 역사적 사실로 옳지 않은 것은?

2013. 경찰간부

> (가) 한 ➡ (나) 위 · 진 남북조 시대 ➡ (다) 수 ➡ (라) 당

① (가) – 고조선은 위만의 집권 이후 철기 문화의 보급이 확대되었다.
② (나) – 삼국은 불교를 수용하여 국민의 정신적 통일을 이루고자 하였다.
③ (다) – 고구려는 신라에 대한 강경책으로 백제와 힘을 합쳐 당항성을 빼앗았다.
④ (라) – 백제 장군인 계백은 황산벌에서 신라 군대와 항전하였으나 패배하였다.

0043

출제영역 〉 삼국 통일 과정의 이해　정답 ▶ ①

정답찾기 문무왕 즉위(661) ⇨ (가) ⇨ 기벌포 전투(676)
㉠ 안승을 금마저에 살게한 후 소고구려왕에 봉했다(670, 문무왕 10년).
㉡ 계림 도독부 설치(663, 문무왕 3년)

선지분석 ㉢ 황산벌 전투(660)
㉣ 고구려 멸망(668) 이후 당은 평양에 안동 도호부를 두고 고구려 부흥 운동을 진압하는 한편, 677년 보장왕을 회유하기 위해 요동주 도독 조선왕으로 삼았다. 그러나 요동 지역에서 보장왕은 오히려 고구려 유민을 규합하여 고구려 부흥을 도모하였다.

더⊕알아보기 〉 **황산벌 전투와 기벌포 전투(660)**

<table>
<tr><td>7. 9.</td><td colspan="2">신라군 황산벌 전장에 도착, 백제군 지형상 우위를 점함. 신라군 4전 4패</td></tr>
<tr><td rowspan="3">7. 9.~10.</td><td>황산벌</td><td>신라군 대승, 계백 전사, 백제 지휘부 괴멸</td></tr>
<tr><td>기벌포</td><td>당군, 백제군 대파</td></tr>
<tr><td colspan="2">신라군 기벌포 도착, 소정방이 김유신에게 늦었다고 책망</td></tr>
<tr><td>7. 11.</td><td colspan="2">나 · 당 연합군, 소부리(所夫里)로 진격</td></tr>
<tr><td>7. 13.</td><td colspan="2">의자왕 부여도성 탈출, 백제 태자 부여융 투항</td></tr>
<tr><td>7. 18.</td><td colspan="2">의자왕 항복</td></tr>
</table>

* 날짜는 모두 음력

0044

출제영역 〉 삼국 통일 과정의 이해　정답 ▶ ④

정답찾기 ④ 백제 멸망 후 지수신이 지키는 임존성에서 전개된 백제 부흥 운동은 임존성의 험준한 지세, 견고한 성벽 등으로 신라군의 공격에도 불구하고 30여 일이 넘도록 함락되지 않았다. 그러나 당에 항복한 흑치상지 등에 의해 임존성은 마침내 함락되었고 지수신은 고구려로 망명하면서 백제 부흥 운동은 끝이 났다.

선지분석 ① 나 · 당 연합군을 결성하여 백제를 멸망시켰다(660).
② 문무왕은 고구려를 멸망(668)시키고 당을 축출하여 삼국 통일을 완성하였다.
③ 나 · 당 연합군은 왕족 복신과 승려 도침이 주도한 백제 부흥군을 공격하였다(663).

0045

출제영역 〉 삼국의 대외 관계 이해　정답 ▶ ③

정답찾기 ③ 고구려는 수나라 때가 아니라, 당나라 때 백제와 연합하여 당항성을 공격하였다.

0046 □□□

비슷한 시기의 역사적 사실로 옳지 않은 것은? 2010. 지방직 7급

① 로마 제국이 동·서로 분열되던 시기에 백제는 일본에 한학을 전하였다.
② 중국 남북조가 성립되던 시기에 백제는 사비성으로 천도하였다.
③ 일본의 다이카 개신을 전후한 시기에 고구려에서는 안시성 싸움이 있었다.
④ 무함마드가 이슬람교를 창시할 시기에 고구려에서는 살수 대첩이 있었다.

0047 □□□

고구려와 중국의 관계를 사건이 발생한 순으로 바르게 나열한 것은? 2018. 지방직 7급

> ㉠ 유주자사 관구검이 쳐들어와 환도성을 함락하자 왕은 옥저 쪽으로 도망하였다.
> ㉡ 고구려가 요동의 서안평을 공격해 차지하고, 낙랑군을 한반도에서 몰아내었다.
> ㉢ 모용황이 고구려를 침략하여 궁실을 불사르고 5만여 명을 포로로 붙잡아 갔다.
> ㉣ 고구려가 후연을 공격하여 요동으로 진출하고, 동북쪽으로는 숙신을 복속시켰다.

① ㉠－㉡－㉢－㉣　② ㉠－㉢－㉡－㉣
③ ㉡－㉢－㉣－㉠　④ ㉡－㉣－㉢－㉠

금석문

0048 □□□

다음 ㉠~㉤ 시기에 일어난 사건으로 옳은 것을 〈보기〉에서 모두 고르면? 2017. 국회직 9급

	단양 적성비 건립		북한산비 건립		창녕비 건립		황초령비 건립	
㉠		㉡		㉢		㉣		㉤

보기
> ㉠ 신라가 김해 지역의 금관가야를 정복하였다.
> ㉡ 백제의 왕이 관산성 전투에서 전사하였다.
> ㉢ 신라가 고령 지역의 대가야를 정복하였다.
> ㉣ 고구려가 천리장성을 완공하였다.
> ㉤ 신라의 거칠부가 『국사』를 편찬하였다.

① ㉠, ㉡　② ㉠, ㉢
③ ㉡, ㉤　④ ㉢, ㉣
⑤ ㉣, ㉤

0046

출제영역 〉 삼국의 대외 관계 이해　정답 ▶ ②

정답찾기 〉 ② 중국에서 남북조 시대(439~589)가 성립되는 시기는 5세기이고, 백제가 사비로 천도한 시기는 6세기(538)이다.

선지분석 〉 ① 로마 제국의 분열 – 395년, 백제가 일본에 한학 전파 – 4세기(근초고왕)
③ 일본의 다이카 개신 – 645년, 안시성 싸움 – 645년
④ 이슬람교 창시 – 610년, 살수 대첩 – 612년

0047

출제영역 〉 삼국의 대외 관계 이해　정답 ▶ ①

정답찾기 〉 ㉠ 관구검의 환도성 함락(246, 동천왕 10년) ⇨ ㉡ 서안평 점령(311, 미천왕 12년) ⇨ ㉢ 모용황의 국내성 함락(342, 고국원왕 12년) ⇨ ㉣ 후연 공격, 숙신 복속(398, 광개토 대왕 8년)

0048

출제영역 〉 고대 금석문의 이해　정답 ▶ ①

정답찾기 〉 단양 적성비 건립(551) ⇨ 북한산비 건립(555) ⇨ 창녕비 건립(561) ⇨ 황초령비 건립(568)
㉠ 금관가야 병합 – 532년(법흥왕), ㉡ 관산성 전투 – 554년

선지분석 〉 ㉢ 대가야 병합(562) – ㉣ 시기
㉣ 천리장성 완공(647) – ㉤ 시기
㉤ 『국사』 편찬(545) – ㉠ 시기

더⊕알아보기 〉 **진흥왕 때의 금석문**

단양 적성비	진흥왕 12년 (551)	신라의 영토 확장 정책의 시작을 상징하는 전초 기지(남한강) 확보와 복속민에 대한 회유책, 당시의 관직명과 율령 정비의 내용 기록
북한산비	진흥왕 16년 (555)	한강 하류 진출(19세기 김정희 고증 ⇨ 현재 국립 중앙 박물관 소재)
창녕비	진흥왕 22년 (561)	창녕 지역 정벌
황초령비	진흥왕 29년 (568)	함흥 지방 진출(19세기 함경도 관찰사 윤정현 조사)
마운령비	진흥왕 29년 (568)	함흥 지방 진출(1929년 최남선 조사)

0049

〈보기〉의 (가)가 건립된 왕대에 있었던 일로 가장 옳은 것은?

2018. 서울시 7급 1차

보기

내가 일찍이 (가)를 구경하기 위해 집안현에 이르러 여관에서 만주인 영자평이란 소년을 만나 필담을 나누었는데, (가)에 대해 다음과 같이 이야기했다. "(가)가 오랫동안 초래(草萊)에 묻혀 있다가 최근에 이 지방 영희(英禧)에 의해 발견되었습니다. 그런데 (가) 가운데 고구려가 중국 토지를 침탈했다는 자구들이 들어있었으므로, 중국인들이 그것을 칼과 도끼로 쪼아냈습니다. 그 다음 일본인들이 (가)를(을) 차지하여 영업적으로 탁본을 만들어 팔기 시작했습니다. 일본인들은 닳아 없어지거나 이지러진 부분을 석회로 떼어 발랐는데, 이 때문에 그동안 인식할 수 없었던 자구가 도리어 생겨나 참된 사실은 삭제되고 위조된 사실이 첨가된 것 같습니다."

① 북연(北燕) 왕인 풍홍을 둘러싸고 북위 및 송과 갈등을 빚었다.
② 거란족 비려의 3개 부락을 격파하고 소·말·양을 노획하였다.
③ 당나라에서 도사와 『도덕경』이 본격적으로 들어오고 도교의 일파인 오두미도(五斗米道)도 유입되었다.
④ 이문진에게 명하여 『유기』를 『신집』 5권으로 개수하였다.

0050

다음 글은 최치원의 '난랑비서'에서 인용한 것이다. 이 글에 포함되어 있는 사상과 관련이 있는 비문을 〈보기〉에서 고르면?

2009. 정보통신순경

나라에 현묘(玄妙)한 도가 있으니 풍류(風流)라 한다. 실로 이는 삼교(三敎)를 포함하고 뭇 백성들을 교화한다. 이를테면 들어와서는 집안에서 효를 행하고 나가서는 나라에 충성함은 노나라 사구(司寇)의 가르침이고, 하였다고 자랑함이 없는 일을 하고 말없는 가르침을 행함은 주나라 주사(柱史)의 뜻이며, 모든 악을 짓지 말고 모든 선을 받들어 행하라 함은 축건태자(竺乾太子)의 교화이다.

보기

㉠ 사택지적비　　㉡ 울진 봉평비
㉢ 임신서기석　　㉣ 중원 고구려비

① ㉠, ㉡　　② ㉠, ㉢
③ ㉡, ㉣　　④ ㉢, ㉣

통일 신라(중대의 주요 왕)

0051

7세기 신라인의 의식과 민족 융합 정책에 대한 설명으로 가장 옳지 않은 것은?

2017. 경찰간부

① 신라인들의 '삼한일통' 의식은 일통의 범주와 대상에서 고구려를 배제한 것이다.
② 문무왕은 백제 유민에게 본국의 지위에 따라 신라의 관직과 관등을 주었다.
③ 통일 직후에는 백제·고구려 유민과 말갈인은 9서당에 편성하였다.
④ 신문왕은 안승을 보덕국왕에 봉하고, 진골 귀족으로 편입시켰다.

0049

출제영역 고대 금석문의 이해　　정답 ▶ ①

정답찾기 제시문은 신채호의 『조선상고사』에 나오는 글로, (가)는 장수왕 2년(414)에 건립된 광개토 대왕릉비이다.
① 북연의 몰락 및 갈등(434~435, 장수왕 23~24년)

선지분석 ② 비려(거란) 정복(395, 광개토 대왕 5년)
③ 오두미도 유입(고구려 말 보장왕 대)
④ 『신집』 편찬(600, 영양왕 11년)

0050

출제영역 고대 금석문의 이해　　정답 ▶ ②

정답찾기 최치원의 '난랑비서'에 포함된 사상이 무엇인지 알아야 해결할 수 있는 문제로, 이 비문에서 보이는 사상은 도교, 유교, 불교이다. ㉠ 사택지적비는 불교와 도교, ㉢ 임신서기석은 유교와 관련된 비문이다.

선지분석 ㉡ 울진 봉평비는 법흥왕 때의 신라 척경비이며, ㉣ 충주(중원) 고구려비는 장수왕 때의 고구려 척경비로, 두 비석 모두 최치원의 '난랑비서'에 포함되어 있는 사상과는 거리가 멀다.

0051

출제영역 신라 중대의 발전 과정 이해　　정답 ▶ ①④(복수정답)

정답찾기 ① 신라가 통일 이후 가장 중시한 것은 신라·고구려·백제를 하나로 통합하려는 '삼한일통(三韓一統) 의식'의 실현이었다. 그 결과 고구려·백제의 귀족, 왕족에게 알맞은 관직과 골품을 수여하였고 중앙군 9서당에 신라·고구려·백제·말갈인까지 포함하였다.
④ 신라는 문무왕 14년(674)에 고구려의 부흥 운동을 일으킨 안승을 금마저(익산)에 살게 한 후, 그를 소고구려(보덕국) 왕에 봉하였다. 통일 후 신문왕은 안승에게 제3관등인 소판(蘇判)을 주고 김씨 성을 내려 진골 귀족으로 편입시키고 보덕국을 폐지하였다.

0052 □□□

다음의 사건이 벌어진 왕대에 일어난 일로 가장 옳지 않은 것은?

2016. 경찰간부

> 안승의 조카뻘 되는 장군 대문이 금마저에서 반역을 도모하다가 일이 발각되어 죽임을 당하였다. 남은 무리들이 관리들을 죽이고 읍을 차지하여 반란을 일으켰다. 왕이 군사들에게 명하여 토벌하였다. 마침내 그 성을 함락하여 그곳 사람들을 나라 남쪽의 주와 군으로 옮기고, 그 땅을 금마군으로 삼았다.

① 달구벌로 천도하려 하였으나 귀족들의 반발로 실패하였다.
② 각간 위홍이 향가집 『삼대목(三代目)』을 편찬하여 왕에게 바쳤다.
③ 왕의 장인 김흠돌의 반란을 평정하였다.
④ 문무 관리들에게 관료전을 차등 있게 주었다.

0053 □□□

(가)와 (나) 사이 시기 신라에서 있었던 사실로 옳은 것은?

2022. 계리직

> (가) 당(唐)이 고구려 평양에 안동 도호부를 설치하였다.
> (나) 대조영이 동모산에서 진국(震國), 즉 발해를 건국하였다.

① 일반 백성들에게 정전을 지급하였다.
② 관리 채용을 위한 시험 제도로 독서삼품과를 실시하였다.
③ 유교 교육을 진흥시키기 위해 국학을 설치하였다.
④ 관료전을 폐지하고 녹읍을 부활하였다.

0054 □□□

다음 시가가 만들어진 국왕 대의 사실로 옳은 것은?

2017. 하반기 국가직 7급

> 임금은 아버지요 신하는 사랑하실 어머니시라.
> 백성을 어리석은 아이라 여기시니, 백성이 그 사랑을 알리라.
> 꾸물거리며 사는 물생들에게, 이를 먹여 다스리네.
> 이 땅을 버리고 어디로 가랴, 나라 안이 유지됨을 아리이다.
> 아아! 임금답게 신하답게 백성답게 할지면, 나라 안이 태평하리라.
> 「안민가」

① 9주의 명칭을 중국식으로 바꾸었다.
② 귀족들의 경제적 기반인 녹읍을 폐지하였다.
③ 최초로 진골 출신이 왕이 되어 왕권을 강화하였다.
④ 최치원이 국왕에게 10여 조의 시무책을 건의하였다.

0055 □□□

밑줄 친 '왕'이 조성에 관여한 문화유산만을 〈보기〉에서 고른 것은?

2016. 지방직 7급

> 왕이 사신을 보내어 당나라에 만불산(萬佛山)을 헌상하니 대종(代宗)은 이것을 보고 "신라의 기교는 하늘의 조화이지 사람의 재주가 아니다."라고 경탄하였다. 『삼국유사』

보기
㉠ 감은사지 3층 석탑　㉡ 석굴암
㉢ 상원사 동종　㉣ 불국사 청운교・백운교

① ㉠, ㉡　② ㉠, ㉢
③ ㉡, ㉣　④ ㉢, ㉣

0052

출제영역 신라 중대의 발전 과정 이해　정답 ▶ ②

정답찾기 제시문은 신문왕이 안승을 경주로 이주시켜 보덕국과 격리시키자, 이에 불만을 품은 장군 대문이 반란을 일으켰다가 죽임을 당하는 내용이다.
② 진성 여왕 때의 일이다.

선지분석 ①③④ 신문왕 때의 일이다.

0053

출제영역 신라 중대의 발전 과정 이해　정답 ▶ ③

정답찾기 (가) 안동 도호부 설치(668), (나) 발해 건국(698)
③ 국학 설치(682, 신문왕)

선지분석 ① 정전 지급(722, 성덕왕), ② 독서삼품과 실시(788, 원성왕), ④ 녹읍 부활(757, 경덕왕)

0054

출제영역 신라 중대의 발전 과정 이해　정답 ▶ ①

정답찾기 제시문은 「안민가」로 경덕왕 24년(765)에 충담이 지은 향가이다.
① 경덕왕 때 귀족 세력에 의해 왕권이 위협받자, 왕권을 강화하기 위해 관청과 행정 구역의 이름을 중국식으로 고치는 개혁을 시도하였다.

선지분석 ② 신문왕, ③ 태종 무열왕(김춘추), ④ 진성 여왕에 대한 설명이다.

0055

출제영역 신라 중대의 발전 과정 이해　정답 ▶ ③

정답찾기 밑줄 친 '왕'은 통일 신라의 경덕왕이다. 경덕왕 때 석굴암과 불국사 창건이 시작되어 혜공왕 때 완성되었다.

선지분석 ㉠ 감은사지 3층 석탑 – 신문왕, ㉢ 상원사 동종 – 성덕왕

통일 신라(하대)

0056

다음 밑줄 친 '대사'에 대한 내용으로 옳지 않은 것은?

2017. 지방직 9급

> 이 엔닌은 대사의 어진 덕을 입었기에 삼가 우러러 뵙지 않을 수 없습니다. 저는 이미 뜻한 바를 이루기 위해 당나라에 머물러 왔습니다. 부족한 이 사람은 다행히도 대사께서 발원하신 적산원(赤山院)에 머물 수 있었던 것에 대해 감경(感慶)한 마음을 달리 비교해 말씀드리기가 어렵습니다. 『입당구법순례행기』

① 법화원을 건립하고 이를 지원하였다.
② 당나라에 가서 서주 무령군 소장이 되었다.
③ 회역사, 견당매물사 등의 교역 사절을 파견하였다.
④ 웅주를 근거지로 반란을 일으켜 장안(長安)이라는 나라를 세웠다.

0057

밑줄 친 '그'가 활동한 시기의 사실로 옳은 것은? 2015. 경찰간부

> 그가 귀국하여 흥덕왕을 뵙고 아뢰기를, "중국의 어디를 가든지 우리나라 사람들을 노비로 삼고 있으니, 청해에 진영을 설치하여 해적이 사람들을 잡아 서쪽으로 데려가지 못하게 해 주십시오." 라고 하였다. 왕은 그 말에 따라 군사 만 명을 주어 해상을 방비하게 하였다.

① 산둥반도 등주에 발해관이 있었다.
② 신라는 패강 일대에 수자리를 설치하였다.
③ 발해에서 신라로 가는 상설 교통로가 개설되었다.
④ 북진을 설치하고 말갈의 공격에 대비하였다.

0058

다음 (가), (나) 사이의 시기에 있었던 사실로 옳지 않은 것은?

2018. 법원직

> (가) 대왕을 도와 조그마한 공을 이루어 삼한을 한 집으로 만들었으며, 백성들은 두 마음이 없게 되었습니다(三韓爲一家百姓無二心). 비록 아직 태평한 세상에 이르지는 못하였으나 조금 편안한 상태는 되었습니다.
> (나) 원종과 애노 등이 사벌주에서 반란을 일으키니 왕이 나마(관직명) 영기에게 명하여 잡게 하였으나 영기가 적진을 쳐다보고는 두려워하여 나아가지 못하였다.

① 발해의 장문휴가 산둥반도를 공격하였다.
② 장보고의 도움을 받아 신무왕이 즉위하였다.
③ 궁예가 개성을 수도로 삼고 후고구려를 건국하였다.
④ 발해 문왕이 상경 용천부에서 동경 용원부로 수도를 옮겼다.

0056

출제영역 신라 하대의 이해 정답 ▶ ④

정답찾기 밑줄 친 '대사'는 장보고이다.
④ 김헌창의 난(822, 헌덕왕 14년)에 대한 설명이다. 웅천주(공주) 도독 김헌창은 무열왕계로서 내물왕 후손인 원성왕에게 왕위를 빼앗긴 김주원의 아들이었는데, 왕위를 다시 찾기 위해 웅주를 근거로 반란을 일으키고 국호를 '장안'이라 하였으나 실패하였다.

더⊕알아보기 **장보고(?~846)의 주요 활동**
9세기 초 입당, 지방 세력 토벌, 무령군 소장(武寧軍小將)이 됨. 적산에 법화원 건립(신라인 사찰), 일본 승려 엔닌의 일본으로의 귀국 원조

828	청해진(완도) 설치, 해적 소탕, 한·중·일 해상 무역 독점
837	김우징, 왕위 쟁탈전 실패하고 청해진 도피
839	민애왕을 죽이고 김우징을 옹립(신무왕), 장보고에게 식읍 2천호 지급, 감의군사에 임명
840	삼각 무역[일본에 무역 사절단인 회역사를, 당에 견당매물사(遣唐買物使)를 보냄.]
845	문성왕, 장보고를 진해장군으로 삼음. 장보고의 딸을 왕비로 맞으려 함(중앙 귀족들 반대).
846	장보고, 피살(자객 염장)
851	청해진 혁파

0057

출제영역 신라 하대의 이해 정답 ▶ ①

정답찾기 밑줄 친 '그'는 신라 하대 인물인 장보고이다.
① 중국에서 유학하던 일본 승려 엔닌은 일본 귀국길에 장보고의 도움을 받았는데, 엔닌이 쓴 『입당구법순례행기』에 의하면 이 시기에 당의 산동반도에 발해관, 신라관 등이 있었다고 한다.

선지분석 ② 735년 신라 중대 성덕왕 때 일이다.
③ 8세기 발해 문왕 때 일이다. 이 시기 신라는 중대 경덕왕 재위 시기에 해당한다.
④ 8세기 발해 무왕 때 일이다. 이 시기 신라는 중대 성덕왕 재위 시기에 해당한다.

0058

출제영역 신라 하대의 이해 정답 ▶ ③

정답찾기 (가) 삼국 통일(676), (나) 원종·애노의 난(889)
③ 후고구려 건국(901)

선지분석 ① 장문휴의 산둥반도 공격(732)
② 신무왕 즉위(839)
④ 발해 문왕의 동경 천도(785~786)

발해

0059

발해에 대한 설명으로 옳지 않은 것은? 2017. 국가직 7급

① 국왕을 '황상' 또는 '대왕' 등으로 칭하였다.
② 모피, 우황, 구리, 말 등을 당나라에 수출하였다.
③ 상경(上京)은 당나라 도성을 본떠 조방(條坊)을 나누었다.
④ 중앙의 주요 관서에 각각 복수(複數)의 장관을 임명하였다.

0060

다음 자료에 해당하는 국가에 대한 설명으로 옳지 않은 것은?

2017. 하반기 국가직 7급

> 처음에 왕들이 자주 학생들을 보내어 장안의 태학에 가서 고금의 제도를 배우도록 하였는데, 지금에 이르러 해동성국이 되었다. 땅에 5경 15부 62주가 있다.

① 당과 비단, 서적, 공예품을 교역하였다.
② 도서와 문서를 관장하는 문적원을 두었다.
③ 일본에 보낸 국서에서 천손임을 자부하였다.
④ 정효 공주 묘는 굴식 돌방과 모줄임 천장 구조로 축조되었다.

0061

다음의 밑줄 친 내용과 가장 가까운 역사의식을 지닌 책은?

2010. 계리직

> 부여씨와 고씨가 망한 다음에 <u>김씨의 신라가 남에 있고 대씨의 발해가 북에 있으니 이것이 남북국이다. 여기에는 마땅히 남북국의 역사가 있어야 할 터인데</u> 고려가 편찬하지 않은 것은 잘못이다.

① 동국통감 ② 동국사략
③ 대동지지 ④ 신증동국여지승람

0062

다음에서 설명하는 나라와 관련된 사서로 가장 적절하지 않은 것은? 2012. 경찰 2차

> 상경과 동경의 절터에서는 고구려 양식을 계승한 것으로 여겨지는 불상도 발굴되었다. 이 불상은 흙을 구워 만든 것으로, 두 분의 부처가 나란히 앉아 있는 모습을 하고 있다. 또 벽돌이나 기와 무늬는 고구려의 영향을 받아 소박하고 힘찬 모습을 띠고 있다.

① 발해고 ② 동사회강
③ 동사강목 ④ 해동역사

0059

출제영역 발해사의 이해 정답 ▶ ④

정답찾기 ④ 신라에 대한 설명이다. 신라 중앙 관청의 특징은 장관 복수제와 겸임제이다. 각 부(部)와 부(府)의 장관은 대부분 복수로 임명되었으며, 한 사람이 관부 두 곳 이상의 장관직을 맡는 겸임이 허용되었다. 장관 복수제와 겸임제는 소수의 진골 귀족이 중앙 관부를 독점하고 합의제로 정치를 운영함으로써 권력을 유지하는 신라 골품 체제의 운영 원리에 따른 것이었다.

선지분석 ① 발해 문왕 때 일본에 대하여 천손(天孫)임을 내세웠고 황상(皇上)이라는 칭호를 사용하여 황제 국가의 면모를 과시하였다.
② 발해는 당나라에 모피, 인삼, 우황, 구리, 불상, 자기, 말 등을 수출하였는데, 특히 솔빈부의 말이 유명하였다.
③ 발해는 당의 도성인 장안성을 본떠 수도인 상경을 구획하였다. 황성 남문에서 외성 남문까지 일직선인 주작대로를 중심으로 좌경(左京)·우경(右京)으로 나누어 이것을 다시 여러 조방(條坊)으로 나누었다.

0060

출제영역 발해사의 이해 정답 ▶ ④

정답찾기 제시문에서 설명하고 있는 국가는 발해이다.
④ 정효 공주 묘는 벽돌무덤이다. 정혜 공주 묘가 굴식 돌방과 모줄임 천장 구조이다.

0061

출제영역 발해사의 이해 정답 ▶ ③

정답찾기 제시문은 유득공의 『발해고』 중 일부로, 유득공은 발해가 고구려를 계승하였으므로 통일 신라와 발해가 공존한 시기를 '남북국 시대'라고 주장하였다.
③ 김정호의 『대동지지』에서도 '남북국'이라는 용어를 사용하였다.

0062

출제영역 발해사의 이해 정답 ▶ ②

정답찾기 제시문은 발해의 이불병좌상에 대한 설명이다.
② 『동사회강』은 조선 숙종 때 임상덕이 삼국 시대부터 고려 말까지의 역사를 다룬 역사서로, 여기에서 발해는 언급되지 않았다.

0063 □□□

발해와 관련된 다음의 역사적 사실들을 시기순으로 바르게 나열한 것은?

2015. 국가직 7급

> ㉠ 당으로부터 해동성국이라고 불리었다.
> ㉡ 야율아보기에 의해 홀한성이 포위되었다.
> ㉢ 중경 현덕부에서 상경 용천부로 도읍을 옮겨 발전의 기틀을 마련하였다.
> ㉣ 당과 신라를 견제하기 위해 일본에 사신을 파견하여 처음 통교하였다.

① ㉢ - ㉡ - ㉣ - ㉠　② ㉢ - ㉣ - ㉠ - ㉡
③ ㉣ - ㉢ - ㉠ - ㉡　④ ㉣ - ㉢ - ㉡ - ㉠

0064 □□□

발해에서 일어난 일을 시기순으로 바르게 나열한 것은?

2017. 하반기 국가직 9급

> ㉠ 장문휴가 당의 산둥 지방 등주를 공격하였다.
> ㉡ 수도를 중경 현덕부에서 북쪽의 상경 용천부로 옮겼다.
> ㉢ 당으로부터 '발해 군왕'에서 '발해 국왕'으로 봉해졌다.
> ㉣ '건흥'이라는 연호를 사용하였다.

① ㉠ - ㉡ - ㉢ - ㉣　② ㉠ - ㉢ - ㉣ - ㉡
③ ㉡ - ㉠ - ㉣ - ㉢　④ ㉠ - ㉢ - ㉡ - ㉣

0065 □□□

다음 발해에 대한 설명으로 옳은 것을 모두 고른 것은?

2017. 서울시 7급

> ㉠ 국호는 처음에는 진국, 당나라 책봉을 받은 뒤에는 발해라고 했고, 고구려 계승국을 표방하여 고려로 부르기도 했다.
> ㉡ 계획도시인 상경의 유적과 유물은 발해의 문화를 잘 보여 준다.
> ㉢ 타구와 격구 놀이가 당을 통해 들어와 널리 유행했다.
> ㉣ 귀하게 여기는 것에는 태백산의 토끼, 남해부의 곤포(다시마), 책성부의 된장, 솔빈부의 말, 위성의 철, 미타호의 붕어 등이 있다.

① ㉠, ㉡　② ㉠, ㉡, ㉢
③ ㉠, ㉡, ㉣　④ ㉠, ㉡, ㉢, ㉣

0063

출제영역 〉 발해 발전 과정의 이해　　정답 ▶ ③

정답찾기 ㉣ 8세기 초 무왕 ⇨ ㉢ 8세기 중반 문왕 ⇨ ㉠ 9세기 선왕 ⇨ ㉡ 10세기 발해 마지막 왕 대인선 때 거란의 야율아보기 침략으로 멸망(926)

0064

출제영역 〉 발해 발전 과정의 이해　　정답 ▶ ①

정답찾기 ㉠ 장문휴의 등주 공격(732, 무왕) ⇨ ㉡ 상경 용천부 천도(756, 문왕) ⇨ ㉢ 발해 국왕 승격(762, 문왕) ⇨ ㉣ 연호 건흥 사용(9세기, 선왕)

0065

출제영역 〉 발해 발전 과정의 이해　　정답 ▶ ④

정답찾기 ㉠ 발해는 처음에는 국호를 진(震)이라 하고 연호를 천통이라 하였다. 이후 대조영의 세력이 커지자 당은 화해를 요청하고, 고왕을 713년 발해 군왕에 책봉하였으며 이후 발해라는 명칭을 사용하였다. 3대 문왕 대흠무 때는 '고려국'을 표방하였다.
㉡ 발해는 귀족 문화가 발달하였고, 수도인 상경은 만주 지역의 문화적 중심지가 되었다.
㉢ 당나라의 타구와 격구 놀이가 고구려, 신라에 들어와 발해, 고려, 조선으로 이어졌다. 『신당서』에 의하면 발해 사람들은 활쏘기, 타구, 격구 같은 놀이를 통해 용맹성을 길렀다고 한다.
㉣ 중국 사서인 『신당서』에 발해의 특산물을 적어 놓았는데, 백두산의 토끼, 남해부의 다시마, 책성부의 된장, 부여부의 사슴, 막힐부의 돼지, 솔빈부의 말, 현주의 마포, 옥주의 면포, 용주의 명주, 위성현의 철, 노성의 벼, 미타호의 붕어, 환도현의 오얏, 약유현의 배 등이 유명했다고 한다.

0066 □□□

일본에 사신을 보내면서 스스로를 '고려 국왕 대흠무'라고 불렀던 발해 국왕 대에 있었던 통일 신라의 상황으로 옳은 것은?

2009. 국가직 9급

① 귀족 세력의 반발로 녹읍이 부활되었다.
② 9주 5소경 체제의 지방 행정 조직을 완비하였다.
③ 의상은 당에서 귀국하여 영주에 부석사를 창건하였다.
④ 장보고는 청해진을 설치하고 남해와 황해의 해상 무역권을 장악하였다.

0066

출제영역 발해와 신라의 이해 　정답 ▶ ①

정답찾기 스스로를 '고려 국왕 대흠무'라고 불렀던 발해 국왕은 8세기 후반의 문왕(재위 737~793)이다.
① 8세기 중반 통일 신라의 경덕왕 때 녹읍이 부활되었다(757).

선지분석 ② 7세기 신문왕, ③ 7세기 문무왕(676), ④ 9세기 흥덕왕 때의 상황이다.

더⊕알아보기 **신라와 발해의 시대별 비교**

구분	신라	발해
7C	• 무열왕(654~661) • 문무왕(661~681) • 신문왕(681~692)	• 고구려 멸망(668) • 대조영의 발해 건국(698)
8C	• 성덕왕(702~737) • 효성왕(737~742) • 경덕왕(742~765) • 선덕왕(780~785) • 원성왕(785~798)	• 무왕(719~737) • 문왕(737~793) • 5대 성왕(793~794)
9C	진성 여왕(887~897)	선왕(818~830)
10C	• 후백제 건국(900) • 후고구려 건국(901) • 고려 건국(918) • 신라 멸망(935)	대인선: 거란에 멸망(926)

0067 □□□

다음 설명에 해당하는 발해 왕의 재위 기간에 통일 신라에서 일어난 상황으로 옳은 것은?

2020. 지방직 9급

> • 대흥이란 독자적인 연호를 사용하였다.
> • 수도를 중경 → 상경 → 동경으로 옮겼다.
> • 일본에 보낸 외교 문서에 천손(하늘의 자손)이라 표현하였다.
> • 당과 친선 관계를 맺으며 당의 문물을 도입하여 체제를 정비하였다.

① 녹읍 폐지 　② 청해진 설치
③ 『삼대목』 편찬 　④ 독서삼품과 설치

0067

출제영역 발해와 신라의 이해 　정답 ▶ ④

정답찾기 제시문은 발해 문왕(재위 737~793)의 업적에 대하여 설명하고 있다.
④ 신라 원성왕 때 관리 채용을 위한 일종의 국가 시험 제도인 독서삼품과를 실시하였다(788).

선지분석 ① 신문왕 때 귀족의 경제 기반이었던 녹읍을 혁파하였다(689).
② 흥덕왕 때 장보고의 요청에 의해 완도에 청해진을 설치하였다(828).
③ 진성 여왕 때 대구 화상과 각간 위홍은 역대 향가를 수집하여 『삼대목』이란 향가집을 편찬하였다(888).

역사 왜곡

0068

최근 중국에서는 고구려사를 중국 역사의 일부로 편입하려는 연구가 다수 발표되고 있다. 고구려사를 중국의 역사에 편입시키는 데 이론적 기반이 되고 있는 것은?

2008. 국가직 7급

① 통일적 다민족 국가론
② 한·중 민족 동일 기원론
③ 책봉 체제론
④ 정체성론

0069

중국이 추진하고 있는 동북공정의 내용과 관련이 없는 것은?

2007. 경기 교육행정직 9급

① 한족(漢族)의 단일 민족 국가론을 근거하여 추진하였다.
② 고조선, 부여, 고구려의 역사를 중국의 역사로 규정하려는 것이다.
③ 한반도 통일 후 제기될 간도 영유권 분쟁을 미연에 방지하려는 데 그 목적이 있다.
④ 사회 과학원과 랴오닝, 지린, 헤이룽장성의 동북 3성이 합작하여 추진하고 있다.

0068

출제영역 중국의 우리 역사 왜곡 이해 　정답 ▶ ①

정답찾기 ① 중국의 동북공정 프로젝트는 향후 한반도에서 예상되는 정세 변화가 중국 동북 지역에 미칠 정치적·사회적 영향과 충격을 차단해서 동북 지역을 안정화시키고, 동북아 국제 질서에 적극 대처하기 위한 것이다. 이를 위해 중국은 국가주의 역사관, '통일적 다민족 국가론'을 동북 지역에 적용하여 중국의 역사적 정체성을 완결하려고 한다.

0069

출제영역 중국의 우리 역사 왜곡 이해 　정답 ▶ ①

정답찾기 ① 중국의 동북공정은 통일적 다민족 국가론에 근거하여 추진되었다.

선지분석 ② 동북공정은 고조선, 부여, 고구려, 발해가 중국 역사라고 규정하려는 것이다.
③ 동북공정은 향후 한반도 정세 변화와 동북아 국제 관계 변화에 대한 예측 및 대비책 마련이라는 중국 정부의 의지가 반영된 것으로, 특히 남북한 통일 이후에 필연적으로 제기될 간도 분쟁에 대한 사전 방지책이기도 하다.
④ 동북공정은 중국 사회 과학원과 동북 3성(랴오닝성, 지린성, 헤이룽장성)이 합작하여 2002년부터 5년간 추진한 연구 사업이었다.

더⊕알아보기 **중국의 동북공정 프로젝트 중 고구려사 부분**

쟁점	중국 학계의 주장	한국 학계의 반박
고구려 종족	중국 고이(高夷)의 후예	고조선, 부여와 같은 예맥(濊貊)족
조공의 성격	고구려는 중국의 지방 정권으로 중국 황제에게 조공을 바침.	조공은 강대국과 약소국 간의 전근대적 외교 형식
평양 천도 후 고구려사	평양 천도 후 고구려는 현재 북한 영토이지만 과거 중국의 영토 안에 있었으므로 중국사	현재 영토 내에서 이루어진 역사를 중국사로 간주하는 것은 중국의 통일적 다민족 국가론과도 모순
수(隋)·당(唐)과의 전쟁	변강의 소수 민족 세력을 통제하기 위한 중국 통일 전쟁	고구려와 중국의 국가 간 전쟁
유민의 거취	고구려 멸망 후 다수의 지배 계층이 중국에 들어와 한(漢)족과 융합됨.	다수가 신라로 가거나 발해 건국에 기여
고구려와 고려의 연계성	고구려와 고려는 별개의 국가	고려는 고구려를 계승한 국가

통치 조직의 정비

0070 □□□

신라의 관등 제도에 대한 설명으로 가장 적절하지 않은 것은?

2013. 경찰 1차

① 6세기 초 법흥왕 때 완성되었다.
② 왕경인에 대한 경위(京位) 17관등과 지방인에 대한 외위(外位) 11관등으로 구성되었다.
③ 6두품은 아찬(阿湌)까지, 5두품은 대사(大舍)까지 승진의 한계가 정해져 있었다.
④ 삼국 통일을 전후한 시기에 이르면 6두품 이하에 속한 사람들에게 중위(重位) 제도라는 일종의 특진의 길을 개방하기도 하였다.

0071 □□□

통일 신라의 통치 체제에 대한 설명으로 옳은 것은? 2016. 서울시 7급

① 13개의 관부가 병렬적으로 독립되어 있었으며 각 부의 장관은 여러 명인 경우가 많았다.
② 중앙과 지방에 각각 9서당 10정을 두었으며 10정에 편제된 보병이 군사력의 핵심을 이루었다.
③ 지방 세력을 제도적으로 통제·감시할 목적으로 일정 기간 경주에 머물게 하는 사심관제를 실시하였다.
④ 진골만을 위한 관리 등용 제도로 『춘추좌전』, 『논어』, 『효경』 등 유학적 견식을 파악하는 독서삼품과를 실시하였다.

0072 □□□

㉠, ㉡의 국가에서 실시한 제도로 옳게 짝지은 것은? 2021. 경찰 1차

> 신이 숙위원(宿衛院)의 보고를 보았더니, 왕자 대봉예가 글을 올려 (㉠)를 (㉡)보다 윗자리에 앉게 해 달라고 주청하였던 사실을 알게 되었습니다.

	㉠	㉡
①	3성 6부	사심관 제도
②	5경 15부 62주	상수리 제도
③	9주 5소경	빈공과
④	9서당 10정	주자감

0070

출제영역 〉 고대 국가의 관등제 이해　　정답 ▶ ③

정답찾기 ③ 6두품은 6관등 아찬까지, 5두품은 10관등 대나마까지, 4두품은 12관등 대사까지만 진출할 수 있었다.

선지분석 ④ 신라 중대 이후 왕권이 강화되고 6두품 중심의 관료제 운영이 활성화되면서, 골품제에 따른 관등의 제한은 관등 향상을 바라는 6두품 이하 관리들의 불만을 사게 되었다. 이에 신라는 이러한 관등의 제한을 보완하기 위해 중위제를 마련하였다. 즉, 6두품은 아찬에서 더 이상 승진할 수 없었기 때문에 4중아찬까지의 중위제를 마련하였고, 5두품의 경우도 대나마에 9중나마가 설치되어 신분에 따라 제한된 관등을 넘지 않고도 특진할 수 있는 기회를 주었다.

0071

출제영역 〉 통일 신라의 통치 체제 이해　　정답 ▶ ①

정답찾기 ① 통일 신라는 신문왕 때 총 13부(혹은 14부로도 봄.)의 관청을 두었다. 신라의 행정 관청은 부(部), 부(府), 서(署), 전(典) 등으로 구성되었는데, 4부(部)는 집사부, 병부, 창부, 예부 등이며, 9부(府)는 조부, 승부, 사정부, 예작부, 선부, 영객부, 위화부, 좌이방부, 우이방부 등을 가리킨다. 신라 중앙 관청의 특징적인 점은 장관 복수제와 겸임제이다. 각 부(部)와 부(府)의 장관은 대부분 복수로 임명되었으며, 한 사람이 관부 두 곳 이상의 장관직을 맡는 겸임이 허용되었다. 장관 복수제와 겸임제는 소수의 진골 귀족이 중앙 관부를 독점하고 합의제로 정치를 운영함으로써 권력을 유지하는 신라 골품 체제의 운영 원리에 따른 것이었다. 또한 겸직은 왕족이거나 왕실과 가까운 몇몇 귀족들이 요직을 차지하고 권력을 독점함으로써 왕권을 전제화하는 수단이 되기도 하였다.

선지분석 ② 중앙군 9서당이 군사력의 핵심을 이루었다.
③ 통일 신라의 인질 제도는 상수리 제도이다. 사심관 제도는 고려 태조 때 실시하였다.
④ 독서삼품과는 진골만을 위한 관리 등용 제도가 아니라, 국학의 학생들을 대상으로 한 관리 등용 제도이다. 국학에는 12관등 대사에서 17관등 조위까지 귀족(진골~4두품)의 자제들이 입학하였다.

0072

출제영역 〉 발해의 통치 체제 이해　　정답 ▶ ②

정답찾기 제시문은 당에서 발해 사신이 신라 사신보다 윗자리에 앉을 것을 요청하였다가 거절당한 사건[쟁장(爭長) 사건(효공왕, 897)]으로, ㉠은 발해, ㉡은 (통일) 신라이다.
② 5경 15부 62주는 발해 선왕이 실시한 지방 제도이고, 상수리 제도는 통일 신라 때 토착 세력의 세력 확장을 억제하기 위해 지방 토착 세력을 중앙에 머물게 한 제도이다.

선지분석 ① 3성 6부는 발해의 중앙 관제이고, 사심관 제도는 고려 시대에 실시된 호족 견제 제도이다.
③ 9주 5소경은 통일 신라 신문왕 때 실시된 지방 제도이고, 빈공과는 중국에서 외국인을 대상으로 실시한 과거 시험이다.
④ 9서당 10정은 통일 신라 때 신문왕이 정비한 군사 조직이고, 주자감은 발해의 국립 대학이다.

PLUS⁺ 선지 OX 고대의 정치

01 고구려 영양왕이 북방의 돌궐과 연계하면서 말갈병을 보내 당나라의 요서 지방을 먼저 공격하였다. 2018. 경찰간부 O X

02 신라는 통일 이후에 주로 진골 귀족으로 구성된 9서당을 국왕이 장악함으로써 왕실이 주도하는 교육 제도를 구축하였다. 2018. 서울시 9급 O X

03 향가 '안민가'가 만들어진 시기의 국왕은 신라 최초의 진골 출신의 왕이다. 2017. 하반기 국가직 7급 O X

04 웅천주 도독 헌창이 반란을 일으켜 국호를 장안이라 하고 연호를 경운 원년이라 한 시기에, 도의를 통해 당으로부터 남종선이 도입되었다. 2018. 경찰간부 O X

05 장보고는 일본과의 경제 활동을 위해 일본 하카타에 무역소를 설치하고 사절단인 회역사를 파견하였다. 2020. 해경간부 O X

06 신라 말 진성왕 대에 궁예가 국호 마진을 태봉으로 바꾸었다. 2017. 국가직 7급 O X

07 발해 문왕 재위 시기에 신라는 관리 등용을 위해 독서삼품과를 설치하였다. 2019. 계리직 O X

08 발해의 선조성의 장관을 좌상, 중대성의 장관을 우상이라 불렀다. 2021. 국회직 9급 O X

09 발해의 정령을 제정하고 정책을 집행하는 기관을 중대성이라 불렀다. 2019. 서울시 7급 2차 O X

10 광개토 대왕릉비의 존재는 북방에 대한 관심이 표출되는 『동국통감』에서 처음 소개되었다. 2009. 국가직 7급 O X

PLUS⁺ 선지 OX 해설 고대의 정치

01 [X] 영양왕은 당나라가 아니라, 수나라의 전략적 요충지인 요서 지방을 선제공격하였다(598). 이로 인해 수 문제가 고구려를 침입하였으나 격퇴하였다.

02 [X] 신문왕 때 완성된 중앙군 9서당은 모병제로 신라인, 고구려인, 백제인, 말갈인, 보덕국인으로 구성되어 민족 융합의 성격을 띠고 있다.

03 [X] '안민가'는 경덕왕 때 승려 충담이 지은 향가이다. 신라 최초의 진골 출신 왕은 태종 무열왕(김춘추)이다.

04 [O] 헌덕왕 때 웅천주 도독 김헌창이 웅주(공주)를 근거로 반란을 일으키고 국호를 '장안'이라 하였으나 실패하였다. 한편 도의는 당나라에 머무르다 헌덕왕 13년(821)에 귀국하여 제자 염거에게 남종선을 전하였다.

05 [O] 장보고는 당나라에 대해서는 견당 매물사, 일본에 대해서는 회역사라는 이름 아래 교역 사절단을 파견하는 등 해상 무역을 독점하였다.

06 [X] 진성(여)왕 재위 시기는 887~897년이고, 궁예가 국호를 태봉으로 바꾼 것은 911년 효공왕 때이다.

07 [O] 발해 문왕 재위 시기는 737~793년이고, 원성왕 4년(788)에 독서삼품과를 설치하였다.

08 [O] 발해의 3성 중 선조성의 장관은 좌상, 중대성의 장관은 우상, 그리고 최고 관청인 정당성의 장관은 대내상이다.

09 [X] 정령을 제정하고 정책을 집행하는 기관은 정당성이었다. 중대성은 정책을 심의하고 왕명을 작성하는 기관이다.

10 [X] 광개토 대왕릉비의 존재가 처음 기록된 것은 조선 전기 『용비어천가』이다.

CHAPTER

고대의 사회

최근 5년간 국가직·지방직 출제 비율

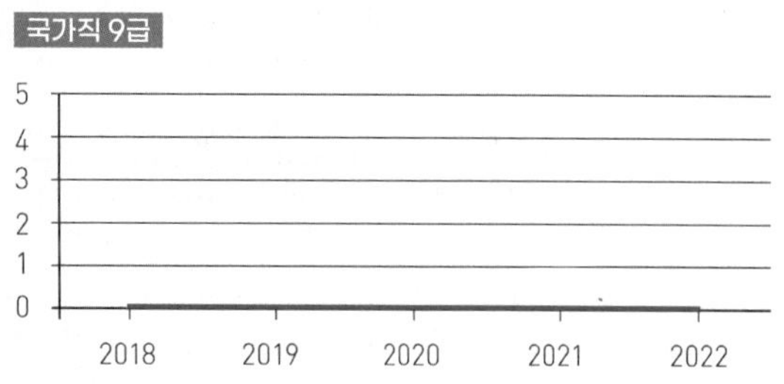

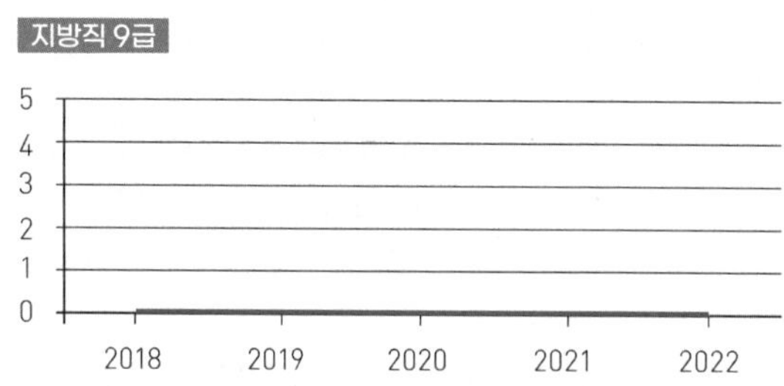

- 최근 5년간 국가직과 지방직에서 한 번도 출제되지 않았다.
- 국가직과 지방직을 제외한 다른 직렬에서는 '골품제'와 관련한 문제가 다수 출제되었다.

주요 고난도 문제 키워드

#골품 제도　#6두품

고난도 이론 정리 선우쌤 PICK

<table>
<tr><td rowspan="8">신라의 골품 제도</td><td>성격</td><td colspan="2">• 개인의 신분뿐만 아니라 그 친족의 등급 표시
• 개인의 사회·정치 활동 제한(관등 조직은 골품 제도와 밀접한 관련)</td></tr>
<tr><td>성립</td><td colspan="2">중앙 집권 국가로 발전하는 과정(4~6세기경)에서 각 지방의 족장 세력을 왕 밑에 통합·편제하기 위해서 세력의 정도에 따라 신분 규정</td></tr>
<tr><td>성골</td><td colspan="2">• 부부가 모두 왕족으로, 왕이 될 수 있는 최고 신분
• [1] 을 마지막으로 성골 단절</td></tr>
<tr><td>[2]</td><td colspan="2">• 정치·군사권 장악, 5관등 이상 요직 독점
• 금관가야 왕족의 김유신계와 고구려 왕족 안승 등을 진골로 편입
• 무열왕 이후 진골에서 왕위 계승</td></tr>
<tr><td>6두품</td><td colspan="2">• [3] 이라고 불림.
• 6두품은 6관등인 [4] 까지만 승진 가능(중위제 존재)
• 학문과 종교 분야에서 활동, 도당 유학생의 주류 형성
• 중대: 전제 왕권과 연결, 왕의 정치적 조언자 역할, 학문과 실무 능력을 바탕으로 중앙 정치 진출
• 하대: 지방 호족, 선종과 연결, 신라 비판 세력 형성</td></tr>
<tr><td rowspan="2">운영</td><td>2원적 운영</td><td>왕경인을 대상으로 한 경위제(17관등)와 지방 촌주들을 대상으로 한 외위제(11관등)
⇨ 삼국 통일 이후 외위제 소멸</td></tr>
<tr><td>[5]</td><td>6두품은 아찬에서 더 이상 승진할 수 없기 때문에 4중아찬까지의 중위제 마련, 5두품의 경우도 대나마에 9중나마 설치 ⇨ 신분에 따라 제한된 관등을 넘지 않고도 특진할 수 있는 기회를 준 것</td></tr>
<tr><td colspan="3"></td></tr>
<tr><td>신라의 화백 회의와 화랑도</td><td colspan="3">• [6] : 만장일치제, 국왕과 귀족 간의 권력 조절 기능
• [7] : 공동체 정신과 사회 규율을 가르치기 위해 조직된 청소년 집단 ⇨ [8] 때 국가 조직으로 공인, 신라의 삼국 통일에 중추 역할
– 진골 출신 화랑, 귀족 또는 평민 출신 낭도로 구성 ⇨ 계급 간 갈등 완화
– 원광의 [9] 를 규율로 따름.</td></tr>
</table>

정답 1. 진덕 여왕 2. 진골 3. 득난(得難) 4. 아찬 5. 중위제 6. 화백 회의 7. 화랑도 8. 진흥왕 9. 세속 5계

삼국의 사회 및 신라의 골품제

0073 □□□

〈보기〉의 밑줄 친 ㉠과 같은 신분이 있었던 국가에 대한 설명으로 가장 옳은 것은? 2019. 서울시 7급 1차

보기

대사의 법호는 무염으로 달마대사의 10대 법손이 된다. …… 고조부와 증조부는 모두 조정에서는 재상, 나가서는 장수를 지내 집집에 널리 알려졌다. 아버지는 범청으로 ㉠ 득난(得難)이 되었다.

① 갈문왕이라고 불리는 귀족이 있었다.
② 대귀족으로 진씨, 해씨 등 8개 성씨가 있었다.
③ 귀족들이 정사암에 모여 회의를 열고 수상을 선출했다.
④ 최고 귀족인 왕족과 왕비족은 고추가로 불렸다.

0074 □□□

신라의 골품 제도에 대한 설명으로 옳지 않은 것은? 2013. 지방직 7급

① 아찬과 일길찬은 경(卿)의 벼슬에 오를 수 있었다.
② 육두품은 득난(得難)이라고도 하였는데, 진골 다음 가는 신분이었다.
③ 복색의 기준은 신분에 따라 자색 – 단색 – 비색 – 녹색의 순서로 정하였다.
④ 가옥의 규모와 장식물, 수레 등 신라인의 일상생활까지 규제하는 기준이 되었다.

0075 □□□

다음 글을 지은 사람들의 공통점으로 옳은 것은? 2017. 지방직 9급

(가) 낭혜화상백월보광탑비문(朗慧和尙白月葆光塔碑文)
(나) 대견훤기고려왕서(代甄萱寄高麗王書)
(다) 낭원대사오진탑비명(郎圓大師悟眞塔碑銘)

① 당나라에 유학하여 빈공과(賓貢科)에 급제하였다.
② 신라뿐만 아니라 고려 왕조에서도 벼슬하였다.
③ 국립 교육 기관인 태학(太學)에서 공부하였다.
④ 골품제를 비판하고 호족 억압을 주장하였다.

0073

출제영역 〉 삼국 사회의 모습 정답 ▶ ①

정답찾기 제시문은 최치원의 「성주사 낭혜화상 백월보광탑비」(국보)의 내용으로, 밑줄 친 ㉠의 득난(得難)은 신라 시대 6두품을 지칭하는 용어이다.
① 갈문왕은 신라 시대에 왕의 근친에게 주던 봉작 제도로 왕의 생부나 장인, 동생에게 주기도 하였다.

선지분석 ②③ 백제, ④ 고구려에 대한 설명이다.

0074

출제영역 〉 신라의 골품제 이해 정답 ▶ ③

정답찾기 ③ 신라는 신분이 아니라 관등에 따라 복색을 자색 – 비색 –청색 – 황색으로 정하였다. 복색을 자색 – 단색 – 비색 – 녹색의 순서로 정한 것은 고려 광종 때이다.

선지분석 ① 6관등 아찬과 7관등 일길찬은 시랑이나 경의 벼슬에 오를 수 있었다.
② 9세기 말 최치원이 지은 「성주사 낭혜화상 백월보광탑비문」에서 득난(得難)이라는 용어를 사용하였는데 6두품의 별칭으로 보고 있다.
④ 골품 제도는 개인의 신분뿐만 아니라 그 친족의 등급, 정치·사회적 활동의 범위, 나아가 일상생활까지 규제하고 있었다.

0075

출제영역 〉 신라의 골품제 이해 정답 ▶ ①

정답찾기 (가)는 최치원이 지은 비문, (나)는 최승우가 후백제왕 견훤을 대신하여 지어 고려 왕건에게 보낸 서신, (다)는 최언위[최치원의 종제(從弟)]가 지은 비문이다. 최치원, 최승우, 최언위 모두 신라 하대의 6두품으로 일대삼최(一代三崔)라 불리었다.
① 빈공과는 당나라에서 외국인을 위해 설치한 과거 시험의 한 분과로, 특히 9세기에는 도당 유학생이 증가하면서 빈공과에 급제한 자가 많았다. 신라 말 김운경을 비롯하여 왕거인·최치원·최신지·최승우·최언위 등 6두품 지식인들이 모두 빈공과 합격자들이다.

선지분석 ② 최치원은 헌강왕, 진성 여왕 때 관직 생활을 하였으나 이후 신라 왕실에 실망하여 지방에서 은둔 생활을 하다가 여생을 마무리하였다. 최승우는 후백제 견훤의 책사가 되었고, 최언위는 고려에서 벼슬을 하였다.
③ 태학은 372년 고구려에서 설립된 교육 기관으로, 귀족의 자제를 대상으로 교육하였다.
④ 신분적 제약이 있는 6두품은 신라 하대에 호족과 연계하여 사회 개혁을 추구하였다.

0076

〈보기〉에서 제시된 인물의 공통점으로 가장 옳은 것은?

2018. 서울시 9급

보기

ㄱ. 김운경　ㄴ. 최치원　ㄷ. 최언위　ㄹ. 최승우

① 고려 출신으로 당나라에서 유학했다.
② 7세기와 8세기에 활약했던 신라의 대문장가이다.
③ 숙위 학생으로 당 황제의 호위무사가 되었다.
④ 당나라의 빈공과에 급제한 후 귀국하였다.

0077

남북국 시대의 사회와 문화에 대한 설명으로 옳은 것은?

2008. 지방직 7급

① 발해는 최고 학부로 문적원을 설치하여 유교 경전과 한문을 가르쳤다.
② 통일 신라 시기에 3두품에서 1두품의 신분은 평민과 거의 동등하였다.
③ 발해 지식인들은 당의 빈공과에서 당의 지식인보다 우위에 서기도 하였다.
④ 통일 신라 말에는 향·소·부곡민들이 신분 해방을 부르짖으며 난을 일으켰다.

0076

출제영역 〉 신라의 골품제 이해　　정답 ▶ ④

정답찾기 ④ 신라 말 김운경을 비롯하여 왕거인·최치원·최신지·최언위·최승우 등 6두품 지식인들이 모두 빈공과 합격자들이다.

선지분석 ① 모두 신라 6두품 출신으로 당나라에서 유학하였다.
② 모두 9세기에 활약한 대문장가이다.
③ 이들 모두 숙위 학생(도당 유학생)이나, 당 황제의 호위무사로 활동하지는 않았다.

0077

출제영역 〉 신라의 골품제 이해　　정답 ▶ ②

정답찾기 ② 신라의 골품 제도는 원래 8등급이었으나, 통일 이후 1·2·3두품의 경우 신분 구별이 차츰 사라져 일반 백성과 비슷하게 되었다. 그러나 이들은 성씨를 가지고 있었으므로 일반 농민과는 구별된다고 볼 수 있다.

선지분석 ① 발해의 최고 학부는 주자감이다. 문적원은 궁궐 내의 서적과 문서를 관리하는 기관이었다.
③ 빈공과는 당나라의 외국인 전용 과거 시험이었으므로 당의 지식인은 응시 자격이 주어지지 않았다.
④ 소(所)는 고려 때 처음 등장하였으며, 향·소·부곡민들이 신분 해방을 부르짖으며 난을 일으켰던 시대는 고려 무신 정변기이다.

PLUS⁺ 선지 OX 고대의 사회

01 백제의 정사암 제도와 신라의 화백 회의는 고구려의 대대로 선출 방식과 동일하게 운영되었다. 2009. 지방직 7급 O X

02 백제의 지배층은 투호와 바둑 및 장기와 같은 오락을 즐겼으며, 중국의 고전과 역사책을 읽고 한문을 구사하였다. 2017. 해경간부 O X

03 도둑질한 자는 유배를 보냄과 동시에 2배를 물게 한 국가에서는 간음죄를 범할 경우 남녀 모두를 처벌하였다. 2012. 국가직 7급 O X

04 고구려는 건국 이후 부족적 전통이 사라져 존재하지 않았다. 2013. 군무원 O X

05 고구려는 혼인할 때 남자 집에서 신부 집에 돼지고기와 술을 보낼 뿐 다른 예물은 주지 않았다. 2011. 서울시 7급 O X

06 '아찬(6관등)~급벌찬(9관등)'을 가진 사람이 '이벌찬(1관등)~대아찬(5관등)'으로 오르면 중앙 관부의 장관이 될 수 있었다. 수능 O X

07 통일 신라의 진골은 식읍과 전장 등을 경제적 기반으로 하였고, 돌무지덧널무덤을 묘제로 사용하였다. 2016. 국가직 9급 O X

08 파진찬 관등의 관리는 청색의 관복을 입었으며, 집사부의 중시직에 오를 수 있었다. 한능검 O X

09 화랑도는 단장인 화랑 2명과 낭도, 의식을 지도하는 승려로 구성되었다. 2015. 해경간부 O X

10 화랑도는 여러 계층 간의 일체감을 형성하여 계층 간의 대립과 갈등을 조절·완화해 주었다. 2013. 경찰간부 O X

PLUS⁺ 선지 OX 해설 고대의 사회

01 ☒ 백제의 정사암 제도는 다수결, 신라의 화백 제도는 만장일치제였다. 고구려의 수상 대대로는 3년마다 제가 회의에서 선거로 선출되었다.

02 ◎ 투호와 바둑 및 장기는 고구려와 마찬가지로 백제 지배층이 즐기던 오락이었으며, 일찍부터 중국과 활발하게 교류하여 지배층은 중국의 고전과 사서를 즐겨 읽고 한문에 통달하였다.

03 ☒ 도둑질한 자를 유배 보내고 2배를 물게 한 국가는 백제이다. 그러나 간음한 남녀를 모두 사형으로 처벌한 나라는 부여이다. 백제는 간음한 여자만 처벌하여 남편 집의 노비가 되게 하였다.

04 ☒ 고구려가 중앙 집권 국가로 들어가면서 부족적 전통이 약화된 것이지 없어지지는 않았다.

05 ◎ 고구려에서 혼인할 때는 남자 집에서 돼지고기와 술을 보낼 뿐 다른 예물은 주지 않았다. 신부 집에서 재물을 받았을 때는 딸을 팔았다고 여겨 부끄럽게 생각하였다.

06 ◎ 각 부의 장관은 진골만이 될 수 있었다. '아찬(6관등)~급벌찬(9관등)'의 관등을 가진 사람 중 '이벌찬(1관등)~대아찬(5관등)'의 관등으로 오를 수 있는 사람은 진골뿐이므로 중앙 관부의 장관이 가능하였다.

07 ☒ 통일 신라(신라 중대)의 귀족들은 녹읍과 식읍을 소유하고, 그곳에 사는 백성들에게 조세와 공물을 징수하며 노동력을 징발하였다. 그러나 돌무지덧널무덤은 신라 상대에 사용한 묘제이다. 통일 신라 때는 돌무지덧널무덤이 굴식 돌방무덤으로 변화되었다.

08 ☒ 집사부 중시(시중)는 규정상 17관등 중 제5관등 대아찬부터 제2관등 이찬까지 오를 수 있었다. 그러므로 제4관등인 파진찬은 중시직에 오를 수 있었다. 그러나 파진찬은 자색의 관복을 입었다.

09 ☒ 각 화랑도는 우두머리인 화랑(진골 귀족) 한 명과 승려 약간 명, 그리고 화랑을 따르는 다수의 낭도(왕경에 사는 진골 이하 하급 귀족, 일반 평민의 자제 등)로 구성되었다.

10 ◎ 화랑도는 진골 귀족에서부터 평민의 자제까지 구성되어 필연적으로 발생하는 계급 간의 갈등을 조절하는 역할을 하였다.

PART 02

고대의 경제

최근 5년간 국가직·지방직 출제 비율

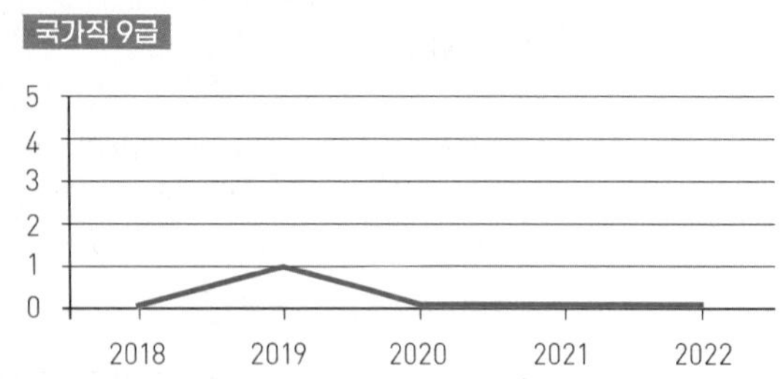

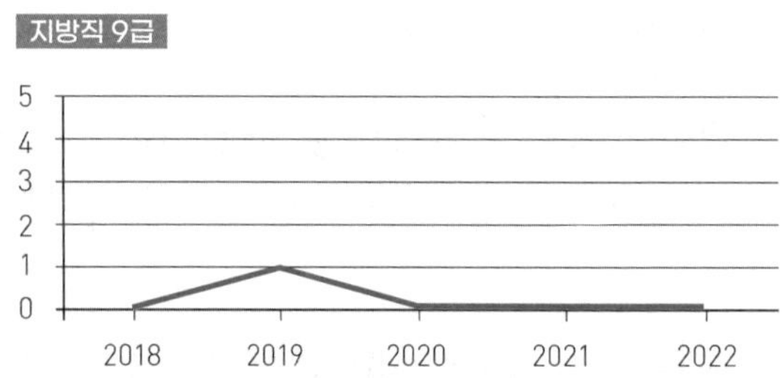

• 최근 5년간 국가직과 지방직에서 모두 '통일 신라 시대 경제'를 묻는 문제가 출제되었다.

주요 고난도 문제 키워드

#녹읍 #민정 문서 #대외 무역

고난도 이론 정리 선우쌤 PICK

<table>
<tr><td>삼국의 대외 무역</td><td colspan="2">• 4세기 미천왕의 한사군(낙랑, 대방) 축출로 중국과 무역 활발
• 백제(4C, (1)): 요서 (일시) 차지 – 동진의 산둥 – 왜 ⇨ 고대 상업권 형성
• 고구려(5C, (2)): 북위, 송, 유연 등과의 교류
• 신라(6C, 진흥왕): 한강 하류 확보 이후 당항성(경기도 남양) 구축 – 중국과 직접 교류</td></tr>
<tr><td rowspan="2">남북국 시대의 대외 무역</td><td>통일 신라</td><td>발해</td></tr>
<tr><td>• 당
– 공무역 + 사무역 발달
– 산둥반도와 양쯔강 하류에 (3)(집단 거주지)·신라소(행정 기구)·(4)(절) 설치
• 일본: 8C 이후 활발
• (5): 국제 무역항, 이슬람 상인 왕래(양탄자, 유리그릇, 향료 등 사치품 수입)
• (6): 9C에 (7)(완도) 설치, 남해와 서해의 해상 무역권 장악하여 당·일본과의 무역 독점</td><td>• 당
– 해로와 육로 이용
– 산둥반도의 등주에 발해관 설치
• 일본: 교류 활발((8) 설치)
• 신라: (9) 설치
• 수출품: 금·은, 모피, 자기, 불상 등
• 수입품: 비단·책 등 귀족 수요품
• 발해의 무역로: 5도(영주도, 조공도, 신라도, 일본도, (10))</td></tr>
<tr><td>신라의 민정 문서</td><td colspan="2">1. 발견 장소: 일본 동대사(東大寺) 정창원
2. 조사 지역: (11)(청주) 지역의 4개 촌락
3. 작성 시기: 8C 중엽 경덕왕 때로 추정
4. 작성자: 3년마다 (12)(토착민)가 작성
5. 작성 목적: 조세 징수와 부역 징발의 자료 파악
6. 내용: 마을 면적, 토지 결수, 인구수, 호구 수, 마전(麻田), 가축 수(소·말), 유실수(뽕나무, 잣나무, 호두나무) 등
① 호구 조사 방법: (13) 등급[기준–인정(사람)의 다과]
② 인구 조사 방법: 6등급[기준–남녀 구별(노비 포함), (14) 별]
7. 민정 문서에 나오는 토지 종류–연수유답, 관모답, 내시령답, 촌주위답, 마전
① (15)[烟受有畓, 정전(丁田)]: 농민들이 호별로 경작하는 토지
② 관모답(官謨畓): 그 소출이 국가에 들어가는 관유지
③ 내시령답(內視令畓): 내시령이라는 관료에게 할당된 관료전
④ 촌주위답(村主位畓): 촌주에게 할당된 토지
⑤ 마전(麻田): 마(삼베)를 공동으로 경작하여 국가에 바치는 토지</td></tr>
</table>

정답 1. 근초고왕 2. 장수왕 3. 신라방 4. 신라원 5. 울산항 6. 장보고 7. 청해진 8. 일본도 9. 신라도 10. 거란도 11. 서원경 12. 촌주 13. 9 14. 연령 15. 연수유답

삼국의 경제

0078

다음은 삼국 시대 어느 나라 수취 제도에 대한 설명이다. 이 나라와 관련된 내용으로 옳은 것은? 2014. 지방직 7급

- 세(稅)는 포목, 명주실과 삼, 쌀을 내었는데, 풍흉에 따라 차등을 두어 받았다. 『주서』
- 한수(漢水) 동북 여러 부락인 가운데 15세 이상 된 자를 징발하여 위례성을 수리하였다. 『삼국사기』

① 남중국 및 왜와 무역을 활발하게 전개하였다.
② 한강 유역을 차지한 뒤에야 당항성을 통하여 중국과 직접 교역할 수 있게 되었다.
③ 승려 혜자는 쇼토쿠 태자의 스승이 되었다.
④ 관료전과 정전을 지급하여 토지 개혁을 시도하였다.

토지 제도

0079

㉠에 해당하는 토지에 대한 설명으로 옳은 것은? 2018. 국가직 7급

5월 을사에 태조가 예산진에 행차하여 이르기를, "너희 공경장상은 국록을 먹는 사람들이므로 내가 백성을 자식처럼 사랑하는 마음을 헤아려서, 너희들 [㉠]의 백성들을 불쌍히 여겨야 할 것이다. 만약 무지한 가신들을 [㉠]에 보낸다면, 오직 거두어들이는 데만 힘써 마음대로 약탈할 것이니 너희 또한 어찌 알 수 있겠는가?"라고 하였다. 『고려사』

① 신라의 토지 제도에서 비롯된 것이다.
② 직역에 대한 대가로 수조권만을 지급한 것이다.
③ 대상 토지에 거주하는 가호의 수를 단위로 지급되었다.
④ 지방 호족들의 경제 기반으로 고려 무신 정권기까지 존속했다.

민정 문서

0080

통일 신라 시대에 작성된 「신라 촌락 문서」의 내용에 대한 설명으로 가장 옳지 않은 것은? 2017. 경찰간부

① 관리에게 지급된 관모전답도 조사 대상에 해당하였다.
② 가호는 공연과 계연으로 구분하여 표시하였다.
③ 소나 말의 개체 수는 물론, 경제적인 가치가 있는 나무들의 수량도 기록하였다.
④ 매년 변동 사항을 조사하여 두었다가 3년마다 촌 단위로 다시 작성하였다.

0078

출제영역 삼국의 경제 이해 정답 ▶ ①

정답찾기 제시문은 백제의 수취 제도이다.
① 백제에 대한 설명이다.

선지분석 ② 신라 진흥왕 때, ③ 고구려, ④ 통일 신라에 대한 내용이다.

0079

출제영역 통일 신라의 토지 제도 이해 정답 ▶ ①

정답찾기 ㉠은 녹읍이다. 제시문은 태조 왕건이 예산진에 가서 내린 조치로, 고려 관리들에게 자신의 녹읍에 있는 백성들을 사랑할 것을 지시한 내용이다.
① 녹읍은 신라 시대 때 국가가 관료에게 직무의 대가로 지급한 논밭이다.

선지분석 ② 녹읍을 받은 귀족은 국가로부터 수조권과 노동력 징발권을 인정받았다.
③ 녹읍은 가호의 수를 단위로 지급된 것이 아니라, 일정 지역[읍(邑)]을 단위로 지급되었다.
④ 녹읍제는 고려 태조가 통일을 이룩한 뒤에 폐지되었다.

0080

출제영역 신라 민정 문서의 이해 정답 ▶ ①

정답찾기 ① 관리에게 지급된 토지는 내시령답이다. 관모전답은 관유지에 해당한다.

선지분석 ② 가호(호구)는 9등급으로 편제되었다. 민정 문서에는 호(戶)를 공연(孔烟), 계연(計烟), 등급연(等級烟), 3년간중(三年間中) 수좌내연(收坐內烟)으로 나누어 기재하였다. 공연은 몇 개의 자연호가 합쳐진 편호라고 보는 견해가 유력하다. 계연은 계산상의 연이라는 뜻으로 각 촌락별 호구의 규모를 나타내는 기준 수치이다.
③ 민정 문서에는 마을 면적, 토지 결수, 호구 수, 인구수, 마전・가축・유실수 등을 기록하였다.
④ 매년 변동 사항을 조사하여 3년마다 촌주가 작성하였다.

더 알아보기 **민정 문서(신라 장적, 신라 촌락 문서)**

1. **발견 장소**: 일본 동대사(東大寺) 정창원(正倉院)
2. **조사 지역**: 서원경(청주) 지방의 4개 촌락
3. **작성 시기**: 8C 중엽 경덕왕 때로 추정
4. **작성자**: 3년마다 촌주(토착민)가 작성
5. **작성 목적**: 조세 징수와 부역 징발의 자료 파악
6. **내용**: 마을 면적, 토지 결수, 인구수, 호구 수, 마전(麻田), 가축 수(소・말), 유실수(뽕나무, 잣나무, 호두나무) 등
   ① 호구 조사 방법: 9등급[기준 – 인정(사람)의 다과]
   ② 인구 조사 방법: 6등급[기준 – 남녀 구별(노비 포함), 연령별]
7. **민정 문서에 나오는 토지 종류**
   ① 연수유답(정전): 농민들이 호별로 경작하는 토지
   ② 관모답: 그 소출이 국가에 들어가는 관유지
   ③ 내시령답: 내시령이라는 관료에게 할당된 관료전
   ④ 촌주위답: 촌주에게 할당된 토지, 촌민이 공동 경작
   ⑤ 마전(麻田): 마(삼베)를 공동으로 경작하여 국가에 바치는 토지
8. **촌주**: 촌주는 왕경인(王京人)이 아닌 토착민 중에서 국가가 임명하고 그 대가로 촌주위답을 지급받았다.

남북국 시대의 경제

0081 □□□

발해의 5경과 5도의 연결이 잘못된 것은? 2013. 경찰간부

① 중경 현덕부 – 거란도
② 서경 압록부 – 조공도
③ 동경 용원부 – 일본도
④ 남경 남해부 – 신라도

0082 □□□

한국 고대 사회에서 해상을 통한 원거리 교역이 빈번하게 전개되었는데, 이에 대한 설명으로 옳지 않은 것은? 2009. 지방직 7급

① 원거리 교역을 본격적으로 시작한 것은 고조선이었다.
② 4세기 초엽 낙랑·대방의 축출로 인해 중국–삼한–일본으로 이어지는 해상 교역이 활발하게 되었다.
③ 4세기 중엽 근초고왕은 전남 해안 지역을 정복하고 동진–백제–임나가라–왜로 이어지는 교역로를 장악하였다.
④ 9세기 초엽 일본 정부는 북부 큐슈에 온 신라 상인의 무역 활동을 관리하기 위해 규정과 대응책을 마련하였다.

0081

출제영역 발해의 경제 이해 정답 ▶ ①

정답찾기 ① 상경 용천부 – 거란도

더+알아보기 **발해의 5도(道)**

- 중경 현덕부 – 영주도
- 서경 압록부 – 조공도
- 상경 용천부 – 거란도
- 동경 용원부 – 일본도
- 남경 남해부 – 신라도

0082

출제영역 고대 대외 무역의 이해 정답 ▶ ②

정답찾기 ② 4세기 초엽 고구려 미천왕의 낙랑·대방의 축출로 인해 중국과 고구려의 직접 교류가 이루어졌다.

선지분석 ① 고조선, 특히 위만 조선 때 한과 진·예 사이에서 중계 무역을 하였다.
③ 4세기 중엽 근초고왕 때 마한을 완전히 정복하고 동진 – 백제 – 임나가야(금관가야) – 왜로 이어지는 고대 교역로를 장악하였다.
④ 9세기 초 장보고는 당·신라·일본을 잇는 바다 무역로를 개척하여 국제 무역을 주도하였고, 일본 정부는 신라 상인의 무역 활동을 관리하기 위해 규정과 대응책을 마련하였다.

더+알아보기 **통일 신라와 발해의 대외 무역**

통일 신라	발해
• 당 – 해로 이용 – 산둥반도와 양쯔강 하류에 신라방(집단 거주지)·신라소(행정 기구)·신라원(절) 등 설치 • 일본: 8C 이후 활발 • 울산항: 국제 무역항, 이슬람 상인 왕래 • 장보고: 9C에 청해진(완도) 설치, 남해와 황해의 해상 무역권 장악	• 당 – 해로와 육로 이용 – 산둥반도의 등주에 발해관 설치 – 수출: 금·은, 모피, 자기(삼채 도자기), 불상 등 – 수입: 비단·책 등 귀족 수요품 • 일본: 교류 활발(일본도 설치) • 신라: 신라도 설치(8C) • 발해의 무역로: 5도(영주도, 조공도, 신라도, 일본도, 거란도)

PLUS⁺ 선지 OX 고대의 경제

01 성덕왕 21년에 지급된 정전은 신라 민정 문서의 연수유전답과 같은 것으로 볼 수 있다. 한능검 O X

02 삼국은 모든 국토가 왕토라는 사상에 따라 양인들이 자영지를 확보하지는 못했으나 조세·공부·역역의 부과 대상이 되었다. 2003. 법원 행정고시 O X

03 민정 문서의 내용을 분석해 볼 때 통일 신라 시기의 농업 생산은 주로 노비에 의해 이루어졌던 것으로 파악이 가능하다. 2003. 행정고시 O X

04 민정 문서에 나오는 내시령답과 관모전답은 모두 촌주가 소유한 토지이다. 2013. 경찰간부 O X

05 통일 신라의 수공업은 창부(倉部)에서 관장하였는데, 특히 종·불상 등의 제조 부문에서 뛰어난 수준을 보여 주고 있다. 2003. 행정고시 O X

06 신라에서 공물은 9등호에 따라 개별 농민호를 단위로 특산물을 부과하였다. 2002. 법원 행정고시 O X

07 신라에서 조세, 공물의 수취는 매 촌락마다 있는 촌주를 통해 이루어졌다. 2002. 법원 행정고시 O X

08 발해의 남경을 거쳐 동해안을 따라 가는 교통로를 통해 발해와 일본 사이에 외교 및 무역이 이루어졌다. 수능 O X

09 장보고가 활동하던 시기에 발해에서 신라로 가는 상설 교통로가 개설되었다. 2015. 경찰간부 O X

10 통일 신라는 어아주, 조하주 등 고급 비단을 생산하여 당나라에 보냈다. 2019. 지방직 9급 O X

PLUS⁺ 선지 OX 해설 고대의 경제

01 O 신라 민정 문서에 나타나는 연수유전과 연수유답은 농민들이 호별로 경작하는 토지로, 전체 토지의 대부분을 차지하는 것이다. 이는 민호가 국가로부터 지급받아 가지고 있는 전답이라는 뜻으로 성덕왕이 백성에게 지급하였다는 정전에 해당하는 것으로 보고 있다.

02 X 삼국 시대에는 왕권을 중심으로 한 중앙 집권적인 정치가 성립함에 따라 모든 국토는 왕토(王土)라는 사상이 나오게 되었다. 그러나 왕토 사상은 어디까지나 관념적인 것으로 자기 토지를 소유한 농민들이 존재하였다.

03 X 민정 문서에 기재된 노비의 수는 전체 인구의 10% 정도로 비율이 낮았다. 이를 통해 생산의 중심은 농민이었음을 알 수 있다.

04 X 내시령답은 내시령(관료)에게 지급한 토지이고, 관모전답은 공적 비용 충당을 위한 토지이다.

05 X 수공업은 예작부나 공장부에서 관장하였다. 창부는 재정 업무를 담당한 기관이다.

06 X 신라에서 공물은 9등호에 의해 이루어진 것이 아니라, 촌락에 일괄적으로 부과되었다.

07 X 신라에서는 매 촌락마다 촌주가 있는 것이 아니라, 몇 개의 촌락에 한 명의 촌주가 있었다.

08 X 상경에서 남경을 거치는 길은 신라도로서 이를 통해 발해와 신라의 교역이 이루어졌다. 발해는 상경에서 동경을 거쳐 동해로 이어지는 일본도를 통해 일본과 교류하였다.

09 X 장보고는 9세기 초반 완도에 청해진을 설치하고(828), 남해와 황해의 해상 무역권을 장악하였다. 그러나 발해에서 신라로 가는 상설 교통로인 신라도는 발해 문왕(재위 737~793) 때 설치되었다.

10 O 통일 신라는 어아주, 조하주, 능라 등의 비단 생산과 종, 불상 등의 제조 기술이 뛰어났다.

고대의 문화

최근 5년간 국가직·지방직 출제 비율

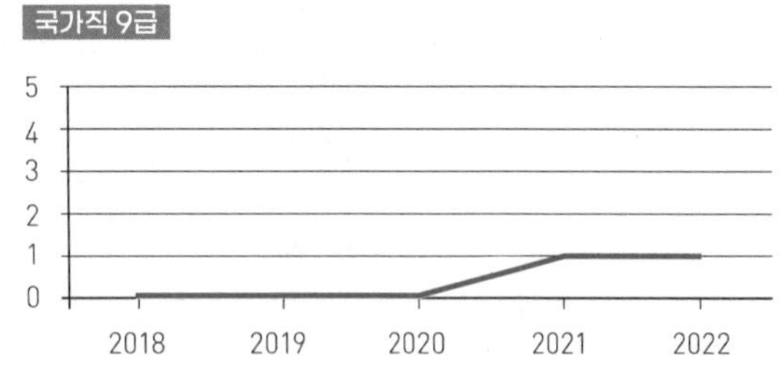

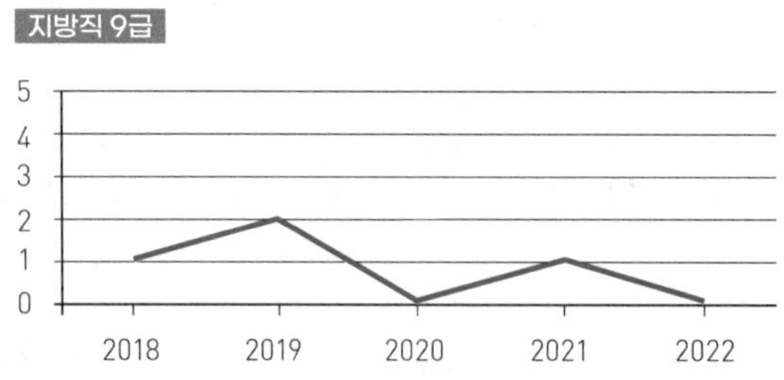

- 최근 5년간 국가직과 지방직을 합쳐서 최소 한 문제가 출제되었다.
- 주로 불교 승려와 불교 문화에 대한 문제가 많이 출제되었다.

주요 고난도 문제 키워드

#불교 승려 #교육 기관 #최치원 #고분 벽화 #도성의 역사

고난도 이론 정리 선우쌤 PICK

통일 신라의 주요 인물	원효	• 불교 이해 기준 확립 ⇨ 저서 : 『금강삼매경론』, 『대승기신론소』, 『십문화쟁론』 등 • 불교 종파 융합 : [1] 을 바탕으로 분파 의식 극복 노력 • [2] 주장 : 여러 종파의 모순 상쟁을 보다 높은 차원에서 융화 • 무애(無碍) 사상 : 무애가 지음, 무애의 자유 정신 강조 • [3] (아미타 신앙) 보급, 대중에게 '나무아미타불' 염불 강조 ⇨ 불교 대중화 기여 • [4] (교종 종파) 개창
	의상	• [5] 창설 : 영주에 부석사 건립, 「화엄일승법계도」 지음. • 아미타 신앙과 [6] 신앙 주도 · 전파, 불교 대중화 • 전제 왕권, 중앙 집권 체제 뒷받침, 신라 사회 통합에 기여 • 민심 강조 : [7] 이 경주에 도성을 쌓으려고 하자 민심의 성을 강조하면서 만류함. • 제자 양성 : 진정(빈민 출신), 지통(노비 출신) 등 신분을 불문하고 3,000여 명의 제자 양성
	최치원	• 신라 하대 학자 • 18세 때 빈공과에 합격, 황소의 난(879) 때 반란군을 진압하는 '[8] ' 저술 • 895년 해인사 경내의 한 공양탑(供養塔)의 기문에서 당시의 처참한 상황에 대해, "당토(唐土)에서 벌어진 병(兵) · 흉(凶) 두 가지 재앙이 서쪽 당에서는 멈추었고, 동쪽 신라로 옮겨 와 그 험악한 중에도 더욱 험악해 굶어서 죽고 전쟁으로 죽은 시체가 들판에 별처럼 흐트러져 있었다."고 적음. • [9] 때 개혁을 요구하는 시무 10조 바침. ⇨ 아찬에 오름. • 대표 저서 : 『계원필경』, 『제왕연대력』, 4산 비명(숭복사비, 쌍계사 진감선사비, 봉암사 지증대사비, 성주사 낭혜화상비)

정답 1. 일심 사상 2. 화쟁 사상 3. 정토종 4. 법성종 5. 화엄종 6. 관음 7. 문무왕 8. 토황소격문 9. 진성 여왕

사상의 발달

0083 □□□

삼국 시기 불교계에 대한 설명으로 가장 옳지 않은 것은?

2017. 서울시 7급

① 고구려의 보덕은 도교에 밀려 불교가 쇠퇴함을 개탄하였고, 후에 열반종을 제창하였다.
② 백제에서는 계율종이 크게 성행하였는데, 겸익이 대표적인 승려이다.
③ 신라에서는 호국 불교가 크게 성행하였으나 밀교는 성행하지 못하였다.
④ 신라의 화랑은 미륵이 인간세계에 내려온다는 미륵 하생 신앙과 관련이 있다.

0084 □□□

삼국의 사회·문화에 관한 설명으로 가장 옳지 않은 것은?

2019. 서울시 9급

① 고구려는 영양왕 때 이문진이 『유기』를 간추려 『신집』 5권을 편찬했다.
② 백제의 승려 원측은 당나라에 가서 유식론(唯識論)을 발전시켰다.
③ 신라의 진흥왕은 두 아들의 이름을 동륜 등으로 짓고 자신은 전륜성왕으로 자처했다.
④ 백제 말기에는 미래에 중생을 구제한다는 미륵 신앙이 유행하기도 하였다.

0085 □□□

밑줄 친 '그'에 대한 설명으로 옳은 것은?

2013. 국가직 7급

> <u>그</u>는 그 모양대로 도구를 만들어 화엄경의 "일체 무애인은 한 길로 생사를 벗어난다."라는 문구에서 그 이름을 따와서 무애라 하며 이내 노래를 지어 세상에 퍼뜨렸다. 일찍이 이것을 가지고 많은 촌락에서 노래하고 춤추며 교화하고 읍영하여 돌아왔으므로 가난하고 무지몽매한 무리들까지도 모두 부처의 호를 알게 되었고, 다 나무아미타불을 부르게 되었으니 <u>그</u>의 법화는 컸던 것이다. 『삼국유사』

① 부석사를 창건하여 해동 화엄종의 시조가 되었다.
② 천태종을 통해 교종의 입장에서 선종을 통합하려 하였다.
③ 화쟁의 논리에 따라 중관파의 부정론과 유식파의 긍정론을 다 같이 비판하였다.
④ 자신의 행동을 진정으로 참회하는 법화 신앙에 중점을 둔 백련결사를 제창하였다.

0083

출제영역 〉 고대 불교의 이해 정답 ▶ ③

정답찾기 ③ 삼국의 불교 수용은 토착 신앙을 바탕으로 이루어졌기 때문에 현세 구복적 성격을 띠게 되었다. 그 결과 치병(治病)이나 적병 격퇴 등의 기적을 행하는 것을 믿는 밀교(密敎)가 크게 성행하였다.

선지분석 ① 고구려 보장왕 때 연개소문은 불교 세력을 누르기 위하여 도교를 장려하기도 하였다. 이에 보덕은 도교의 불로장생 사상에 대항하기 위해 열반종을 개창하고 곧 백제로 들어갔다.
② 백제는 주로 계율을 내세우는 율종(계율종)을 중심으로 발달하였는데, 성왕 때 겸익이 인도에 유학하고 돌아와 율종(계율종)을 확립하였다.
④ 신라에서 널리 받아들인 불교의 중심 교리는 업설(業說)과 미륵불 신앙이었다. 이는 왕이 곧 부처라는 사상을 통하여 왕의 권위를 높여 주는 한편, 귀족들의 특권을 인정해 주는 측면이 있었다. 아울러 미륵불이 나타나 이상적인 불국토를 건설한다는 미륵불 신앙은 진흥왕 때 조직화된 화랑 제도와 밀접한 관련을 가지면서 신라 사회에 정착하였다.

0084

출제영역 〉 고대 불교의 이해 정답 ▶ ②

정답찾기 ② 신라의 승려 원측은 문무왕 때 당나라에 유학가서 삼장법사 현장에게 유식학을 배워 서명학파를 이루었다.

선지분석 ① 고구려에서는 일찍부터 『유기』가 편찬되었으며, 영양왕 때 이문진이 이를 간추려 『신집』 5권을 편찬하였다.
③ 진흥왕은 큰 아들 이름을 동륜, 둘째 아들 이름을 사륜으로 짓고, 자신은 전륜성왕(불교의 정법을 퍼뜨린 위대한 정복 군주)으로 자처하였다.
④ 백제에서는 6세기 이후부터 미륵 신앙이 널리 퍼졌는데, 무왕은 익산에 미륵사를 건립하기도 하였다.

0085

출제영역 〉 고대 사회 승려의 이해 정답 ▶ ③

정답찾기 밑줄 친 '그'는 원효이다.

선지분석 ① 신라 중대의 의상, ② 고려 중기의 의천, ④ 고려 후기의 요세에 대한 설명이다.

0086

다음 글을 쓴 인물에 대한 설명으로 옳은 것만을 〈보기〉에서 고른 것은? 2021. 경찰 2차

> 기신론(起信論)에서 "여래(如來)의 넓고 크며, 끝없는 도리를 총섭(總攝)하고자 이 논(論)을 설(說)하였다."라고 말하였다. 이 논의 뜻은 이와 같다. 펼치면 무량무변(無量無邊)의 도리를 본질[宗]로 삼고, 합하면 이문일심(二門一心)의 법을 핵심으로 한다. 이문의 안은 만 가지 뜻을 포용하나 어지럽지 않다. 무변이라는 뜻은 일심과 같고 또한 혼융(混融)된다.

보기

㉠ 법상종을 개창하였다.
㉡ 『금강삼매경론』을 저술하였다.
㉢ 화쟁국사(和諍國師)라는 시호를 받았다.
㉣ 『화엄일승법계도』를 저술하고 화엄종을 창설하였다.

① ㉠, ㉡ ② ㉡, ㉢
③ ㉢, ㉣ ④ ㉠, ㉣

0087

다음 밑줄 친 '이 승려'에 대한 설명으로 옳은 것을 〈보기〉에서 고른 것은? 2018. 기상직 9급

> <u>이 승려</u>가 입적한 후 100여 년이 지난 애장왕 대(800~809)에 후손 중업과 각간 김언승 등이 중심이 되어 그를 추모하는 비(고선사 서당화상비)를 세웠으며, 1101년 8월 고려 숙종이 화쟁국사(和諍國師)라는 시호(諡號)를 추증(追贈)하였다.

보기

㉠ 아미타 정토 신앙을 널리 전도하였다.
㉡ 진골 출신으로 화엄종을 개창하여 융성시켰다.
㉢ 진평왕의 명으로 수나라에 군사를 청하는 글을 지어 바쳤다.
㉣ 『대승기신론소』, 『금강삼매경론』 등을 저술하였다.

① ㉠, ㉡ ② ㉡, ㉢
③ ㉢, ㉣ ④ ㉠, ㉣

0088

다음 글은 특정 시기에 유행했던 불교 종파와 관련된 내용이다. 이 종파가 성립된 시기에 해당하는 사항을 〈보기〉에서 모두 고른 것은? 2009. 지방직 7급

> 일(一) 안에 일체(一切)요, 다(多) 안에 일(一)이다.
> 일(一)이 곧 일체(一切)요, 다(多)가 곧 일(一)이다.
> 한 작은 티끌 속에 시방(十方)을 머금고,
> 일체(一切)의 티끌 속에 또한 이와 같다.
> 무량(無量)한 먼 겁(劫)이 곧 한 찰나(刹那)요,
> 한 찰나(刹那)가 곧 그냥 무량(無量)한 겁(劫)이다.

보기

㉠ 황룡사의 건립
㉡ 정토 신앙의 유행
㉢ 강수(强首)의 외교 문서 작성
㉣ 고달사(高達寺) 원종대사(元宗大師) 혜진탑비(慧眞塔碑)의 건립
㉤ 봉평비(鳳坪碑)의 건립

① ㉢, ㉣ ② ㉡, ㉢, ㉣
③ ㉠, ㉣, ㉤ ④ ㉡, ㉢

0086

출제영역 고대 사회 승려의 이해 정답 ▶ ②

정답찾기 제시문은 원효의 『대승기신론소』의 일부분이다.
㉡ 원효는 여러 경전을 섭렵하여 『금강삼매경론』을 저술하였다.
㉢ 고려 숙종이 원효에게 화쟁국사라는 시호를 내렸다.

선지분석 ㉠ 진표, ㉣ 의상에 대한 설명이다.

0087

출제영역 고대 사회 승려의 이해 정답 ▶ ④

정답찾기 밑줄 친 '이 승려'는 원효이다. '고선사 서당화상비'의 서당은 원효의 어린 시절 이름이다.
㉠ 원효는 아미타 신앙(정토종)을 통하여 불교 대중화를 도모하였다.
㉣ 원효는 『대승기신론소』에서 대승 불교의 중관파와 유식파를 통합하여 일심 사상을 체계화하였으며, 여러 경전을 섭렵하여 『금강삼매경론』을 저술하였다.

선지분석 ㉡ 의상(신라 중대), ㉢ 원광(신라 상대)에 대한 설명이다.

0088

출제영역 고대 사회 승려의 이해 정답 ▶ ④

정답찾기 제시문은 의상의 「화엄일승법계도」 중 일부분으로, 의상은 신라 중대 시기의 승려이다.
㉡ 신라 중대(원효), ㉢ 신라 중대에 해당한다.

선지분석 ㉠ 신라 상대(진흥왕), ㉣ 고려, ㉤ 신라 상대(법흥왕)에 해당한다.

역사서 및 유학

0089 □□□

다음은 역사적 사실을 순서대로 나열한 것이다. 다음 (가)와 (나)에 들어갈 역사적 사실로 옳지 않은 것은? 2017. 서울시 7급

> 백제의 고흥이 『서기』를 편찬하였다.
> (가)
> 신라의 거칠부가 『국사』를 편찬하였다.
> (나)
> 성덕 대왕 신종이 완성되었다.

① (가) – 충주 고구려비가 세워졌다.
② (가) – 황룡사 9층 목탑이 건축되었다.
③ (나) – 이문진이 『신집』 5권을 편찬하였다.
④ (나) – 김대성이 석굴암을 지었다.

0089

출제영역 〉 고대 역사서의 이해 정답 ▶ ②

정답찾기 『서기』 편찬(근초고왕, 4세기) ⇨ (가) ⇨ 『국사』 편찬(진흥왕, 6세기) ⇨ (나) ⇨ 성덕 대왕 신종 완성(혜공왕, 8세기)
② 황룡사 9층 목탑은 선덕 여왕 때 자장의 건의로 제작된 것(645)으로 (가)가 아니라 (나) 시기에 해당된다.

선지분석 ① 5세기 장수왕 때, ③ 7세기 초 영양왕 때, ④ 8세기 경덕왕 때 만들기 시작하여 혜공왕 때 완성되었다.

0090 □□□

(가) 시기에 있었던 역사적 사실로 옳은 것은? 2018. 국가직 7급

고구려 태학 설립	백제 『서기』 편찬	신라 『국사』 편찬	고구려 『신집』 편찬
		(가)	

① 고구려 장수왕이 백제 한성을 함락하였다.
② 금관가야가 가야 연맹의 주도권을 상실하였다.
③ 신라에서 건원이라는 독자적인 연호를 사용하였다.
④ 백제가 노리사치계를 보내 일본에 불상과 불경을 전하였다.

0090

출제영역 〉 고대 역사서의 이해 정답 ▶ ④

정답찾기 고구려, 태학 설립(372) ⇨ 백제, 『서기』 편찬(375) ⇨ 신라, 『국사』 편찬(545) ⇨ (가) ⇨ 고구려, 『신집』 편찬(600)
④ 노리사치계 일본 파견(552, 성왕 30년)

선지분석 ① 장수왕, 한성 점령(475, 장수왕 63년)
② 전기 가야 연맹 쇠퇴(4세기 말~5세기 초)
③ 신라, '건원' 연호 사용(536, 법흥왕 23년)

0091 □□□

통일 신라의 유교 교육과 관련된 내용으로 옳지 않은 것은? 2013. 경찰간부

① 신문왕 때 유교 교육 기관으로 국학을 세웠다.
② 12등급에 해당하는 대사 이하의 하급 귀족 자제에게 국학의 입학 자격을 주었다.
③ 성덕왕 때 국학을 태학감으로 고치고 『논어』와 『효경』을 필수 과목으로 가르쳤다.
④ 원성왕 때 유교 경전의 이해 수준에 따라 관리를 등용하는 독서삼품과를 실시하였다.

0091

출제영역 〉 고대 유학의 이해 정답 ▶ ③

정답찾기 ③ 경덕왕 때 국학을 태학감으로 고쳤다.

0092 □□□

밑줄 친 '그'에 대한 설명으로 옳지 않은 것은? 2016. 국가직 7급

> 아버지가 말하기를 "십 년 안에 과거에 급제하지 못하면 내 아들이 아니니 힘써 공부하라."라고 하였다. 그는 당에서 스승을 좇아 학문을 게을리 하지 않았다. 건부(乾符) 원년 갑오에 예부시랑 배찬이 주관하는 시험에 합격하여 선주(宣州)의 율수현위에 임명되었다. 『삼국사기』

① 역사서인 『제왕연대력』을 저술하였다.
② 난랑비 서문에서 삼교 회통의 사상을 보여주었다.
③ 『법장화상전』에서 화엄종 승려의 전기를 적었다.
④ 사산 비명의 하나인 고선사 서당화상비문을 지었다.

0093 □□□

다음과 관련된 인물에 대한 설명 중 가장 옳지 않은 것은? 2016. 경찰간부

> 이 나라에 현묘한 도가 있어 이를 풍류라 하였다. 이 교의 기원은 선사(仙史)에 자세히 실려 있거니와 실로 이는 3교를 포함한 것으로 모든 민중을 교화하였다. 즉 집안에서는 효도하고 밖에서는 나라에 충성을 다하니 이것은 노나라 사구의 취지이다. 모든 일을 거리낌 없이 처리하고 말하지 않고 실행하는 것은 주나라 주사의 종지였으며, 모든 악한 일을 하지 않고 선만 행하는 것은 축건태자의 교화 그대로이다.

① 당에서 과거에 급제하여 여러 요직에서 벼슬하다가 당 희종 때 황소의 난이 일어나자 이를 토벌하는 격문을 지어 명성을 떨쳤다.
② 894년 시무책(時務策) 10여 조를 진성 여왕에게 올려 개혁을 요구하고 아찬의 벼슬에 올랐다.
③ 『계원필경』, 『제왕연대력』을 저술하였다.
④ 발해에 대하여 고구려 후예들이 건국한 것으로 이해하고 매우 우호적인 입장을 가졌다.

0092

출제영역 고대 특정 유학자의 이해 정답 ▶ ④

정답찾기 밑줄 친 '그'는 최치원이다.
④ 고선사 서당화상비문은 작자 미상이다. 서당은 원효의 어린 시절 이름이다. 최치원이 쓴 사산 비명은 쌍계사 진감선사비, 성주사 낭혜화상비, 숭복사비, 봉암사 지증대사비이다.

선지분석 ① 『제왕연대력』은 최치원이 삼국의 역사를 연표 형식으로 정리한 역사서이다.
② 최치원이 지은 난랑비 서문의 주요 내용은 유·불·도 3교의 정신을 바탕으로 이루어진 풍류도(風流道)에 관한 것으로, 신라의 화랑도가 풍류도라는 우리 고유의 사상을 받들어 수련하였음을 보여 주고 있다.
③ 『법장화상전』은 최치원이 중국 당나라 법장화상의 생애를 서술한 책이다.

더⊕알아보기 고운(孤雲) 최치원(857~미상)
신라 하대 학자로 6두품 출신이다. 12세 때 당나라에 유학하여, 18세 때 빈공과에 합격하고 당나라에서 관료 생활을 시작한 최치원은 황소의 난(879) 때 반란군을 진압하는 글을 쓴 '토황소격문(討黃巢檄文)'으로 이름을 널리 떨치게 되었다.
885년 귀국 후, 헌강왕 이후 왕이 두 번이나 교체되었고 진성 여왕 때 조세의 문란으로 원종·애노의 농민 반란이 일어나는 등 신라 사회는 붕괴를 눈앞에 둔 상황에서 895년 최치원은 전국적인 내란 중 사찰을 지키다가 전몰한 승병들을 위해 만든 해인사 경내의 한 공양탑(供養塔)의 기문(記文)에서 당시의 처참한 상황에 대해, "당토(唐土)에서 벌어진 병(兵)·흉(凶) 두 가지 재앙이 서쪽 당에서는 멈추었고, 동쪽 신라로 옮겨와 그 험악한 중에도 더욱 험악해 굶어서 죽고 전쟁으로 죽은 시체가 들판에 별처럼 흐트러져 있었다."고 적었다. 최치원은 진성 여왕 때 개혁을 요구하는 시무 10조를 지어 아찬에 올랐지만, 진골 귀족들의 반대로 뜻을 펼칠 수가 없자 지방으로 내려갔다. 최치원의 대표 저서로는 『계원필경』, 『제왕연대력』, 4산 비명(숭복사비, 쌍계사 진감선사비, 봉암사 지증대사비, 성주사 낭혜화상비) 등이 있다.

0093

출제영역 고대 특정 유학자의 이해 정답 ▶ ④

정답찾기 제시문은 최치원의 '난랑비문' 내용이다.
④ 최치원의 작품 중 '사불허북국거상표(謝不許北國居上表)'나 '상태사시중장(上太師侍中狀)' 등에서 발해인에 대한 강한 적개심을 알 수 있다.

고분

0094 □□□

백제 무령왕릉과 발해 정효 공주 묘의 공통점으로 옳은 것만을 모두 고르면? 2019. 국가직 7급

> ㉠ 중국 문화의 영향을 받아 만들어진 벽돌무덤이다.
> ㉡ 천장은 각을 줄여 쌓는 평행고임 구조로 되어 있다.
> ㉢ 무덤방의 네 벽면에 회가 칠해지고 벽화가 그려져 있다.
> ㉣ 무덤에 묻힌 인물에 대해 알려 주는 문자 자료가 발견되었다.

① ㉠, ㉡ ② ㉠, ㉣
③ ㉡, ㉢ ④ ㉢, ㉣

0095 □□□

다음 중 고구려 고분 벽화에 대한 설명으로 적절한 것은? 제3회 한국사능력검정시험 고급

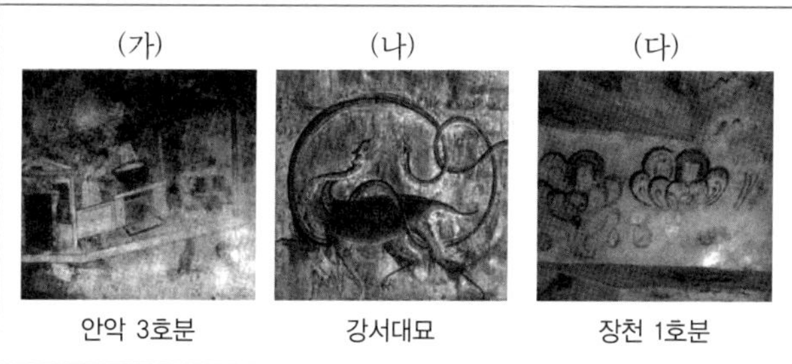

(가) 안악 3호분 (나) 강서대묘 (다) 장천 1호분

① (가)에는 고구려인의 생활 모습이 그려져 있다.
② (나)에는 윤회전생을 희구하는 불교적 내세관이 반영되었다.
③ (다)에는 중국적 오행 사상과 도교적 우주관이 반영되었다.
④ 고구려 고분 벽화의 주된 내용은 (가) – (나) – (다)의 순서로 변화하였다.
⑤ (가), (나), (다) 모두 돌무지덧널무덤의 내부에 그려져 있다.

0096 □□□

백제 왕릉이 있는 공주 송산리 고분군과 부여 능산리 고분군에 대한 설명 중 가장 옳지 않은 것은? 2016. 경찰간부

① 능산리 고분 옆 절터에서 백제 금동 대향로가 출토되었다.
② 송산리 고분의 한 곳에서 일제 강점기 때 도굴되지 않은 무령왕릉이 발견되었다.
③ 송산리 6호분의 벽돌무덤은 벽화를 그려 넣지 않았다.
④ 무령왕릉은 중국 남조의 영향을 받았으며, 연꽃 등 화려한 무늬의 벽돌로 무덤 내부를 쌓았다.

0094

출제영역 고대 고분 양식의 이해 정답 ▶ ②

정답찾기 ㉠ 무령왕릉은 중국 남조(양), 정효 공주 묘는 당의 영향을 받은 벽돌무덤이다.
㉣ 무령왕릉에서는 지석이, 정효 공주 묘에서는 정효 공주 비문이 출토되어 무덤의 주인이 밝혀졌다.

선지분석 ㉡ 정효 공주 무덤만 천장의 각을 줄여 쌓는 평행고임 구조로 되어 있다.
㉢ 무령왕릉에는 벽화가 그려져 있지 않고, 정효 공주 묘에는 인물도 벽화가 그려져 있다.

0095

출제영역 고대 고분 양식의 이해 정답 ▶ ①

선지분석 ② (다), ③ (나)에 대한 설명이다.
④ (가) ⇨ (다) ⇨ (나)의 순으로 변화하였다.
⑤ (가), (나), (다) 모두 굴식 돌방무덤의 벽화이다.

더+알아보기 고구려 고분 벽화의 특징

초기에는 고구려인들의 생활 모습, 행차도, 일월성신(一月星辰)과 같은 그림이 나오다가 점차 불교도(연화문, 당초문)가 그려졌으며, 후기에는 사신도와 같은 추상적이고 상징적인 그림이 그려졌다.

더+알아보기 고구려의 대표적인 굴식 돌방무덤

구분	특징
안악 3호분	대행렬 그림, 귀족의 모습, 부엌・우물가・고깃간 그림 등
덕흥리 고분	13명의 태수에게 보고를 받고 있는 유주자사 진(鎭)의 모습, 무예를 겨루는 사람, 견우직녀도 등
무용총	무용도, 수렵도, 행렬도, 거문고를 연주하는 그림 등
각저총	씨름도, 별자리 그림
수산리 고분	높은 나무다리 위에서 곡예를 하는 모습(바퀴 굴리기, 공 던지기 등), 여인도 ⇨ 일본 다카마쓰 고분의 여인도에 영향
쌍영총	• 서역 계통의 영향을 받은 전실과 후실 사이의 팔각 쌍기둥과 모줄임 천장은 당대 건축 예술의 높은 수준을 보여 줌. • 벽화: 무사, 우차, 여인 등 ⇨ 당시의 생활 모습 짐작
강서고분	사신도(청룡・백호・주작・현무) ⇨ 도교 영향

0096

출제영역 고대 고분 양식의 이해 정답 ▶ ③

정답찾기 ③ 공주 송산리 고분(6호분) 벽돌무덤에서는 고구려 영향을 받은 사신도, 일월도 등의 벽화가 발견되었다.

0097

다음은 어느 유적에 관한 인터넷 역사 정보 사이트의 설명이다. 이를 읽고 추론한 내용으로 가장 적절한 것은? 수능

1971년 송산리 고분군의 배수로 공사 중에 우연히 발견되었다. 무덤의 주인공을 알리는 지석이 발견되어 연대를 확실히 알 수 있다. 연꽃 등 우아하고 화려한 무늬를 새긴 벽돌로 무덤 내부를 쌓았고, 왕과 왕비의 장신구와 금관 장식, 귀고리, 팔찌 등 3,000여 점의 껴묻거리가 출토되어 당시 문화의 특성을 엿볼 수 있다.

고분군 전경

무덤 내부

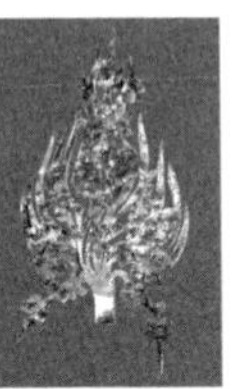
왕관 장식

① 갑 – 부여에 가면 이런 벽돌무덤을 많이 볼 수 있을 거야.
② 을 – 무덤이 온전하게 보존된 것은 도굴이 어려운 구조 때문일 거야.
③ 병 – 껴묻거리를 많이 묻은 것을 보니 불교 수용 이전에 만들었을 거야.
④ 정 – 이 무덤이 만들어진 문화적 배경은 양나라에 파견된 사신 그림을 통해 짐작해 볼 수 있어.
⑤ 무 – 화려한 왕관 장식을 보니 수도를 옮기고 나라를 중흥시킨 이 무덤 주인공의 위세가 느껴져.

예술(탑 · 불상 · 공예 · 과학)

0098

백제 시대의 문화재로 바르게 묶은 것은? 2013. 지방직 7급

① 사택지적비, 임신서기석
② 미륵사지 석탑, 단양 적성비
③ 정림사지 5층 석탑, 서산 마애 삼존불
④ 연가 7년명 금동 여래 입상, 법주사 쌍사자 석등

0099

다음 〈보기〉에서 백제의 문화재를 모두 고른 것은? 2015. 서울시 9급

보기
㉠ 백률사 석당　㉡ 정림사지 5층 석탑
㉢ 창왕명 석조 사리감　㉣ 법주사 쌍사자 석등

① ㉠, ㉡　② ㉠, ㉣
③ ㉡, ㉢　④ ㉢, ㉣

0097

출제영역 고대 고분 양식의 이해 정답 ▶ ④

정답찾기 제시문은 공주 송산리 고분 중 무령왕릉에 대한 설명이다. ④ 무령왕 때에는 중국 남조의 양나라와 외교 관계를 강화하였는데, 이는 양나라에 파견된 백제 사신을 그린 양직공도와 양나라의 영향을 받은 무령왕릉을 통해서 알 수 있다.

0098

출제영역 고대 예술의 이해 정답 ▶ ③

정답찾기 ③ 부여 정림사지 5층 석탑과 서산 마애 삼존불은 백제의 문화유산이다.

선지분석 ① 사택지적비 – 백제, 임신서기석 – 신라
② (익산) 미륵사지 석탑 – 백제, 단양 적성비 – 신라
④ 연가 7년명 금동 여래 입상 – 고구려, 법주사 쌍사자 석등 – (통일) 신라

0099

출제영역 고대 예술의 이해 정답 ▶ ③

선지분석 ㉠ 백률사 석당(이차돈 순교비) – 신라
㉣ 법주사 쌍사자 석등 – (통일) 신라

더 알아보기 **화보로 문화유산 확인하기**

▲ 백률사 석당(신라)

▲ 정림사지 5층 석탑(백제)

▲ 창왕명 석조 사리감(백제)

▲ 법주사 쌍사자 석등(통일 신라)

0100 □□□

밑줄 친 '대궐'이 위치한 도성에 대한 설명으로 옳은 것은?

2021. 경찰 2차

> 동성왕 22년 봄, 대궐 동쪽에 임류각(臨流閣)을 세웠는데 높이가 다섯 길이었다. 또한 연못을 파고 기이한 짐승을 길렀다. 신하들이 이에 항의하여 글을 올렸으나 듣지 않고 다시 간(諫)하는 자가 있을까 염려하여 대궐 문을 닫아 버렸다. 『삼국사기』

① 외곽에 나성이 축조되었다.
② 김헌창의 난이 일어난 곳이다.
③ 사비성 혹은 소부리성으로 불렸다.
④ 북성, 내성, 중성, 외성으로 구성되었다.

0101 □□□

다음 가상 홈페이지의 (가) 도시에서 있었던 역사적 사실로 옳은 것은?

수능

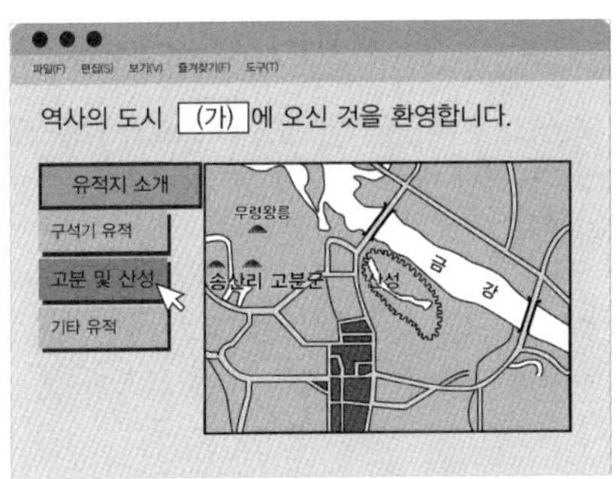

① 동학 농민군이 일본군과 싸웠으나 패하였다.
② 성왕이 새 도읍지로 삼아 백제의 중흥을 꾀하였다.
③ 민족 기업 육성을 위한 물산 장려 운동이 시작되었다.
④ 백정들이 조선 형평사를 창립하고 형평 운동을 시작하였다.
⑤ 김윤후가 이끈 민병과 승군이 몽골 살리타 군대를 물리쳤다.

0102 □□□

밑줄 친 '이 무덤'이 발견된 지역과 관련된 역사적 사실로 옳은 것은?

2014. 방재안전직 9급

> 1971년 배수로 공사 중에 우연히 발견한 이 무덤은 중국 남조의 영향을 크게 받아 연꽃 등 우아하고 화려한 백제 특유의 무늬를 새긴 벽돌로 내부를 쌓았다. 무덤 속에서 무덤 주인공의 지석이 발견되었고, 각종 장신구와 금관 장식 등 3,000여 점의 껴묻거리가 출토되었다.

① 동학 농민군이 일본군과 싸웠으나 패하였다.
② 김윤후가 이끈 민병과 승군이 몽골의 살리타 군대를 물리쳤다.
③ 백정들이 형평사를 창립하고 평등한 대우를 요구하는 형평 운동을 시작하였다.
④ 『조선왕조실록』을 보관하는 사고(史庫)가 설치되었으나 임진왜란 때 소실되었다.

0100

출제영역 〉 특정 수도와 관련된 역사 이해 　정답 ▶ ②

정답찾기 밑줄 친 '대궐'은 공주의 공산성으로, 임류각은 백제 동성왕 때 지어진 누각이다. 임류각과 공산성을 알지 못하더라도, 백제 동성왕 시기 수도가 공주(웅진)였다는 사실을 통해 유추할 수 있다.
② 웅천주(공주) 도독 김헌창은 무열왕계로서 내물왕 후손인 원성왕에게 왕위를 빼앗긴 김주원의 아들이었는데, 왕위를 다시 찾기 위해 웅주를 근거로 반란을 일으키고 국호를 '장안'이라 하였으나 실패하였다.

선지분석 ①③ 부여, ④ 고구려의 수도 평양성에 대한 설명이다.

0101

출제영역 〉 특정 수도와 관련된 역사 이해 　정답 ▶ ①

정답찾기 가상 홈페이지에 제시된 내용(무령왕릉, 송산리 고분군)을 통해 (가)가 공주임을 알 수 있다.
① 동학 농민군은 공주 우금치에서 일본군에게 패하였다.

선지분석 ② 부여, ③ 평양, ④ 진주, ⑤ 처인성(용인)에서 있었던 역사적 사실이다.

0102

출제영역 〉 특정 수도와 관련된 역사 이해 　정답 ▶ ①

정답찾기 밑줄 친 '이 무덤'은 공주 송산리 고분군 중 무령왕릉이다.
① 동학 농민군은 공주 우금치 전투에서 관군과 일본군에 의해 패배하였다.

선지분석 ② 처인성(용인), ③ 진주와 관련된 역사적 사실이다.
④ 『조선왕조실록』을 보관하기 위해 4대 사고(서울 춘추관, 성주, 전주, 충주)가 설치되었으나 임진왜란 때 전주 사고를 제외하고 모두 소실되었다.

더⊕알아보기 〉 백제 역사 유적 지구 유네스코 세계 문화유산 등재(2015)
공주 공산성, 공주 송산리 고분군, 부여 관북리 유적과 부소산성, 부여 능산리 고분군, 부여 정림사지, 부여 나성, 익산 왕궁리 유적, 익산 미륵사지 등 공주·부여·익산의 백제 시대를 대표하는 유산들을 한데 묶어 '백제 역사 유적 지구'라는 명칭으로 2015년 유네스코 세계 문화유산으로 등재되었다.

0103 □□□

다음은 발해 수도에 대한 답사 계획이다. 각 수도에 소재하는 유적에 대한 탐구 내용으로 옳은 것만을 모두 고르면? 2021. 국가직 9급

> 발해 유적 답사 계획서
>
> • 일시
> – 출발 : 0000년 0월 00일
> – 귀국 : 0000년 0월 00일
>
> • 인원 : 00명
>
> • 장소

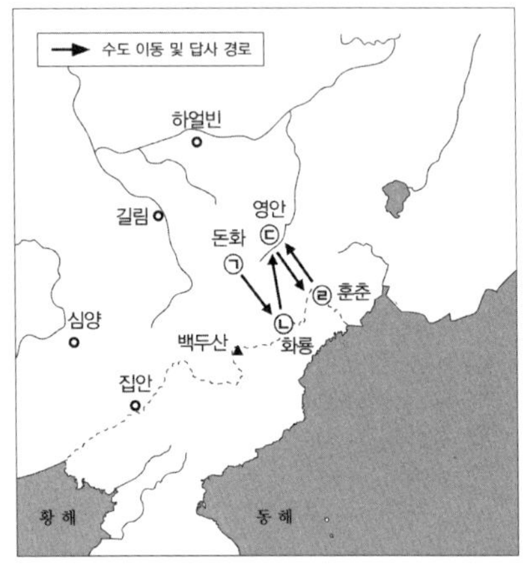

> • 탐구 내용
> ㉠ 정효 공주 무덤을 찾아 벽화에 그려진 인물들의 복식을 탐구한다.
> ㉡ 용두산 고분군을 찾아 벽돌무덤의 특징을 탐구한다.
> ㉢ 오봉루 성문터를 찾아 성의 구조를 당의 장안성과 비교해본다.
> ㉣ 정혜 공주 무덤을 찾아 고구려 무덤과의 계승성을 탐구한다.

① ㉠, ㉡ ② ㉠, ㉣
③ ㉡, ㉢ ④ ㉢, ㉣

0104 □□□

다음은 『삼국사기』에서 신라의 역사를 세 시기로 구분한 것이다. (가)~(다) 시기에 있었던 사실로서 옳은 것을 〈보기〉에서 모두 고른 것은? 2012. 지방직 7급

박혁거세	진덕 여왕	선덕왕	경순왕
(가)	(나)	(다)	

보기
㉠ (가) – 황룡사 9층 목탑을 세웠다.
㉡ (나) – 천체를 관측하기 위해 첨성대를 세웠다.
㉢ (나) – 감은사지 3층 석탑을 축조하였다.
㉣ (다) – 봉덕사종이라고도 하는 성덕 대왕 신종을 제작하였다.

① ㉠, ㉡ ② ㉠, ㉢
③ ㉡, ㉢ ④ ㉢, ㉣

0105 □□□

다음 답사 지역에 대한 역사 기행의 주제로 적절하지 않은 것은? 2013. 경찰간부

	답사 지역	주제
①	인천 강화군	세계 문화유산인 고인돌과 우리나라 청동기 시대
②	충남 서산시	백제인의 미소를 간직한 마애 삼존불
③	전북 익산시	고구려 부흥 운동을 이끌었던 안승과 보덕국
④	경북 안동시	신라 진흥왕의 영토 팽창과 순수비

0103

출제영역 〉 발해 수도 변천 및 문화유산 이해 정답 ▶ ③

정답찾기 ㉢ 발해가 건국된 길림성 돈화현 동모산 기슭, ㉡ 중경 현덕부, ㉢ 상경 용천부, ㉣ 동경 용원부

㉡ 용두산 고분군에서 벽돌무덤인 정효 공주 묘가 발견되었다.

㉢ 상경 용천부는 당의 수도인 장안성처럼 먼저 외성을 두르고, 국왕이 있는 궁성 남문에서 외성 남문까지 직선으로 뻗은 주작대로라는 큰 길을 낸 형태로, 오봉루는 상경 용천부의 성문 입구에 해당한다.

선지분석 ㉠ 정효 공주 무덤은 ㉡ 중경 현덕부에 위치하고 있다.

㉣ 정혜 공주 무덤은 ㉠ 돈화 지역에 위치하고 있다.

0104

출제영역 〉 신라의 시기별 문화 특징 정답 ▶ ②

정답찾기 ㉠ (가) – 선덕 여왕, ㉢ (나) – 신문왕

선지분석 ㉡ (가) – 선덕 여왕, ㉣ (나) – 경덕왕 때 시작, 혜공왕 때 완성

0105

출제영역 〉 특정 지역의 문화유산 이해 정답 ▶ ④

정답찾기 ④ 진흥왕의 영토 확장과 관련된 비는 단양 적성비(단양 소재), 북한산비(서울 북한산에서 국립 중앙 박물관으로 이전), 창녕비(경상남도 창녕군 소재), 황초령비(함경남도 함흥군 소재), 마운령비(함경남도 이원군 소재)이다.

선지분석 ① 고창·화순·강화의 고인돌 유적지는 유네스코 세계 문화유산으로 등재되었다.

② 서산 마애 삼존 불상은 '백제의 미소'라 불리는 백제의 대표 불상이다.

③ 신라 문무왕 때 고구려 부흥 운동을 일으킨 안승을 금마저(익산)에 살게 하고 소고구려왕으로 봉하였다. 이는 뒤에 보덕국으로 개칭되었다.

0106

(가)~(다)의 탑에 대한 설명으로 옳지 않은 것은?

제2회 한국사능력검정시험 고급

① (가) – 목탑 양식을 모방한 석탑이다.
② (가) – 백제의 미륵 신앙과 관련되어 있다.
③ (나) – 보수 과정에서 무구 정광 대다라니경이 발견되었다.
④ (나) – 통일 신라 석탑의 전형이라 할 수 있다.
⑤ (다) – 삼국 시대 때 신라에서 벽돌을 쌓아 건축하였다.

0107

(가)~(마)의 문화재에 대한 설명으로 옳지 않은 것은?

제4회 한국사능력검정시험 고급

① (가)와 비슷한 불상이 일본에도 있어 우리 문화의 일본 전파를 보여 준다.
② (나)의 여러 면에 불상이 부조된 것으로 보아 신라 말기에 만들어진 것으로 추정된다.
③ (다)는 승려의 사리를 봉안하기 위해 만든 것으로 선종과 관련이 있다.
④ (라)는 고구려의 대표적 무덤의 하나인데 무덤 방은 지하에 위치하고 있다.
⑤ (마)는 발해의 석상으로, 무덤을 지켜 주는 역할을 했던 것으로 추정된다.

0106

출제영역 〉 고대 문화유산의 이해 **정답 ▶ ⑤**

정답찾기 (가) 익산 미륵사지 석탑, (나) 불국사 3층 석탑, (다) 분황사(모전) 석탑

⑤ 분황사 석탑은 돌을 벽돌처럼 잘라서 쌓은 모전(模塼) 석탑이다.

더⊕알아보기 〉 고대의 불상 · 건축

<table>
<tr><td>고구려</td><td>연가 7년명 금동 여래 입상</td><td rowspan="3">금동 미륵보살 반가 사유상 제작(공통)</td></tr>
<tr><td>백제</td><td>• 불상: 서산 마애 삼존 불상
• 석탑: 익산 미륵사지 석탑(목탑 양식, 현존 最古 석탑), 정림사지 5층 석탑(목탑 양식)</td></tr>
<tr><td>신라</td><td>• 불상: 경주 배동 석조 여래 삼존 입상(경주 배리 석불 입상)
• 석탑: 황룡사 9층 목탑, 분황사 모전(模塼) 석탑</td></tr>
<tr><td>통일 신라</td><td colspan="2">• 불상: 석굴암 본존불, 철원 도피안사 비로자나불
• 석탑 ┌ 중대: 감은사지 3층 석탑, 불국사 3층 석탑, 화엄사 4사자 3층 석탑
⇨ 높은 기단 위에 3층 석탑
└ 하대: 진전사지 3층 석탑(불상 부조)
• 승탑: 진전사지 승탑, 철감선사 승탑
⇨ 선종의 영향, 8각 원당 형태</td></tr>
<tr><td>발해</td><td colspan="2">• 불상: 이불병좌상
• 석탑: 영광탑(벽돌탑)
• 석등: 상경 출토, 연꽃무늬 조각, 고구려 영향
• 상경성: 당의 수도인 장안성을 본떠 건설</td></tr>
</table>

0107

출제영역 〉 고대 문화유산의 이해 **정답 ▶ ④**

정답찾기 (가) 금동 미륵보살 반가 사유상(삼국), (나) 양양 진전사지 3층 석탑(신라 하대), (다) 쌍봉사 철감선사 승탑(신라 하대), (라) 장군총(고구려), (마) 돌사자상(발해)

④ 장군총은 지상 4층에 무덤 방(널방)을 두었다.

0108

고대의 과학 기술 발달에 대한 서술로 옳은 것은? 2008. 국가직 7급

① 고구려에서는 천문도를 제작하지 않았으나, 고분 벽화의 별자리 그림을 통해서 그 정확한 천문 관측술을 엿볼 수 있다.
② 부여 능산리에서 출토된 백제 금동 대향로는 백제의 금속 공예 기술의 우수성을 잘 보여 주는 작품이다.
③ 불국사 석가탑에서 출토된 무구 정광 대다라니경은 8세기 초 제작된 세계 최초의 금속 활자 인쇄물이다.
④ 삼국 시대에는 척도를 사용하지 않아 수학이 발달하지 못하였다.

0109

삼국 시대 도성에 대한 설명으로 옳지 않은 것은? 2016. 지방직 7급

① 고구려 수도인 평양에는 장안성이 축조되었다.
② 백제 사비도성에는 중심 지역 외곽에 나성을 둘렀다.
③ 신라는 산성을 축조하여 도성을 방어하였다.
④ 고구려 오녀산성은 국내성 방어를 위하여 축조되었다.

우리 문화의 일본 전파

0110

다음 일정표의 밑줄 친 ㉠~㉣에 대한 설명으로 옳은 것을 〈보기〉에서 고른 것은? 수능

일본 속의 우리 고대 문화를 찾아서

날짜	시간	지역	답사 일정
2012년 ○월 ○○일	오전	나라	㉠ 호류사 방문 ㉡ 담징이 그렸다고 전해지는 금당 벽화의 복원도 감상
			㉢ 다카마쓰 고분 관람
	오후	오사카	㉣ 왕인의 무덤으로 알려진 곳 탐방

보기
(가) ㉠ – 백제 불상 양식의 영향을 받은 관음보살상이 있다.
(나) ㉡ – 불경과 불상을 가지고 가서 불교를 처음 전하였다.
(다) ㉢ – 수산리 고분의 벽화와 흡사한 벽화가 그려져 있다.
(라) ㉣ – 쇼토쿠 태자의 스승이 되어 선진 문화를 가르쳤다.

① (가), (나)
② (가), (다)
③ (나), (다)
④ (나), (라)
⑤ (다), (라)

0111

백제가 일본에 전파한 문화에 대한 설명으로 옳지 않은 것은? 2017. 하반기 국가직 7급

① 아직기가 일본 태자에게 한자를 가르쳤다.
② 혜관이 일본 삼론종의 시조가 되었다.
③ 노리사치계가 불교를 전해 주었다.
④ 고안무가 유학을 전해 주었다.

0108

출제영역 고대 과학 기술의 이해 정답 ▶ ②

선지분석 ① 고구려에서는 천문도가 제작되었다.
③ 무구 정광 대다라니경은 8세기 초에 제작된 목판 인쇄물이다.
④ 삼국 시대에는 수학이 발달하였다. 신라의 첨성대, 통일 신라의 석굴암, 불국사 3층 석탑은 모두 정밀한 수학 지식이 활용되었음을 보여 주는 예이다.

0109

출제영역 고대 도성의 이해 정답 ▶ ④

정답찾기 ④ 고구려 오녀산성은 고구려 초기 수도인 졸본성의 방어용 산성으로 축조되었다. 오녀산성은 국내성으로 천도한 이후에도 군사적으로 중요한 역할을 하였을 것으로 추정된다.

선지분석 ① 고구려 평양에는 평원왕 때(586) 평지성인 안악궁과 배후 산성인 대성산성이 결합하여 평양성(장안성)이 건립되었다.
② 백제 사비도성에는 수도를 보완하기 위해 부소산성을 중심으로 나성을 쌓았다.
③ 신라 진흥왕 때 경주에 명활산성을 축조하여 도성을 방어하였다.

0110

출제영역 우리 문화의 일본 전파 이해 정답 ▶ ②

선지분석 (나) 불교를 처음 전한 사람은 백제 성왕 때의 노리사치계이다. 담징은 유교 경전, 종이, 먹, 붓 등을 전하였다.
(라) 쇼토쿠 태자의 스승은 고구려의 승려 혜자이다. 왕인은 『논어』와 『천자문』을 전하였다.

0111

출제영역 우리 문화의 일본 전파 이해 정답 ▶ ②

정답찾기 ② 일본 삼론종의 시조인 혜관은 고구려인으로, 백제가 일본에 전파한 문화와는 관계가 없다.

PLUS+ 선지 OX 고대의 문화

01 '달 밝은 밤에 고향길을 바라보니, 뜬구름은 너울너울 고향으로 돌아가네. 그 편에 편지 한 장 부쳐보지만 바람이 거세어 화답이 안들리는구나.'라는 시를 쓴 인물은 당을 거쳐 인도와 중앙아시아를 순례하고 각 지역의 풍물을 기록한 『왕오천축국전』을 지었다. 2021. 경찰간부 O X

02 진표는 당나라 승려 현장으로부터 유식학을 전수받아 독자적 유식학파를 세웠다. 2017. 경찰 2차 O X

03 신라 신문왕 때 설치하여 국가 운영에 필요한 학문과 기술을 교육한 기관과 원성왕 때 유교 경전의 이해 수준을 시험하여 관리를 채용하는 제도는 당의 교육 제도 및 과거 제도를 수용하여 운영하였다. 2016. 계리직 O X

04 신문왕 대에는 당나라로부터 공자와 그 제자들의 화상(畫像)을 들여와서 국학에 안치시켰다. 2012. 국가직 7급 O X

05 고구려에서는 연개소문이 도교 진흥 정책을 써서 불교 사찰을 도관(道觀)으로 쓰기도 하였다. 2013. 국가직 7급 O X

06 호우총, 쌍영총, 무용총, 각저총, 천마총에는 모두 고분 벽화가 남아 있다. 2022. 계리직 O X

07 중국 지린성 장백진에 있는 발해의 영광탑은 고구려의 영향을 받은 벽돌로 만든 탑이다. 2021. 경찰간부 O X

08 백제의 익산 미륵사지 석탑은 현존 최고(最古)의 석탑으로, 기단과 탑신에 부조로 불상을 새긴 것으로 유명하다. 2019. 경찰간부 O X

09 고구려의 오골성은 졸본성의 방어를 위하여 축조되었으며, 오녀산성은 국내성 방어를 위하여 축조되었다. 2016. 지방직 7급 O X

10 중국 남조(양)의 영향을 받은 무령왕릉에서 발견된 무령왕의 관의 재료는 양나라에서 가져온 금송이다. 2015. 서울시 7급 O X

PLUS+ 선지 OX 해설 고대의 문화

01 O 혜초가 쓴 '남천축국 길에서'라는 시이다. 혜초는 인도 성지 순례 및 인도 및 중앙아시아의 풍물을 기록한 『왕오천축국전』을 저술하였다.

02 X 당에 유학하여 유식 불교의 깊은 뜻을 깨달아 유식 학파를 세운 것은 원측이다. 진표는 경덕왕 때 김제 금산사에서 법상종을 개창하고, 미륵불이 지상에 와서 이상 사회를 건설한다는 믿음을 보급하였다.

03 X 국학은 당의 교육 제도로부터 영향을 받았으나, 독서삼품과는 당의 과거 제도를 수용한 것이 아니라, 골품 제도를 극복하기 위해 자체적으로 실시된 제도이다.

04 X 신문왕 때 국학을 두었고, 성덕왕 때 공자와 10철(哲, 공자의 제자 중 뛰어난 10사람), 72제자의 화상(畫像)을 가져와 국학에 안치시켜 문묘 제도의 효시가 되었다.

05 O 고구려 보장왕 때 연개소문은 불교 세력을 누르고 도교를 장려하였으며 절을 빼앗아 도관(도교 사원)으로 사용하기도 하였다.

06 X 호우총과 천마총은 신라의 돌무지덧널무덤으로 벽화가 나올 수 없는 구조이다. 호우총에서는 광개토 대왕의 명문이 새겨진 호우명 그릇이, 천마총에서는 말안장 양쪽의 다래(가리개)에 그린 천마도(그림)가 발견되었다.

07 X 발해의 대표 전탑인 영광탑은 고구려가 아니라, 당이나 신라의 전탑과 유사한 양식을 보인다.

08 X 익산 미륵사지 석탑은 7세기 무왕 때 건립한 목조탑의 건축 양식을 모방한 석탑으로, 현존하는 최고(最古) 석탑이다. 그러나 기단과 탑신에 부조로 불상을 새긴 것은 신라 하대 양양 진전사지 3층 석탑의 특징이다.

09 X 고구려 초기 수도인 졸본성의 방어를 위해서 오녀산성이 축조되었다. 오골성은 압록강을 방어하기 위한 성이었다.

10 X 무령왕이 묻힌 관의 재료는 일본에서 가져온 금송으로 이를 통해 백제와 일본과의 관계를 짐작할 수 있다. 무령왕릉 안에서는 양나라 화폐인 오수전이 발견되었다.

선우한국사
기출족보 1500제

기출문제가
예상문제이다!

03편

중세 사회의 발전

제1장 중세 사회로의 전환
제2장 고려의 정치
제3장 고려의 사회
제4장 고려의 경제
제5장 고려의 문화

중세 사회로의 전환

최근 5년간 국가직·지방직 출제 비율

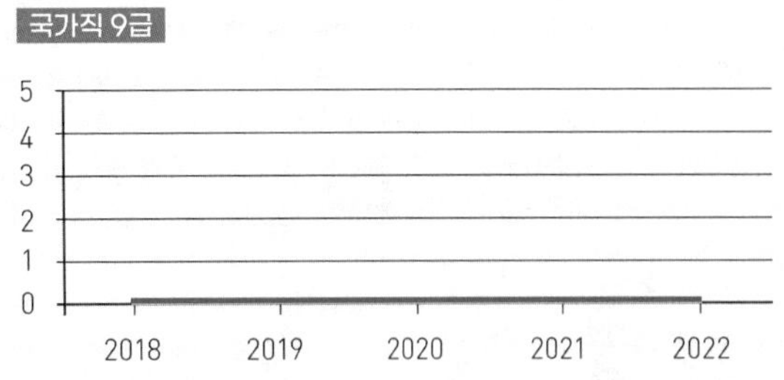

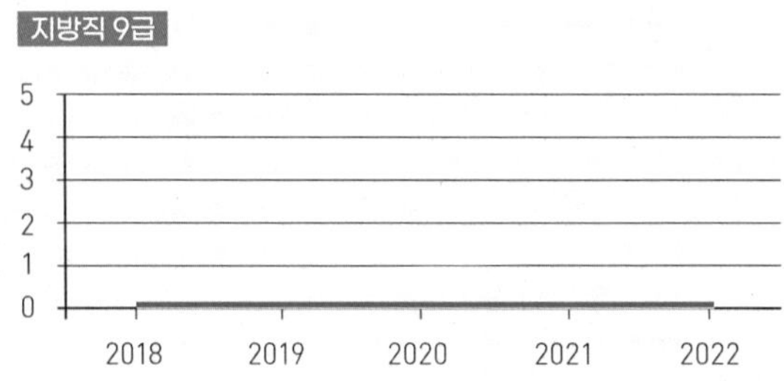

- 최근 5년간 국가직과 지방직에서 한 문제도 출제되지 않았다.
- 다른 직렬에서는 고려 건국 과정의 순서를 묻는 문제가 출제되기도 하지만 비교적 출제 빈도가 낮았다.

주요 고난도 문제 키워드

#궁예 #견훤 #고려 건국 과정

고난도 이론 정리 선우쌤 PICK

궁예 (?~918)	• 신라 왕족 출신, 승려(승명 선종) • 901년 송악(개성)에서 [1] ______ 건국 • 국호 변천 : 후고구려 ⇨ [2] ______ ⇨ 태봉 • 수도 천도 : 송악(개성) ⇨ [3] ______ (905) • 관제 정비 : [4] ______ 중심으로 중앙 관제 마련, 9관등제 실시 • 말년에 미륵을 자처하며 전제 정치 ⇨ 왕건·신숭겸 등에 의해 축출, 왕건에 의해 고려가 성립됨(918).
견훤 (867~936)	• 신라 농민 출신 • 900년 [5] ______ 에서 후백제 건국 • 외교 활동 : 남중국의 오월, 후당이나 거란의 외교 관계를 통해서 국제적 지위 높이려 시도함. • 신라 공격 : 927년 신라 금성(경주) 공격, 경애왕을 살해 ⇨ 경순왕 즉위시킴. • 고려와 공산(대구 팔공산) 전투 승리 이후 장남 [6] ______ 이 정변을 일으키고 견훤을 금산사(김제)에 유배시키자 고려 [7] ______ 에게 투항

고려와 후백제의 30년 통일 전쟁	1. 1단계 [8] ______ (나주) 전투(910?) : 이 전투는 왕건이 궁예의 밑에 있을 때 벌어진 전투로, 견훤의 측근인 능창이 패배하였고 후백제는 해외 외교 통로가 차단되면서 국제적으로 고립됨. 2. 2단계 공산(영천) 전투(927) : 견훤이 신라에 침입하여 경애왕을 살해하자, 태조 왕건은 신라를 구원하기 위해 공산(대구 팔공산)에서 전투를 벌임. 이 전투에서 왕건은 대패하고 신숭겸이 전사함. 3. 3단계 [9] ______ (안동) 병산 전투(930) : 견훤이 직접 참전한 고창(경북 안동) 전투에서 고려가 대승하게 됨. 4. 4단계 일리천 통일 전쟁(936) : 왕건이 신검의 후백제군을 일리천(경북 선산) 전투와 황산(충남 논산) 전투에서 격파시킴으로써 후백제가 멸망됨.

정답 1. 후고구려 2. 마진 3. 철원 4. 광평성 5. 완산주 6. 신검 7. 왕건 8. 금성 9. 고창

나말여초의 상황

0112

다음 ㉠~㉢에 대한 설명으로 옳지 않은 것은? 2017. 국회직 9급

> "신라는 그 운이 끝나고 도의가 땅에 떨어지자 온갖 도적들이 고슴도치의 털과 같이 일어났다. 가장 심한 자가 ㉠과 ㉡ 두 사람이다. ㉠은 신라의 왕자이면서 신라를 원수로 여겨 반란을 일으켰다. ㉡은 신라의 백성으로 신라의 녹을 먹으면서 모반의 마음을 품고 도읍에 쳐들어가 임금과 신하 베기를 짐승 죽이듯, 풀베듯 하였다. 두 사람은 천하의 극악한 사람이다. ㉠은 신하에게 버림을 받았고, ㉡은 아들에게 화를 입었는데, 그것은 스스로 자초한 것이다. (중략) 흉악한 두 사람이 어찌 ㉢에 항거할 수 있겠는가? 그들은 ㉢을 위해 백성을 몰아다 준 사람일 뿐이었다."

① ㉠ – 국정을 총괄하는 광평성을 비롯한 여러 관서를 설치하고 9관등제를 실시하였다.
② ㉠ – 연호를 무태, 수덕만세, 정개, 천수 등으로 바꾸면서 새로운 정치를 추구하였다.
③ ㉡ – 지배 세력들 사이에서 분열이 일어나자 ㉢에게 귀부하였다.
④ ㉡ – 서남해를 지키는 군인 생활을 하다가 농민을 규합하여 나라를 세우고 완산주를 도읍으로 정하였다.
⑤ ㉢ – ㉠의 신하로 있으면서 후백제의 나주를 점령하는 등 많은 전공을 세웠다.

0113

(가)~(라)를 일어난 순서대로 옳게 나열한 것은?

제46회 한국사능력검정시험 심화

> (가) 견훤이 크게 군사를 일으켜 고창군(古昌郡)의 병산 아래에 가서 태조와 싸웠으나 이기지 못하였다. 전사자가 8천여 명이었다.
> (나) 태조는 정예 기병 5천을 거느리고 공산(公山) 아래에서 견훤을 맞아서 크게 싸웠다. 태조의 장수 김락과 신숭겸은 죽고 모든 군사가 패하였으며, 태조는 겨우 죽음을 면하였다.
> (다) [태조가] 뜰에서 신라왕이 알현하는 예를 받으니 여러 신하가 하례하는 함성으로 궁궐이 진동하였다. …… 신라국을 폐하여 경주라 하고, 그 지역을 [김부에게] 식읍으로 하사하였다.
> (라) 태조가 …… 일선군으로 진격하니 신검이 군사를 거느리고 막았다. 일리천을 사이에 두고 대치하였다. …… 후백제의 장군들이 고려 군사의 형세가 매우 큰 것을 보고, 갑옷과 무기를 버리고 항복하였다.

① (가) – (나) – (다) – (라)　② (가) – (나) – (라) – (다)
③ (나) – (가) – (다) – (라)　④ (나) – (가) – (라) – (다)
⑤ (다) – (가) – (나) – (라)

0112

출제영역 후삼국 발전 과정의 이해 **정답 ▶ ②**

정답찾기 ㉠ 궁예, ㉡ 견훤, ㉢ 왕건
② 무태, 수덕만세, 정개는 궁예가 사용한 연호이나, 천수는 고려 태조 왕건이 사용한 연호이다.

선지분석 ① 궁예는 새로운 왕조의 면모를 갖추기 위하여 국정 최고 기구인 광평성을 중심으로 병부(군사 담당)·대룡부(국가 재정 담당) 등 중앙 관제를 마련하고 9관등제를 실시하였다.
③ 후백제 견훤의 맏아들 신검이 정변을 일으켜 견훤을 금산사에 유배시키자 견훤이 고려 왕건에게 투항하였다. 이에 명분이 생긴 왕건은 신검의 후백제군을 일리천(경북 선산) 전투와 황산(충남 논산) 전투에서 격파시키고 후백제를 멸망시켰다.
④ 견훤은 군인이 되어 신라 말 서남해안의 방위를 맡아 공을 세우고 비장(裨將)의 자리에 올랐다. 이후 진성 여왕 대의 혼란기를 틈타 완산주(전주)에서 후백제를 건국하였다(900).
⑤ 왕건은 궁예의 부하가 된 후 금성(나주), 진도 등을 차례로 점령하여 후백제를 견제하였고, 광평성 시중의 지위까지 올랐다.

더⊕알아보기 **궁예와 견훤**

궁예(?~918)	견훤(867~936)
• 신라 왕족 출신, 승려(승명 선종), 901년 후고구려 건국 • 국호를 마진(이후 태봉)이라 고치고 송악에서 철원으로 천도(905), 광평성 중심으로 국가 체제 정비 • 말년에 미륵보살을 자처하며 전제 정치 ⇨ 왕건·신숭겸 등에 의해 축출, 왕건에 의해 고려가 성립됨(918).	• 신라 농민 출신, 900년 완산주에서 후백제 건국 • 927년 신라 금성(경주)을 공격, 경애왕을 살해 ⇨ 경순왕 즉위시킴. • 고려와 공산(대구 팔공산) 전투 승리 이후 장남 신검이 정변을 일으키고 견훤을 금산사(김제)에 유배시키자 고려 왕건에게 투항

0113

출제영역 후삼국 발전 과정의 이해 **정답 ▶ ③**

정답찾기 (나) 공산(영천) 전투(927) ⇨ (가) 고창(안동) 병산 전투(930) ⇨ (다) 신라 멸망(935) ⇨ (라) 일리천 통일 전쟁(936)

CHAPTER

02 고려의 정치

최근 5년간 국가직·지방직 출제 비율

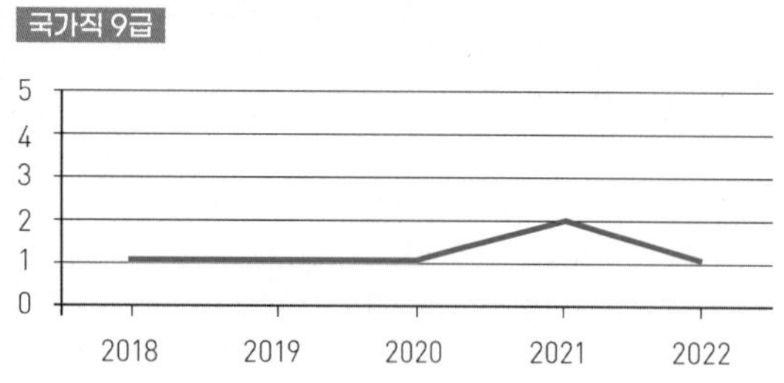

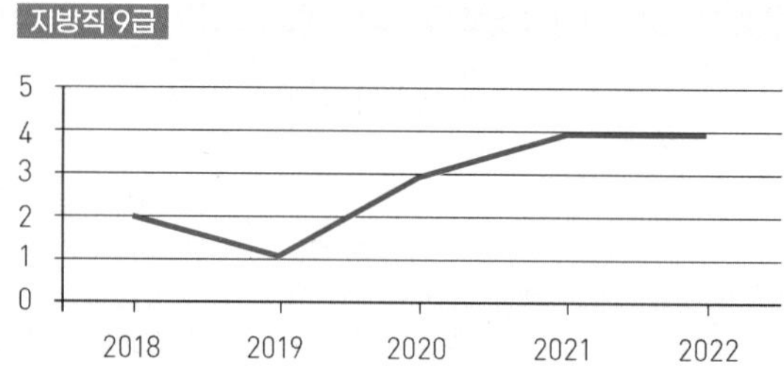

- 지방직에서 중세의 정치 출제 비율이 다른 계열보다 높았다.
- 대외 관계 및 고려 전기 왕의 업적을 묻는 문제가 대다수임을 기억하자.

주요 고난도 문제 키워드

#고려 중기 주요 왕의 업적 #무신 집권기 사건 및 주요 인물 #대외 관계(홍건적과 왜구)

고난도 이론 정리 선우쌤 PICK

	구분	이의방(1170)~정중부(1174)	경대승(1179)	이의민(1183)	[4] (1196)	최우(1219)
무신 정권의 변천	특징	[1] 정치, 도병마사 폐지	[3] 처음 설치(사병 양성소)	중방	• 최씨 전제 정치 추진 • [5] 건의: 토지 겸병과 승려의 고리대업 금지 등 ⇨ 실효 X • 흥녕부(진강부) 설치, 진강후 책봉 • [6] 설치: 최고 권력 기관 • (6번) 도방 정치 • 중방 약화 • 조계종 후원 • [7] 등 문신 발탁	• [9] 정치: 문무백관의 인사권 장악 • [10] 설치: 문신 등용 • (내·외) 도방 설치 • [11] 조직: 공적 임무를 띤 사병 집단, 몽골 항쟁 [11] • 좌별초, 우별초, 신의군으로 구성 • 강화도 ⇨ 진도 ⇨ 제주도로 근거지 옮겨가며 항쟁 • 강화 천도(1232), 팔만대장경 조판 • [12] (1234): 금속 활자로 인쇄
	사회적 동요	• 김보당의 난(1173): 최초의 반무신난 • 조위총의 난(1174) • 귀법사·중광사의 봉기(1174) • [2] (1176): 공주 명학소의 특수 행정민들이 주도 ⇨ 충순현으로 승격	전주 관노의 난(1182)	김사미·효심의 난(1193, 신라 부흥 표방)	• [8] (1198): 천민(최충헌의 사노비) 최대의 난, 신분 해방과 정권 탈취 주장 • 최광수의 난(1217, 고구려 부흥 표방)	이연년의 난(1237, [13] 부흥 표방)

정답 1. 중방 2. 망이·망소이의 난 3. 도방 4. 최충헌 5. 봉사 10조 6. 교정도감 7. 이규보 8. 만적의 난 9. 정방 10. 서방 11. 삼별초 12. 『상정고금예문』 13. 백제

국가 기반의 확립

0114 □□□

밑줄 친 '이것'의 내용으로 옳지 않은 것은? 2014. 국가직 7급

> 짐은 평범한 가문 출신으로 분에 넘치게 사람들의 추대를 받아 왕위에 올랐다. 재위 19년 만에 삼한을 통일하였고, 이제 왕위에 오른 지도 25년이 되었다. 몸이 이미 늙어지니, 후손들이 사사로운 인정과 욕심을 함부로 부려 나라의 기강을 어지럽게 할까 크게 걱정이 된다. 이에 이것을 지어 후대의 왕들에게 전하고자 하니, 바라건대 아침저녁으로 펼쳐 보아 영원토록 귀감으로 삼을지어다.

① 연등회와 팔관회의 행사를 축소할 것
② 풍수지리 사상을 존중하고 서경을 중시할 것
③ 간언을 따르고 참언을 멀리하여 신민의 지지를 얻을 것
④ 농민의 요역과 세금을 가볍게 하여 민심을 얻고 부국 안민을 이룰 것

0115 □□□

밑줄 그은 '그'의 정책으로 옳은 것을 <보기>에서 모두 고른 것은?

제5회 한국사능력검정시험 고급

> • 그가 건국하고 즉위한 지 삼사일 만에 여러 신하들을 맞아들여 만나보고 개탄하면서 말하기를, "근년에 백성들을 혹독하게 수탈하여 토지 1경의 조(租)를 6석까지 받아 냈으므로 백성들이 살기 어렵게 되었다. 나는 이것을 아주 가련하게 생각한다. 지금부터는 마땅히 1/10을 받는 제도를 써서 한 부(負)에 조 3승(升)을 받도록 하여야 할 것이다."라고 하면서, 드디어 민간에서 거두어들이는 3년간의 조를 면제하여 주었다.
> • 그는 고구려의 옛 수도였던 평양을 서경으로 승격시키고, 발해의 유민들을 동족으로 간주하여 따뜻하게 맞이하였다. 특히 발해 세자 대광현에게는 왕계라는 성명을 주고 선조에 대한 제사를 받들게 하였으며, 왕실 족보에 넣어 주기까지 하였다.

보기
㉠ 서경에 분사 제도를 실시하였다.
㉡ 의창, 상평창을 설치하여 백성들을 구휼하였다.
㉢ 거란의 1차 침입을 격퇴하고 영토를 확장하였다.
㉣ 취민유도(取民有度)를 내세워 농민의 조세 부담을 가볍게 하였다.

① ㉠, ㉣ ② ㉡, ㉢
③ ㉠, ㉡, ㉢ ④ ㉠, ㉢, ㉣
⑤ ㉡, ㉢, ㉣

0116 □□□

다음 제도를 제정한 왕과 관련된 사실로 옳은 것은? 2012. 지방직 7급

> 처음으로 역분전(役分田)을 정했다. 통합 때의 조신과 군사에게 관계(官階)를 논하지 않고 인성과 행실의 선악, 공로의 대소를 보고 차등 있게 지급하였다. 『고려사』

① 광군을 조직하여 거란의 침입에 대비하였다.
② 광덕, 준풍 등의 독자적인 연호를 사용하였다.
③ 북진 정책을 추진하여 서경을 경략하고 압록강까지 영토를 넓혔다.
④ 정주 유씨, 충주 유씨 등 유력한 지방 호족들과 정략적 혼인 관계를 맺었다.

PART 03

0114

출제영역 고려 전기 특정 국왕의 업적 이해 정답 ▶ ①

정답찾기 밑줄 친 '이것'은 태조가 자손들에게 남긴 훈요 10조이다.
① 태조 왕건은 훈요 10조에서 연등회와 팔관회를 성실히 지킬 것을 주장하였다.

0115

출제영역 고려 전기 특정 국왕의 업적 이해 정답 ▶ ①

정답찾기 밑줄 그은 '그'는 고려 태조로, 태조의 정책을 물어보는 문제이다.
㉠㉣ 고려 태조 왕건의 업적이다.

선지분석 ㉡㉢ 고려 성종 때 일이다.

더 알아보기 **분사 제도**
서경(평양)에 중앙 부서의 분소(分所)를 설치한 제도로, 922년(태조 5)부터 1116년(예종 11)까지 거의 2세기에 걸친 작업이었다. 그러나 분사 제도의 대부분이 성종 때 형성되어 일반적으로 성종의 업적으로 본다.

0116

출제영역 고려 전기 특정 국왕의 업적 이해 정답 ▶ ④

정답찾기 제시문은 고려 태조 왕건의 정책이다.

선지분석 ① 정종, ② 광종의 업적이다.
③ 서경을 차지한 것은 태조이고, 압록강 어귀까지 영토를 차지한 것은 성종 때 서희의 외교 담판 결과이다.

0117 □□□

다음 밑줄 친 '왕'이 행한 일로 가장 적절한 것은? 2017. 경찰 2차

> 신의 어리석은 생각으로 만약 왕이 처음과 같이 늘 공손하고 아끼며 정사를 부지런히 하였다면, 어찌 타고난 수명이 길지 않고 겨우 향년 50으로 그쳤겠습니까. 마침내 잘하지 못했음은 진실로 안타까운 일이 아닐 수 없습니다. 더욱이 경신년부터 을해년까지 16년간은 간사하고 흉악한 자가 다투어 나아가고 참소가 크게 일어나 군자는 용납되지 못하고 소인은 뜻을 얻었습니다. 마침내 아들이 부모를 거역하고, 노비가 주인을 고발하고, 상하가 마음이 다르고, 군신이 서로 갈렸습니다. 옛 신하와 장수들은 잇달아 죽음을 당하였고, 가까운 친척이 다 멸망을 하였습니다. 『고려사』

① 백관의 공복(公服)을 제정하면서 관등에 따라 복색을 자색, 비색, 청색, 황색으로 나누었다.
② 대상(大相) 준홍(俊弘), 좌승(佐丞) 왕동(王同)을 모역죄로 숙청하였다.
③ 국가 수입의 증대를 위해 주현공거법을 실시하였다.
④ 노비환천법을 실시하였다.

0118 □□□

고려 광종 대에 시행된 정책에 관한 다음 설명 중 옳지 않은 것으로 짝지어진 것은? 2018. 경찰간부

> (가) 본래 양인이었으나 억울하게 노비가 된 자를 양인으로 풀어주는 노비환천법을 시행하였다.
> (나) 중국 후주에서 귀화한 쌍기의 건의를 받아들여 과거제를 실시하였다.
> (다) 각 주현 단위로 공물 등을 거두는 주현공부법을 시행하여 국가 수입의 증대를 꾀하였다.
> (라) 빈민과 행려자의 구호를 위해 광학보를 설치하였다.
> (마) 지배층의 위계질서 확립을 위해 백관의 공복을 제정하였다.

① (가), (나) ② (다), (라)
③ (가), (라) ④ (라), (마)

0119 □□□

최승로는 '시무 28조'를 올리면서 고려 초기 다섯 왕의 치적을 평하였다. 그 내용으로 옳지 않은 것은? 2015. 국가직 7급

① 태조는 후한 덕과 넓은 도량으로 후삼국을 통일하였고, 절약과 검소함을 숭상하여 궁궐이나 의복에 도를 넘지 않았다.
② 혜종은 즉위 초에는 평판이 좋았는데 점차 사람을 의심함이 지나쳐 임금 된 체통을 잃었다.
③ 정종은 왕규를 처단함으로써 왕실을 보전하였고, 서경 천도를 강행함으로써 백성들에게서 원성을 샀다.
④ 광종은 아랫사람을 예로써 대접하였고, 쌍기를 등용한 후부터 현명한 인재를 얻어 중화의 좋은 법을 성취하였다.

0117

출제영역 〉 고려 전기 특정 국왕의 업적 이해 정답 ▶ ②

정답찾기 제시문은 최승로의 5조 정적평으로 밑줄 친 '왕'은 고려 광종이다.
②『고려사』의 기록에 의하면, 960년(광종 11)에 평농서사 권신이 대상 준홍과 좌승 왕동 등이 반역을 꾀했다고 참소하자 이들을 유배 보냈다고 한다. 이때부터 참소하고 아첨하는 무리들이 득세하여 충성스럽고 선량한 사람들을 모함하는 풍조가 생겨났다고 한다.

선지분석 ① 광종은 지배층의 위계질서를 마련하기 위해 자색·단색·비색·녹색의 네 가지로 관리의 복색을 구분하였다.
③ 지방의 향리 자제에게 법적으로 과거 응시 자격을 보장해 준 주현공거법은 현종에 의해 실시되었다.
④ 노비환천법은 성종의 업적이다. 광종은 노비안검법을 실시하였다.

0118

출제영역 〉 고려 전기 특정 국왕의 업적 이해 정답 ▶ ③

정답찾기 (가) 광종 때 본래 양인이었으나 억울하게 노비가 된 자를 양인으로 풀어주는 노비안검법을 시행하였다. 노비환천법은 해방된 노비가 원래 주인을 모독하거나 언행이 불량한 경우 다시 천민으로 환원시키는 제도로, 성종 때 실시되었다.
(라) 불교 장학 재단인 광학보는 정종 원년에 처음 설치되었다.

선지분석 (나) 광종은 후주의 귀화인 쌍기의 건의를 받아들여 과거 제도를 실시함으로써(958), 신·구세력의 교체를 통한 왕권 강화를 도모할 수 있게 되었다.
(다) 광종은 주현공부법을 시행(949)하여 주현 단위로 조세 공물을 거두게 함으로써 국가 수입의 증대를 꾀하였다.
(마) 광종은 지배층의 위계질서를 마련하기 위해 관등에 따라 자(紫)·단(丹)·비(緋)·녹(綠)의 네 가지로 관리의 복색을 구분하였다. 이는 새로운 관료 체제의 탄생과 함께 중앙 집권화의 확립을 의미한다.

0119

출제영역 〉 고려 주요 정치인의 활동 이해 정답 ▶ ④

정답찾기 ④ 최승로는 5조 정적평에서 광종이 쌍기를 등용한 이후 지나치게 문사(文士)를 대접하고 중화의 법식을 받아들이지 않았다고 비판하였다.

0120

□□□

(가), (나)에 대한 설명으로 옳은 것은? 2018. 법원직

> (가) 5조 – 나는 삼한 산천 신령의 도움을 받아 왕업을 이루었다. 서경은 수덕이 순조로워 우리나라 지맥의 근본이 되니 만대 왕업의 땅이다. 1년에 100일 이상 머물러 왕실의 안녕을 이루어야할 것이다. 『고려사』
> (나) 20조 – 불교는 몸을 닦는 근본이며 유교는 나라를 다스리는 근원이니, 몸을 닦는 것은 내생을 위한 것이며, 나라를 다스리는 일은 곧 오늘의 할 일입니다. 오늘은 극히 가깝고 내생은 지극히 먼 것이니, 가까운 것을 버리고 먼 것을 구하는 일이 그릇된 일이 아니겠습니까? 『고려사』

① (나)가 (가)보다 먼저 발표되었다.
② (가)를 발표할 당시 양현고를 설치하였다.
③ (가)를 발표한 왕이 과거 제도를 실시하였다.
④ (나)가 작성될 당시의 왕이 국자감을 설치하였다.

0121

□□□

밑줄 친 '왕'의 정책으로 옳지 않은 것은? 2017. 하반기 국가직 9급

> 대관(大觀) 경인년에 천자께서 저 먼 변방에서 신묘한 도(道)를 듣고자 함을 돌보시어 신사(信使)를 보내시고 우류(羽流) 2인을 딸려 보내어 교법에 통달한 자를 골라 훈도하게 하였다. 왕은 신앙이 돈독하여 정화(政和) 연간에 비로소 복원관(福源觀)을 세워 도가 높은 참된 도사 10여 인을 받들었다. 그러나 그 도사들은 낮에는 재궁(齋宮)에 있다가 밤에는 집으로 돌아가고는 하였다. 그래서 후에 간관이 지적, 비판하여 다소간 법으로 금하는 조치를 취하게 되었다. 간혹 듣기로는, 왕이 나라를 다스렸을 때는 늘 도가의 도록을 보급하는 데 뜻을 두어 기어코 도교로 호교(胡教)를 바꿔 버릴 생각을 하고 있었으나 그 뜻을 이루지 못해 무엇인가를 기다리는 것이 있는 듯 하였다고 한다. 『고려도경』

① 우봉・파평 등의 지역에 감무관을 파견하였다.
② 국학 7재를 설치하여 관학을 진흥하였다.
③ 김위제의 건의로 남경 건설을 추진하였다.
④ 윤관을 원수로 하여 여진 정벌을 단행하였다.

0122

□□□

우리 역사에서 다음과 같은 독자적 연호를 사용했던 왕대의 사실로 옳지 않은 것은? 2014. 방재안전직 9급

㉠ 영락	㉡ 건원
㉢ 대흥, 보력	㉣ 광덕, 준풍

① ㉠ – 고구려는 후연을 격파하여 요동 땅을 차지하였다.
② ㉡ – 신라는 고령의 대가야를 정복하여 낙동강 서쪽을 장악하였다.
③ ㉢ – 발해는 당과 화친을 맺고 당의 문물을 받아들여 체제를 정비하였다.
④ ㉣ – 고려는 후주 및 송과 친선 관계를 유지하며 선진 문물을 수입하는 데 힘썼다.

0120

출제영역 고려 전기 국왕들의 업적 이해 **정답 ▶ ④**

정답찾기 (가) 고려 태조의 훈요 10조, (나) 최승로의 시무 28조(고려 성종)
④ 성종은 교육 조서를 발표하고 중앙에 국자감을 설치하여 유교 교육을 진흥시키고자 하였다.

선지분석 ① (나)보다 (가)가 먼저 발표되었다.
② 양현고는 고려 예종 때 설치된 장학 재단으로, 관학의 경제적 기반을 강화하고자 한 것이다.
③ 광종은 후주의 귀화인 쌍기의 건의를 받아들여 과거 제도를 실시함으로써 왕권 강화를 도모하고자 하였다.

0121

출제영역 고려 전기 국왕들의 업적 이해 **정답 ▶ ③**

정답찾기 밑줄 친 '왕'은 고려 예종이다.
③ 고려 숙종 때의 일이다.

선지분석 ① 예종 원년에 우봉, 토산, 적성, 파평 등의 지역에 감무관을 파견하였다.
② 예종 때 국자감을 재정비하여 7재라는 전문 강좌를 두고 유교 사상을 심층적으로 연구・교육하도록 하였다.
④ 예종 2년 윤관의 2차 여진 정벌의 결과 함경도 지방의 여진족을 토벌하고 9성을 축조(1107)하였다.

0122

출제영역 역대 독자적 연호와 특정 국왕의 업적 이해 **정답 ▶ ②**

정답찾기 ㉠ 광개토 대왕(고구려), ㉡ 법흥왕(신라), ㉢ 문왕(발해), ㉣ 광종(고려) 때의 연호이다.
② 고령의 대가야를 정복한 것은 진흥왕이다. 법흥왕은 금관가야를 정복하였다.

PART 03

통치 조직의 정비

0123 □□□

다음과 같은 절차로 운영되었던 고려 시대의 관청에 대한 설명으로 옳은 것은? 제2회 한국사능력검정시험 고급 / 2016. 국가직 7급 유사

> 합좌(合坐)의 예식(禮式)은 먼저 온 사람이 자리를 떠나 북쪽을 향하여 서고, 뒤에 온 사람이 그 지위에 따라 한 줄로 서서 읍(揖)한 다음 함께 자리 앞에 이르러 남쪽을 향하여 두 번 절하고, 자리를 떠나 북쪽을 향하여 엎드려서 서로 인사말을 주고받는다. …… 녹사(錄事)가 논의할 일을 앞에 가서 알리면, 각기 자신의 의사대로 그 가부(可否)를 말한다. 녹사는 그 사이를 왔다 갔다 하면서 논의가 한 가지로 결정되도록 하며, 그렇게 한 뒤에 시행한다.
> 『역옹패설』

① 군사 기밀과 왕명의 출납을 담당하였다.
② 법의 제정이나 각종 시행 규정을 다루었다.
③ 화폐와 곡식의 출납에 대한 회계를 맡았다.
④ 국정 전반에 걸친 중요 사항을 담당하였다.
⑤ 정치의 잘잘못을 논하고 관리들의 비리를 감찰하였다.

0124 □□□

다음 ㉠~㉡의 괄호 안에 공통으로 들어갈 정치 기구에 대한 설명으로 옳지 않은 것은? 2014. 서울시 7급

> ㉠ (　　)에서 대부경 왕희걸, 우사낭중 유백인, 예부낭중 최복규, 원외랑 이응년 등이 서경 분사(分司)에서 토지를 겸병하여 재물을 모으고 있음을 탄핵하고 그들을 관직에서 파면할 것을 요청하니 왕이 이 제의를 좇았다. 『고려사』
> ㉡ 궁녀 김씨는 왕의 총애를 받았으며 요석택(邀石宅) 궁인이라고 불렸다. 경주 사람 융대가 "자기는 신라 원성왕의 먼 후손"이라고 거짓말하고 양민 5백여 명을 노비로 만들어서 김씨에게 주었으며 또 평장 한인경, 시랑 김낙에게 주어서 후원자로 삼았다. (　　)에서 이것을 알고 심문하여 그 실정을 확인하고 이들을 처벌할 것을 왕에게 고하니 목종은 김씨에게서는 동(銅) 일백 근의 벌금을 받고, 한인경과 김낙은 지방으로 귀양 보내라고 명령하니 듣는 사람들이 모두 다 치하하였다.
> 『고려사』

① 중서문하성의 낭사와 함께 대간이라고 불렸다.
② 법의 제정이나 각종 시행 규정을 다루었다.
③ 국왕의 잘못에 대해 비판하는 간쟁을 하였다.
④ 관리의 임명이나 법령의 개폐 등에 동의하는 권한이 있었다.
⑤ 왕명을 시행하지 않고 되돌려 보내는 봉박권을 갖고 있었다.

0123

출제영역 〉 고려 중앙 정치 기구의 이해 정답 ▶ ④

정답찾기 제시문의 '합좌의 예식', '녹사'를 통해 도평의사사에 대한 내용임을 알 수 있다.

선지분석 ① 중추원, ② 식목도감, ③ 삼사, ⑤ 어사대에 대한 설명이다.

0124

출제영역 〉 고려 중앙 정치 기구의 이해 정답 ▶ ②

정답찾기 제시문에서 괄호 안에 들어갈 정치 기구는 어사대이다. ② 식목도감에 대한 설명이다.

선지분석 ①③④⑤ 어사대는 중서문하성의 낭사와 함께 대간(성)이라 불리었는데, 대간은 간쟁권·서경권·봉박권을 가지고 있었다.

0125

다음은 어느 두 나라의 중앙 관제를 나타낸 것이다. 이와 관련된 설명으로 옳은 것은? 제4회 한국사능력검정시험 고급

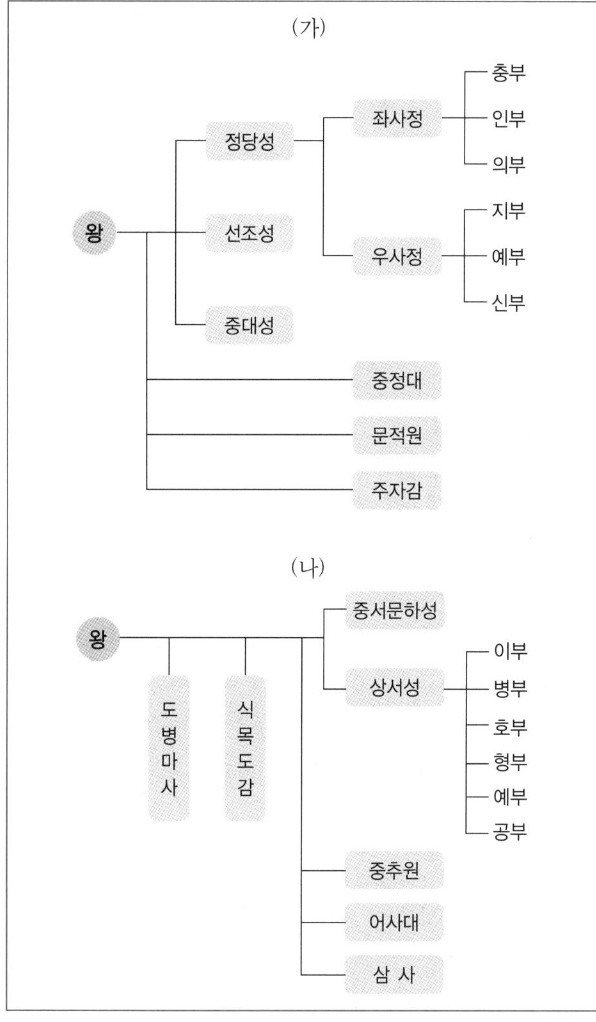

① (가)는 당의 제도를 그대로 모방하여 운영되었다.
② (가)의 문적원은 국왕의 비서 기관으로, (나)의 도병마사와 유사하였다.
③ (나)의 식목도감은 중국에는 없는 것으로, 독자적으로 만든 기관이었다.
④ (나)에서 중서문하성은 재부, 상서성은 추부로 두 기구를 합쳐 재추라고 하였다.
⑤ (가)와 (나)에서 중정대와 중추원의 기능은 서로 비슷하였다.

0126

다음 표는 윤관의 관직 경력을 정리한 것이다. (가)~(마) 시기의 그에 대한 설명으로 옳은 것은? 수능

	연대	관직	품계
(가)	문종 대	중서문하성 습유	종6품
(나)	숙종 6년 6월	중추원 지주사	정3품
(다)	숙종 7년 12월	어사대부	정3품
(라)	숙종 8년 2월	이부 상서	정3품
(마)	예종 3년 4월	문하시중	종1품

① (가) – 간쟁과 봉박, 서경을 행하였다.
② (나) – 곡식의 출납에 대한 회계를 맡았다.
③ (다) – 왕명의 출납을 관장하였다.
④ (라) – 관리들의 비리를 감찰하였다.
⑤ (마) – 상서성의 최고 관직에 올랐다.

0125

출제영역 〉 고려 중앙 정치 기구의 이해 정답 ▶ ③

정답찾기 (가) 발해의 3성 6부, (나) 고려의 2성 6부
③ 도병마사와 식목도감은 고려의 독자적인 제도이다.

선지분석 ① 발해는 당의 제도를 받아들였으나 운영상 독자성을 가졌다.
② 발해의 문적원은 궁궐 안의 서적·문서 등을 관리하고 국가적으로 중요한 문서들을 작성하는 일을 담당하였으며, 고려의 한림원과 유사하였다.
④ 고려에서 중서문하성은 재부, 중추원은 추부로 두 기구를 합쳐 재추라고 하였다.
⑤ 발해의 중정대와 고려의 어사대가 기능이 서로 비슷하였다(관리 감찰 기능).

0126

출제영역 〉 고려 중앙 정치 기구의 이해 정답 ▶ ①

정답찾기 (가) 낭사, (나) 승선, (다) 어사대, (라) 이부, (마) 중서문하성
① 중서문하성의 낭사와 어사대로 구성된 대간은 간쟁, 봉박, 서경을 행하였다.

선지분석 ② 호부나 삼사, ③ 중추원, ④ 어사대의 역할이다.
⑤ 문하시중은 중서문하성의 장(長)이다.

0127

다음은 국사 편찬 위원회에서 제공하는 한국 역사 용어 시소러스에서 어떤 지방 행정 기구에 대하여 설명하는 그림이다. (가)에 대한 설명으로 옳은 것을 〈보기〉에서 고른 것은?

제3회 한국사능력검정시험 고급

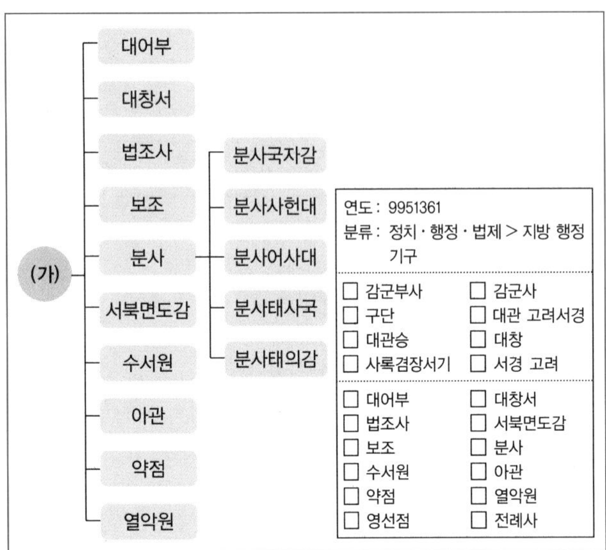

보기
㉠ 묘청의 난 이후에도 독립적인 행정 체계를 갖고 있었다.
㉡ 개경의 중앙 정부와 유사한 기구와 체제를 갖추고 있었다.
㉢ 삼경(三京)에 설치하여 군현의 상급 행정 기구의 역할을 담당하였다.
㉣ 조위총의 난 이후 중앙의 통제를 받으면서 토관직(土官職)으로 격하되었다.

① ㉠, ㉡ ② ㉠, ㉢
③ ㉡, ㉢ ④ ㉡, ㉣
⑤ ㉢, ㉣

지방 · 군사 제도

0128

다음의 사실들을 시기순으로 바르게 나열한 것은? 2017. 국회직 9급

㉠ 당대등을 호장으로 개칭하였다.
㉡ 과거제를 실시하여 관리를 선발하였다.
㉢ 지방 호족들에게 성씨를 내려주기 시작하였다.
㉣ 4도호부, 8목, 56주 · 군 등에 지방관을 파견하였다.

① ㉠ - ㉢ - ㉡ - ㉣ ② ㉠ - ㉣ - ㉡ - ㉢
③ ㉢ - ㉡ - ㉠ - ㉣ ④ ㉢ - ㉡ - ㉣ - ㉠
⑤ ㉣ - ㉢ - ㉡ - ㉠

0129

다음 지도는 고려 시대의 지방 행정 구역을 나타낸 것이다. (가), (나) 지역에 대한 설명으로 옳지 않은 것은? 수능

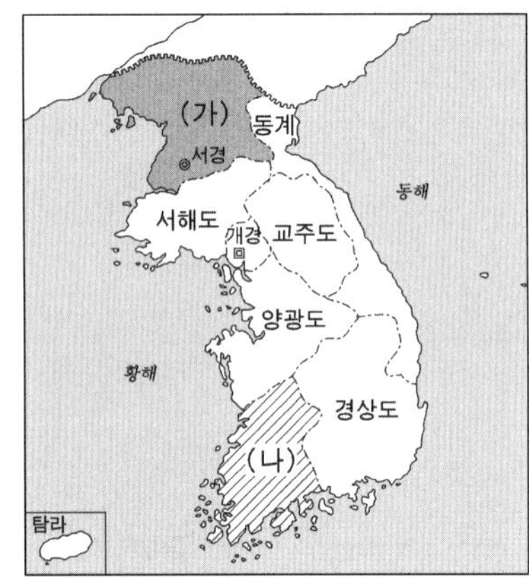

① (가)에는 중앙에서 병마사가 파견되었다.
② (가)의 확보는 고구려 계승 의식과 관련이 있다.
③ (나)에는 외적 방어를 위해 진이 설치되어 있었다.
④ (나)에는 안찰사가 파견되어 도내의 지방을 순찰하였다.
⑤ (나)에는 후삼국 통일 이전에 왕건이 점령했던 지역이 있었다.

0127

출제영역 〉 고려 정치 제도의 이해 정답 ▶ ④

정답찾기 제시된 도표에서 '분사'를 통해 고려 시대 서경에 설치한 분사 제도라는 것을 파악해야 한다.

선지분석 ㉠ 묘청의 난을 계기로 서경의 분사 제도는 대폭 개편되어 독립성을 상실하였고, 조위총의 난 이후 분사 제도가 완전 폐지되면서 토관직으로 격하되었다.
㉢ 분사 제도는 서경에만 실시하였다.

0128

출제영역 〉 고려 지방 제도의 순서 이해 정답 ▶ ③

정답찾기 ㉢ 사성 정책(고려 태조) ⇨ ㉡ 과거 제도 실시(고려 광종, 958) ⇨ ㉠ 호장 등 향리 제도 마련(고려 성종) ⇨ ㉣ 군현제 완성(고려 현종)

0129

출제영역 〉 고려 특정 지역의 이해 정답 ▶ ③

정답찾기 (가) 군사적 행정 구역인 양계 중 북계, (나) 전라도
③ 군사적 행정 구역(장: 병마사)으로 북계와 동계가 있었고, 양계의 군사적 요충지에 진(진장)을 설치하였다.

선지분석 ⑤ 왕건이 궁예의 신하였던 시기에 전라도 나주(금성)를 점령한 적이 있었다.

0130 □□□

경(京)에 대한 설명으로 옳지 않은 것은? 2009. 국가직 7급

① 지증왕 이후 신라의 소경은 왕경을 모방한 지방의 특수 행정 구역으로 정치적·문화적 중심지의 성격이 강하였다.
② 통일 신라는 지역적으로 편재된 수도의 한계를 보완하기 위해 군사·행정상의 요지에 5소경을 완비하였다.
③ 고려 초기에 국가의 균형적 발전과 지방 세력을 포섭하기 위해 고구려·신라의 수도를 포함하여 3경을 설치하였다.
④ 고려 명종 이후 남경을 3경에 포함시킨 것은 풍수지리 사상으로 인하여 남경의 중요성이 강조되었기 때문이다.

0131 □□□

(가) 지역에 대한 설명으로 옳은 것은? 2021. 지방직 9급

> 나는 삼한(三韓) 산천의 음덕을 입어 대업을 이루었다. (가) 는/은 수덕(水德)이 순조로워 우리나라 지맥의 뿌리가 되니 대업을 만대에 전할 땅이다. 왕은 춘하추동 네 계절의 중간달에 그곳에 가 100일 이상 머물러서 나라를 안녕케 하라. 『고려사』

① 이곳에 대장도감을 설치하여 재조대장경을 만들었다.
② 지눌이 이곳에서 수선사 결사 운동을 펼쳤다.
③ 망이·망소이가 이곳에서 봉기하였다.
④ 몽골이 이곳에 동녕부를 두었다.

0132 □□□

고려 시대의 향리에 대한 설명으로 옳지 않은 것은? 2012. 국가직 7급

① 향리의 세력을 억제하기 위해 그 지방 출신의 중앙 관리를 사심관으로 임명하였다.
② 향리의 자제들을 인질로 상경 숙위케 하는 상수리 제도가 설정되었다.
③ 향리의 자손을 중앙 관인으로 뽑는 향공진사의 제도가 확립되었다.
④ 향리와 귀족의 신분적 차이를 나타내기 위하여 향리의 공복을 제정하였다.

0133 □□□

다음 중 지방 토착 세력의 역사적 변천에 대한 서술을 시대순으로 바르게 나열한 것은? 2008. 지방직 9급

> ㉠ 속현에 감무가 파견되기 시작함으로써 자치적인 지배력에 영향을 받기 시작하였다.
> ㉡ 농민 봉기를 배경으로 각처에서 일어나 반독립적인 호족 세력으로 성장하였다.
> ㉢ 사심관 제도와 기인 제도를 통하여 견제를 받기 시작하였다.
> ㉣ 군공 등으로 첨설직을 가지게 된 자들이 나타나게 되었다.

① ㉠ – ㉡ – ㉢ – ㉣　　② ㉡ – ㉢ – ㉠ – ㉣
③ ㉡ – ㉢ – ㉣ – ㉠　　④ ㉡ – ㉣ – ㉢ – ㉠

0130

출제영역 고려 특정 지역의 이해　　정답 ▶ ④

정답찾기 ④ 고려 초기 국가의 균형적 발전을 강조하여 개경, 서경, 동경을 두었고, 문종 때 남경(한양)을 설치하였다.

0131

출제영역 고려 특정 지역의 이해　　정답 ▶ ④

정답찾기 제시문은 태조 때 훈요 10조의 내용으로, (가) 지역은 서경이다. ④ 원종 11년(1270)에 원은 자비령 이북의 땅을 차지하기 위하여 서경에 동녕부를 설치하였으나, 충렬왕 16년(1290)에 반환되었다.

선지분석 ① 강화도, ② 순천 송광사, ③ 공주에 대한 설명이다.

0132

출제영역 고려 지방 관리의 이해　　정답 ▶ ②

정답찾기 ② 상수리 제도는 통일 신라 시대에 토착 세력의 확장을 억제하기 위해 지방 세력 자제를 중앙에 머물게 한 인질 제도로, 고려는 이를 계승한 기인 제도를 실시하였다.

선지분석 ① 태조 왕건은 지방 호족에게 지방 자치를 허용해 준 대신, 그 지방 출신의 중앙 관리인 사심관을 통해 부호장 이하 지방 호족에 대한 임명권과 연대 책임을 묻게 하는 사심관 제도를 통해 향리 세력을 억제하였다.
③ 향공진사는 고려의 과거 제도에서 지방 시험에 합격한 이후 중앙의 과거에 응시하는 사람을 말한다. 광종 때 실시되어 현종 이후 점차 정비되어 갔다.
④ 현종 때(1018) 지방 제도 정비와 함께 향리의 공복을 제정하여 중앙 귀족뿐만 아니라 향리직 안에서도 위계질서를 강화하였다.

0133

출제영역 고려 토착 세력의 변천 이해　　정답 ▶ ②

정답찾기 ㉡ 신라 말(하대) ⇨ ㉢ 고려 초기(태조) ⇨ ㉠ 고려 중기(예종) ⇨ ㉣ 고려 후기(공민왕)

0134 □□□

고려 시대의 교통·통신 제도에 대한 설명으로 옳지 않은 것은?

2012. 계리직

① 조운을 담당하기 위해 조창이라는 기관을 설치하였다.
② 군사적인 위급 사태를 알리기 위해 봉수제를 실시하였다.
③ 공문의 전달, 관물의 운송 등을 위해 역참제를 전국적인 규모로 실시하였다.
④ 봉수제가 그 기능을 다하지 못하게 되자 후기에 이르러 파발제를 시행하였다.

문벌 귀족의 성립과 동요, 무신 집권기

0135 □□□

다음은 『고려사』에 나타난 고려 중기 두 세력의 대표적 인물의 주장이다. 이들에 대한 설명으로 옳은 것을 〈보기〉에서 고르면?

2017. 서울시 9급

(가) 제가 보건대 서경 임원역의 땅은 풍수지리를 하는 사람들이 말하는 아주 좋은 땅입니다. 만약 이곳에 궁궐을 짓고 전하께서 옮겨 앉으시면 천하를 다스릴 수 있습니다. 또한 금나라가 선물을 바치고 스스로 항복할 것이고 주변의 36나라가 모두 머리를 조아릴 것입니다.
(나) 금년 여름 서경 대화궁에 30여 개소나 벼락이 떨어졌습니다. 서경이 만일 좋은 땅이라면 하늘이 이렇게 하였을 리 없습니다. 또 서경은 아직 추수가 끝나지 않았습니다. 지금 거동하시면 농작물을 짓밟을 것이니 이는 백성을 사랑하고 물건을 아끼는 뜻과 어긋납니다.

보기
㉠ (가) – 국호를 대위, 연호를 천개로 정하고 반란을 일으켰다.
㉡ (가) – 칭제건원과 요나라 정벌을 주장하였다.
㉢ (나) – 개경 중심의 문벌 귀족 세력의 대표였다.
㉣ (나) – 편년체 역사서인 『삼국사기』를 편찬하였다.

① ㉠, ㉢ ② ㉠, ㉡, ㉢
③ ㉠, ㉢, ㉣ ④ ㉠, ㉡, ㉢, ㉣

0136 □□□

밑줄 친 '이 사람'에 대한 설명으로 옳은 것을 〈보기〉에서 고른 것은?

2017. 기상직 7급

사신(史臣)이 말하기를, '신종은 이 사람이 세웠다. 사람을 살리고 죽이고 왕을 폐하고 세우는 것이 다 그의 손에서 나왔다. (신종은) 한갓 실권이 없는 왕으로서 신민(臣民)의 위에 군림하였지만, 허수아비와 같았으니, 애석한 일이다.'라고 하였다. 『고려사』

보기
㉠ 봉사 10조라는 사회 개혁안을 제시하였다.
㉡ 강화도로 천도하여 대몽 항쟁을 주도하였다.
㉢ 좌·우별초에 신의군을 추가하여 삼별초를 완비하였다.
㉣ 도방을 부활하여 군사들이 6번으로 나누어 숙위하게 하였다.

① ㉠, ㉡ ② ㉡, ㉢
③ ㉢, ㉣ ④ ㉠, ㉣

0134

출제영역 고려 교통·통신 제도의 이해 정답 ▶ ④

정답찾기 ④ 파발제는 임진왜란 중 유명무실화된 봉수제를 대신하여 명나라의 파발제를 본떠 설치되었다. 파발제는 군사 기밀 문서를 신속히 전달하기 위한 직접 통신 제도였다.

0135

출제영역 고려 특정 세력의 이해 정답 ▶ ①

정답찾기 (가) 인종 때 묘청(서경파)의 주장, (나) 김부식(개경파)의 주장

선지분석 ㉡ 서경파(묘청 등)는 칭제건원을 주장하였고, 요나라 정벌이 아닌 금국 정벌론을 내세워 서경 천도 운동(대화궁 신설)을 추진하였다.
㉣ 『삼국사기』는 기전체 사서이다.

0136

출제영역 무신 정권 전(全) 시기의 사건 이해 정답 ▶ ④

정답찾기 밑줄 친 '이 사람'은 최충헌이다. 신종은 1197년 최충헌이 명종을 폐하고 새로 옹립한 왕이다.
㉠ 최충헌은 토지 겸병과 승려의 고리대업을 금지하고 조세 제도의 개혁 등을 주요 내용으로 하는 봉사 10조를 제시하였으나 실효를 거두지 못하였다.
㉣ 무인의 사병 조직인 도방은 경대승이 처음 설치하였다. 이후 경대승이 죽자 곧 폐지되었는데 최충헌에 의해 다시 재건되면서 그 규모가 더욱 확대되었다. 6번(番) 도방이란 이름으로 운영하였고, 최우 때는 내외도방으로 확대 개편되었다.

선지분석 ㉡㉢ 최우의 업적이다.

0137 □□□

다음에 밑줄 친 인물 (가)에 대한 설명으로 가장 적절한 것은?

2015. 경찰 2차

> (가)은(는) 임금을 폐하고 세우는 것을 자기 마음대로 하였으며, 항상 조정 안에 있으면서 자기 부하들과 함께 가만히 정안(政案, 관리들의 근무 성적을 매긴 것)을 가지고 벼슬을 내릴 후보자로 자기 당파에 속하는 자를 추천하는 문안을 작성하고, 승선이라는 벼슬아치에게 주어 임금께 아뢰게 하면 임금이 어쩔 수 없이 그대로 좇았다. 그리하여 (가)의 아들 이(훗날의 우), 손자 항, 항의 아들 의의 4대가 정권을 잡아 그런 관행이 일반화되었다.
>
> 이제현, 『역옹패설』

① 진강후라는 벼슬을 받고, 흥녕부라는 기구를 설치하였다.
② 예종과 인종 때 왕실과 혼인 관계를 맺어 외척으로서의 지위를 이용하여 정권을 장악하였다.
③ 자기 집에 정방을 설치하여 인사권을 장악하였다.
④ 몽골 침략으로 소실된 초조대장경을 대신하여 재조대장경(팔만대장경)을 조판하였다.

0138 □□□

다음 개혁안을 제시한 사람에 대한 설명으로 옳은 것은?

2017. 기상직 9급

> 2. 필요 이상의 관원 수를 줄일 것
> 3. 지위 있는 자들이 겸병하고 약탈한 토지는 모두 주인에게 돌려줄 것
> 5. 안찰사들이 공물을 바치는 것을 금하고, 지방관 감독과 민생 조사를 직분으로 할 것
> 9. 비보사찰(裨補寺刹)을 제외하고는 철거할 것
> 10. 적합한 사람을 선발하여 조정에서 직언을 하게 할 것

① 공민왕의 비호 아래에서 개혁 정책을 펼쳤다.
② 성종에게 유교 정치를 확립할 것을 건의하였다.
③ 명종에게 폐정의 시정을 요구하는 개혁을 건의하였다.
④ 진성 여왕에게 시무책을 올리며 개혁을 추구하였다.

0139 □□□

다음 자료의 사건과 관련된 설명으로 옳은 것을 〈보기〉에서 모두 고른 것은?

제5회 한국사능력검정시험 고급

> ○○○이 군사를 일으켜 …… 동북 양계의 여러 성에 격문을 보내어 불러 말하기를, "소문을 들으니 서울에서는 중방에서 의논하기를 '북계에 가까운 여러 성에는 대체로 거세고 나쁜 사람들이 많으니 마땅히 가서 토벌해야 한다.'고 하고 군사를 이미 크게 동원하였으니, 어찌 가만히 앉아 있다가 스스로 주륙을 당하겠는가? 마땅히 각각 병마를 규합하여 속히 서경으로 나오라."라고 하였다. 이에 철령(자비령) 이북의 40여 성이 와 호응하였다.

보기

ㄱ 조위총이 주도하였다.
ㄴ 명종의 복위를 꾀하였다.
ㄷ 많은 농민들이 가담하였다.
ㄹ 최씨 무신 정권을 타도하려고 하였다.

① ㄱ, ㄴ
② ㄱ, ㄷ
③ ㄴ, ㄷ
④ ㄱ, ㄴ, ㄹ
⑤ ㄴ, ㄷ, ㄹ

0137

출제영역 〉 무신 정권 전(全) 시기의 사건 이해 **정답 ▶ ①**

정답찾기 제시문 중 '그의 아들 이(훗날의 우)'와 '4대 정권'에서 밑줄 친 (가)가 최충헌임을 유추할 수 있다.

① 최충헌은 희종으로부터 진강후에 책봉되고, 흥녕부(진강부)라는 최씨 무신 정권의 권력 기구를 사저에 설치하였다.

선지분석 ② 이자겸, ③④ 최우에 대한 내용이다.

0138

출제영역 〉 무신 정권 전(全) 시기의 사건 이해 **정답 ▶ ③**

정답찾기 제시문은 최충헌이 명종에게 올린 봉사 10조(1197)이다.

③ 최충헌은 명종 때 토지 겸병과 승려의 고리대업 금지, 조세 제도의 개혁 등을 주요 내용으로 하는 봉사 10조의 개혁안을 제시하였으나 실효를 거두지 못하였다.

선지분석 ① 신돈, ② 최승로, ④ 최치원에 대한 설명이다.

0139

출제영역 〉 무신 집권기 주요 사건 이해 **정답 ▶ ②**

정답찾기 제시문은 조위총의 난에 대한 내용으로, 정중부 등의 무신 정권에 대항해서 1174년(명종 4)부터 1176년까지 3년 동안 평양을 중심으로 일어난 사건이다.

선지분석 ㄴ 조위총의 난과 명종 복위는 관련이 없다. 오히려 명종 집권기에 조위총의 난이 일어났다.

ㄹ 최씨 무신 정권은 1196년부터 1258년까지 유지되었다.

0140 □□□

다음 글에 해당되는 시기에 일어난 일로 옳지 않은 것은?

2009. 지방직 7급

> 경계(庚癸) 이후 공경대부는 천예 속에서 많이 나왔다. 장군이나 재상이 되는 씨가 어디 따로 있는가. 때가 되면 누구나 할 수 있다. 우리가 어찌 상전의 매질을 받으며 고생만 하고 살아야 하는가. 모두 자신의 주인을 죽이고 천인의 호적을 불살라 버려 삼한 땅에 천인이 없게 하면 공경과 장상을 우리가 모두 할 수 있을 것이다.
> 『고려사』

① 민중은 옛 삼국의 부흥을 표방하면서 봉기하기도 하였다.
② 정부는 하층민을 무마하기 위해 신분을 상승시켜 주기도 하였다.
③ 천민들은 대몽 항쟁기에 저항 세력으로 나서기도 하였다.
④ 사회 경제적 개혁을 추진하기 위해 찰리변위도감을 설치하였다.

0141 □□□

다음 사료와 관련 있는 사건에 대한 설명으로 옳은 것은?

2017. 국회직 9급

> 내가 봉기하자 나의 고향을 현(縣)으로 승격시키고 수령을 두어 편안하게 살게 해주겠다고 회유하더니, 오래지 않아 다시 군사를 보내 토벌하고 나의 어머니와 아내를 옥에 가둔 것은 무슨 뜻인가? 차라리 칼날 아래서 죽을지언정 끝내 항복하지 않을 것이며 반드시 왕경에 이르고야 말겠다.

① 최충헌의 집권기에 일어났다.
② 개경의 노비 세력을 규합하여 봉기하였다.
③ 신라의 부흥을 외치며 고려 정부에 저항하였다.
④ 서북 지역의 조위총과 공동 전선을 펴기도 하였다.
⑤ 남적이라고도 불렸으며, 아주(충남 아산) 지역까지 세력을 확장하였다.

0142 □□□

(가)에 대한 설명으로 옳은 것은?

2017. 기상직 7급

> 이의민은 일찍이 붉은 무지개가 두 겨드랑이 사이에서 생기는 꿈을 꾸고는 자못 이를 자부하였고, 또 옛 도참에 왕씨가 다하고 다시 십팔자(十八子)가 있다는 말을 들었는데, '十八子'는 곧 '이(李)'이다. 이로써 마음속에 이룰 수 없는 생각을 품고, 탐욕을 줄이고 명사(名士)를 거두어서 헛된 명예를 구하려고 하였다. 자신이 경주 출신이므로 비밀리에 신라를 부흥시킬 뜻을 가지고, (가) 등과 연결하니, 그들도 역시 거만(鉅萬)을 보냈다. 『고려사』

① 노비들을 모아 반란을 도모하였다.
② 소(所)민의 신분 해방을 목적으로 난을 일으켰다.
③ 정중부와 이의방 등 무신 세력에 반발하여 항쟁하였다.
④ 운문과 초전에서 봉기를 일으키고 서로 연합하였다.

0140

출제영역 〉 무신 집권기 민란 이해 정답 ▶ ④

정답찾기 제시문은 고려 무신 집권 당시 최충헌의 사노비인 만적의 연설이다.
④ 찰리변위도감은 원 간섭기인 충숙왕 때의 개혁 기구이다.

선지분석 ①②③ 무신 정권 수립 이후, 붕괴되던 전시과 제도로 인해 농민의 유민화가 이루어지는 등 사회가 혼란해졌고, 하극상의 풍조로 귀족 신분 질서가 무너지자 천민과 농민들도 신분 해방을 내세우거나(만적의 난), 옛 삼국 부흥 운동을 표방하면서 봉기하였다(김사미·효심 – 신라 부흥 운동, 최광수 – 고구려 부흥 운동, 이연년 – 백제 부흥 운동).

0141

출제영역 〉 무신 집권기 민란 이해 정답 ▶ ⑤

정답찾기 제시문은 고려 무신 집권기에 발생한 망이·망소이의 난(1176)에 대한 내용이다. 특수 집단인 공주 명학소의 망이·망소이가 주동이 되어 약 1년 반 동안 난을 일으키자, 정부는 명학소를 충순현으로 승격시킴으로써 난을 무마하였다.
⑤ 조위총의 난 등 서북계 지방의 민란을 '서적'이라 하고, 남부 지방의 민란을 '남적'이라 하는데, 망이·망소이의 난은 남적의 대표적인 예이다. 남적 세력은 정부가 명학소를 충순현으로 승격시키고 난을 무마시킨 이후에 그들의 가족을 가두고 군대를 파견하자, 재봉기하여 아주(지금의 아산)를 함락시키고, 청주를 제외한 청주목 관내의 모든 군현을 점령하였다. 이에 정부는 남적에 대해 강경책을 펼쳐, 같은 해 5월에 충순현을 명학소로 강등시키고 군대를 파견해 이들을 토벌하였다.

선지분석 ① 망이·망소이의 난(1176)은 정중부 집권기에 일어났다.
② 개경에서 최충헌의 사노인 만적이 일으킨 천민 최대의 난인 만적의 난(1198)에 대한 설명이다. 이들은 신분 해방과 정권 탈취를 내세웠다.
③ 경북 운문(청도)에서 김사미, 초전(울산)에서 효심 등이 신라 부흥을 표방하고 유민을 모아 봉기한 김사미·효심의 난(1193)에 대한 설명이다.
④ 조위총의 난(1174)은 서경 유수 조위총(무신)이 무신 정권에서 소외되자 서북면 지방민의 불만을 이용하여 난을 일으켰으나 실패한 사건이다. 조위총의 난은 평양을 중심으로 한 서북 지역에서, 망이·망소이의 난은 공주에서 발생하였기 때문에 공동 전선을 펴지는 않았다.

0142

출제영역 〉 무신 집권기 민란 이해 정답 ▶ ④

정답찾기 (가)는 김사미와 효심이다.
④ 경북 운문(청도)에서 김사미가, 초전(울산)에서 효심 등이 신라 부흥을 표방하고 유민을 모아 봉기하였다(1193, 명종 23년).

선지분석 ① 만적의 난(1198, 신종 원년)에 대한 설명이다. 최충헌의 사노비인 만적은 개경에서 노비들을 모아 반란을 도모하여, 신분 해방과 정권 탈취를 내세웠다.
② 망이·망소이의 난(1176, 명종 6년)에 대한 설명이다.
③ 김보당의 난(1173, 명종 3년)과 조위총의 난(1174, 명종 4년)에 대한 설명이다.

0143 □□□

밑줄 친 '왕'의 재위 기간에 있었던 일로 옳지 않은 것은?

2019. 국가직 7급

> 왕 24년 봄에 전라도 지휘사 김경손이 초적 이연년을 쳐서 평정하였다. 이때 이연년 형제가 원율·담양 등 여러 고을의 무뢰배들을 불러 모아 해양(海陽) 등의 주현을 공격하여 함락시켰다.

① 왕실의 원찰인 묘련사가 창건되었다.
② 백련결사가 조직되어 백련결사문이 발표되었다.
③ 각훈이 왕명에 따라 『해동고승전』을 편찬하였다.
④ 수기의 주도 아래 대장경의 편집·교정이 이루어졌다.

0143

출제영역 무신 집권기 민란 이해 정답 ▶ ①

정답찾기 제시문은 최우 집권기에 발생한 이연년의 난(1237, 고종 24년)에 대한 내용으로, 밑줄 친 '왕'은 고려 고종(재위 1213~1259)이다.
① 묘련사는 충렬왕 때(1284) 원찰(願刹, 죽은 사람의 명복을 빌거나 자신의 소원을 빌기 위해서 세운 사찰)로 창건되었다.

선지분석 ② 요세는 고종 때 자신의 행동을 진정으로 참회하는 법화 신앙에 중점을 둔 백련결사를 제창(1216)하였다.
③ 『해동고승전』(1215)은 고종 때 각훈이 삼국 시대에 활약한 고승들을 기록한 저서이다.
④ 팔만대장경은 승려 수기의 주도 아래 고종 23년(1236, 최우)에 조판을 시작하여 고종 38년(1251, 최항)에 완성되었다.

대외 관계의 변천

0144 □□□

다음은 고려 시대 대외 정세의 변화를 시기별로 정리한 것이다. 각 시기에 해당하는 국내 지배 세력의 동향을 바르게 설명한 것은?

수능 / 2011. 경찰 2차 유사

> (가) 거란(요)이 발해를 멸하였다.
> (나) 여진이 금을 건국하고 요를 멸하였다.
> (다) 몽골 사신 저고여가 국경 지대에서 피살당하였다.
> (라) 고려는 몽골과 강화하고 개경으로 환도하였다.
> (마) 명이 원을 멸하고 한인 왕조를 부흥시켰다.

① (가) – 성리학적 소양을 바탕으로 토지 제도의 개혁을 주장하였다.
② (나) – 정치 주도권과 외교 노선을 둘러싸고 대립하여 묘청의 난이 일어났다.
③ (다) – 첨의부 등의 고위 관직을 독점하고 도평의사사의 구성원이 되어 권력을 장악하였다.
④ (라) – 지방에 근거를 둔 세력으로 결혼 정책에 의해 왕권에 포섭되었다.
⑤ (마) – 중방·도방·교정도감 등을 통해서 정권을 독점하였다.

0144

출제영역 고려 대외 관계의 이해 정답 ▶ ②

정답찾기 (가) 고려 초 – 호족, (나) 고려 중기 – 문벌 귀족, (다) 고려 후기 – 무신 집권기, (라) 원 간섭기 – 권문세족, (마) 고려 말 – 신진 사대부의 대두
② 문벌 귀족에 대한 설명이다.

선지분석 ① 신진 사대부, ③ 권문세족, ④ 호족, ⑤ 무신 정권에 대한 설명이다.

0145 □□□

밑줄 친 '그들'과 관련된 역사적 사건으로 옳은 것은? 2013. 경찰간부

> 그는 아뢰기를 "그들이 고구려의 옛 땅을 찾겠다고 주장하고 있으나 실제로는 우리를 두려워하고 있는 것입니다. 그러므로 지금 그들의 병력이 성대한 것만을 보고 갑자기 서경 이북을 떼어 준다면 이것은 올바른 계책이 아닙니다. 그뿐만 아니라 삼각산(三角山) 이북은 모두 고구려의 옛 영토인데 그들이 한없는 욕심으로 강요한다고 해서 다 주겠습니까?"라고 하였다.

① 별무반 편성 ② 강조의 정변
③ 철령위 설치 ④ 처인성 전투

0145

출제영역 고려 대외 관계의 이해 정답 ▶ ②

정답찾기 밑줄 친 '그들'은 거란으로, 제시문은 거란의 1차 침입(993) 당시 서희의 주장이다.
② 고려가 요(거란)와 적극적인 외교 관계를 수립하지 않자, 요의 성종은 강조의 정변을 구실로 다시 침입해 왔다(거란의 2차 침입, 1010).

선지분석 ① 여진, ③ 명, ④ 몽골과 관련된 사건이다.

0146 □□□

고려 시대 의주에 대한 설명으로 옳지 않은 것은? 2017. 국가직 9급

① 청천강변에 위치하며 도호부가 설치된 곳이다.
② 강동 6주 가운데 하나인 흥화진이 있던 곳이다.
③ 요(遼)와 물품을 거래하던 각장이 설치된 곳이다.
④ 요(遼)와 금(金)의 분쟁을 이용하여 회복하려고 시도한 곳이다.

0147 □□□

<보기>의 빈칸에 공통적으로 해당하는 국가와 관련하여 고려 시대에 발생한 일로 가장 옳은 것은? 2018. 서울시 9급

보기

- 모든 관리들을 소집해 ______을/를 상국으로 대우하는 일의 가부를 의논하게 하자 모두 불가하다고 했으나, 이자겸과 척준경만이 찬성하고 나섰다.
- ______은/는 전성기를 맞아 우리 조정이 그들의 신하임을 칭하도록 하고자 하였다. 여러 의견들이 뒤섞여 어지러운 가운데, 윤언이가 홀로 간쟁하여 말하기를 …… 여진은 본래 우리 조정 사람들의 자손이기 때문에 신하가 되어 차례로 우리 임금께 조공을 바쳐왔고, 국경 근처에 사는 사람들은 모두 우리 조정의 호적에 올라있는 지 오래 되었습니다. 우리 조정이 어찌 거꾸로 그들의 신하가 될 수 있겠습니까?

① 이 국가의 침입으로 인해 국왕은 나주로 피난하였다.
② 묘청 일파는 이 국가의 정벌을 주장하였다.
③ 이 국가와 함께 강동성에 포위된 거란족을 격파하였다.
④ 이 국가의 침략에 대비하여 광군을 설치하였다.

0148 □□□

다음 ㉠과의 항쟁에 대한 설명으로 옳지 않은 것은? 2015. 서울시 7급

김윤후가 충주산성 방호별감으로 있을 때 (㉠)이(가) 쳐들어와 충주성을 70여 일 동안 포위하자 비축해 둔 군량이 바닥나 버렸다. 김윤후가 군사들에게 "만약 힘을 다해 싸워 준다면 귀천을 불문하고 모두 관작을 줄 것이니 너희들은 나를 믿으라."고 설득한 뒤 관노(官奴) 문서를 가져다 불살라 버리고 노획한 마소를 나누어 주었다. 이에 사람들이 모두 죽음을 무릅쓰고 적에게로 돌진하니 (㉠)은(는) 조금씩 기세가 꺾여 더 이상 남쪽으로 나아가지 못했다. 『고려사』

① 귀주에서 승리를 거두었다.
② 강화도로 천도하며 항쟁하였다.
③ 흥화진에서 승리를 거두었다.
④ 산성, 해도 입보 정책을 펼쳤다.

0146

출제영역 〉 고려 특정 지역의 이해 정답 ▶ ①

정답찾기 ① 도호부는 새로 정복한 변경의 이민족을 통치하기 위해 설치한 군사적인 지방 통치 기구이다. 7세기 당이 고구려를 정복한 뒤 평양에 안동 도호부를 설치하였고, 고려 건국 초인 태조 때 고려가 여진족을 정복한 후 평양에 대도호부를 설치하였다.

선지분석 ② 고려 성종 때 서희의 외교 담판으로 얻게 된 강동 6주 중 흥화진이 의주이다.
③ 각장(榷場)은 고려 때 거란이나 여진족 등 북방 민족과 교역을 하기 위해 설치한 무역장으로, 서희가 외교 담판으로 거란과 강화를 성립시킨 직후인 1005년(목종 8) 의주에 설치되었다.
④ 서희가 거란의 적장 소손녕과 한 외교 담판은 거란과 여진의 갈등을 이용하여 이루어진 것으로, 그 결과 의주를 포함한 강동 6주를 거란에게서 얻게 되었다.

0147

출제영역 〉 고려 대외 관계의 이해 정답 ▶ ②

정답찾기 빈칸에 공통적으로 들어갈 국가는 여진이 세운 금나라이다.
② 묘청은 칭제건원을 주장하고 금국 정벌론을 내세워 서경 천도 운동(1135)을 추진하였다.

선지분석 ① 거란의 침입으로 개경이 함락되자, 현종은 나주로 피난하였다[거란의 2차 침입(1010, 현종 원년)].
③ 고려, 몽골, 동진국이 연합하여 강동성을 함락시켰다(강동의 역, 1219).
④ 고려 정종 때 거란의 침략에 대비하여 광군 30만을 청천강 유역에 배치하였다.

0148

출제영역 〉 고려 대외 관계의 이해 정답 ▶ ③

정답찾기 ㉠은 몽골이다.
③ 거란의 2차 침입 때 양규 등이 흥화진에서 거란을 물리쳤다.

선지분석 ① 몽골의 1차 침입 때 귀주에서 박서가 승리하였다.
② 1232년 몽골에 대항하여 강화도로 천도하였다.
④ 산성·해도 입보 정책(山城海島入保政策)은 백성들로 하여금 몽골군을 피해 집과 재산을 버려두고 산성이나 해도(섬)에 들어가도록 독려했던 정책이다. 최씨 정권 때 강제로 실시하였다.

0149

다음의 ㉠~㉢과 관련된 설명으로 가장 적절한 것은? 2016. 경찰 1차

> 심하도다. (㉠)의 환란이여. 잔인한 것은 말할 것도 없고, 지극히 어리석기는 짐승보다 심하니, 어찌 천하에서 공경하는 바를 알겠으며, 불법(佛法)이 있음을 알겠습니까? 그들은 지나가는 곳마다 불상과 불서를 모두 불태워 ㉡ 부인사에 소장된 대장경 판본도 남기지 않고 쓸어버렸습니다. …… 이런 큰 보물이 없어졌는데 어찌 감히 역사(役事)가 클 것을 염려하며, ㉢ 고쳐 만드는 일을 주저할 수 있겠습니까?
> 이규보, 『동국이상국집』

① ㉠은 송과 연합하여 요를 멸망시킨 후 송을 침략하여 강남으로 몰아냈다.
② ㉠과의 전쟁이 끝난 후 고려는 개경에 나성을 쌓아 도성 수비를 강화하였으며, 북쪽 국경 일대에 천리장성을 쌓았다.
③ ㉡은 부처의 도움으로 여진을 퇴치하려고 만든 금속 활자 인쇄본이다.
④ ㉢에 따라 만들어진 대장경판은 현재 합천 해인사에 보관되어 있다.

0150

밑줄 친 '이번 문서'를 보낸 조직에 대한 설명으로 옳은 것은?

2014. 국가직 9급

> • 이전 문서에서는 몽골의 연호를 사용했는데, 이번 문서에서는 연호를 사용하지 않았다.
> • 이전 문서에서는 몽골의 덕에 귀의하여 군신 관계를 맺었다고 하였는데, 이번 문서에서는 강화로 도읍을 옮긴 지 40년에 가깝지만, 오랑캐의 풍습을 미워하여 진도로 도읍을 옮겼다고 한다.
> 고려첩장(高麗牒狀)

① 최우가 도적을 막기 위해 만든 조직에서 비롯되었다.
② 최충헌이 신변 보호와 집권 체제 강화를 위해 조직하였다.
③ 거란의 침입에 대비하기 위한 조직으로 편성되었다.
④ 쌍성총관부 탈환에 주도적인 역할을 한 조직이었다.

0151

고려 말기의 왜구에 대한 설명으로 가장 옳지 않은 것은?

2019. 서울시 7급 1차

① 이들을 막아내는 과정에서 최영, 이성계 등의 무장들이 명성과 세력을 얻었다.
② 이들의 상륙을 막기 위한 방법으로 고려에서 화포를 개발하기도 하였다.
③ 연해 지방뿐만 아니라 때로는 내륙 깊숙한 곳까지 침입하기도 하였다.
④ 막부의 지휘와 통제 아래 일사불란하게 한반도를 침입하였다.

0149

출제영역 고려 대외 관계의 이해 정답 ▶ ④

정답찾기 ㉠ 몽골, ㉡ 초조대장경, ㉢ 팔만대장경(재조대장경)
④ 몽골 침략으로 소실된 초조대장경을 대신하여 조판된 팔만대장경은 현재 경남 합천 해인사 장경판전(유네스코 세계 문화유산)에 보관되어 있다.

선지분석 ① 금나라(여진)에 대한 설명이다.
② 거란 격퇴 이후의 사실이다.
③ 초조대장경은 현종 때 거란군 격퇴와 불교 교리 정리를 목적으로 편찬을 시작한 목판 인쇄본이다.

0150

출제영역 고려 대외 관계의 이해 정답 ▶ ①

정답찾기 밑줄 친 '이번 문서'는 삼별초 진도 정부가 일본에 보낸 외교 문서[고려첩장불심조조(高麗牒狀不審條條)]이다. 이 문서에는 진도 정부(삼별초 정부)만이 정통 고려라고 명명(命名)되어 있으며, 현재 일본 동경 대학 사료 편찬소에서 보관 중이다.
① 삼별초는 최우 때 만들어진 조직이다.

선지분석 ② 교정도감, ③ 광군에 대한 설명이다.
④ 유인우가 이끈 관군과 이성계 집안의 협력으로 쌍성총관부를 탈환할 수 있었다.

0151

출제영역 고려 후기 대외 관계의 이해 정답 ▶ ④

정답찾기 ④ 조선의 임진왜란(1592)에 대한 설명이다.

선지분석 ① 우왕 때 최영은 홍산 대첩에서, 이성계는 황산 대첩에서 왜구를 격퇴하였다. 이를 통해 최영과 이성계는 대표적 무장으로서 백성들의 두터운 신망을 받았다.
② 최무선이 화통도감(1377, 우왕 3년)을 설치하여 화약 무기를 제조한 후 왜구 격퇴에 사용하였다.
③ 왜구는 수도 개경으로 조세를 운반하는 조운선을 노렸고, 지방에서 거둔 조세를 중앙으로 운반하기 위해 설치한 조창도 약탈하였다. 공민왕대 이후에는 수도 개경 근처에까지 올라올 정도로 규모가 더욱 커지고 대범해지자, 고려 조정에서는 도읍을 내륙 깊숙한 철원으로 옮기자는 논의까지 나왔다.

0152

다음 〈보기〉의 밑줄 친 주체에 대한 설명으로 가장 옳지 않은 것은?

2017. 서울시 사회복지직 9급

보기

운봉을 넘어온 … (중략) … 이 싸움에서 아군은 1,600여 필의 군마와 여러 병기를 노획하였고, 살아 도망간 자는 70여 명밖에 없었다고 한다. 『고려사』에서 인용・요약

① 그들로부터 개경을 수복한 정세운, 이방실, 김득배는 김용의 주도하에 살해되었다.
② 조운선이 그들의 목표물이 되어 국가 재정이 곤란해졌다.
③ 그들의 소굴인 대마도가 정벌되어 그 기세가 꺾이게 되었다.
④ 그들이 자주 출몰하자 수도를 옮기자는 주장이 제기되었다.

0153

다음 시와 관련된 인물에 대한 설명으로 가장 적절한 것은?

2018. 경찰 1차

> 좋은 말 살지게 먹여 시냇물에 씻겨 타고
> 서릿발 같은 칼 잘 갈아 어깨에 둘러메고
> 대장부의 위국충절을 세워 볼까 하노라. 「호기가(豪氣歌)」

① 침입하는 왜구를 홍산에서 격퇴하였다.
② 화통도감에서 각종 화기를 제조하여 왜구 격퇴에 사용하였다.
③ 황산에서 적장 아지발도를 사살하는 등 왜구를 섬멸하였다.
④ 관음포 앞바다에서 왜선 120여 척을 격침시켰다.

0154

밑줄 친 '이 기구'가 설치된 왕 대에 있었던 사실로 옳은 것은?

2017. 국가직 9급

> 조정은 중국의 화약 제조 기술을 터득하여 이 기구를 두고, 대장군포를 비롯한 20여 종의 화기를 생산하였으며 화약과 화포를 제작하였다.

① 복원궁을 건립하여 도교를 부흥시켰다.
② 흥덕사에서 직지심체요절을 간행하였다.
③ 교장도감을 설치하여 속장경을 간행하였다.
④ 시무 28조를 수용하여 유교 정치를 구현하였다.

고려의 시련과 자주성 회복

0155

정동행성(征東行省)에 대한 설명으로 옳지 않은 것은?

2011. 지방직 7급

① 장관인 승상(丞相)에는 원의 관리가 임명되었다.
② 부속 기관으로 이문소(理問所)가 있었는데, 불법적으로 사법권을 행사하였다.
③ 고려와 원의 연락 기관이었다.
④ 원이 일본 정벌을 위해 설치한 기구였다.

0152

출제영역 〉 고려 후기 대외 관계의 이해 정답 ▶ ①

정답찾기 〈보기〉는 이성계의 황산 대첩(1380, 우왕 6년)에 대한 내용으로, 밑줄 친 '살아 도망간 자'는 왜구이다.

① 정세운, 이방실, 김득배, 최영 등은 백련교도로 구성된 홍건적의 침입을 물리쳤다. 공민왕 때 김용은 사이가 나쁜 정세운이 홍건적과의 전투에서 공을 세우자 이를 시기하여 안우, 김득배, 이방실로 하여금 죽이게 하였다.

0153

출제영역 〉 고려 후기 대외 관계의 이해 정답 ▶ ①

정답찾기 제시문은 최영의 「호기가(豪氣歌)」이다.

① 우왕 때 최영은 홍산에 출정하여 왜구를 섬멸하였다[홍산 대첩(1376, 우왕 2년)].

선지분석 ② 최무선[진포 대첩(1380, 우왕 6년)]에 대한 설명이다.
③ 이성계[황산 대첩(1380, 우왕 6년)]에 대한 설명이다.
④ 정지[관음포 대첩(1383, 우왕 9년)]에 대한 설명이다.

0154

출제영역 〉 고려 후기 대외 관계의 이해 정답 ▶ ②

정답찾기 밑줄 친 '이 기구'는 화통도감(1377, 우왕 3년)이다. 최무선이 중국(원)으로부터 화약 제조법을 습득하여 화통도감을 설치하고 여기에서 화약과 화포를 제작하였으며, 이를 이용하여 진포(금강 어귀)에서 왜선 500여 척을 격퇴하였다.

② 『직지심체요절』은 우왕 3년(1377)에 간행된 것으로, 백운화상이 역대 스님들의 법어・어록 등에서 필요한 내용을 발췌하였다.

선지분석 ① 복원궁 건립(고려 예종), ③ 의천의 교장도감 설치(고려 숙종), ④ 최승로의 시무 28조(고려 성종)

0155

출제영역 〉 고려 원 간섭기의 이해 정답 ▶ ①

정답찾기 ① 장관인 승상(丞相)에는 고려왕이 임명되었다.

선지분석 ② 정동행성의 부속 기구인 이문소(理問所)는 원래 개경에서 대원 관계의 범죄 행위를 담당하는 업무를 맡았으나, 불법적인 사법 행위로 내정이 문란해졌다.

0156

다음은 원의 세조가 고려에 약속한 내용의 일부이다. 이 약속 이후에 일어난 사실로 옳지 않은 것은? 2017. 하반기 국가직 9급

- 옷과 머리에 쓰는 관은 고려의 풍속을 유지하고 바꿀 필요가 없다.
- 압록강 둔전과 군대는 가을에 철수한다.
- 몽고에 자원해 머문 사람들은 조사하여 모두 돌려보낸다.

① 정동행성을 설치하였다.
② 2차 여·몽 연합군은 일본 원정에 실패하였다.
③ 쌍성총관부를 설치하였다.
④ 사림원을 설치하였다.

0157

다음 밑줄 친 '왕'의 재위 기간에 볼 수 있었던 모습으로 옳은 것은? 2017. 기상직 9급

원(元)이 유수 보수와 전 이문낭중 장백상 등을 보내오자 왕이 교외에서 영접하였다. 장백상이 성지(聖旨)를 전하며 말하기를, "이미 정월 2일에 상왕(上王)에게 복위하라고 명하셨습니다."라고 하였다. 왕과 좌우 신하들이 모두 놀라서 얼굴빛이 달라졌다. 장백상이 국새를 회수하고 모든 창고를 봉하였으며, 왕은 드디어 원으로 갔다.

① 원의 일본 원정에 동원되는 백성
② 밀직사에서 업무를 보는 관리
③ 노국 공주의 죽음을 슬퍼하는 국왕
④ 강화도에서 몽골에 대항하는 삼별초 군인

0158

밑줄 친 '인물'과 관계있는 설명으로 옳지 않은 것은? 2009. 국가직 7급

공민왕은 생각하기를 "첫째, 세신(世臣)과 대족(大族)은 서로 뿌리를 뻗어 연결하여 가려 주고 있으며, 둘째, 초야의 신진들은 귀하게 되면 문벌이 한미한 것을 부끄러워하여 대족들과 연결하고 혼인하여 그 처음 뜻을 모두 버리며, 셋째, 유생들은 유약하고 또 문생(門生)이니 좌주(座主)니 동년(同年)이니 하여 서로 파당을 만들어 정에 끌리니 이 삼자는 모두 쓸 것이 못 된다." 하였다. 이에 세상과 관계없는 독립한 인물을 얻어, 그를 크게 등용하여 오래된 폐단을 개혁할 것을 생각하였다.

① 『경제문감(經濟文鑑)』을 기반으로 개혁을 단행하였다.
② 성균관을 통해 유학 교육을 강화하고 관료 체계의 정비를 추진하였다.
③ 사회 경제적 폐단을 시정하려는 개혁적 측면과 함께 국왕의 권력 기반을 강화하고자 하였다.
④ 권문세족이 부당하게 빼앗은 토지와 노비를 본래의 소유주에게 돌려주거나 양민으로 해방시켰다.

0156

출제영역 〉 고려 원 간섭기의 이해 정답 ▶ ③

정답찾기 제시문은 원 세조의 일명 '세조구제' 관련 내용이다. 1260년 고려 원종이 태자의 자격으로 몽골의 왕을 만나러 갔다가 당시 몽골 왕의 사망 소식을 접하였다. 당시 몽골의 제후들은 누구를 지지할지 고민하였는데, 고려 원종은 이를 듣고 쿠빌라이 지지를 선언하였다. 이에 쿠빌라이는 "과거 수나라와 당나라도 굴복시키지 못했던 고구려의 후손이 나에게 찾아와 항복을 하니 이것은 하늘의 뜻이다."라며 말했고, 이 말대로 쿠빌라이는 황제에 즉위하여 원나라 '세조'가 되었다. 이에 세조는 '세조구제'라 하여 고려의 주권과 고유한 풍속을 인정하였고, 고려를 직속령으로 완전히 정복하려던 계획을 철회하였다.
③ 쌍성총관부 설치(1258, 고종 45년)

선지분석 ① 2차 일본 원정 때 정동행성 설치(1281, 충렬왕)
② 2차 일본 원정 실패(1281, 충렬왕)
④ 사림원 설치(1298, 충선왕)

0157

출제영역 〉 고려 원 간섭기의 이해 정답 ▶ ②

정답찾기 밑줄 친 '왕'은 고려 충혜왕이다. 제시문은 충혜왕이 1332년(충혜왕 2) 원나라 조정에서 탄핵을 받아 왕위에서 쫓겨나 원나라로 압송되고 아버지인 충숙왕이 다시 고려의 왕위에 오른 내용이다. 충혜왕의 재위 기간은 1330~1332년, 1339~1344년이다.
② 밀직사는 991년(성종 10)에 설치된 중추원이 1095년(헌종 1) 추밀원으로 바뀌었다가, 원나라 간섭기인 1275년(충렬왕 1)에 개칭된 것으로, 1356년(공민왕 5) 반원 개혁 정책에 따라 추밀원으로 바꾸었다가 1362년 다시 밀직사로 개칭되었다.

선지분석 ① 충렬왕 때 원의 강요로 여·원 연합군이 편성되어 일본 원정에 나섰으나 두 차례 실패(1274, 1281)하고 고려 영토 안에는 원의 직속령이 설치되었다.
③ 공민왕에 대한 설명이다.
④ 삼별초는 원종 11년(1270)에 강화도의 무인들에게 몽골에 투항할 것과 개경 환도를 요구하자 난을 일으켰다. 배중손의 지휘하에 승화후 온(溫)을 왕으로 추대하고 반몽 무인 정권을 내세워 강화도에서 봉기하였다. 이후 진도로 근거지를 옮겨 용장성을 쌓고 본격적으로 항전하였고, 일본에 원조를 요청하는 외교 문서를 보냈다. 배중손 중심의 진도 삼별초 정권은 1년 만에 붕괴되었고, 이후 잔여 세력은 제주도에서 김통정의 지휘하에 항쟁을 계속하였으나 1273년 여·원 연합군에게 함락되었다.

0158

출제영역 〉 고려 원 간섭기의 이해 정답 ▶ ①

정답찾기 밑줄 친 '인물'은 공민왕 때 등용된 신돈이다.
① 『경제문감』은 정도전이 조선을 개창하고 난 후 조선 정치 조직과 행정안을 제시한 책이다.

선지분석 ②③④ 공민왕은 세력이 없는 한미한 집안 출신의 신돈을 등용하여 권문세족이 부당하게 빼앗은 토지와 노비를 본래의 소유주에게 돌려주거나 양민으로 해방시켰고, 성균관을 통해 유학 교육을 강화하였으며, 과거 제도를 정비하여 많은 인재를 배출하였다.

0159

다음 지도의 A~D에 대한 설명으로 옳은 것을 〈보기〉에서 모두 고르면? 수능

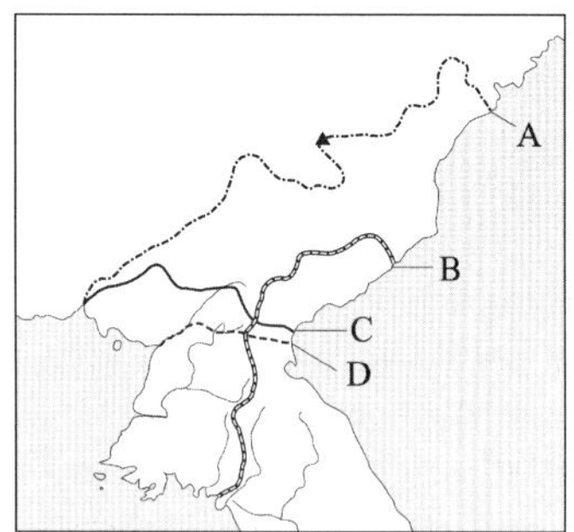

보기
㉠ A는 조선 세종 때에 4군과 6진을 설치하여 확정한 국경선이다.
㉡ B는 신라 진흥왕이 북쪽으로 영토를 최대로 확장했을 때의 경계선이다.
㉢ C는 고려 공민왕이 철령 이북의 땅을 수복했을 때의 국경선이다.
㉣ D는 신라가 당의 세력을 몰아내고 삼국 통일을 이룩했을 때의 경계선이다.

① ㉠, ㉡ ② ㉠, ㉢
③ ㉡, ㉢ ④ ㉡, ㉣
⑤ ㉢, ㉣

0160

쌍성총관부와 관련한 역사적 사실과 다른 것은? 2015. 경찰간부

① 원이 화주(和州) 지역에 총관부를 설치하고 다루가치를 파견하였다.
② 공민왕대 반원 개혁 과정에서 쌍성총관부를 수복하였다.
③ 명은 고려에 쌍성총관부 지역을 다시 내놓으라고 통보했다.
④ 명의 철령위 설치에 대항하여 이성계는 요동 정벌을 적극적으로 주장하였다.

0161

대외 관계와 관련된 연표의 (가)~(라) 시기에 있었던 사실로 옳은 것은? 2012. 법원직

1359		1377		1388		1419		1434
홍건적 침입	(가)	화통도감 설치	(나)	위화도 회군	(다)	대마도 정벌	(라)	6진 설치

① (가) – 철령 이북의 땅이 수복되었다.
② (나) – 전민변정도감을 통해 신돈이 개혁을 시도하였다.
③ (다) – 전제 개혁이 단행되어 과전법이 마련되었다.
④ (라) – 정도전이 『고려국사』를 편찬하였다.

0159

출제영역 역대 국경선의 변화 이해 정답 ▶ ①

정답찾기 제시된 지도에서 A는 조선 세종 때 4군 6진의 개척으로 확장된 국경선으로서 오늘날의 국경선이 되었고, B는 신라 진흥왕 때의 최대 영토 팽창선이다. C는 거란의 고려 침입 때 강동 6주를 확보하고 천리장성을 쌓아 이루어진 11세기의 국경선이다. D는 고려 태조 말기의 국경선으로, 고려 초기 북진 정책의 추진 결과 청천강에서 영흥에 이르는 지역이 새롭게 영토가 되었다.

선지분석 ㉢ 공민왕은 쌍성총관부를 수복하고 압록강 중류의 초산에서 길주에 이르는 지역을 확보하였다.
㉣ 신라는 대동강에서 원산만에 이르는 지역을 경계로 통일하였다.

0160

출제영역 쌍성총관부의 역사 이해 정답 ▶ ④

정답찾기 ④ 우왕 때 명의 철령위 설치에 대항하여 우왕과 최영이 요동 정벌을 주장하였을 때 이성계는 4불가론을 주장하며 출병에 반대하였다.

더⊕알아보기 **이성계의 4불가론**

1. 소국이 대국을 배반함은 불가하다[以小逆大其不可].
2. 여름철에 군사를 일으킴은 불가하다[夏月發兵其不可].
3. 거국적으로 원정할 경우 왜구 침입의 우려가 있어 불가하다[擧國遠征倭乘其虛].
4. 장마철이라 활이 녹슬고 대군이 질병에 걸릴 가능성이 있어 불가하다[時方暑雨弩弓解膠大軍疾疫].

0161

출제영역 고려 말 조선 초 대외 관계 및 시기별 사건 이해 정답 ▶ ③

정답찾기 ③ 과전법 공포(1391)

선지분석 ① 철령 이북 수복(1356, 공민왕 5년) – (가) 이전
② 공민왕의 전민변정도감 설치(1366) – (가)
④ 정도전의 『고려국사』 편찬(조선 초, 1395) – (다)

PLUS⁺ 선지 OX 고려의 정치

01 강조의 정변으로 왕위에 오른 왕 때 부모의 명복을 빌기 위해 현화사(玄化寺)를 창건하였다. 2022. 서울시 기술직 9급 O X

02 윤관이 이끄는 별무반을 파견하여 여진을 정벌하고 동북 9성을 쌓아 방어하도록 한 왕 때 의천의 건의를 받아들여 주전도감을 설치하였다. 2022. 법원직 O X

03 태조 왕건은 장학 재단인 학보를 설치하였다. 2022. 국회직 9급 O X

04 고려의 중앙군인 2군은 수도 경비와 국경 방어 임무를 맡았으며, 5도의 주현군은 직업 군인으로 군인전을 지급받고 역을 자손에게 세습하였다. 2021. 경찰간부 O X

05 최충이 문헌 공도를 설립했을 당시 재위했던 왕은 한양을 남경으로 승격하여 3경에 포함시켰다. 2021. 경찰간부 O X

06 『직지심체요절』이 간행되었던 시기의 왕 때 기존의 토지 문서를 불태워 버리고 과전법을 시행하였다. 2020. 지방직 7급 O X

07 자신의 생일을 인수절이라 칭하고, 스스로 국공(國公)에 올라 왕태자와 동등한 예우를 받았던 인물은 지덕쇠왕설을 내세워 서경 천도를 주장하였다. 2017. 국가직 7급 O X

08 최충헌과 최우는 부를 설치하여 왕자 등과 동등한 지위를 공식적으로 인정받았다. 2017. 서울시 7급 O X

09 최충헌이 집권할 당시에 최광수의 난, 이비·패좌의 난, 전주 관노의 난이 발생하였다. 2020. 경찰 2차 O X

10 내정 간섭 기관이었던 정동행성의 이문소를 폐지한 왕은 쌍성총관부와 동녕부를 무력으로 탈환하였다. 2011. 경찰 2차 O X

PLUS⁺ 선지 OX 해설 고려의 정치

01 O 강조의 정변으로 왕위에 오른 왕은 현종이다. 현종 때 현화사와 중광사 등의 사찰을 건립하였고, 연등회와 팔관회를 부활시켰다.

02 X 윤관의 별무반을 파견하여 여진을 정벌하고 동북 9성을 쌓았던 시기는 고려 예종 때이다. 그러나 의천의 건의를 받아들여 주전도감을 설치한 왕은 고려 숙종이다.

03 O 학보는 일종의 장학 재단으로, 태조 왕건이 서경의 학교에 장학 기금으로 미곡 100섬을 내린데서 비롯된 것이다.

04 X 수도 경비와 국경 방어를 담당한 것은 6위이다. 2군은 왕의 친위 부대였다. 주현군은 5도에 파견된 지방군으로 직업 군인이 아니었기에 군인전을 지급받지 못하였다.

05 O 최충의 9재 학당(문헌 공도)이 건립되었을 시기의 왕은 문종이다. 문종 때 남경 길지설에 따라 지금의 서울을 남경으로 승격하였다.

06 X 『직지심체요절』은 고려 우왕 때 간행되었다. 그러나 과전법이 실시된 것은 공양왕 때이다.

07 X 자신의 생일을 인수절이라고 부른 인물은 이자겸이다. 그러나 서경 천도를 주장한 것은 묘청이다.

08 O 최충헌은 왕으로부터 진강후라는 작위를 받고 진강부(흥녕부)를 두었다. 최우는 진양후라는 작위를 받고 진양부를 세웠다.

09 X 최충헌은 1196년부터 1219년까지 집권하였다. 고구려 부흥을 내세운 최광수의 난은 1217년에, 경주를 중심으로 한 민란인 이비·패좌의 난은 1202년에 발생하였다. 그러나 전주 관노의 난은 1182년에 발생한 것으로 경대승 집권기에 해당한다.

10 X 정동행성 이문소의 폐지는 공민왕의 정책이다. 쌍성총관부의 탈환(1356)은 공민왕의 업적이 맞으나, 동녕부는 충렬왕 때 원이 돌려주었다.

CHAPTER

03 고려의 사회

최근 5년간 국가직·지방직 출제 비율

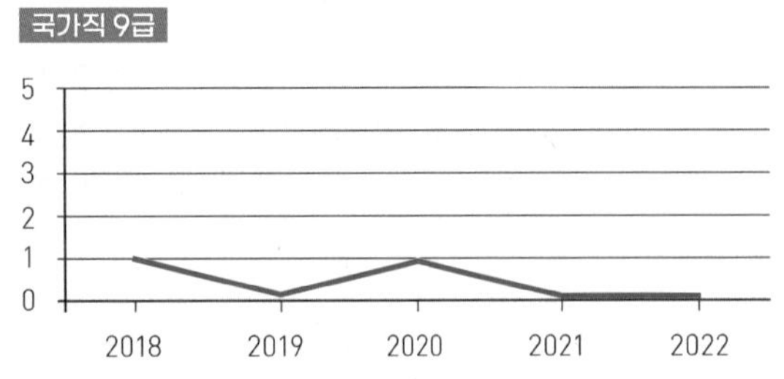

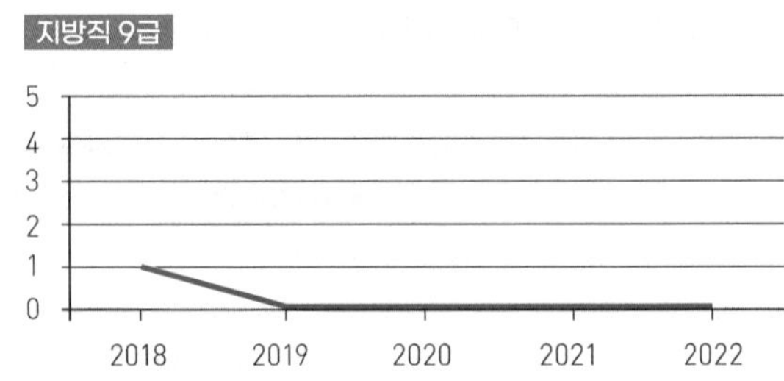

- 최근 출제 비중이 감소하였다.
- 2022년에는 국가직과 지방직에서 단 한 문제도 출제되지 않았다.

주요 고난도 문제 키워드

#신분 제도 #국가 제사 #팔관회

고난도 이론 정리 선우쌤 PICK

고려의 신분 제도	구분	내용
	귀족	• 문벌 귀족: 왕족과 [1] 품 이상의 고위 관료, 음서나 [2] 을 받는 특권층 • 지배 세력 변천: [3] ⇨ 무신 세력 ⇨ [4] ⇨ 신진 사대부
	[5]	• 지배 기구의 말단 행정직으로 존재 • 잡류(중앙 관청 말단 서리), [6] (궁중 실무 관리), [7] (지방 행정 실무 담당), [8] (직업 군인으로 하급 장교), 역리 등 • 직역을 세습하며 이에 상응하는 전시과의 토지 받음.
	양민	• 양민의 대다수인 [9] 농민, 상공업 종사자 등으로 구성 • 민전 경작, 과거 응시 자격 有, [10] ·공납·역의 의무 • [11] : 특수 행정 구역, 이들은 군현민보다 하층 신분으로, 양민보다 많은 세금 부담 및 거주지 제한, 이주 금지
	천민	• 대부분 [12] : 공·사노비, 매매·증여·상속의 대상 • 공·사노비 중 외거 노비는 독립 경제생활 영위 • [13] 의 원칙: 부모 중 한쪽이 노비이면 그 자식도 노비

구분	내용	
사회 시책	• 농번기에 잡역 면제, 재해 시 조세·부역 감면 • 법으로 고리대 이자율 규정, 이자와 빌린 곡식이 같아지면 더 이상 이자 금지 ⇨ 백성의 생활을 안정시켜 국가 안정, 체제 유지 도모	
사회 제도	흑창(태조)	곡물을 비치했다가 흉년에 빈민 구제
	[14] (성종)	흑창 개칭, 평시에 곡물 비치, 흉년에 빈민 구제, 고구려 진대법과 유사
	[15] (성종)	개경·서경·[16] 에 설치한 물가 안정 기관
	[17] (광종)	기금 마련 뒤 이자로 빈민 구제
	동·서대비원	[18] 에 설치하여 빈민 환자 치료 및 빈민 구휼
	[19] (예종)	의약 전담, 빈민 환자에게 무료로 약 제공
	구제도감	질병 환자의 치료 및 병사자의 매장을 관장하던 임시 관서

정답 1. 5 2. 공음전 3. 문벌 귀족 4. 권문세족 5. 중류층 6. 남반 7. 향리 8. 군반 9. 백정 10. 조세 11. 향·소·부곡 12. 노비 13. 일천즉천 14. 의창 15. 상평창 16. 12목 17. 제위보 18. 개경 19. 혜민국

사회 구조와 지배 세력

0162 □□□

고려 시대 신분 제도에 대한 설명으로 가장 옳지 않은 것은?

2018. 서울시 7급 2차

① 왕실과 혼인을 통해 외척이 되어 대대로 특권을 누리는 문벌 가문이 나타났다.
② 상층 향리인 호장층은 지방 세력 가운데 과거 합격률이 가장 높아 관료를 배출하는 모체가 되었다.
③ 서민이 손쉽게 출세하는 벼슬은 궁궐의 잡무를 맡은 서리층으로 이를 산관이라 했다.
④ 광산에서 일하는 광부를 철간, 어부를 생선간, 소금 굽는 염부를 염간, 목축하는 사람을 목자간, 뱃사공을 진척이라 불렀다.

0163 □□□

다음과 같은 사실이 있었던 시대의 신분 제도에 대한 설명으로 옳지 않은 것은?

2012. 지방직 7급

> • 경학박사와 의학박사를 파견하여 지방 세력의 자제를 교육하였다.
> • 문헌공도, 홍문공도 등의 사학이 설립되었다.

① 중류층인 남반은 중앙 관청의 말단에서 행정 실무를 관장하였다.
② 향리 자제들이 과거를 통해 중앙 관리가 되는 길이 열려 있었다.
③ 관청의 잡역에 종사한 공역 노비는 60세가 되면 역이 면제되었다.
④ 향, 부곡의 주민은 군현의 주민에 비해 여러 가지 차별 대우를 받았다.

0164 □□□

고려 후기 권문세족에 대한 설명으로 옳지 않은 것은?

2019. 국가직 7급

① 음서는 이들의 지위를 유지할 수 있는 중요한 제도적 장치였다.
② 재지지주로서 녹과전과 녹봉을 유력한 경제적 기반으로 삼았다.
③ 첨의부 등의 고위 관직을 독점하면서 도당의 구성원으로서 권력을 장악하였다.
④ 왕실 또는 자기들 상호 간에 중첩되는 혼인을 맺어 긴밀한 유대 관계를 가지고 있었다.

0162

출제영역 〉 고려 신분 제도의 이해 정답 ▶ ③

정답찾기 ③ 궁궐의 잡무를 맡은 것은 남반으로, 궁중의 숙직이나 국왕의 호종 및 왕명의 전달, 의장 등의 일을 맡아보았다. 서리는 중앙 관청의 말단에서 행정 실무를 관장하였다.

선지분석 ① 문벌 귀족은 신분 유지를 위해 서로 중첩된 혼인 관계를 맺었다.
② 호장(戶長)의 신분은 세습되었으며, 그 자손에게는 지방 교육의 기회와 더불어 과거에 응시할 수 있는 자격이 주어졌다.
④ 고려 시대 양인 중에서 가장 지위가 낮은 것은 향·소·부곡, 진(津)·역(驛, 육상 교통 업무)·관(館, 숙박소), 장·처(莊·處, 왕실 소속의 농지) 등 말단 행정 구역에 사는 주민들로, 이들의 직업은 농사일·각종 수공업·도살업·고기잡이·소금 굽는 일·광부·봉화 올리는 일·목축업 등 다양하였고 이들에게는 '간(干)', '척(尺)'이라는 칭호를 붙였다. 이들은 법제적으로는 양인이지만 직역이 천하다고 하여 '신량역천(身良役賤)' 계층이라 하였고, 천역에서 벗어나지 않는 한 양인으로서의 권리를 행사할 수 없었다.

0163

출제영역 〉 고려 신분 제도의 이해 정답 ▶ ①

정답찾기 첫 번째는 고려 성종 때, 두 번째는 고려 중기 때의 사실이다.
① 남반은 궁중의 숙직이나 국왕의 호종 및 왕명의 전달, 의장 등의 일을 맡아보던 내료직(內僚職)이다. 중앙 관청의 말단에서 행정 실무를 관장했던 것은 서리이다.

0164

출제영역 〉 고려 권문세족의 이해 정답 ▶ ②

정답찾기 ② 권문세족은 부재지주로서 농장(대규모 사유지)이 주요 경제적 기반이었다. 신진 사대부들이 재지지주이다.

선지분석 ① 권문세족은 과거보다 음서에 힘입어 관인(官人)으로서의 신분을 세습시켜 나갔다.
③ 권문세족은 첨의부나 밀직사 등의 고위 관직을 독점하였으며, 도평의사사의 구성원으로서 정치·군사·인사권을 장악하였다.
④ 권문세족은 원의 세력을 배경으로 그들 간의 중첩된 혼인을 통해 권력을 유지하려 하였다.

PART 03

0165

다음 자료의 ○○와 같은 사람들로 구성된 정치 세력에 대한 설명으로 옳은 것은? 수능

> 이름은 ○○이다. 증조할아버지와 할아버지는 모두 자기 고장의 향리였고, 아버지는 과거에 급제했지만 벼슬길에 오르지 않았다. ○○는 과거에 급제하여 관리가 되었으며, 밀직사와 첨의부의 관직을 역임하였다. 관동 지방을 유람하면서 경기체가를 지었다.

① 문벌제도와 적서 차별의 폐단을 고치려 하였다.
② 골품 제도의 신분 제약을 극복하고자 노력하였다.
③ 국왕을 도와 호족 세력을 약화시키는 데 앞장섰다.
④ 성리학을 수용하여 사회의 모순을 시정하려 하였다.
⑤ 향약을 통해 향촌 사회의 질서를 유지하고자 하였다.

사회 시책과 법속

0166

고려 시대의 사회 정책에 대한 설명으로 옳지 않은 것은?

2014. 지방직 7급

① 상평창은 물가 조절 기관으로서 곡식과 포의 가격이 내렸을 때 사들였다가 값이 오르면 싸게 내다 팔았다.
② 의창은 빈민을 도와줌으로써, 유교 정치 이념의 명분을 살림과 동시에 농업 재생산의 활동을 원만하게 하려는 사회 정책의 일환으로 설치되었다.
③ 동·서활인서는 유랑자의 수용과 구휼을 담당하였다.
④ 혜민국은 백성들의 의료를 맡아 시약(施藥)을 행하던 곳으로 고려 예종 대에 설치되었다.

0167

고려에서 행한 국가 제사에 대한 설명으로 옳지 않은 것은?

2018. 지방직 9급

① 태조 때에 환구단(圜丘壇)에서 풍년을 기원하는 제사를 올렸다.
② 성종 때에 사직(社稷)을 세워 지신과 오곡신에게 제사를 지냈다.
③ 숙종 때에 기자(箕子) 사당을 세워 국가에서 제사하였다.
④ 예종 때에 도관(道觀)인 복원궁을 세워 초제를 올렸다.

0165

출제영역 〉 고려 신진 사대부의 이해 **정답 ▶ ④**

정답찾기 ▶ 제시문은 고려 후기의 신진 사대부에 대한 설명이다.
④ 신진 사대부들은 지방의 중소지주층이자 대부분 향리 출신으로 학문적 교양과 정치적 실무에 능한 학자적 관료였다. 또한, 성리학을 수용하여 구질서와 권문세족의 횡포를 정면으로 비판하는 진취적 성향을 띠었다.

0166

출제영역 〉 고려 사회 정책의 이해 **정답 ▶ ③**

정답찾기 ▶ ③ 동·서활인서는 조선 시대의 의료 시설이다.

더⊕알아보기 〉 **동·서활인서**

1401년(태종 1) 고려 시대의 제도를 본받아 동·서대비원을 설치하였던 것을 1414년 동활인서와 서활인서로 개칭하였다. 그 뒤 1466년(세조 12)의 관제 개혁 때 활인서로 통합되었으나, 관습적으로 동·서로 나뉘어 불렸다.

0167

출제영역 〉 고려 사회 정책의 이해 **정답 ▶ ①**

정답찾기 ▶ ① 환구단은 천자가 하늘에 제사를 지내는 곳으로, 고려 성종 2년(983)에 처음 시행되었다.

선지분석 ▶ ② 고려 성종 때 사직을 세워 땅의 신과 오곡신에게 제사 지내고, 왕이 직접 농사짓는 적전을 두어 농사를 권장하였다.
③ 고려 숙종 때 평양에 기자 사당을 세우고 기자를 '교화(敎化)의 임금'으로 숭상하였다.
④ 고려에서는 도사가 초제를 주관하여 국가의 안녕과 왕실의 번영을 기원하였으며, 예종 때 복원궁이라는 도관(도교 사원)을 건립하였다.

0168 □□□

다음 (가)에 대한 설명으로 옳지 않은 것은? 2018. 국가직 9급

> 예전에 성종이 (가) 시행에 따르는 잡기가 정도(正道)에 어긋나는데다가 번거롭고 요란스럽다 하여 이를 모두 폐지하였다. … (중략) … 이것을 폐지한 지가 거의 30년이나 되었는데, 이때에 와서 정당문학 최항이 청하여 이를 부활시켰다.

① 국제 교류의 장이었다.
② 정월 보름에 개최되었다.
③ 토속신에게 제사를 지냈다.
④ 훈요 10조에서 시행할 것을 강조하였다.

0169 □□□

고려 시대의 행형(行刑) 제도에 대한 설명으로 옳은 것은?

2012. 경찰간부

① 동성(同姓) 간의 혼인을 금지하였다.
② 유배지 선정에서 본관 지역을 배제하였다.
③ 신체형으로 태형과 장형, 궁형을 시행하였다.
④ 동(銅)을 납부하여 처벌을 면제받는 제도가 있었다.

고려인들의 생활 모습

0170 □□□

고려 시대 혼인 풍속에 대한 설명으로 옳지 않은 것은?

2016. 지방직 7급

① 결혼 후 신랑이 신부 집에 머무르는 '서류부가혼'의 혼속이 있었다.
② 국왕을 비롯한 종실의 경우 동성근친혼인 족내혼의 관행이 있었다.
③ 원의 영향으로 여러 명의 처와 첩을 두는 '다처병첩'이 법적으로 허용되었다.
④ 공녀 선발을 피하기 위해 어린 신랑을 처가에서 양육해 혼인시키는 '예서제'가 있었다.

0168

출제영역 〉 고려 사회 정책의 이해 정답 ▶ ②

정답찾기 〉 (가)는 팔관회이다. 성종은 국가 재정과 민생 안정을 위해 연등회와 팔관회를 폐지하였다.
② 팔관회는 연말(10월, 11월)에 개최되었다. 연등회가 연초인 정월 보름에 개최되었다.

선지분석 〉 ① 팔관회는 왕이 직접 참여하였고, 외국인이 방물을 진헌하고 회사(回賜)를 받아가는 공무역이 행해지기도 하였다.
③ 팔관회는 토착 신앙과 불교가 융합된 것으로, 국태민안과 왕실의 안녕을 기원하였다.
④ 태조의 훈요 10조에서 사원을 세워 불교를 숭상할 것과 연등회·팔관회의 개최를 강조하였다.

0169

출제영역 〉 고려의 형률 제도 이해 정답 ▶ ④

정답찾기 〉 ④ 고려는 태·장·도·유·사형의 실형주의를 기반으로 형률 제도를 운영하였으나, 때로는 범죄자가 동(銅)을 납부하여 처벌을 면제받는 수속법(收贖法)이 시행되기도 하였다.

선지분석 〉 ① 혈족 내 동성혼(근친혼)을 비난하기는 하였으나 금지하지는 않았다. 고려 왕실은 왕통을 순수하게 유지할 목적으로 동성혼·근친혼을 시행하기도 하였으나, 고려 원 간섭기에 원나라에서조차 동성혼을 비난하자, 충선왕이 동성혼 금지 교서를 내렸다.
② 개경 귀족의 경우 본관으로 유배를 가는 귀향형이 있었다.
③ 우리나라에서는 궁형이 시행되지 않았다.

0170

출제영역 〉 고려의 혼인 풍습 이해 정답 ▶ ③

정답찾기 〉 ③ 고려는 일부일처제 사회로 첩 제도는 허용하지 않았다.

더⊕알아보기 〉 **고구려 서옥제와 고려의 서류부가혼**

고려의 서류부가혼은 고구려의 서옥제와 아주 비슷하게 시행되었다. 혼례도 여자 집에서 이루어졌고, 이후 여자 집에 거주하는 것도 서옥제와 같았다. 다른 점이 있다면, 부부가 함께 거주할 서옥(婿屋)을 따로 짓지는 않았다는 것이다. 또한 혼인 이후의 거주 형태에서도 차이가 있었는데, 서옥제의 경우 부부가 머물 소옥(小屋)을 이미 지어 놓은 상태이기 때문에 부부가 이곳에 장기간 머무를 수밖에 없었을 것이다. 하지만 서류부가혼의 경우 혼인 이후의 거주 형태는 경제적 여건이나 여러 가지 상황에 따라 유동적이었다.

0171 □□□

다음은 『고려사』의 일부 내용이다. 이 시기에 대한 설명으로 옳지 않은 것은? 2017. 하반기 국가직 9급

- 명학소를 충순현으로 승격시켰다. 수령까지 두어 위무하더니 태도를 바꿔 군대를 보내와서 토벌하니 어찌된 까닭인가?
- 순비 허씨는 일찍이 평양공 왕현에게 시집가서 3남 4녀를 낳았는데, 왕현이 죽은 후 충선왕의 비가 되었다.
- 윤수는 매와 사냥개를 잘 다루어 응방 관리가 되었으며, 그의 가문은 권세가가 되었다.

① 향・소・부곡 등 특수 행정 구역이 주현으로 승격되기도 하였다.
② 여성의 재혼을 규제하려는 움직임이 나타났다.
③ 향리 이하의 층도 문・무반으로 신분 상승을 할 수 있었다.
④ 충선왕 대 이후에도 왕실 족내혼이 널리 행해졌다.

0171

출제영역〉 고려의 사회 모습 이해 정답 ▶ ④

정답찾기 ④ 고려 전기 왕실 내에서는 족내혼(동성혼)이 널리 행해져 사회적 문제가 되었다. 그러나 원 간섭기 원의 영향을 받은 충선왕이 족내혼을 금지하는 교지를 내리면서 이후 사라지게 되었다.

선지분석 ② 고려 시대에 여성의 재가는 대체로 자유로웠으나, 고려 말 성리학의 유입 이후 재혼을 규제하려는 움직임이 나타나기 시작하였다.

0172 □□□

다음과 같은 비를 세웠던 사람들에 대한 설명으로 옳은 것을 〈보기〉에서 고른 것은? 제4회 한국사능력검정시험 고급 / 2012. 경찰 1차 유사

경남 사천 지역에서 발견된 비(碑)로, 4,100여 명의 사람들이 조직을 만들어 왕의 만수무강, 나라의 부강, 백성의 평안 등을 기원하는 내용이 들어 있다.

보기

㉠ 유교 윤리를 널리 보급하려 하였다.
㉡ 조선 시대 향촌 사회를 실질적으로 장악하였다.
㉢ 혼례와 상장례, 마을 제사 등 공동체 생활을 주도하였다.
㉣ 불상, 석탑을 만들거나 절을 지을 때 주도적 역할을 하였다.
㉤ 미륵을 만나 구원받고자 하는 염원에서 향나무를 바닷가에 묻었다.

① ㉠, ㉡, ㉢ ② ㉠, ㉢, ㉤
③ ㉡, ㉢, ㉣ ④ ㉡, ㉢, ㉤
⑤ ㉢, ㉣, ㉤

0172

출제영역〉 고려의 공동체 조직 이해 정답 ▶ ⑤

정답찾기 제시문은 사천 매향비의 내용으로, 고려 농민들의 공동체 조직인 향도 조직을 알려 주는 사료이다.

선지분석 ㉠㉡ 조선 시대의 향약에 대한 설명이다.

PLUS⁺ 선지 OX 고려의 사회

01 고려 시대 노비들은 납속을 하여 양인 신분을 취득하였다. 2008. 국가직 7급 O X

02 고려 시대 대표적 천민으로는 노비, 양수척, 백정이 있었고, 유기장이나 수렵 등의 천업에 종사하는 자를 재인(才人)이라 하였다. 2009. 국가직 7급 O X

03 고려 시대 노비는 매매, 증여, 상속의 대상이 되었고, 승려가 될 수 없었으나, 모든 노비는 독립된 경제생활을 영위할 수 있었다. 2010. 지방직 9급 O X

04 고려 시대 불교 행사인 팔관회는 외국 상인에게 무역의 장이 되기도 하였다. 2017. 법원직 O X

05 고려는 평상시에 곡식을 비축하였다가 흉년에 빈민을 구제하는 의창과 같은 농민 생활 안정책으로 자영농이 꾸준히 증가하였다. 수능 O X

06 국가 차원에서 개최된 팔관회는 고려 시대에 처음 실시되었다. 한능검 심화 O X

07 고려 때 귀양형을 받은 사람이 부모상을 당하였을 때에는 유형지에 도착하기 전에 7일 간의 휴가를 주어 부모상을 치를 수 있도록 하였다. 2017. 경찰 1차 O X

08 고려의 형률 제도는 주로 당나라의 것을 참고하여 시행하였으며, 때에 따라 고려의 실정에 맞는 율문도 만들었다. 2020. 해경간부 O X

09 고려 시대 여러 명의 처를 두는 민간의 풍습을 법률로 금지하였다. 2008. 지방직 7급 O X

10 고려의 여성은 재혼이 가능하였으며, 결혼할 때 여성이 데려온 노비에 대한 소유권은 남편에게 귀속되었다. 2017. 지방직 7급 O X

PLUS⁺ 선지 OX 해설 고려의 사회

01 ☒ 납속을 통해 신분 상승을 한 것은 조선 후기 때 일이다.

02 ☒ 고려 시대의 백정은 직역이 없는 일반 농민이다. 또한 유기장은 놋쇠로 기물을 만드는 장인을 말하며, 수렵 등 도살업에 종사하는 자는 화척이고, 재인은 광대를 말한다.

03 ☒ 노비는 국민으로서의 권리와 의무가 없고 매매・상속・증여의 대상이 되었다. 그러나 공・사노비 중 외거 노비는 예외적으로 독립된 경제생활을 영위할 수 있었다.

04 ⓞ 토착 신앙과 불교가 융합된 팔관회는 왕이 직접 참여하였고 외국인이 방물을 진헌하고 회사(回賜)를 받아가는 공무역의 장이 되기도 하였다.

05 ☒ 의창과 같은 정부의 빈민 구제책에도 불구하고 귀족들의 가혹한 착취로 인해 많은 농민이 유민화되거나 몰락하였다.

06 ☒ 팔관회는 진흥왕 때 처음 시작되었고, 고려 태조 왕건은 이 전통을 받아들여 훈요 10조를 통해 연례적으로 시행할 것을 당부하였다.

07 ⓞ 고려 때 귀양형을 받은 자가 부모상을 당하였을 때는 유형지에 도착하기 전에 7일 간의 휴가를 주어 부모상을 치를 수 있도록 하였다. 또 70세 이상의 노부모를 두고 봉양할 가족이 없는 경우는 형벌 집행을 보류하기도 하였다.

08 ⓞ 고려 형법은 당률을 참작한 71개 조와 보조 법률이 있었으나, 일상생활에 관계되는 것은 대개 전통적인 관습법으로 적용하였다.

09 ☒ 고려는 일반적으로 일부일처제 사회였기 때문에 첩 제도를 법으로 금지하지는 않았다.

10 ☒ 고려에서는 여성의 재가가 비교적 자유로웠으며, 재가할 경우 자식의 사회적 진출에 차별도 없었다. 또한 노비 소유권은 남편 쪽에서 상속된 노비와 아내 쪽에서 상속된 노비를 구분하여 호적에 기재하였다.

PART 03

고려의 경제

최근 5년간 국가직·지방직 출제 비율

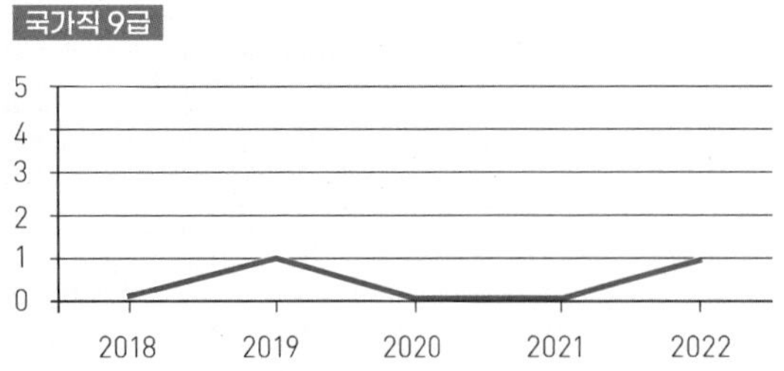

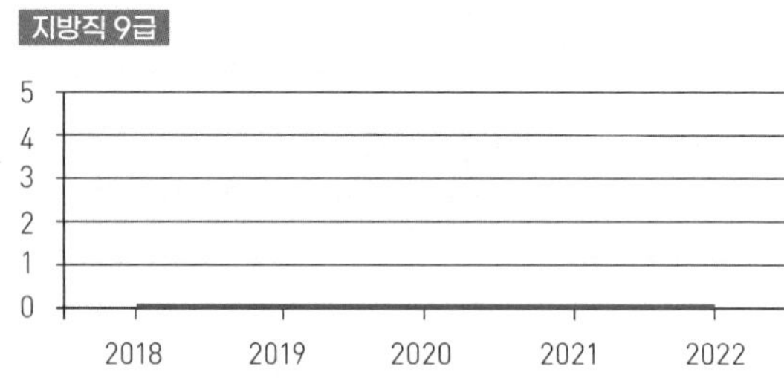

- 최근 5년간 지방직에서는 단 한 문제도 출제되지 않았다.
- 국가직에서는 토지 제도와 경제생활을 묻는 문제가 주로 출제되었다.

주요 고난도 문제 키워드

#토지 제도 #경제생활 #조운 제도 #고려의 상공업

고난도 이론 정리 선우쌤 PICK

고려의 수취 제도	조세	• 토지를 논과 밭으로 나누고 비옥한 정도에 따라 ¹ 등급을 나누어 부과 • 민전(사유지)은 생산량의 ² • 조세는 ³ 을 통해 개경으로 운반
	⁴	• 중앙 관청에서 필요한 공물을 주현에 부과 ⇨ 속현·향·부곡·소에도 할당, 향리들이 집집마다 토산물 부과·징수 • 조세보다 큰 부담(종류: 상공 + ⁵)
	역	16~60세의 ⁶ 에게 부과되는 군역과 요역
고려의 상업	전기	• 개경·서경·동경 등 대도시에 ⁷ 과 관영 상점(서적점, 약점, 주점 등) 설치, ⁸ (시전의 상행위 감독) 설치 • 지방: 관아 근처 시장 형성, 행상 활동
	후기	• 도시의 시전 규모 확대, 업종별 전문화, ⁹ 등 항구가 교통과 산업 중심지로 발달 • 지방: 숙박 시설인 원(院) 발달 및 상업 활동의 중심지 역할 • 정부의 소금 전매제(¹⁰ , 국가의 재정 수입 증대)
고려의 화폐	자급자족 농업 사회, 곡물과 포(삼베)를 교환 수단으로 사용	
	성종	최초의 화폐인 ¹¹ 제작, 유통 실패
	¹²	주전도감 설치 ⇨ 삼한통보, 해동통보, 해동중보, ¹³ (은병) 등 제작 ⇨ 유통 실패, 관영 상점에서만 사용 (cf ¹⁴ 의 주전론 채택)
고려의 무역	• 송: 왕실과 귀족의 수요품 수입, 종이·인삼 등 수공업품과 토산물 수출 • 거란·여진: 은 등 수입, 농기구·식량 등 수출 • ¹⁵ : 가장 무역 미약, 수은·황 등 수입, 식량·인삼·서적 등 수출 • ¹⁶ 상인: 은·향료·산호 수입, 'Corea'라고 서역에 알려짐.	

정답 1. 3 2. 1/10 3. 조운 4. 공납 5. 별공 6. 정남 7. 시전 8. 경시서 9. 벽란도 10. 충선왕 11. 건원중보 12. 숙종 13. 활구 14. 의천 15. 일본 16. 아라비아

경제 정책과 경제 구조

0173 □□□

다음 자료에서 '㉠'이 과거에 급제한 당시의 왕이 개편한 토지 제도의 내용으로 옳은 것은?

2018. 기상직 9급

> (㉠)이/가 죽으니 시호를 문헌(文憲)이라 하였다. 후에 대개 과거에 응시하려는 사람은 역시 모두 9재의 명부에 이름을 올렸으니, 이들을 일러 문헌공도(文憲公徒)라 하였다. 『고려사』

① 문무 양반과 군인들의 전시과를 개정하였다.
② 현직 관리에게만 토지를 지급하였다.
③ 인품과 공복을 기준으로 토지를 지급하였다.
④ 전시과를 고쳐 제1과(科)는 전지 100결, 시지 50결을 지급하였다.

0174 □□□

고려 시대 경제에 대한 설명으로 옳은 것만을 모두 고른 것은?

2013. 지방직 7급

> ㉠ 권세가들은 대규모 개간에 참여하였고 사패를 받아 토지를 확대하기도 하였다.
> ㉡ 농민은 민전을 경작하여 수확의 10분의 1을 세금으로 냈고, 역과 공부를 부담하였다.
> ㉢ 토지만이 아니라 인정에 대한 지배가 허용된 식읍이 왕실이나 공신들에게 수여되었다.
> ㉣ 왕실의 경비를 충당하기 위해 외역전과 내장전을, 관청의 경비를 위해 공해전을 두었다.

① ㉠, ㉡, ㉢　　② ㉠, ㉡, ㉣
③ ㉠, ㉢, ㉣　　④ ㉡, ㉢, ㉣

0175 □□□

다음은 고려 중기 상황을 알려 주는 글이다. 밑줄 친 ㉠~㉣에 대한 설명으로 적절한 것은?

2010. 지방직 7급

> ㉠ 김돈중 등이 절의 북쪽 산은 민둥하여 초목이 없으므로 그 인근의 ㉡ 백성들을 모아 ㉢ 나무와 기이한 꽃과 이채로운 풀을 심고 단을 쌓아 임금의 방을 꾸몄는데, 하루는 왕이 이곳에 행차하니 김돈중 등이 ㉣ 절의 서쪽 대에서 잔치를 베풀었다. 『고려사』

① ㉠은 관직에 상관없이 선악과 공로에 따라 토지를 지급받았다.
② ㉡은 상속이 불가능한 민전을 소유할 수 있었다.
③ ㉢은 수조권만 있는 시지를 통해 구했을 것이다.
④ ㉣은 토지와 노비를 지급받아 일체의 경제 활동을 하지 않았다.

0173

출제영역 〉 고려 토지 제도의 이해　　정답 ▶ ①

정답찾기 ㉠은 최충이다. 최충은 목종 8년에 과거에 장원으로 급제하였으며, 목종은 현·전직 관리에게 관등에 따라서만 토지를 지급하는 개정 전시과(998, 목종 원년)를 실시하였다.
① 개정 전시과에서는 지급 기준이 관등으로 일원화되었고, 시정 전시과에는 없었던 군인에 대한 수급(군인전)이 명시되었다.

선지분석 ②④ 경정 전시과(1076, 문종 30년), ③ 시정 전시과(976, 경종 1년)에 대한 설명이다.

더⊕알아보기 〉 **최충(984~1068)의 이력**
- 목종 8년 – 과거에 장원으로 급제
- 현종 4년 – 국사수찬관으로 『7대 실록』을 편찬
- 정종 1년 – 지공거(知貢擧)가 되어 과거를 주관
- 문종 1년 – 문하시중이 되어 율령서산(律令書算)을 정함.
- 문종 4년 – 도병마사를 겸하게 되자 동여진에 대한 대비책을 건의
- 문종 9년 – 퇴직 후 학당을 설립, 9개의 전문 강좌를 개설

0174

출제영역 〉 고려 토지 제도의 이해　　정답 ▶ ①

선지분석 ㉣ 왕실의 경비를 충당하기 위해 내장전을, 관청의 경비를 위해 공해전을 두었다. 외역전은 향리에게 지급된 토지이다.

더⊕알아보기 〉 **전시과의 토지 종류**

전시과(과전)	문무 현직 관료 – 18등급 지급
공음전	5품 이상 고급 관리에게 지급(세습)
한인전	6품 이하의 하급 관리 자제로서 관직에 오르지 못한 사람에게 지급
구분전	하급 관리나 군인의 유가족에게 지급
내장전	왕실에 지급(세습)
군인전	중앙군에게 지급(전정연립)
외역전	향리에게 지급(전정연립)
공해전	각 관청에 지급
민전	조상 대대로 내려오는 일반 백성들의 사유지, 매매·상속·임대 가능

0175

출제영역 〉 고려 토지 제도의 이해　　정답 ▶ ③

정답찾기 ③ 고려 무신 정변 직전까지 관료들은 전시과의 토지, 즉 과전과 시지(연료 채취지)를 받았다.

선지분석 ① 중기는 이미 경정 전시과가 이루어진 시대이다. 관직에 상관없이 선악과 공로에 따라 토지를 지급받는 것은 역분전(고려 태조)이다.
② 민전은 자유 매매, 상속, 증여가 가능한 토지이다.
④ 불교의 경제관과 유교의 경제관은 차이가 있다. 소비를 조장하는 상업을 악으로 봤던 유교와 달리, 불교는 상업을 악한 것으로 보지 않았기 때문에 고려 시대에는 절에서 많은 경제 활동이 이루어졌으며, 고리대업(장생고)도 성행하였다.

0176

다음 글에 등장하는 인물들에 대한 설명으로 옳은 것을 〈보기〉에서 고른 것은?

제6회 한국사능력검정시험 고급

> 고려 시대 경상도의 한 고을에 사는, 직역이 없는 양인인 갑(甲)은 아버지로부터 물려받은 민전을 가족들과 함께 경작하며 살아가고 있었다. 국가에서는 그의 민전을 관료인 병(丙)에게 과전으로 지급하였다. 한편, 같은 마을에 사는 직역이 없는 양인인 을(乙)은 소유하고 있는 농토가 없어 국유지를 빌려 농사지었다.

보기
- ㉠ 갑은 병에게 수확량의 10분의 1을 바쳤다.
- ㉡ 을은 수확량의 2분의 1을 국가에 바쳤다.
- ㉢ 갑과 을은 모두 백정(白丁)이라고 불렸다.
- ㉣ 갑과 을은 모두 주진군에 편입되었다.

① ㉠, ㉡ ② ㉠, ㉢
③ ㉡, ㉢ ④ ㉡, ㉣
⑤ ㉢, ㉣

0177

고려 시대의 조운 제도에 대한 설명으로 옳지 않은 것은?

2016. 국가직 7급

① 양계에서는 조세를 현지 경비로 사용하였다.
② 조창에서 개경까지의 운반은 조창민이 담당하였다.
③ 조운량이 증가하자 주교사 소속의 배를 이용하였다.
④ 조운 기간은 일반적으로 2월부터 5월이었다.

경제 활동의 진전

0178

고려 시대의 상공업에 대한 설명으로 옳은 것만을 모두 고른 것은?

2017. 하반기 국가직 7급

- ㉠ 고려 초기 개경, 서경 등에 시전을 두었다.
- ㉡ 주전도감을 설치하여 해동통보를 주조하였다.
- ㉢ 충선왕 때에 각염법을 실시하였다.
- ㉣ 사원과 소(所)에서 수공업 물품이 제작되었다.

① ㉠, ㉡ ② ㉠, ㉣
③ ㉡, ㉢, ㉣ ④ ㉠, ㉡, ㉢, ㉣

0176

출제영역 고려 농민의 삶 이해 정답 ▶ ②

정답찾기 갑(甲)은 자신의 토지(민전)가 있는 농민, 병(丙)은 수조권을 받은 관료, 을(乙)은 남의 토지를 빌려 농사짓는 소작 농민이다.

선지분석 ㉡ 농민이 공전(국유지)을 빌리면 수확량의 4분의 1을 국가에게 바쳤고, 개인의 사유지를 빌리면 수확량의 2분의 1을 전주에게 바쳤다.
㉣ 갑과 을은 모두 백정이며, 경상도에 거주하고 있기 때문에 주현군에 편입되었다.

0177

출제영역 고려 조운 제도의 이해 정답 ▶ ③

정답찾기 ③ 주교사(舟橋司)는 조선 후기 정조 때 설치한 기구로, 임금이 강을 건널 때 강에 배다리[舟橋]를 놓는 일과 호서·호남 양호의 조운(漕運) 등을 맡아보던 관청이다.

더 알아보기 고려의 조운(漕運) 제도

조운 담당 부서는 호부이고 책임자는 판관(判官)으로 판관 아래 실무를 담당하는 색전(色典, 향리)이 있었다. 13조창이 운영되었고, 각 조창에는 일정한 수의 조선(漕船)이 확보되었는데 해로를 이용할 경우 최고 1,000석을 실을 수 있는 초마선이, 수로를 이용할 경우 최고 200석을 실을 수 있는 평저선이 사용되었다. 조운의 시기는 당해년의 것을 일단 조창에 집적했다가 다음 해 2월부터 수송을 시작하여 가까운 곳이면 4월까지, 먼 거리면 5월까지 완료하게 하였다. 조세미를 생산지에서 조창까지 운반하는 것은 일반 군현민이, 조창에서 개경 조창까지는 조창민이 담당하였다. 조운 제도는 고려 말 왜구들의 침략으로 크게 붕괴되었다.

0178

출제영역 고려 경제 활동의 이해 정답 ▶ ④

정답찾기 ㉠ 고려 전기 개경에 시전(관영 상점)을 설치하였으며, 서경(평양), 동경(경주) 등에도 관영 상점을 설치하였다.
㉡ 숙종 때 의천의 주전론을 채택하고 주전도감을 설치하여 삼한통보(중보)·해동통보(중보) 등 동전과 활구(은병)라는 은전을 만들어 강제적으로 유통시키고자 하였다.
㉢ 충선왕 때 소금의 전매 제도인 각염법을 실시하여 국가 재정을 확충하고자 하였다.
㉣ 고려는 관청 수공업, 소(所) 수공업, 사원 수공업, 민간 수공업이 발달하였는데, 전기에는 관청 수공업과 소(所) 수공업이, 후기에는 사원 수공업과 민간 수공업이 발달하였다.
cf ㉠ 지문은 출제자가 '시전 = 관영 상점'이라는 의미에서 '개경, 서경 등에 시전을 두었다.'라는 서술을 하였고 이 문장을 정답으로 하였지만 사실 논란이 될 수 있는 요소이다. 고려 초기 시전 설치는 『고려사』 권1, 세가 태조 2년 조에 개경에 설치된 것으로 나온다. 그리고 서경 등 지방 대도시에는 시전이라는 서술은 나오지 않아 일반적으로 시전 이외의 공적 시설로 운영하는 관영 상점이 설치된 것으로 보고 있다.

PLUS⁺ 선지 OX 고려의 경제

01 목종 때 개정 전시과의 실시로 같은 양의 전지, 시지를 직·산관 및 무관들에게 지급하였다. 2010. 법원직 O X

02 고려 시대는 민전을 공전(公田)이라 하여 수확의 4분의 1을 조(租)로 거두어들였다. 2011. 경찰 2차 O X

03 고려 시대의 종이는 질기고 반질거려 등피지라는 별명을 얻었다. 2018. 서울시 7급 1차 O X

04 고려 시대 서리, 향리, 군인, 악공들도 수조지를 받았다. 2018. 서울시 7급 1차 O X

05 고려 시대 개경의 우창(右倉) 곡식은 관리의 녹봉으로 지출되었다. 2019. 서울시 7급 2차 O X

06 고려 시대 국가가 재정 수입을 늘리기 위해 소금의 전매제를 시행하였으며, 이암은 원나라에 갔다가 『농상집요』라는 농서를 저술하였다. 2016. 경찰간부 O X

07 삼한통보, 삼한중보, 해동중보를 주조했던 시기에 벽란도가 국제 무역항으로 번성하였고 상업적 거래 수단으로 면포를 널리 사용하였다. 2015. 기상직 9급 O X

08 고려와 송(宋) 사이의 해상 무역로로 가장 활발하게 이용된 곳은 예성강 – 군산도 – 밍저우[明州]이다. 2011. 지방직 7급 O X

09 고려 시대에 농민이 진전(陳田)이나 황무지를 개간하면 국가에서 일정 기간 소작료나 조세를 감면해 주었다. 2017. 하반기 국가직 9급 O X

10 시정 전시과 실시와 개정 전시과 실시의 사이 시기에 건원중보가 발행되었다. 2019. 국회직 O X

PLUS⁺ 선지 OX 해설 고려의 경제

01 ☒ 개정 전시과에서 현직 관리(직관)보다는 전직 관리(산관)에게, 문관보다는 무관에게 더 적게 지급되었다.

02 ☒ 고려 시대 민전에서는 수확의 10분의 1을 조(租)로 거두어들였다.

03 ☐O 고려의 종이는 가죽처럼 질기고 반질거려 등피지라는 별명이 있었고, 송나라에서 선호하였던 주요 수출품이었다.

04 ☐O 고려 시대에는 수조권을 받은 공역자(公役者)의 범위가 매우 넓어서 중앙의 관료들뿐 아니라 아직 보직을 받지 못한 한인(閑人), 동정직(同正職), 서리(胥吏), 직업 군인, 지방의 향리와 공장(工匠)·악공(樂工)에게까지 걸쳐 있었다.

05 ☒ 고려 시대 지방에서 거둔 세곡을 조창에 모았다가 조운을 통해 개경으로 이동했는데, 이때 개경에 좌창과 우창을 두었다. 좌창은 관리의 녹봉으로, 우창은 행사 및 궁궐 건축 비용으로 지급하였다.

06 ☒ 고려 말 충선왕은 국가 재정 확보를 위해 소금과 철의 전매사업을 실시하였다. 그러나 이암은 『농상집요』를 저술한 것이 아니라, 원나라 농서인 『농상집요』를 고려에 소개하였다.

07 ☒ 삼한통보, 삼한중보, 해동중보가 주조되었던 고려 시대에 벽란도가 국제 무역항으로 번성한 것은 옳은 설명이다. 그러나 상업적 거래 수단으로 면포가 널리 사용된 것은 조선 시대이다.

08 ☐O 고려 전기 북송 시대 때에는 벽란도 – 옹진 – 산둥반도 – 덩저우의 무역로가, 고려 후기 남송 시대 때에는 벽란도 – 흑산도 – 밍저우의 무역로가 이용되었다.

09 ☐O 고려 시대에는 권농 정책의 일환으로 농민이 황무지나 진전을 개간할 경우 민전(사유지)은 조세를, 국유지는 소작료(지대)를 감면해 주었다.

10 ☐O 시정 전시과는 976년(경종 1년)에, 개정 전시과는 998년(목종 1년)에 시행되었다. 건원중보는 그 사이 시기인 성종 때(996) 주조되었다.

CHAPTER

05 고려의 문화

최근 5년간 국가직·지방직 출제 비율

국가직 9급

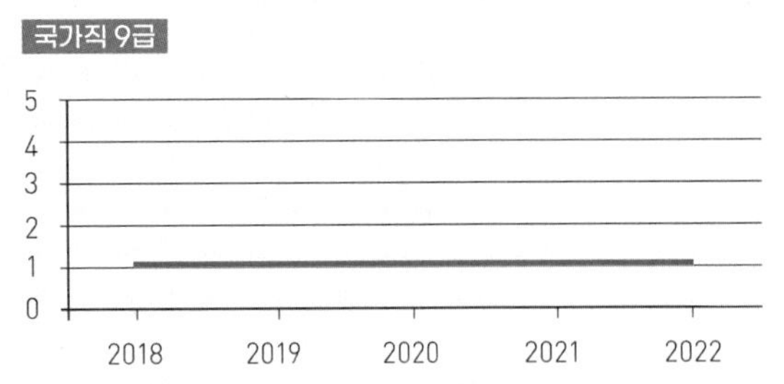

지방직 9급

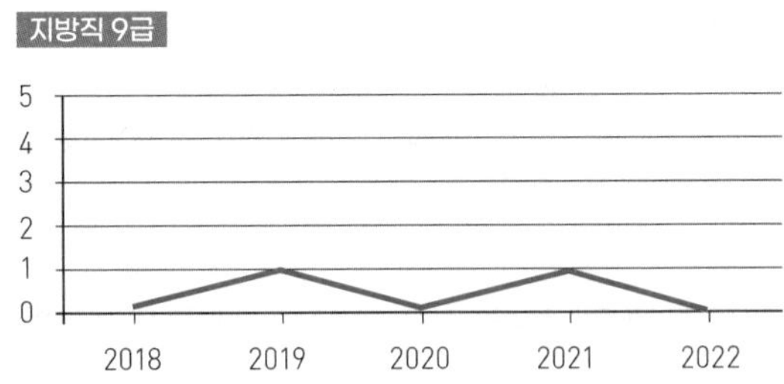

- 최근 5년간 국가직에서는 빠짐없이 한 문제씩 꼭 출제되었다.
- 역사서(『삼국사기』, 『삼국유사』 등)와 주요 승려 및 안향에 대해 묻는 문제 출제 빈도가 높았다.

주요 고난도 문제 키워드

#역사서 #음서 제도 #성리학 수용 과정 #주요 승려

고난도 이론 정리 선우쌤 PICK

<table>
<tr><td rowspan="5">고려의 역사서</td><td>전기</td><td>• 자주적 사관 • 『7대 실록』, 『고금록』, 『속편년통재』 등</td></tr>
<tr><td>중기</td><td>• [1] 합리주의 사관
• [2] (김부식, 현존하는 가장 오래된 사서, [3] 서술</td></tr>
<tr><td>후기</td><td>• 무신 정변 이후 민족적 자주 의식을 바탕으로 전통문화를 바르게 이해하려는 경향 대두
• 『해동고승전』(각훈, 삼국 시대 승려 30여 명의 전기 수록)
• [4] (이규보, 동명왕의 업적을 칭송한 민족 서사시, 고구려 계승 의식)
• [5] (일연, 불교사를 중심으로 고대의 설화나 야사 수록, 고유문화와 전통 중시, 단군 기록)
• [6] (이승휴, 상권 – 중국사, 하권 – 단군~고려, [7] 를 우리 역사로 인식) 등</td></tr>
<tr><td rowspan="2">말기</td><td>• 유교 사관의 유행 ⇨ 성리학적 유교 사관의 대두(정통과 대의명분 강조)
• [8] (이제현, 태조~숙종까지 역사를 간략하게 서술, 현존 ×)
• 『천추금경록』, 『세대편년절요』, 『본조편년강목』, 『세대편년』 등</td></tr>
<tr><td>고려 말기 성리학의 발달: • 전래: 충렬왕 때 [9] 이 소개 ⇨ 백이정, [10] (만권당에서 원의 학자들과 교류), 박충좌 등에게 전수 ⇨ 이색, 정몽주, 권근, 정도전 등 신진 사대부에게 계승
• 성격: 일상생활에 관계되는 실천적 기능 강조, 『소학』과 『주자가례』 중시, 가묘 건립
• 영향: 권문세족과 불교의 폐단 비판</td></tr>
</table>

<table>
<tr><td rowspan="5">고려의 불교</td><td rowspan="3">통합 운동</td><td>전기</td><td>• [11] 의 교종 통합 시도(화엄종 중심), 향가('보현십원가') 저술 ⇨ 불교의 대중화
• 천태학 연구(의통, 제관)</td></tr>
<tr><td>중기
([12])</td><td>• [13] 중심으로 교종 통합(흥왕사) ⇨ 교종을 중심으로 선종 통합(국청사) ⇨ [14] 창시, 왕실·귀족 후원
• [15] (이론과 실천을 모두 중요하게 여김.), 지관, 성상겸학 주장
• 『천태사교의주』, 『원종문류』, '신편제종교장총록' ⇨ [16] (일명 속장경) 등 저술</td></tr>
<tr><td>후기
([17])</td><td>• 선종 중심으로 교종 통합 ⇨ [18] 창시, 최씨 무신 정권의 후원 ⇨ 혜심의 [19] 로 이어짐.
• 정혜쌍수·[20] 주장, 『권수정혜결사문』 등 저술</td></tr>
<tr><td rowspan="2">개혁 운동</td><td>무신 집권기</td><td>• 지눌의 [21] 결사(조계종): 순천 송광사 중심, 독경과 선 수행, 노동에 노력
• 요세의 [22] 결사(천태종): 강진 만덕사 중심, 법화 신앙에 중점</td></tr>
<tr><td>원 간섭기</td><td>불교 타락 ⇨ 태고 [23] 의 임제종 전파, 불교 개혁 노력 ⇨ 실패</td></tr>
</table>

정답 1. 유교적 2. 『삼국사기』 3. 기전체 4. 『동명왕편』 5. 『삼국유사』 6. 『제왕운기』 7. 발해 8. 『사략』 9. 안향 10. 이제현 11. 균여 12. 의천 13. 화엄종 14. 해동 천태종 15. 교관겸수 16. 교장 17. 지눌 18. 조계종 19. 유불일치설 20. 돈오점수 21. 수선사 22. 백련사 23. 보우

역사서

0179

□□□

한국의 기전체 역사 서술에 가장 큰 영향을 끼친 역사가와 그 저술로 옳은 것은? 2011. 사회복지직 9급

① 유지기의 『사통』
② 사마천의 『사기』
③ 사마광의 『자치통감』
④ 주희의 『통감강목』

0180

□□□

다음의 글을 쓴 인물이 활동하던 시기에 대한 설명으로 옳은 것을 〈보기〉에서 모두 고르면? 2016. 서울시 7급

> 신라・고구려・백제가 나라를 세우고 솥발처럼 대립하면서 예를 갖추어 중국과 교통하였으므로, 범엽(范曄)의 『한서(漢書)』나 송기(宋祁)의 『당서(唐書)』에 모두 열전(列傳)을 두었는데, 중국의 일만을 자세히 기록하고 외국의 일은 간략히 하여 갖추어 싣지 않았습니다. 또한 그 고기(古記)라는 것은 글이 거칠고 졸렬하며 사적(事跡)이 누락되어 있어서, 임금된 이의 선함과 악함, 신하된 이의 충성과 사특함, 나라의 평안과 위기, 백성들의 다스려짐과 혼란스러움 등을 모두 드러내어 경계로 삼도록 하지 못하였습니다.

보기

㉠ 윤관이 북방의 거란족을 몰아내고 동북 지역에 9성을 세웠다.
㉡ 이자겸의 난이 진압된 후 15개조의 유신령이 발표되었다.
㉢ 분청사기가 유행할 정도로 화려한 문벌 귀족 문화를 꽃피웠다.
㉣ 예종과 인종은 관학 부흥에 힘쓰고 유학 진흥을 위해 노력하였다.

① ㉠, ㉡
② ㉠, ㉢
③ ㉡, ㉣
④ ㉢, ㉣

0179

출제영역 〉 역사 서술 체제의 이해 정답 ▶ ②

선지분석 ▶ ① 유지기의 『사통』은 중국의 사학(史學) 이론과 사학 비평의 고전으로 중국 사학사상 최초의 명저이다. 내편에서는 기전(紀傳)・편년(編年)과 같은 사서의 체례(體例)를 체계적으로 논술하였으며, 외편에서는 역대 사서의 연혁과 그 득실을 비평하였다.
③ 편년체 사서이다.
④ 강목체 사서이다.

0180

출제영역 〉 고려 특정 역사서의 이해 정답 ▶ ③

정답찾기 ▶ 제시문은 김부식의 『삼국사기』(1145, 인종 23년)이다. 김부식은 고려 중기(문종~의종) 때의 인물로 특히 이자겸의 난(1126, 인종 4년)과 묘청의 난(1135, 인종 13년)을 평정한 문신 정치가였다.
㉡ 이자겸의 난을 진압한 뒤 인종은 15조의 유신령(惟新令)을 내리는 정치 개혁을 시도하였다(1127, 인종 5년).
㉣ 관학을 부흥시키기 위해 예종은 최충의 9재 학당을 모방한 7재를 설치하였으며, 장학 재단인 양현고를 설치하여 관학의 경제적 기반을 강화하고자 하였다. 인종은 개경에 국자감의 6학 제도를 정비하고, 향교를 중심으로 지방 교육을 강화하였다.

선지분석 ▶ ㉠ 윤관은 예종 때 거란족이 아니라, 여진족을 몰아내고 동북 9성을 쌓았다.
㉢ 고려 중기에는 순수 비색 청자가 유행하였다. 분청사기는 고려 말에 등장하여 조선 전기에 유행하였다.

0181

다음 글에 나타난 역사관에 대한 설명으로 옳은 것을 〈보기〉에서 고른 것은?
제3회 한국사능력검정시험 고급

> 동명왕의 일은 변화가 신이(神異)해서 사람들의 눈을 현혹하자는 것이 아니고, 실로 나라를 처음 일으킨 신성한 자취이니, 이것을 서술하지 않으면 후대 사람들이 장차 무엇을 볼 것인가? 그러므로 시를 지어 기록하노니, 우리나라가 본래 성인(聖人)의 고장임을 천하에 알리려 함이다.

보기
- ㉠ 우리의 고대사를 중국이 아닌 하늘[天]과 직결시키고자 하였다.
- ㉡ 국가적 위기 상황을 민족 공동의 시조를 찾아 극복하려고 하였다.
- ㉢ 민간의 전승 설화를 서사시로 엮어 자주적 국가 의식을 강조하였다.
- ㉣ 고구려와 신라를 이어받았다는 이중적인 계승 의식이 유지되고 있다.

① ㉠, ㉡ ② ㉠, ㉢
③ ㉡, ㉢ ④ ㉡, ㉣
⑤ ㉢, ㉣

0182

다음 중 『삼국유사』에 관한 설명으로 옳은 것을 모두 고르면?
2003. 행정고시

- ㉠ 묘청의 난이 진압된 직후에 편찬되었다.
- ㉡ 서사시로 읊은 동명왕에 관한 내용을 싣고 있다.
- ㉢ 경주를 중심으로 한 신라 관계의 내용이 많다.
- ㉣ 우리 역사의 출발점을 고조선으로 설정하고 있다.
- ㉤ 발해를 우리 역사에 적극적으로 편입하여 이해하였다.

① ㉠, ㉡ ② ㉠, ㉤
③ ㉡, ㉢ ④ ㉢, ㉣
⑤ ㉣, ㉤

0183

다음 글이 나오는 책에 관한 설명으로 옳은 것은? 2021. 계리직

> 대저 옛 성인들은 예악으로 나라를 융성케하고 인의(仁義)로 가르쳤으며, 괴상한 힘이나 난잡한 귀신을 말하지 아니했다. … (중략) … 삼국의 시조들이 모두 신이(神異)한 데서 나왔다고 해서 어찌 괴이하겠는가? 이것이 신이로써 다른 편보다 먼저 놓은 까닭이며, 그 의도도 바로 여기에 있다.

① 현재 전하는 신라의 향가를 가장 많이 수록하고 있다.
② 유교 사서의 관례에 따라 중국 정사의 기전체(紀傳體) 형식을 도입했다.
③ 개인 전기가 실린 열전은 백제인이나 고구려인보다 신라인의 비중이 높다.
④ 신라가 독자적인 연호를 제정하여 사용한 것은 옳지 않다고 논했다.

0181

출제영역 고려 특정 역사서의 이해 정답 ▶ ②

정답찾기 제시문은 이규보의 『동명왕편』이다. 무신 정변 이후 민족적 자주 의식과 전통문화에 대한 올바른 이해의 움직임이 일어나자, 한국 고대사를 자주적으로 이해하려는 움직임이 대두되었다.
㉠ 『동명왕편』의 동명왕(주몽) 신화에 의하면 주몽은 '천제의 아들 해모수'와 '하백(수신)의 딸 유화' 사이에서 태어났다고 한다.
㉢ 『동명왕편』은 민간 전승으로 내려온 설화에다 『구삼국사』의 동명왕 본기를 토대로 쓴 서사시이다.

선지분석 ㉡ 단군 건국 이야기에 대한 설명이다. 단군을 민족의 시조로 보는 고조선 계승 의식은 『삼국유사』와 『제왕운기』에 나타난다.
㉣ 『동명왕편』은 고구려 계승 의식을 강조하였다.

0182

출제영역 고려 특정 역사서의 이해 정답 ▶ ④

정답찾기 ㉢ 『삼국유사』는 경주 중심의 신라 불교를 주로 소개하였다.
㉣ 『삼국유사』는 단군 건국 이야기를 최초로 소개하여 우리 역사의 출발점을 고조선으로 설정하였다.

선지분석 ㉠ 『삼국사기』, ㉡ 『동명왕편』, ㉤ 『제왕운기』에 대한 설명이다.

0183

출제영역 고려 특정 역사서의 이해 정답 ▶ ①

정답찾기 제시문은 충렬왕 때 승려 일연이 쓴 『삼국유사』(1281?)이다.
① 현전하는 신라 향가는 총 25수로, 『균여전』에 11수, 『삼국유사』에 14수가 수록되어 있다.

선지분석 ②③④ 김부식의 『삼국사기』(인종)에 대한 설명이다.

0184

『삼국사기』와 『삼국유사』에 대한 설명으로 옳은 것은? 2014. 계리직

① 『삼국유사』는 1215년에 삼국 시대 이래의 고승의 전기를 모아 편찬한 것이다.
② 『삼국유사』는 삼척 두타산에서 집필된 책으로, 우리의 역사를 서사시로 엮은 것이다.
③ 『삼국사기』는 현존하는 우리나라 최고(最古)의 정사류(正史類)로서, 『구삼국사』를 참조하여 편찬하였다.
④ 『삼국사기』는 고려 건국 초에 표방하였던 신라 계승 의식보다는 고구려 계승 의식을 더 많이 반영한 것이다.

0184

출제영역 고려 특정 역사서의 이해 정답 ▶ ③

선지분석 ① 『해동고승전』, ② 『제왕운기』에 대한 설명이다.
④ 『삼국사기』는 신라 계승 의식을 반영하였다. 고구려 계승 의식을 반영한 사서는 『동명왕편』이다.

0185

다음 (가), (나)는 자료에 나타난 역사 계승 의식이다. 이에 대한 설명으로 옳은 것은? 수능

> (가) 근래에 서경을 재건하고 백성을 옮겨 살도록 한 것은 그 지세의 힘에 의하여 삼한을 평정하고 장차 거기에 도읍을 정하려고 한 것이다.
> (나) 경순왕이 태조에게 귀순한 것은 비록 마지못하여 한 일이지만 또한 가상하다 하겠다. …… 현종은 신라의 외손으로 왕위에 올랐는데 그 후 대통(大統)을 이은 이가 모두 그 자손이었으니 어찌 그 음덕의 갚음이 아니겠는가?

① (가)는 『삼국유사』에 잘 반영되어 있다.
② (가)는 강동 6주를 확보하는 근거가 되었다.
③ (나)는 남경 건설의 사상적 배경이 되었다.
④ (나)를 바탕으로 『제왕운기』가 편찬되었다.
⑤ (나)를 표방한 대표적 인물은 정지상이었다.

0185

출제영역 고려 특정 역사서의 이해 정답 ▶ ②

정답찾기 (가) 고구려 계승 의식, (나) 신라 계승 의식

선지분석 ① 『삼국유사』는 고조선 계승 의식을 반영하고 있다.
③ 신라 계승 의식과 관련된 지역은 동경(경주)이다.
④ 『제왕운기』에는 단군 신화가 기록되어 있으며, 고조선 계승 의식을 반영하고 있다. (나)를 바탕으로 『삼국사기』가 편찬되었다.
⑤ 정지상은 묘청의 난에 가담했던 인물로, 고구려 계승 의식을 지니고 있었다. 신라 계승 의식을 대표하는 인물은 김부식이다.

0186

㉠~㉣의 '이 책'이 편찬된 순서로 옳은 것은? 2020. 국회직 9급

> ㉠ 이 책은 단군 신화를 서술하면서 예맥, 부여, 옥저, 삼한, 삼국이 모두 단군의 후손임을 밝혀 놓았다.
> ㉡ 이 책은 고려의 역사를 편년체와 강목체를 결합하여 서술한 것으로, 우리나라 최초의 강목체 사서로 평가된다.
> ㉢ 이 책은 고구려 건국 영웅을 소재로 서사시를 지은 것으로, 고구려 전통을 계승하려는 의식이 강조되어 있다.
> ㉣ 이 책은 고려 태조부터 숙종까지의 역사를 정리한 것으로, 그 가운데 국왕들의 업적에 대한 평가 부분이 지금 전하고 있다.

① ㉠ - ㉢ - ㉣ - ㉡ ② ㉠ - ㉣ - ㉡ - ㉢
③ ㉡ - ㉠ - ㉢ - ㉣ ④ ㉢ - ㉠ - ㉡ - ㉣
⑤ ㉢ - ㉣ - ㉠ - ㉡

0186

출제영역 고려 역사서의 순서 이해 정답 ▶ ④

정답찾기 ㉢ 『동명왕편』(이규보, 명종, 1193) ⇨ ㉠ 『제왕운기』(이승휴, 충렬왕, 1287) ⇨ ㉡ 『본조편년강목』(민지, 충숙왕) ⇨ ㉣ 『사략』(이제현, 공민왕)

교육 · 과거 제도, 유학 · 한문학의 발달

0187 □□□

다음 (가)~(라) 자료와 관련된 사실로 옳은 것을 <보기>에서 고르면?

수능

(가) 자질은 총명하나 교수할 선생이 없어 경서 한 권도 배우지 못하고 여러 해를 허송함으로써 유능한 인재가 쓸모없게 되면 국가에서 인재를 구할 도리가 없게 된다.
(나) 성균관을 다시 짓고 이색을 판개성부사 겸 성균관 대사성으로 삼았다. 이색이 학칙을 다시 정하고 매일 명륜당에 앉아 경(經)을 나누어 수업하고, 강의를 마치면 서로 어려운 점을 토론하게 하였다.
(다) 임금이 천하를 교화하는 데는 학교가 우선이다. 요 · 순의 유풍을 계승하고 공자의 도를 닦으며 국가의 제도를 설정하고 군신의 의례를 분간하여야 하는바, 현명한 선비에게 이를 맡기지 않으면 어찌 이룰 수 있겠는가.
(라) 전란이 멎었으나 국가가 미처 문교(文敎)에 힘쓸 겨를이 없었다. 이에 그는 후진을 가르치는 데 힘썼으므로 학도들이 모여들어 거리에 가득 찼다. 그래서 그는 낙성, 대중, 성명 등 9개의 재(齋)로 나누어 교수하였다.

보기
ㄱ 국자감의 설치 ㄴ 사학 12도의 융성
ㄷ 경학박사의 파견 ㄹ 성리학 교육의 강화

	(가)	(나)	(다)	(라)
①	ㄱ	ㄴ	ㄷ	ㄹ
②	ㄱ	ㄹ	ㄷ	ㄴ
③	ㄴ	ㄱ	ㄹ	ㄷ
④	ㄷ	ㄱ	ㄴ	ㄹ
⑤	ㄷ	ㄹ	ㄱ	ㄴ

0188 □□□

다음은 어느 관리의 이력이다. 밑줄 친 (가)~(라)에 대한 설명으로 옳은 것은?

2012. 법원직

- 목종 8년 – 과거에 장원으로 급제
- 현종 4년 – 국사수찬관으로 (가) 『7대 실록』을 편찬
- 정종 1년 – 지공거(知貢擧)가 되어 과거를 주관
- 문종 1년 – (나) 문하시중이 되어 율령서산(律令書算)을 정함.
- 문종 4년 – 도병마사를 겸하게 되자 (다) 동여진에 대한 대비책을 건의함.
- 문종 9년 – 퇴직 후 학당을 설립, (라) 9개의 전문 강좌를 개설

① (가) – 현존하는 가장 오래된 관찬 역사서이다.
② (나) – 재신과 낭사로 구성된 최고 기관의 장이었다.
③ (다) – 동북 9성을 건설한 계기가 되었다.
④ (라) – 양현고의 지원을 받아 번성하였다.

0189 □□□

다음 글을 쓴 인물이 만난 국왕에 대한 설명으로 옳은 것은?

2016. 지방직 7급

도기의 빛깔이 푸른 것을 고려인은 비색(翡色)이라고 한다. 근래에 만드는 솜씨와 빛깔이 더욱 좋아졌다. 술 그릇의 형상은 참외 같은데, 위에 작은 뚜껑이 있고 그 위에 연꽃에 엎드린 오리 모양이 있다.

① 관학 진흥을 위해 국자감에 7재를 처음 설치하고 양현고를 두었다.
② 평양에 기자를 숭배하는 기자 사당을 세워 국가에서 제사하기 시작했다.
③ 경사 6학을 정비하고 지방의 주현에 향학을 증설하여 유교 교육을 확산시켰다.
④ 전국을 5도 양계로 나누고 그 안에 3경 5도호부 8목을 두어 지방 제도를 완비하였다.

0187

출제영역 〉 고려 교육 제도의 이해 정답 ▶ ⑤

정답찾기 제시문에서 (가)는 성종 때 지방에 경학박사를 파견한 기록이고, (나)는 공민왕 때 성균관이 순수한 유학 교육 기관으로 개편된 상황을 알려 주는 기록이다. (다)는 성종 때 국자감을 설치하였다는 기록이고, (라)는 문종 때 최충이 9재 학당을 설립한 이후 사립 학교가 융성하여 사학 12도를 형성하였던 시기의 기록이다.

0188

출제영역 〉 고려 교육 제도의 이해 정답 ▶ ②

정답찾기 제시문은 최충의 이력이다.
② 문하시중은 고려 최고의 정무 기관인 중서문하성의 장(長)이다. 중서문하성은 2품 이상의 고관인 재신과 3품 이하의 낭사로 구성되었다.

선지분석 ① 『삼국사기』에 대한 설명이다.
③ 예종 때 윤관의 업적이다.
④ 9재 학당은 사학이었고 이로 인해 관학이 위축되자, 예종은 장학 재단인 양현고를 설치하여 관학을 진흥시키고자 하였다.

0189

출제영역 〉 고려 교육 제도의 이해 정답 ▶ ③

정답찾기 제시문은 고려 인종 때 송의 사신으로 온 서긍의 글이다.
③ 인종 때의 사실이다.

선지분석 ① 예종, ② 숙종, ④ 현종 때의 사실이다.

0190 □□□

고려 시대 음서에 대한 설명으로 옳은 것만을 모두 고른 것은?

2014. 사회복지직 9급 / 2019. 지방직 7급 유사

> ㉠ 공신의 후손을 위한 음서도 있었다.
> ㉡ 음서 출신자는 5품 이상의 고위 관직에 오를 수 없었다.
> ㉢ 10세 미만이 음직을 받은 사례도 있었다.
> ㉣ 왕의 즉위와 같은 특별한 시기에만 주어졌다.

① ㉠, ㉢ ② ㉠, ㉡
③ ㉡, ㉣ ④ ㉢, ㉣

0191 □□□

㉠에 들어갈 인물에 대한 설명으로 옳은 것은? 2019. 국가직 7급

> [㉠]는(은) 원에서 크게 성행하고 있었던 성리학을 국내에 소개하였으며, 중국 강남에 사람을 보내 공자와 제자들의 초상화 및 문묘에서 사용할 제기와 서적 등을 구해 오게 하였다.

① 최초의 성리학 입문서인 『학자지남도』를 편찬하였다.
② 충선왕이 세운 만권당에서 원의 학자들과 교류하였다.
③ 원의 과거에 급제하고 돌아와 성균관을 중심으로 성리학을 확산시켰다.
④ 이 인물을 배향하기 위해 설립된 서원은 뒤에 조선 최초의 사액서원이 되었다.

0192 □□□

다음은 고려 시대 진화의 시이다. 이 시인과 교류를 통해 자부심을 공유한 인물의 작품은? 2018. 국가직 9급

> 서쪽 송나라는 이미 기울고 북쪽 오랑캐는 아직 잠자고 있네. 앉아서 문명의 아침을 기다려라, 하늘의 동쪽에서 태양이 떠오르네.

① 삼국사기 ② 동명왕편
③ 제왕운기 ④ 삼국유사

사상의 발달

0193 □□□

고려 후기 불교계에 대한 설명으로 옳은 것은? 2013. 지방직 7급

① 대각국사 의천은 현화사를 중심으로 해동 천태종을 창시하였다.
② 공민왕 때 개혁 정치를 추진한 신돈은 9산 선문의 통합을 주장하였다.
③ 교종 세력은 친원 세력과 손을 잡고 수선사를 개조하여 세력 신장에 힘썼다.
④ 태고 보우는 원으로부터 임제종을 들여와 전파시킴으로써 불교계의 새로운 주류로 떠올랐다.

0190

출제영역 〉 고려 음서 제도의 이해 정답 ▶ ①

선지분석 ㉡ 고려 시대에 음서 출신으로 등용된 사람은 고위 관직 진출에 제한이 없었다.
㉣ 음서에는 왕의 즉위와 같은 국가의 경사가 있을 경우에 주는 특별 음서도 있었으나, 대부분은 5품 이상 고관의 자손에게 주는 정규 음서였다.

0191

출제영역 〉 고려의 유학 이해 정답 ▶ ④

정답찾기 ㉠은 안향이다.
④ 주세붕이 안향을 봉사하기 위해 세운 백운동 서원(1543, 중종 38년)은 명종 때 이황의 건의로 소수 서원으로 사액되면서 국가로부터 면세·면역의 특권을 받는 최초의 사액 서원이 되었다.

선지분석 ① 정도전, ② 이제현, ③ 이색에 대한 설명이다.

0192

출제영역 〉 고려 문화의 이해 정답 ▶ ②

정답찾기 진화는 고려 후기 문인으로 당시 이규보와 더불어 민족 자부심을 강조하였다.
② 이규보의 『동명왕편』은 고구려 건국 영웅인 동명왕의 업적을 칭송한 일종의 민족 서사시이다.

선지분석 ① 김부식의 『삼국사기』(인종 때)는 유교 사관에 의한 기전체 역사서이다.
③ 이승휴의 『제왕운기』(충렬왕 때)는 우리나라의 역사를 단군부터 서술하면서 중국사와 대등하게 파악한 저서이다.
④ 일연의 『삼국유사』(충렬왕 때)는 단군을 우리 민족의 시조로 보는 자주 의식을 나타내고 있다.

0193

출제영역 〉 고려 불교의 이해 정답 ▶ ④

정답찾기 ④ 충목왕 때 보우가 원으로부터 임제종을 들여와 전파시킴으로써 불교계의 새로운 주류로 임제종이 부각되었다.

선지분석 ① 대각국사 의천은 흥왕사에서 화엄종을 중심으로 교종 통합 운동을 전개하였고, 국청사에서 선종 통합 운동을 전개하여 그 결과 해동 천태종을 창시하였다.
② 신돈과는 관련 없는 내용이다. 신돈은 고려 말기의 부패한 사회 제도를 개혁하려 했던 승려 출신의 개혁 정치가로서 공민왕의 신임을 받아 정치계에 입문하여 관작(官爵)을 받았다.
③ 수선사 결사를 주장한 것은 선종계 불교인 조계종의 지눌이다.

0194

밑줄 친 '이 승려'에 대한 설명으로 옳은 것을 〈보기〉에서 모두 고른 것은? 2017. 서울시 7급

> 이 승려는 고려 초기에 귀법사의 주지를 역임하였고, 남악파와 북악파의 통합을 위해 인유(仁裕)와 함께 큰 사찰의 승려를 찾아가 설득하여 화엄종파의 분쟁을 종식시켰다. 958년에는 시관(試官)이 되어 유능한 승려들을 많이 선발하였다.

보기

㉠ 『신편제종교장총록』을 편찬하였다.
㉡ 『천태사교의』를 저술하였다.
㉢ 성상융회를 주창하였다.
㉣ 향가를 지음으로써 국문학 사상 큰 업적을 남겼다.

① ㉠, ㉡ ② ㉡, ㉢
③ ㉡, ㉣ ④ ㉢, ㉣

0195

(가)~(라) 승려에 대한 설명으로 옳지 않은 것은? 2018. 국가직 7급

> (가) 참회법과 미타정토신앙을 실천행으로 강조하는 결사 운동을 전개하였다.
> (나) 송광산 길상사를 근거지로 새로운 선풍(禪風) 진작에 힘을 기울여 개혁적인 승려들과 지방민의 호응을 얻었다.
> (다) 북악파 중심으로 남악파를 통합하여 화엄 교단을 정리하고 당시 불교계를 주도하였다.
> (라) 고려와 송, 거란 등의 불교 저술을 망라한 '신편제종교장총록'을 작성하고 속장경을 간행하였다.

① (가) – 중국 화엄종의 방계(傍系)인 이통현의 화엄 사상에서 많은 영향을 받았다.
② (나) – 선을 체(體)로 삼고 교를 용(用)으로 삼아 선과 교의 합일점을 구하였다.
③ (다) – 화엄 사상의 입장에서 법상종 세력을 흡수하여 성상융회 사상을 표방하였다.
④ (라) – (다)의 화엄학이 실천의 문제를 떠나 지나치게 관념화되어 있음을 비판하였다.

0196

『신편제종교장총록』을 편찬한 승려에 대한 설명으로 옳은 것은? 2017. 하반기 지방직 9급

① 선종의 일파인 임제종을 들여와 전파하였다.
② 거조암, 길상사 등에서 정혜결사를 주도하였다.
③ 우리나라 천태교학의 전통을 원효에게서 찾았다.
④ 성속무애 사상을 주장하면서 종단을 통합하려 하였다.

0194

출제영역 고려 불교의 이해 정답 ▶ ④

정답찾기 밑줄 친 '이 승려'는 고려 광종 때 활동한 균여이다.
㉢ 균여 사상의 핵심은 이른바 성상융회(性相融會)로 대변되는데, 이는 '공(空)'을 뜻하는 '성(性)'과 '색(色)'을 뜻하는 '상(相)'을 원만하게 융합하는 것으로서 당시 양립하던 화엄 사상 속에 법상종의 사상을 융합하여 교파 간의 대립을 해소하기 위한 통합 사상이었다.
㉣ 균여는 『보현십종원왕가』(약칭 보현십원가)라는 11수의 향가를 지어 노래로 불교의 교리를 알기 쉽게 부르게 함으로써, 대중이 부처에 친근해지도록 하였다.

선지분석 ㉠ 의천, ㉡ 제관에 대한 설명이다.

0195

출제영역 고려 불교의 이해 정답 ▶ ①

정답찾기 (가) 요세, (나) 지눌, (다) 균여, (라) 의천
① 지눌에 대한 설명이다. 지눌은 이통현 장자의 화엄 사상에서 영향을 받아 그의 『화엄론』을 주석한 『화엄론절요』를 저술하기도 하였다.

선지분석 ② 지눌은 이론 학습과 참선을 함께 해야 한다는 정혜쌍수와 함께 "선으로써 체(體)를 삼고 교로써 용(用)을 삼아야 한다."고 주장하며 선·교의 합일점을 추구하였다.
③ 균여 사상의 핵심은 이른바 성상융회(性相融會)로 대변되는데, 이는 '공(空)'을 뜻하는 '성(性)'과 '색(色)'을 뜻하는 '상(相)'을 원만하게 융합하는 것으로서 당시 양립하던 화엄 사상 속에 법상종의 사상을 융합하여 교파 간의 대립을 해소하기 위한 통합 사상이었다.
④ 의천은 균여의 화엄학이 실천 문제를 떠나 지나치게 관념화되어 있음을 비판하고 교관겸수를 주장하여 화엄 교단을 정비하였다.

0196

출제영역 고려 불교의 이해 정답 ▶ ③

정답찾기 『신편제종교장총록』을 편찬한 승려는 의천이다. 의천은 교장을 간행하기에 앞서 국내의 것은 물론 송·요·일본 등에서 불경을 수집하여 불서 목록인 『신편제종교장총록』을 작성하였다.
③ 의천은 원효 사상의 전통을 기반으로 '성(性)'과 '상(相)'의 대립을 뛰어넘는 '성상(性相)'의 겸학을 강조하였다.

선지분석 ① 충목왕 때 보우가 원에서 임제종을 들여와 전파시킴으로써 불교계의 새로운 주류로 임제종이 부각되었다.
② 정혜결사는 지눌이 벌인 결사 운동으로, 불교의 수행에 있어서 핵심이 되는 정(定)과 혜(慧)를 함께 수행해야 한다는 정혜쌍수론을 바탕으로 하였다.
④ 균여에 대한 설명이다. 균여는 향가 「보현십원가」를 지어 불교와 세속 간의 경계를 없애 불교의 대중화를 꾀하였다. 「보현십원가」 속에는 '성속무애(聖俗無碍)' 사상이 나타나 있는데, 이는 성과 속은 물론 동방과 서방, 남녀나 귀천까지 융합하려는 강력한 통합 사상으로서 성상융회 사상을 기초로 하여 주창한 것이다.

0197

다음 밑줄 친 인물과 관련된 설명으로 옳은 것을 〈보기〉에서 고른 것은?

2017. 기상직 7급

> 왕이 하루는 여러 아들들에게 일러 말하기를, "누가 승려가 되어 복전(福田)을 지어 이로움을 더할 수 있겠는가?"라고 하자, 왕후(王煦)가 일어나서 말하기를, "제가 세상을 벗어날 뜻이 있으니 오직 임금께서 명하실 바입니다."라고 하였다. 왕이 말하기를, "좋다."라고 하자 드디어 스승을 좇아 출가(出家)하여 영통사(靈通寺)에 살았다. 왕후는 성품이 총명하고 지혜롭고 배움을 좋아하여, 먼저 『화엄경(華嚴經)』을 업으로 삼고 곧 오교(五敎)에 통달하게 되었다. 또한 유학(儒學)도 섭렵하여 정통하게 알지 못하는 것이 없었으니, 우세승통(祐世僧統)이라고 불렀다. 『고려사』

보기

㉠ 교관겸수와 성상겸학을 주장하였다.
㉡ 법안종을 수입하여 흥왕사를 중심으로 선종을 통합하려고 하였다.
㉢ 자신의 본성을 단번에 깨달은 후, 마음의 번뇌를 제거하도록 꾸준히 수행해야 한다고 주장하였다.
㉣ 해동 천태종을 창시하여 교종의 입장에서 선종까지 포섭하려고 하였다.

① ㉠, ㉡ ② ㉡, ㉢
③ ㉢, ㉣ ④ ㉠, ㉣

0198

다음과 같은 주장을 한 인물에 대한 설명으로 옳은 것은?

2015. 기상직 7급

> "부처님이 말씀하시기를 나는 두 성인을 중국에 보내서 교화를 펴리라 하셨다. 한 사람은 노자로, 그는 가섭 보살이요, 또 한 사람은 공자로 그는 유동(儒童) 보살이다." 이 말에 의하면 유(儒)와 도(道)의 종(宗)은 부처님의 법에서 흘러나온 것이다. 방편은 다르나 진실은 같은 것이다. 공자는 "삼(參)아, 내 도는 하나로 꿰었다." 하였고, 또 "아침에 도를 들으면 저녁에 죽어도 좋다." 하였다.

① 당에 유학하여 화엄경을 설파하고 구산 학파를 개창하였다.
② 교(敎)와 선(禪)을 아울러 닦아야 비로소 수행의 바른 길을 얻을 수 있다고 역설하였다.
③ 고려 무신 집권기 조계종 승려이자 지눌의 제자로 『선문염송』이라는 저서를 남겼다.
④ 서로 모순, 대립하는 것처럼 보이는 각 경전의 불교 사상을 하나의 원리로 회통시키려 하였다.

0199

고려 후기 천태종의 백련사 결사(白蓮社結社)에 대한 설명으로 옳은 것은?

2011. 지방직 7급

① 유교와 불교는 다름이 없다 하여 유·불 일치를 강조하였다.
② 정토 신앙(淨土信仰)을 적극 수용하였다.
③ 선정(禪定)과 지혜(智慧)를 함께 닦을 것을 강조하였다.
④ 최씨 무신 정권과 긴밀하게 연결되어 강화도에 분사(分社)를 세웠다.

0197

출제영역 〉 고려 불교의 이해 정답 ▶ ④

정답찾기 제시문에서 왕의 아들이라는 점과 영통사에서 살았다는 내용을 통해 밑줄 친 '왕후(王煦)'가 의천임을 알 수 있다.
㉠ 의천은 불교에서 교리 체계인 교(敎)와 실천 수행법인 지관(止觀)을 함께 닦아야 한다는 사상인 교관겸수와, 원효 사상의 전통을 기반으로 '성(性)'과 '상(相)'의 대립을 뛰어넘는 '성상(性相)'의 겸학을 강조하였다.
㉣ 의천은 화엄종을 중심으로 교종을 통합한 후, 교종을 중심으로 선종을 통합하여 해동 천태종을 창시하였다.

선지분석 ㉡ 광종의 불교 정비에 대한 설명이다. 광종은 혜거로 하여금 중국에서 새로 도입한 법안종(法案宗)을 중심으로 선종을 정리하게 하였다. 의천은 흥왕사의 주지가 되어 이 절을 화엄종의 본찰로 삼아 교세를 진작시켰다.
㉢ 보조국사 지눌의 돈오점수에 대한 설명이다.

0198

출제영역 〉 고려 불교의 이해 정답 ▶ ③

정답찾기 제시문의 인물은 혜심이다.
③ 혜심은 조계종 승려이자 지눌의 제자로서 유·불 일치설을 주장하였다.

선지분석 ① 도의, ② 의천, ④ 원효에 대한 설명이다.

더+알아보기 〉 **『선문염송(禪門拈頌)』**

고려 후기 승려 혜심이 간행한 선문공안집(禪門公案集)이다. 선문에서는 불조(佛祖)의 말씀과 대화를 공안(公案)이라고 한다.

0199

출제영역 〉 고려 불교의 이해 정답 ▶ ②

정답찾기 ② 요세는 강진 만덕사에서 백련사 결사를 제창하였고, 정토 신앙을 수용하여 자신의 행동을 진정으로 참회하는 법화 신앙을 주장하였다.

선지분석 ① 혜심(조계종), ③ 지눌(조계종)의 주장이다.
④ 조계종에 대한 설명이다.

더+알아보기 〉 **신앙 결사 운동**

구분	종파	인물	내용	중심 사찰	특징	지지 세력
수선사 결사	조계종	지눌	독경, 선 수행, 노동	송광사(순천)	성리학 수용 및 대몽 항쟁에 일익	개혁적 승려, 지방민, 최씨 정권
백련사 결사	천태종	요세	• 참회의 강조(법화 신앙) • 정토 신앙	만덕사(강진)	하층민의 교화에 노력	지방민

0200

고려 후기에 활동한 밑줄 친 '대사'에 대한 설명으로 옳은 것은?

2012. 경찰간부 / 2020. 국회직 9급 · 2017. 서울시 9급 유사

> 대사는 『묘종』을 설법하기 좋아하여 언변과 지혜가 막힘이 없었고 대중에게 참회 수행을 권하였다. …… 왕공대인과 지방 수령, 높고 낮은 사부 대중 가운데 결사에 들어온 자들이 300여 명이 되었고, 가르침을 전도하여 좋은 인연을 맺은 자들이 헤아릴 수 없이 많았다.

① 정토왕생을 중시하고 보현도량을 개설하였다.
② 화엄 사상을 수용하고 부석사를 건립하였다.
③ 교관겸수를 제창하고 국청사를 창건하였다.
④ 돈오점수를 주장하고 수선사를 주도하였다.

0201

(가), (나)의 밑줄 친 '그'에 대한 설명으로 옳은 것만을 〈보기〉에서 모두 고른 것은?

2014. 방재안전직 9급

> (가) 그는 황소의 난을 토벌해야 한다는 격문으로 당에서 뛰어난 문장 솜씨를 인정받았다. 고국인 신라로 돌아와서 진성 여왕에게 시무상소(時務上疏)를 올리기도 하였으나, 결국 현실 정치를 극복하지 못하고 관직을 버린 채 해인사에 은둔하였다가 생애를 마쳤다고 한다.
> (나) 하루는 그가 같이 공부하는 사람 10여 인과 약속하기를, "마땅히 명예와 이익을 버리고 산림에 은둔하여 같은 모임을 맺도록 하자. 항상 선(禪)을 익히고 지혜를 고르는 데 힘쓰고, 예불하고 경전을 읽으며 힘들여 일하는 것에 이르기까지 각자 맡은 바 임무에 따라 경영하자. 인연에 따라 성품을 수양하고 평생을 호방하게 고귀한 이들의 드높은 행동을 좇아 따른다면 어찌 통쾌하지 않겠는가?"라고 하였다.

보기
ㄱ (가) – 벼슬이 5관등의 대아찬까지 올랐다.
ㄴ (가) – 『제왕연대력』, 『계원필경』 등을 저술하였다.
ㄷ (나) – 선종을 중심으로 교종을 포섭하여 선종과 교종의 융합을 추구하였다.
ㄹ (나) – 강진의 백련사를 중심으로 새로운 불교 운동인 결사(結社)를 조직하였다.

① ㄱ, ㄷ　② ㄱ, ㄹ
③ ㄴ, ㄷ　④ ㄴ, ㄹ

대장경

0202

다음 밑줄 친 '그 일'을 통해 조성된 문화유산에 대한 설명으로 옳은 것은?

2019. 기상직 9급

> 이제 집정자와 문무백관 등과 함께 큰 서원(誓願)을 발하여 이미 담당 관사(官司)를 두어 그 일을 경영하게 하였습니다. 처음의 역사(役事)를 살펴보았더니, 옛날 현종 2년(1011)에 거란주(契丹主)가 크게 군사를 일으켜 와서 정벌하자 현종은 남쪽으로 피난하고, 거란 군사는 송악성에 주둔하고 물러가지 않았습니다. 현종은 이에 여러 신하들과 함께 더할 수 없는 큰 서원을 발하여 대장경 판본을 판각하자 거란 군사가 스스로 물러갔습니다. 그렇다면 대장경도 같고 전후로 판각한 것도 같으며, 군신이 함께 서원한 것도 또한 동일한데, 어찌 그때만 거란 군사가 스스로 물러가고 지금의 달단(達旦)은 그렇지 않겠습니까? 『동국이상국집』

① 1995년 유네스코 세계 문화유산에 등재되었다.
② 국보 제32호로 현재 합천 해인사에 보관되어 있다.
③ 대구 부인사에 보관되었다가 몽골 침입 때 소실되었다.
④ 송과 요 등의 대장경 주석서를 모아 교장도감에서 간행하였다.

0200

출제영역 〉 고려 불교의 이해　정답 ▶ ①

정답찾기 ▶ 밑줄 친 '대사'는 요세이다.
① 요세는 고종 19년(1232)에 만덕사에 보현도량을 개설하고 전통적인 법화삼매참회(法華三昧懺悔)를 닦았으며 정토왕생을 통한 신앙적인 실천을 추구하였다.

선지분석 ▶ ② 의상, ③ 의천, ④ 지눌에 대한 설명이다.

0201

출제영역 〉 신라와 고려 특정 인물의 이해　정답 ▶ ③

정답찾기 ▶ (가) 최치원(신라 하대), (나) 지눌(고려 후기)

선지분석 ▶ ㉠ 최치원은 6두품이기 때문에 6관등 아찬까지만 오를 수 있었다.
㉣ 지눌은 전남 순천 송광사에서 신앙 결사 운동인 수선사 결사를 조직하였다. 강진의 백련사를 중심으로 백련결사를 조직한 것은 요세이다.

0202

출제영역 〉 고려 대장경의 이해　정답 ▶ ②

정답찾기 ▶ 밑줄 친 '그 일'은 몽골의 침입을 물리치기 위해 팔만대장경(재조대장경)을 조판한 것이다.
② 팔만대장경은 승려 수기를 총책임자로 하여 강화도에 대장도감, 진주(남해)에 분사도감을 설치하고 고종 23년(1236, 최우)에 시작하여 고종 38년(1251, 최항)에 완성한 것으로, 현재 경남 합천 해인사 장경판전(유네스코 세계 문화유산)에 보관되어 있다.

선지분석 ▶ ① 해인사 장경판전에 대한 설명이다. 팔만대장경은 2007년에 세계 기록 유산에 등재되었다.
③ 초조대장경, ④ 교장(속장경)에 대한 설명이다.

풍수지리설 · 도교

0203

다음은 고려 시대의 특정 사상에 대한 내용이다. 이와 관련된 사실만을 〈보기〉에서 모두 고른 것은? 2014. 지방직 7급

> 영암군 사람들이 전하기를 "고려 때 최씨의 뜰 가운데 오이 하나가 열렸는데, 길이가 한 자나 넘어 온 집안사람들이 자못 이상하게 여겼다. 최씨 딸이 몰래 이것을 따 먹었더니, 저절로 태기가 있어 달이 차서 아들을 낳았다. …… 이름을 도선이라 하였다."
>
> 『세종실록지리지』

보기
㉠ 보현십원가　　㉡ 남경개창도감
㉢ 대화궁 건립　　㉣ 연등회

① ㉠, ㉡　　② ㉡, ㉢
③ ㉡, ㉣　　④ ㉢, ㉣

0204

(가) 지역에 대한 설명으로 옳은 것은? 2016. 교육행정직 9급

> 김위제가 도선의 비기를 공부한 후, 남경 천도를 청하며 다음과 같은 글을 올렸다. "『도선기』에는 '고려 땅에 세 곳의 수도가 있으니, (가) 이/가 중경, 목멱양이 남경, 평양이 서경이다. 11월에서 2월까지는 중경에서, 3월에서 6월까지는 남경에서, 7월에서 10월까지는 서경에서 지내면 36개국이 와서 조공할 것이다.'라고 했습니다."

① 견훤이 국도로 삼은 곳이다.
② 묘청이 반란을 일으킨 곳이다.
③ 망이·망소이의 난이 일어난 곳이다.
④ 거란의 침략에 대비하여 나성이 축조된 곳이다.

과학 기술과 예술

0205

다음 (가)~(다)의 불상에 대한 설명으로 옳은 것은? 수능

(가)

(나)

(다)

① (가)가 만들어진 시기에는 철로 만든 불상이 함께 유행하였다.
② (나)는 현세에서 고난을 구제받으려는 관음 신앙과 관련이 깊다.
③ (다)는 지방 세력가들의 재정적 지원을 받아 조성되었다.
④ (가)와 (나)는 같은 왕조에서 만들어졌다.
⑤ (다) - (나) - (가)의 순서로 만들어졌다.

0203

출제영역 〉 고려 특정 사상의 이해　　정답 ▶ ②

정답찾기 제시문의 주요 키워드는 '도선'으로, 도선은 신라 하대 때 중국에서 풍수지리설을 들여온 승려이다. 풍수지리 사상과 관계된 것은 ㉡ 고려 숙종 때 남경(한양)으로 천도하기 위해 남경개창도감을 설치한 것과 ㉢ 묘청이 서경 길지설을 주장하면서 평양에 대화궁 건립을 주장한 것이 해당된다.

선지분석 ㉠㉣ 불교에 대한 내용이다. 보현십원가는 고려 광종 연간에 균여가 불경을 향가로 풀이한 것이며, 연등회는 신라 때부터 시작되어 고려 시대에 국가적 행사로 자리 잡은 불교 행사이다.

0204

출제영역 〉 고려 특정 지역의 이해　　정답 ▶ ④

정답찾기 (가)는 개경이다.
④ 현종 때 강감찬의 건의로 거란의 침략에 대비하여 개경에 나성을 축조하였다.

선지분석 ① 완산주(전주), ② 서경, ③ 공주에 대한 설명이다.

0205

출제영역 〉 고려 문화유산의 이해　　정답 ▶ ①

정답찾기 (가) 논산 관촉사 석조 미륵보살 입상(고려, 2018년 국보로 채택), (나) 금동 미륵보살 반가 사유상(삼국 공통), (다) 석굴암 본존불(경주, 통일 신라)

선지분석 ② 미륵 신앙과 관련된다.
③ (가)에 대한 설명이다.
⑤ (나) ⇨ (다) ⇨ (가)의 순서로 만들어졌다.

0206

다음 중 원 간섭기의 문화에 대한 설명으로 옳지 않은 것은 모두 몇 개인가? 2016. 경찰간부

㉠ 서예에서 구양순체가 주류를 이루었다.
㉡ 경천사 10층 석탑은 원나라 라마교의 영향을 받은 석탑으로, 대리석이 아닌 화강암으로 만들었다.
㉢ 향가의 형식을 계승한 경기체가가 등장하였다.
㉣ 일연의 『삼국유사』와 이승휴의 『제왕운기』가 편찬되었다.

① 0개 ② 1개
③ 2개 ④ 3개

0207

고려 시대 문화에 대한 설명으로 옳지 않은 것은? 2015. 기상직 7급

① 사대부의 성장으로 경기체가로 불리는 새로운 문학이 등장했다.
② 일반 서민층에서는 장가로 불리는 새로운 민요풍의 가요가 유행했다.
③ 안동 봉정사의 극락전은 지금 남아 있는 고려 시대 건물 가운데 가장 오래된 것이다.
④ 문인화가 등장하였으며, 김시의 그림 가운데 '한림제설도'와 '동자견려도' 등이 유명하다.

0208

㉠과 ㉡에 해당하는 건축물에 대한 설명으로 옳은 것은? 2016. 국가직 7급

공포를 기둥 위에만 배치하는 (㉠) 양식은 고려 시대의 일반적 건축 양식이었다. 공포를 기둥과 기둥 사이에도 배치하는 (㉡) 양식 건물은 고려 후기에 등장하지만 조선 시대에 널리 유행하였다.

① ㉠ – 부석사 무량수전은 간결한 맞배지붕 형태이다.
② ㉠ – 팔작지붕인 봉정사 극락전은 장엄하고 화려하다.
③ ㉡ – 수덕사 대웅전은 백제계 사찰의 전통을 이었다.
④ ㉡ – 맞배지붕의 성불사 응진전이 이에 해당한다.

0209

다음 답사 계획 중 답사 장소와 답사의 주안점이 옳게 연결된 것은? 2014. 법원직

〈고려 문화의 향기를 찾아서〉

	주제	소주제	답사지	답사 주안점
(가)	불교	결사 운동	강진 만덕사	조계종 발달
(나)	공예	자기 기술	부안·강진 도요지	상감 청자 제작법
(다)	건축	목조 건축	안동 봉정사	다포 양식 건물
(라)	인쇄술	금속 활자	청주 흥덕사	상정고금예문 인쇄

① (가) ② (나)
③ (다) ④ (라)

0206

출제영역〉 고려 문화유산의 이해 정답 ▶ ③

정답찾기 옳지 않은 것은 ㉠㉡ 2개이다.
㉠ 고려 전기에는 구양순체가 유행하였고, 후기에는 조맹부의 우아한 송설체가 유행하였다.
㉡ 원의 영향을 받은 경천사 10층 석탑은 화강암으로 제작된 일반 석탑과 달리 대리석으로 만들어졌다.

0207

출제영역〉 고려 문화유산의 이해 정답 ▶ ④

정답찾기 ④ 김시의 그림 '한림제설도'와 '동자견려도'는 조선 16세기 회화이다. 고려 시대에는 '천산대렵도'(공민왕)와 '양류관음도' 등 불화가 그려졌다.

0208

출제영역〉 고려 건축의 이해 정답 ▶ ④

정답찾기 ㉠ 주심포, ㉡ 다포

선지분석 ① ㉠ – 부석사 무량수전은 팔작지붕 형태이다.
② ㉠ – 봉정사 극락전은 맞배지붕 형태이다.
③ 백제계 사찰의 전통을 이은 수덕사 대웅전은 ㉠ 주심포 양식이다.

0209

출제영역〉 특정 지역의 역사 이해 정답 ▶ ②

선지분석 (가) 조계종 지눌의 신앙 결사 운동(수선사 결사)은 전남 송광사에서 이루어졌다. 강진 만덕사는 천태종 요세의 신앙 결사 운동(백련사 결사)이 이루어진 곳이다.
(다) 안동 봉정사는 주심포 양식의 목조 건물이다. 석왕사 응진전, 성불사 응진전, 심원사 보광전 등이 다포 양식이다.
(라) 청주 흥덕사에서는 『직지심체요절』을 인쇄하였다.

PLUS+ 선지 OX 고려의 문화

01 고려의 역사서인 『편년통록』은 성리학적인 역사 인식이 반영되었다. 2021. 국회직 9급 O X

02 안향은 성리학을 전하기 위해 공자 및 제자 70인의 초상을 그려오게 하고 궁궐 안의 학문 기관에서 생도들에게 경사(經史)를 가르치게 하여 동방이학(東方理學)의 비조로 불렸다. 2019. 계리직 O X

03 고려 시대 안향은 정몽주, 권근, 정도전 등을 가르쳐 성리학을 더욱 확산시켰다. 2018. 지방직 7급 O X

04 고려 시대 백이정은 직접 원에 가서 성리학을 배워왔다. 2018. 지방직 7급 O X

05 이제현은 만권당에서 원의 학자들과 교류하였으며, 안향은 공민왕이 중영한 성균관의 대사성이 되었다. 2022. 서울시 기술직 9급 O X

06 충렬왕 때에는 경사교수도감을 설치하여 경학과 사학을 장려하였고, 유교 교육 기관에 공자 사당인 문묘를 새로 건립하여 유교 교육의 진흥에 나섰다. 2017. 경찰 1차 O X

07 고려 시대 음서는 문종 때 처음 실시되었으며, 공신의 자손, 조종 묘예, 문무 5품 이상 관인의 자손 등이 대상이었다. 2019. 지방직 7급 O X

08 보현도량(普賢道場)을 결성하고 법화삼매(法華三昧)를 수행하여 극락정토에 왕생하기를 구한 승려는 백련 결사를 주도하였다. 2020. 국회직 9급 O X

09 속장경(교장)은 의천이 경(經), 율(律), 논(論) 삼장의 불교 경전을 모아 간행한 것이다. 2011. 지방직 9급 O X

10 충선왕 때에는 원의 선명력을 채용하고 그 이론과 계산법을 충분히 소화하였다. 2017. 경찰 1차 O X

PLUS+ 선지 OX 해설 고려의 문화

01 ☒ 고려 의종 때 김관의가 쓴 『편년통록』은 고려 왕실의 권위 확보(왕건의 가계 제시)와 중흥을 기원하는 유교 사관을 제시한 것으로, 성리학 전래 이전에 편찬되었다.

02 ☒ 안향은 충렬왕을 따라 원에 갔다가 공자와 주자의 화상(畵像)을 그려와 고려에 성리학을 보급하였다. 그러나 동방이학의 비조로 불린 것은 정몽주이다.

03 ☒ 고려 충렬왕 때 안향이 성리학을 최초로 소개하였고, 충선왕 때 백이정, 이제현, 박충좌 등에게 전수되었다. 정몽주, 권근, 정도전 등에게 성리학을 가르친 인물은 이색이다.

04 ⊡ 백이정은 충선왕을 따라 원의 연경에서 10년간 머물러 있으면서 성리학 서적과 주자의 『가례』를 가지고 돌아왔다.

05 ☒ 이제현이 충선왕이 만든 원의 만권당에서 조맹부 등 원의 학자들과 활발히 교류한 것은 옳은 설명이나, 공민왕이 중영한 성균관의 대사성이 된 것은 이색이다.

06 ⊡ 고려 충렬왕은 경(經)·사(史)를 가르치기 위해 경사교수도감을 설치하여 7급 이하의 하급 관리를 가르치게 하였다. 또 충렬왕 때 국학을 성균관으로 개칭하고 공자 사당인 문묘를 새로 건립하였다.

07 ☒ 음서제는 문종이 아닌 목종 때 처음 실시되었다.

08 ⊡ 만덕사에 보현도량을 개설하고 전통적인 법화삼매참회(法華三昧懺悔)를 닦았으며, 정토왕생을 통한 신앙적인 실천을 추구한 승려는 요세이다. 요세는 강진 만덕사에서 백련 결사를 제창하였다.

09 ☒ 속장경(교장)은 경(經), 율(律), 논(論) 삼장이 아닌, 그 주석서인 장소(章疏)를 모아 간행한 것이다.

10 ☒ 충선왕 때에는 원의 수시력을 채택하였다. 선명력은 당의 역법이다.

기출문제가
예상문제이다!

04 편

근세 사회의 발전 (조선 전기)

제1장 근세 사회로의 전환
제2장 조선 전기의 정치
제3장 조선 전기의 사회
제4장 조선 전기의 경제
제5장 조선 전기의 문화

CHAPTER

근세 사회로의 전환

최근 5년간 국가직·지방직 출제 비율

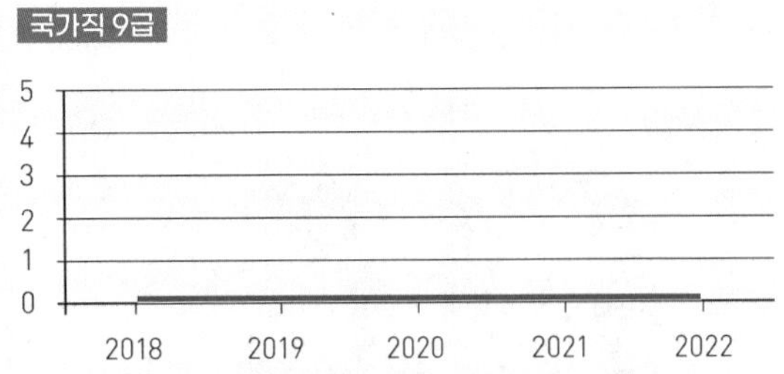

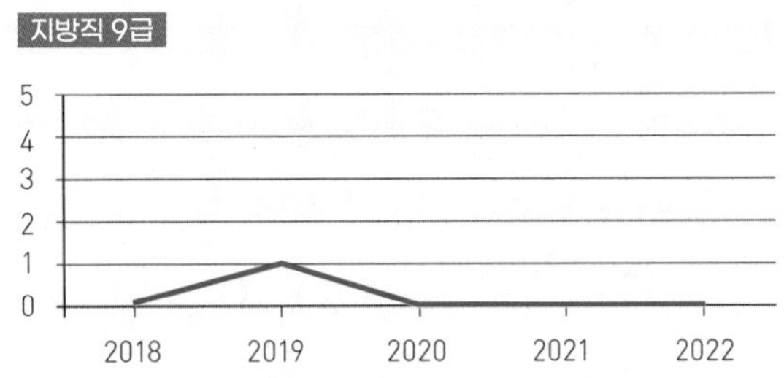

- 최근 5년간 국가직에서는 출제되지 않았다.
- 다른 계열에서는 정도전의 업적을 묻는 문제가 가장 많이 출제되었다.

주요 고난도 문제 키워드

#여말 선초 사건 순서 #한양 #정도전

고난도 이론 정리 선우쌤 PICK

구분	항목	내용	비고
한양 배치의 이해	풍수지리설 입각	주위의 산을 백악산[祖山, 일명 북악산]·목멱산[案山, 일명 남산]·낙타산(좌청룡, 일명 낙산)·인왕산(우백호)으로 배치하고 둘레 18km의 도성을 쌓음.	
	『주례』 반영	• 도성 안: 경복궁을 비롯한 궁궐 위치 • 좌묘우사(左廟右社): 경복궁 왼쪽에 (1) ______, 오른쪽에 (2) ______ 위치 • 전조후시(前朝後市): 경복궁 앞에는 조정의 관아(6조), 후방에 생활 공간인 (3) ______ 위치	
	성문	흥인지문(興仁之門, 동대문), 돈의문(敦義門, 서대문), (4) ______(崇禮門, 남대문), 숙정문(肅靖門, 북대문)	
	(5) ______	• 조선 시대 궁궐 중 가장 중심이 되는 곳, 태조 4년(1395) 건립 • 임진왜란으로 불에 탐. ⇨ 고종 4년(1867) 재건	
	덕수궁	월산 대군(성종의 형)의 집터 ⇨ 임진왜란 이후 선조의 임시 거처(정릉동 행궁) ⇨ 광해군 때 (6) ______으로 개칭 ⇨ 1907년 덕수궁으로 개칭	
	창경궁	• 세종 대왕 때 태종을 모시고자 지은 건물 • 성종 때에는 세조의 비와 덕종의 비, 예종의 비를 모시기 위해 명정전, 문정전, 통명전을 짓고 창경궁이라 이름지음.	동궐
	(7) ______	• 3대 태종이 1405년 이궁으로 지은 궁궐 • 임진왜란 때 전소 ⇨ 광해군이 재건 • 조선 궁궐 중 가장 오랜 기간 동안 임금들이 기거 • 후원: 우리나라 최대의 궁중 정원 • 유네스코 세계 문화유산	동궐
	(8) ______	• 조선 왕조 역대 왕과 왕비의 신주를 모신 조선 왕조의 사당 • 정면이 매우 길고 수평성이 강조된 독특한 형식의 건물 • 유네스코 세계 문화유산	

정답 1. 종묘 2. 사직 3. 시전 4. 숭례문 5. 경복궁 6. 경운궁 7. 창덕궁 8. 종묘

근세 사회로의 전환

0210 □□□

(가)~(라) 시기에 있었던 역사적 사실로 가장 적절하지 않은 것은?

2017. 경찰 2차

(가)	(나)	(다)	(라)

명의 철령위 설치 통보 – 위화도 회군 – 조선 건국 – 1차 왕자의 난 – 태종 즉위

① (가) – 김용이 왕을 시해할 목적으로 흥왕사에 침범했다가 최영에 의해 격퇴되었다.
② (나) – 이성계 일파는 폐가입진을 명목으로 우왕과 창왕을 연이어 폐위시켰다.
③ (다) – 명은 표문의 글귀가 불손하다는 구실로 정도전을 명으로 압송할 것을 요구했다.
④ (라) – 박포가 논공행상에 불만을 품고 난을 일으켰다.

0211 □□□

조선 사회에서 강조된 성리학적 명분론에 대한 설명으로 잘못된 것은?

2012. 기상직 9급

① 경제적으로 지주 전호제를 관철시키려 하였다.
② 사회적으로 양반 중심의 지배 질서와 가족 제도에 응용되었다.
③ 대외 관계는 존화양이 사상으로 17세기에 친명배금 정책을 수립하였다.
④ 사상적으로 국초부터 성리학 이외의 사상과 학문 등은 철저히 배격하였다.

0212 □□□

조선 시대 도성 한양에 대한 설명으로 옳지 않은 것은? 2017. 지방직 9급

① 경복궁 근정전의 이름은 정도전이 지었다.
② 경복궁의 동쪽에 사직이, 서쪽에 종묘가 각각 배치되었다.
③ 유교 사상인 인·의·예·지 덕목을 담아 도성 4대문의 이름을 지었다.
④ 도성 밖 10리 안에는 개인의 무덤을 쓰거나 벌채를 하지 못하도록 규제하였다.

0210

출제영역 여말 선초 상황 정답 ▶ ①

정답찾기 명의 철령위 설치 통보(1388, 우왕 14년) ⇨ 위화도 회군(1388, 우왕 14년) ⇨ 조선 건국(1392) ⇨ 1차 왕자의 난(1398) ⇨ 태종 즉위(1400)
① '흥왕사의 변'에 대한 설명이다. 1363년(공민왕 12) 김용이 공민왕을 살해하고자 흥왕사 행궁을 침범한 사건으로, 이 사건 이후에 공민왕은 외척 세력과 권문세족을 배제하고 신돈을 등용하여 본격적으로 개혁을 시도하였다.

선지분석 ② 폐가입진(1389), ③ 명의 정도전 압송 요구(1396, 태조 5년), ④ 2차 왕자의 난(1400, 정종 2년)

0211

출제영역 조선 사회의 이해 정답 ▶ ④

정답찾기 ④ 성리학 이외의 사상과 학문 등을 철저히 배격한 것은 16세기 사림파들이다. 국초에는 성리학을 중심으로 하면서도 민심을 수습하기 위해 다른 사상과 종교를 일부 수용하였다.

선지분석 ① 성리학적 명분론은 경제적으로 지배층의 농민 지배를 긍정하는 사회·경제 관계를 유도하여 지주 전호제를 관철시키려 하였으며, 주인과 종의 관계를 군신 관계처럼 종적 질서로 편제하고자 하였다.
② 성리학은 사회적으로 양반 중심의 지배 질서와 가족 제도에 응용됨으로써 양천(良賤)과 반상(班常)을 엄격히 구분하고, 신분에 따른 직역의 법제화 및 가부장 중심의 가족 제도를 보편화하여 친족 관념의 강화를 가져왔다.
③ 성리학은 명분론을 강조하여 국제 관계에 있어 존화양이(尊華攘夷) 사상을 내세웠는데, 이에 전기에는 배원친명(排元親明), 후기에는 존명배청(尊明排淸) 정책이 수립되었다.

0212

출제영역 한양 배치의 이해 정답 ▶ ②

정답찾기 ② '좌묘우사 전조후시(左廟右社 前朝後市)'를 중요시하는 『주례』에 입각하여 경복궁의 왼쪽(동쪽 방향)에 종묘를, 오른쪽(서쪽 방향)에 사직을 두었다.

선지분석 ① 정도전은 한양 도성을 설계하면서 경복궁 근정전을 비롯한 궁궐의 이름을 지었다. 특히 경복궁의 이름은 정도전이 『시경』에 나오는 "이미 술에 취하고 이미 덕에 배부르니 군자 만년 그대의 큰 복을 도우리라."에서 큰 복을 빈다는 뜻의 '경복(景福)'이라는 두 글자를 따서 지은 것이다.
③ 오행 사상에 따라 인(仁, 동)·의(義, 서)·예(禮, 남)·지(智, 북)·신(信, 중앙)의 5덕(德)을 표현하여 동대문[흥인지문(興仁之門)], 서대문[돈의문(敦義門)], 남대문[숭례문(崇禮門)], 북대문[숙정문(肅靖門)], 보신각(普信閣)을 세웠다.
④ 한양성 4대문을 기점으로 약 10리까지의 외곽 지역[성저십리(城底十里)]은 일종의 그린벨트 지역으로 개인의 무덤으로 사용하거나 벌채를 못하게 하였고 주택 건축도 금지하였다.

0213

다음은 조선 시대의 한양을 설명한 것이다. (가)~(라)에 각각 들어갈 단어를 순서대로 나열한 것은? 2016. 서울시 7급

> 한양은 통치의 중심 공간인 (가)을 (나) 아래에 남향으로 짓고 그 좌우에 종묘와 사직을 건설하였다. (다)은 안산에 해당한다. 도성에는 네 개의 대문이 건설되었는데 동은 흥인지문, 서는 (라), 남은 숭례문, 북은 숙정문이다.

	(가)	(나)	(다)	(라)
①	경복궁	인왕산	남산	소의문
②	경복궁	백악산	남산	돈의문
③	창덕궁	인왕산	낙산	소의문
④	창덕궁	백악산	낙산	돈의문

0214

다음 도시에 대한 설명으로 옳지 않은 것은? 2020. 지방직 7급

① 고려 문종 때에 남경(南京)으로 승격되었다.
② 종루(鍾樓), 이현, 칠패 등에서 상업 활동이 이루어졌다.
③ 정도전은 궁궐 전각(殿閣)과 도성 성문 등의 이름을 지었다.
④ 성곽은 거중기 등을 이용하여 약 2년 만에 완성되었다.

0215

조선 시대 '궁궐'에 대한 설명으로 가장 옳지 않은 것은? 2017. 서울시 7급

① 각 궁궐이 처음 지어진 순서는 '경복궁 – 창덕궁 – 경희궁'이다.
② 후원(後園)은 궁궐의 북쪽에 있어서 북원(北園) 혹은 아무나 못 들어간다고 해서 금원(禁園)으로 불렸다.
③ 조정(朝庭)이란 말은 궁궐의 외전(外殿) 앞의, 품계석이 놓인 마당을 의미한다.
④ 양궐 체제(兩闕體制)란 국왕의 중심 공간인 법궁(法宮)과 중전이나 세자 등 왕실 가족의 공간인 이궁(離宮)을 의미한다.

0213

출제영역 한양 배치의 이해 **정답 ▶ ②**

정답찾기 평원에 위치한 중국의 도시와는 다르게 한양은 명당으로서의 풍수지리적 특성을 살려 주위의 산을 백악산[祖山, 일명 북악산]·목멱산[案山, 일명 남산]·낙타산(좌청룡, 일명 낙산)·인왕산(우백호)으로 배치하고 둘레 18km의 도성을 쌓았다. 도성 안에는 경복궁을 비롯한 궁궐(창덕궁, 창경궁, 경희궁, 경운궁)을 두었고 '좌묘우사 전조후시(左廟右社前朝後市)'를 중요시하는 『주례』에 입각하여, 경복궁의 왼쪽에는 종묘를, 오른쪽에는 사직을 두었다(⇨ 좌묘우사). 또 경복궁 앞에는 조정의 관아(6조)를 두고, 그 후방에 생활 공간인 시전을 두었다(⇨ 전조후시). 오행사상에 따라 인(仁, 동)·의(義, 서)·예(禮, 남)·지(智, 북)·신(信, 중앙)의 5덕(德)을 표현하여 동대문[흥인지문(興仁之門)], 서대문[돈의문(敦義門)], 남대문[숭례문(崇禮門)], 북대문[숙정문(肅靖門)], 보신각(普信閣)을 세웠다.

0214

출제영역 한양의 역사 이해 **정답 ▶ ④**

정답찾기 제시된 자료는 조선 시대 수도 한양의 지도이다.
④ 수원 화성에 대한 설명이다.

0215

출제영역 조선 궁궐의 이해 **정답 ▶ ④**

정답찾기 ④ 조선 시대에는 왕이 공식으로 활동하며 일상생활을 하던 법궁(法宮)과 화재나 그 밖의 의외의 재난이 발생하였을 경우 혹은 왕이 자의적으로 거처를 옮기고 싶어 할 때를 대비하여 만든 이궁(離宮)의 양궐 체제를 갖추고 있었다. 왕세자가 거처하던 곳은 동궁, 비빈(妃嬪)이 머무는 곳은 서궁이었다.

선지분석 ① 경복궁(1395, 태조 4년) ⇨ 창덕궁(1405, 태종 5년) ⇨ 경희궁(1617, 광해군 9년) 순으로 지어졌다.
② 후원은 창덕궁 안에 있는 조선 시대 정원으로, 북원, 금원, 비원 등으로 불렸으며 1997년 유네스코 세계 문화유산으로 지정되었다.

MEMO

조선 전기의 정치

최근 5년간 국가직·지방직 출제 비율

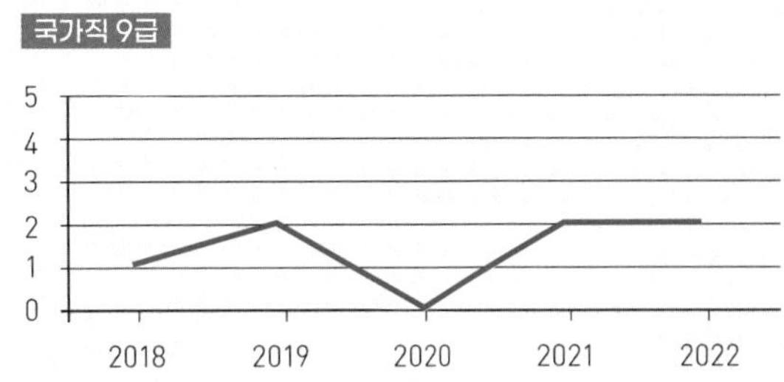

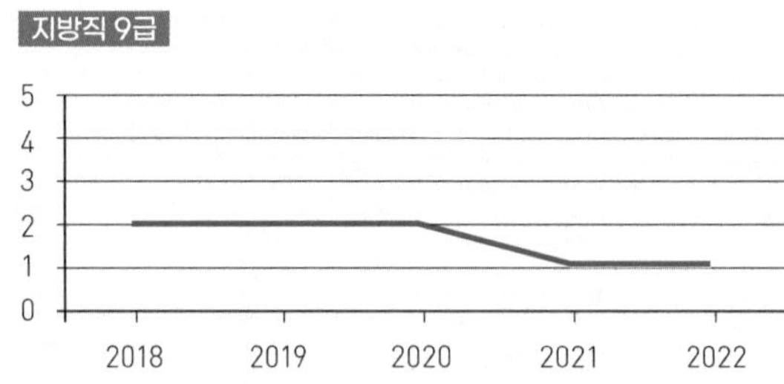

- 최근 5년간 국가직과 지방직에서 1~2문제는 반드시 출제되었다.
- 조선 전기 주요 왕의 업적과 중앙 정치 제도를 묻는 문제가 주로 출제되었다.

주요 고난도 문제 키워드

#임진왜란과 호란 #경연 제도 #초기 국왕의 업적
#지방 정치 제도 #고려와 조선의 과거 제도

고난도 이론 정리 선우쌤 PICK

임진왜란(1592)	왜군의 북상	부산진(정발), 동래성(송상현) 격파, 충주에서 [1] ____ 의 패배 ⇨ 한양 점령(선조는 평양과 의주로 피난, 명에 원군 요청)
	수군의 승리	• 왜란 전 판옥선·거북선 개량 • 옥포 첫 승리 ⇨ [2] ____ (거북선 최초 이용)·당포·당항포 연승 ⇨ [3] ____ (남해 제해권 장악, 곡창 지대 수호)
	명의 지원·전열 정비	• 수군·의병의 승전, 명의 원군 ⇨ 조·명 연합군의 [4] ____ 탈환(1593), [5] ____ (권율) 승리 • [6] ____ 설치·속오법 정비, 화포 개량, 조총 제작, 무기 약점 보완
	[7] ____ (1597)	• 명과 일본의 휴전 회담 결렬 ⇨ 왜군 재침입 • 조·명 연합군이 직산에서 일본군 격퇴 ⇨ 이순신의 [8] ____ 승리(1597. 9.) ⇨ 왜군 후퇴 ⇨ [9] ____ 승리, 이순신 전사(1598. 11.)
	왜란의 영향	• 국내: 경제와 재정 궁핍, [10] ____ 발급 • 국제: 명 쇠퇴 ⇨ 여진 흥기, 일본 – 중세 문화 발달(인쇄술, [11] ____ 의 성리학 보급)
호란	[12] ____ 의 중립 외교	명과 후금 사이에서 실리 추구 ⇨ 인조반정 이후 [13] ____ 정책
	정묘호란(1627)	• 배경: 인조와 서인의 친명배금 정책 • 결과: 후금과 [14] ____ 관계 체결
	[15] ____ (1636)	• 배경: 후금의 [16] ____ 건국 ⇨ 청의 군신 관계 요구 ⇨ 주화론과 주전론의 대립 ⇨ [17] ____ 우세 • 과정: [18] ____ 에서 항전 • 결과: 청에 굴복(삼전도의 굴욕), 군신 관계 체결

정답 1. 신립 2. 사천 3. 한산도 대첩 4. 평양성 5. 행주 대첩 6. 훈련도감 7. 정유재란 8. 명량 대첩 9. 노량 대첩 10. 공명첩 11. 이황 12. 광해군 13. 친명배금 14. 형제 15. 병자호란 16. 청 17. 주전론 18. 남한산성

주요 왕의 정책

0216

고려 말에서 조선 초에 있었던 요동 정벌 운동을 설명한 것으로 옳지 않은 것은?

2016. 서울시 9급

① 우왕 때 최영은 명이 철령위 설치를 통고하자 요동을 공격할 계획을 세웠다.
② 태조 이성계는 요동 정벌을 추진하였고 정도전과 남은은 군사 훈련을 강화하였다.
③ 명은 정도전을 '조선의 화근'이라며 명으로 압송할 것을 요구하였다.
④ 이방원은 태조의 요동 정벌 운동을 적극 지지하였다.

0216

출제영역 〉 요동 정벌 운동의 이해 정답 ▶ ④

정답찾기 ④ 이방원은 태조와 정도전의 요동 정벌 운동에 반대하였고, 결국 이방원의 1차 왕자의 난으로 이루어지지 못하였다.

더+알아보기 〉 **요동 수복 운동**
- **태조 왕건**: 요동 수복 운동 전개 ⇨ 실패, 태조 말년에 청천강 진출
- **공민왕**: 요동 수복 운동 전개, 1차 최영 ⇨ 실패, 2차 이성계 ⇨ 실패, 요양 (일시) 점령
- **우왕**: 명의 철령위 문제로 요동 수복 운동 전개 ⇨ 이성계의 반대, 위화도 회군(1388) 발발
- **태조 이성계**: 정도전의 요동 수복 운동 전개, 이방원의 반대 ⇨ 1차 왕자의 난으로 정도전 제거, 실패

0217

다음 내용들이 일어난 왕대의 사실과 가장 관련이 적은 것은?

2017. 서울시 7급

> 이 시기 국왕은 6조를 직접 장악하면서 국정을 운영하였으며, 친위병을 강화하고 군권 관장에 유념하였다. 또한 공신을 발탁하여 의정부, 6조, 승정원과 고위 군직에 포진시켰다. 특히 재위 4년에 별시위가 3,000명에서 5,000명으로, 6년에 내금위가 100명에서 200명으로 늘어났다. 아울러 재위 12년에는 도절제사 이하 진관 책임자의 명칭을 개정하였으며, 지방의 군사 지휘 체계는 도관찰사를 정점으로 병마절도사의 지휘를 받는 육군과 수군절도사의 지휘를 받는 수군으로 정립되었다.

① 길주 지방의 토호 세력이었던 이시애의 난이 이 시기에 발생하였다.
② 사병의 혁파와 함께 도평의사사가 의정부로 고쳐졌고, 중추원은 삼군부가 되면서 삼군부의 관원은 삼군부에만 근무하고 의정부에는 합좌하지 못하게 되었다.
③ 지방 재정과 군자의 부족을 보충하기 위해 각종 둔전이 증설 또는 신설되었으며, 특히 역둔전이 평안도에 설치되었고, 전국 관둔전의 면적이 종전의 두 배로 늘어났다.
④ 이 시기에 국왕은 『국조보감』과 『동국통감』 편찬을 지시하였다.

0217

출제영역 〉 세조의 정책 이해 정답 ▶ ②

정답찾기 제시문은 세조(재위 1455~1468)에 대한 내용이다.
② 정종 2년(1400)에 도평의사사를 의정부로 고치고, 중추원을 삼군부로 개칭하여 정무와 군무를 완전히 분리하였다.

선지분석 ① 이시애의 난(1467, 세조 13년)은 함경도 지방의 차별 및 중앙 집권화에 반발한 사건으로, 진압 이후 세조는 유향소 폐지와 호패법 강화를 통해 중앙 집권을 더욱 강화하였다.
③ 세조 때 국가 재정을 보충·확보하기 위해 각종 둔전(屯田)이 설치되었는데, 특히 역둔전이 평안도에 설치되었고(1457), 전국 관둔전의 면적이 종전의 두 배로 늘어났다(1458). 기타 공해전(公廨田)의 국용전(國用田)으로의 편입, 과전법에서 직전법으로의 전환 등을 실시하였다.
④ 세조 때에는 국가 기강을 바로잡기 위한 편찬 사업도 활발히 추진되었다. 조선 시대 역대 왕들의 치적을 담은 『국조보감』, 고조선부터 고려 말까지의 역사를 담은 『동국통감』 등을 비롯해 국가 경영의 근간이 되는 『경국대전』이 편찬되기 시작하였다.

0218 □□□

다음 조치와 유사한 목적의 정책을 〈보기〉에서 고른 것은?

제7회 한국사능력검정시험 고급

> 상왕이 나이가 어려 대부분의 정책을 모두 의정부 대신에게 의논하게 하였다. 이제 내가 왕통을 계승하여 국가의 모든 일을 처리하며 우리나라의 옛 제도를 복구하고자 한다. 지금부터 형조의 사형수를 제외한 모든 서무는 6조에서 각각 그 직무를 담당하고 직접 나에게 아뢰도록 하라.

보기
- ㉠ 의정부 서사제를 시행하였다.
- ㉡ 정동행성 이문소를 설치하였다.
- ㉢ 녹읍을 폐지하고 관료전을 지급하였다.
- ㉣ 과거 제도와 노비안검법을 시행하였다.

① ㉠, ㉡　② ㉠, ㉢
③ ㉡, ㉢　④ ㉡, ㉣
⑤ ㉢, ㉣

0219 □□□

다음 국왕의 통치에 대한 설명으로 옳은 것을 〈보기〉에서 고른 것은?

제4회 한국사능력검정시험 고급

> • 임금으로 즉위해서는 이른 새벽에 옷을 입고, 날이 밝으면 조회를 받고, 다음에 정사를 살피고, 그 다음에 윤대(輪對)하고 경연에 나아갔는데, 한 번도 게으른 적이 없었다.
> • 신하를 부림에는 예의로써 하고 간언을 따라 어기지 않았으며, 정성으로 사대하고 신의로 이웃 나라와 사귀었으며, 인륜을 밝히고 모든 사물에 자상하니, 남북이 복종하고 사방 국경이 평안하여 백성들이 살아가기를 즐긴 지 무릇 삼십여 년이 되었다. 성스런 덕이 높고 높아 무어라 이를 수 없어, 이때에 '해동의 요순'이라 칭송하였다.

보기
- ㉠ 소리의 장단과 높낮이를 표현할 수 있는 '정간보'를 창안하였다.
- ㉡ 사간원을 독립시켜 대신을 견제하게 하였다.
- ㉢ 『삼강행실도』를 편찬하여 유교 문화 보급에 힘썼다.
- ㉣ 요동 정벌을 추진하기 위하여 군사력을 강화하였다.
- ㉤ 삼포를 열어 일본과의 무역을 허용하고 계해약조를 맺었다.

① ㉠, ㉡, ㉣　② ㉠, ㉢, ㉤
③ ㉡, ㉢, ㉣　④ ㉡, ㉣, ㉤
⑤ ㉢, ㉣, ㉤

0220 □□□

다음은 조선 전기에 편찬된 책 서문의 일부이다. 이 책과 같은 왕대에 편찬된 책은?

2014. 지방직 7급

> 우리 동방의 문(文)은 송(宋)과 원(元)의 문도 아니고 한(漢)과 당(唐)의 문도 아니며 바로 우리나라의 문입니다. 마땅히 중국 역대의 문과 나란히 천지의 사이에 행하게 하여야 합니다. … (중략) … 우리 동방의 문은 삼국 시대에서 비롯하여 고려에서 번성하였고 아조(我朝)에 와서 극(極)에 이르렀습니다. 천지 기운의 성쇠와 관계된 것을 또한 알 수 있습니다.

① 『국조오례의』　② 『고려사절요』
③ 『조선경국전』　④ 『의방유취』

0218

출제영역 세조의 정책 이해　**정답 ▶ ⑤**

정답찾기 제시문은 세조의 6조 직계제에 대한 내용으로 왕권 강화를 목적으로 시행되었다. 이와 유사한 목적으로 ㉢ 통일 신라 신문왕은 녹읍을 폐지하고 관료전을 지급하였고, ㉣ 고려 광종은 과거제와 노비안검법을 시행하였다.

선지분석 ㉠ 의정부 서사제는 세종 때 6조의 업무를 의정부를 거쳐 왕에게 올라가게 한 제도로, 왕권과 신권의 조화를 이루기 위해 시행되었다. ㉡ 정동행성 이문소는 원 간섭기에 원이 내정 간섭을 위해 고려에 설치한 기관으로, 공민왕은 반원 자주 정책을 시행하여 이를 폐지하였다.

0219

출제영역 세종의 업적 이해　**정답 ▶ ②**

정답찾기 제시문은 세종에 대한 내용이다.

선지분석 ㉡ 태종, ㉣ 태조의 업적이다.

0220

출제영역 성종의 업적 이해　**정답 ▶ ①**

정답찾기 제시문에서 '우리 동방의 문(文)은 …… 바로 우리나라의 문입니다.'라는 부분을 통해 성종 때 발행된 서거정의 『동문선』임을 파악할 수 있다.
① 『국조오례의』는 세종 때 편찬을 시작하여 성종 때 완성하였다.

선지분석 ② 문종, ③ 태조, ④ 세종 때 편찬되었다.

0221

다음 제도에 대한 설명으로 가장 옳은 것은? 2015. 법원직

> 왕에게 유교 경전과 사서를 가르쳐 유교의 이상 정치를 실현하려는 것이 목적이었다. 강의는 매일 아침에 실시하는 것[조강(朝講)]이 원칙이었으며, 주강(晝講)과 석강(夕講)을 포함하여 세 번 강의하던 시기도 있었다. 교재는 4서 5경과 역사 및 성리학 서적이었으며, 성종 이후에는 홍문관의 관원이 이를 담당하였다.

① 세조에 의하여 크게 활성화되었다.
② 조선 시대에 들어서 처음 도입되었다.
③ 집현전 학사들이 강의를 맡던 시기도 있었다.
④ 전제 왕권을 강화하기 위하여 도입된 제도였다.

0222

조선 초기 국왕의 업적에 대한 설명으로 옳지 않은 것은? 2018. 국가직 7급

① 태조는 한양으로 천도하고 한성부로 이름을 바꾸었다.
② 태종은 창덕궁과 창경궁을 새로 건설하였다.
③ 세종은 사가독서제를 실시하여 학문 활동을 장려하였다.
④ 세조는 간경도감을 설치하여 불경을 번역하고 간행하였다.

0223

(가)~(라) 시기에 있었던 사실로 옳은 것만을 〈보기〉에서 고른 것은? 2021. 경찰 1차

세종 즉위	문종 즉위	성종 즉위	중종 즉위	명종 즉위
(가)	(나)	(다)	(라)	

보기
㉠ (가) – 계미자 주조　㉡ (나) – 『고려사절요』 편찬
㉢ (다) – 도첩제 폐지　㉣ (라) – 소수 서원 사액

① ㉠, ㉡　② ㉠, ㉣
③ ㉡, ㉢　④ ㉢, ㉣

0221

출제영역 경연의 이해 정답 ▶ ③

정답찾기 제시문은 경연 제도에 대한 내용이다.
③ 세종 때는 집현전에서 경연을 담당하면서 경연 제도가 활성화되었고, 성종 때는 홍문관에서 담당하면서 기능이 더욱 강화되었다.

선지분석 ① 세조와 연산군 때는 경연을 폐지하였다.
② 경연 제도는 고려 예종 때 처음 도입되었다.
④ 경연 제도는 전제 왕권을 규제하는 기능을 수행하였다.

더⊕알아보기 **경연**
경연은 고려·조선 시대에 왕에게 유학의 경서를 강론했던 일로 고려 예종 때 시작되었다. 조선 태조 때는 경연청을 설치하였으며, 세종 때 집현전에서 경연을 담당하면서 활성화되었고, 성종 때는 홍문관에서 경연을 담당하면서 그 기능이 더욱 강화되었다. 경연 제도는 세조와 연산군 때 폐지되기도 하였으나 고종 때까지 존속되었다.

0222

출제영역 조선 초기 국왕의 업적 이해 정답 ▶ ②

정답찾기 ② 창덕궁은 태종이 경복궁의 동쪽에 이궁으로 지은 궁궐이나, 창경궁은 성종이 왕실의 대비들이 편히 지낼 수 있도록 지은 궁궐이다.

선지분석 ① 태조 이성계는 한양으로 천도하고 이듬해 한성부(漢城府)로 개칭하였으며, 도성을 중심으로 성저 10리에 이르는 5부 52방의 행정 구역을 확정하였다.
③ 사가독서제는 세종 때 집현전을 설치한 뒤, 국가의 유능한 인재를 양성하고 학문을 진작시키기 위해서 젊은 문신들에게 휴가를 주어 독서에 전념할 수 있도록 한 제도이다.
④ 세조는 간경도감을 설치하여 불경의 번역에 힘쓰는 등 불교 진흥책을 시행하였다.

0223

출제영역 조선 전기 주요 국왕의 업적 이해 정답 ▶ ③

정답찾기 세종 즉위(1418) ⇨ (가) ⇨ 문종 즉위(1450) ⇨ (나) ⇨ 성종 즉위(1469) ⇨ (다) ⇨ 중종 즉위(1506) ⇨ (라) ⇨ 명종 즉위(1545)
㉡ 『고려사절요』 편찬(1452, 문종 2년), ㉢ 도첩제 폐지(성종)

선지분석 ㉠ 계미자 주조(1403, 태종 3년) – (가) 이전
㉣ 소수 서원 사액(1548, 명종 3년) – (라) 이후

PART 04

0224

(가), (나) 시기 사이에 있었던 사실로 옳은 것은? 2021. 경찰 2차

> (가) 나는 답험(踏驗)의 폐단을 영원히 없애려고 하여, 모든 대소 신료와 서민들에게까지 의견을 물어본 결과, 시행하기를 원하는 자가 많았으니, 백성들의 의향을 알 수 있었다. 그러나 조정의 의론이 분분해서 잠정적으로 정지하고 시행하지 않은 지 몇 해가 되었다. …… 호조에서는 시행하기에 알맞은 사목(事目)을 자세히 마련하여 아뢰라.
> (나) 전하께서 신에게 명하여 해동 여러 나라와 조빙(朝聘)으로 왕래한 고사(故事), 관곡(館穀)을 주어 예우한 전례를 찬술해 가지고 오라 하셨다. 나는 삼가 옛 문적을 상고하고, 보고 들은 것을 덧붙여서, 지도를 그리고 간략히 세계(世系)의 본말과 풍토를 서술하고, 우리나라에서 접대하던 절차에 이르기까지 수집해 모아 책을 만들어 올렸다.

① 현량과가 실시되었다.
② 모문룡이 가도에 주둔하였다.
③ 수신전과 휼양전이 폐지되었다.
④ 낭사가 사간원으로 독립하였다.

0225

다음은 『조선왕조실록』에 기록된 내용이다. ㉠왕과 ㉡왕 시기에 일어난 사건으로 가장 적절하지 않은 것은? 2020. 경찰 2차

> • 의정부의 서사를 나누어 6조에 귀속시켰다. …… 처음에 왕은 의정부 권한의 막중함을 염려하여 이를 혁파할 생각이 있었지만, 신중하게 여겨 서두르지 않았는데 이 시기에 이르러 단행하였다. 의정부가 관장한 것은 사대 문서와 중죄수의 심의뿐이었다. 『㉠ 실록』
> • 장사꾼이 의복 등속을 판매하며, 심지어는 신, 갓끈, 빗, 바늘, 분(粉) 같은 물품을 가지고 백성에게 교묘하게 말하여 미리 그 값을 정하고 주었다가 가을이 되면 그 값을 독촉해서 받는다. 『㉡ 실록』

① 『농사직설』과 같은 농업 서적을 간행하였다.
② 저화, 조선통보 등을 발행하였다.
③ 4군 6진을 개척하였다.
④ 별자리를 그린 '천상열차분야지도'를 제작하였다.

0226

다음에서 서술하는 인물 ㉠에 대한 설명으로 옳은 것은? 2014. 계리직

> 이 책은 ㉠이(가) 1443년의 계해약조 이후 조금씩 이완되는 일본에 대한 통제를 다시 강화하기 위하여 성종 때에 편찬하였다. 일본과 유구국(琉球國)의 지리 · 국정 · 풍속 외에도 교빙(交聘)의 연혁이나 통상에 관한 규정을 모아, 조선 초기의 일본에 대한 인식을 정리한 것이다.

① 집현전 출신 학자로, 『해동제국기』라는 책을 편찬하였다.
② 소격서를 폐지하여 도교적 의식을 거행하지 못하도록 하였다.
③ 사육신 가운데 한 인물로, 단종의 복위 운동에 참여하였다가 죽임을 당하였다.
④ 중국의 이상적인 정치 규범인 『주례』를 참조하여 『조선경국전』을 편찬하였다.

0224

출제영역 〉 조선 전기 주요 국왕의 업적 이해 정답 ▶ ③

정답찾기 (가) 공법 시행(1444, 세종 26년), (나) 신숙주의 『해동제국기』 편찬(1471, 성종 2년)
③ 직전법(1466, 세조 12년)에 대한 설명이다.

선지분석 ① 현량과 실시(1519, 중종 14년), ② 가도(椵島) 사건(1623, 인조 1년), ④ 중서문하성의 낭사의 사간원 독립(태종)

0225

출제영역 〉 조선 전기 주요 국왕의 업적 이해 정답 ▶ ④

정답찾기 ㉠은 태종, ㉡은 세종이다. 첫 번째 제시문은 태종의 6조 직계제 시행에 대한 내용이고, 두 번째 제시문은 세종 때 상업에 대한 부정적 의견을 제시한 내용이다. 이 문제에서 두 번째 사료를 모르더라도 첫 번째 사료로 충분히 문제를 풀 수 있어야 한다.
④ 태조 때의 일이다.

선지분석 ① 『농사직설』은 세종 때 정초에 의해 편찬되었다.
② 저화는 태종 때, 조선통보는 세종 때 발행되었다.
③ 세종 때 여진족을 토벌하고 4군 6진을 설치하였다.

0226

출제영역 〉 조선 전기 특정 정치인의 이해 정답 ▶ ①

정답찾기 ㉠은 신숙주이고, 제시문의 책은 신숙주의 『해동제국기』이다.
① 『해동제국기』는 1443년(세종 25)에 일본에 다녀온 신숙주가 1471년(성종 2)에 왕명을 받아 쓴 일본 기행문이다.

선지분석 ② 조광조, ③ 성삼문 · 박팽년 등, ④ 정도전에 대한 설명이다.

정치 체제의 정비 과정

0227

조선 시대 관계(官階)에 대한 설명으로 옳지 않은 것은?

2014. 국가직 7급

① 관료의 품계는 정1품에서 종9품까지 18등급으로 하였다.
② 행수 제도를 마련하여 가능한 관직과 관계가 일치되도록 하였다.
③ 정7품 이하는 참하관이라 하며, 목민관인 수령에 임용되었다.
④ 정3품 통정대부 이상은 당상관이라 하며, 국가의 중요한 정책을 논의하였다.

0227

출제영역 조선 중앙 정치 조직의 이해 정답 ▶ ③

정답찾기 ③ 참상관(종6품 이상)이 목민관(수령)에 임명되었다.

선지분석 ① 품계는 정1품에서 종9품까지 18등급으로 이루어졌고, 6품 이상은 상하의 구분이 있어 총 30단계로 구분되었다.
② 품계와 관직이 일치하지 않을 때 이를 보완하는 제도로 행수법이 있었다.
④ 정3품(통정대부, 절충장군) 이상은 당상관으로 주요 관서의 책임자이면서 요직을 겸직하였다.

0228

조선 초기의 관료 제도에 대한 설명으로 옳지 않은 것은?

2003. 입법고시

① 상피제(相避制)를 엄격히 하여 부자나 형제가 같은 관청에 근무할 수 없게 하였다.
② 왕실 경비는 정부에서 지출하게 하는 궁부 일체(宮府一體)의 재정 구조를 만들었다.
③ 관료 승진에 있어서 고과제(考課制)를 엄격하게 하였다.
④ 대간에게 모든 관리의 임명이나 법령 개폐에 동의하는 서경권을 주었다.
⑤ 수령이 자기 출신지에 부임하지 못하는 상피제가 시행되었다.

0228

출제영역 조선 중앙 정치 조직의 이해 정답 ▶ ④

정답찾기 ④ 조선의 대간은 당하관 관리의 임면(또는 5품 이하)에 대한 서경권을 행사하였는데, 이는 고려에 비해 서경권이 축소된 것이다.

더⊕알아보기 조선 시대의 서경(署經)

사간원과 사헌부를 양사 또는 대간(臺諫)이라 불렀는데, 대간에서는 왕의 정치에 대해 비판할 수 있는 간쟁권과, 왕이 5품 이하의 관리를 임면하거나 법률의 개폐 시 동의권을 행사하는 서경권이 있었다.

0229

다음 표는 조선의 중앙 정치 기구와 직무에 관한 설명이다. 옳지 않은 것은?

2012. 경찰간부

관부	직무	별칭 / 별명
승정원(承政院)	㉠ 왕명 출납, 비서 기능	은대(銀臺)
홍문관(弘文館)	궁중 도서 관리, 경연	㉡ 삼사(三司)
사헌부(司憲府)	감찰 기관	
사간원(司諫院)	간쟁 및 언론 기관	
교서관(校書館)	㉢ 국왕 교서 작성, 역사 기록	운각(芸閣)
승문원(承文院)	㉣ 외교 문서 작성	괴원(槐院)

① ㉠　② ㉡
③ ㉢　④ ㉣

0229

출제영역 조선 중앙 정치 조직의 이해 정답 ▶ ③

정답찾기 ③ 교서관은 경서(經書)의 인쇄 등을 담당하였다. 국왕 교서 작성은 예문관에서, 역사 기록은 춘추관에서 담당하였다.

더⊕알아보기 조선의 중앙 정치 제도

예문관(정3품, 대제학)	국왕 교서 작성
성균관(정3품, 대사성)	유교 교육 기관
승문원(정3품, 판사)	외교 문서 작성
교서관(정3품, 판교)	서적 간행

0230

다음은 조선 시대 중앙 정치 기구의 담당 업무를 설명한 것이다. (가), (나)에 대해 옳게 설명한 것을 〈보기〉에서 고른 것은?

제2회 한국사능력검정시험 고급

(가) 시정(時政)을 논의하고, 백관(百官)을 규찰하며, 기강과 풍속을 바로잡고, 억울한 일을 바로잡는 일 등을 맡아보았다.
(나) 정3품 아문이지만, 그 직제상 의정부, 6조와 함께 국정의 중심 기관이 되었다. 관원은 왕명 출납을 담당하였고, 때로는 문무반의 인사 등 국정 전반에 큰 영향력을 행사하였다.

보기
㉠ (가)는 고려 시대에는 추부에 속하였다.
㉡ (가)의 관원은 청요직으로 신망을 받았다.
㉢ (나)의 관원은 후임자의 자천권이 있었다.
㉣ (나)의 관원은 고려 때 승선과 유사한 기능을 담당하였다.

① ㉠, ㉡ ② ㉠, ㉣
③ ㉡, ㉢ ④ ㉡, ㉣
⑤ ㉢, ㉣

0231

조선 초기 정치 제도 운영에 대한 설명으로 옳지 않은 것은?

2013. 지방직 7급

① 승정원의 주서(注書)는 왕과 신하 간에 오고 간 문서와 국왕의 일과를 매일 기록하였다.
② 서울에 경재소를 두어 지방 유력자를 근무하게 하여 유향소를 중앙에서 통제할 수 있게 하였다.
③ 정책 회의에는 국왕이 매일 의정부와 삼사의 고급 관원들을 만나 정책 건의를 듣는 차대(次對)가 있었다.
④ 군현의 수령 아래에 면장, 이정, 통주 등을 두어 수령을 보좌하고 인구 파악과 부역 징발을 담당하게 하였다.

0232

㉠~㉣에 대한 설명으로 가장 적절한 것은? 2017. 하반기 국가직 7급

(㉠)에 소속된 주서는 왕과 신하 간에 오고간 문서와 국왕의 일과를 매일 기록하여 (㉡)을/를 작성하였다. 왕이 바뀌면 전왕의 통치 기록인 사초, 시정기, 조보 등을 합하여 (㉢)을/를 편찬하여 4부를 만들고 한성에는 (㉣)에 보관하였다.

① ㉠ – 의정의 합좌 기관으로 백관과 서무를 총괄하였다.
② ㉡ – 실록 편찬의 기본 자료였으며, 세계 기록 유산이다.
③ ㉢ – 임진왜란 이후 전주, 성주, 충주에 지은 사고에 각기 보관하였다.
④ ㉣ – 국왕의 교서를 제찬하고 외교 사무를 관장하였다.

0230

출제영역 조선 중앙 정치 조직의 이해 정답 ▶ ④

정답찾기 (가) 사헌부, (나) 승정원

선지분석 ㉠ (가) 사헌부는 고려의 어사대와 기능이 같다. 고려의 추부는 중추원이다.
㉢ 후임자의 자천권은 이조 전랑의 권한이었다.

0231

출제영역 조선 중앙 정치 조직의 이해 정답 ▶ ③

정답찾기 ③ 정책 회의에서 국왕이 매일 의정부와 삼사의 고급 관원들을 만나 정책 건의를 듣는 것은 차대(次對)가 아니라 윤대(輪臺)이다. 차대는 한 달에 여섯 번 개최되었다.

더⊕알아보기 **조선의 정례적인 집회**

조참(朝參)	중앙 관청의 문무백관 전원이 매월 4회, 아침 6시에 정전(正殿)에서 임금에게 문안드리고 정사를 아뢰던 일
상참(常參)	대신, 중신, 시종관이 매일 편전에서 임금을 만나 정사를 아뢰던 일
윤대(輪對)	동반 6품 이상, 서반 4품 이상의 문무 관원이 차례로 궁중에 들어 임금의 질문에 응대하던 일(하루 윤대 인원이 5명을 초과하지 않음.)
차대(次對)	당상관과 3사의 관원 각 한 명이 매월 여섯 차례 입시(入侍)하여 중요한 정무를 보고하던 일

0232

출제영역 조선 중앙 정치 조직의 이해 정답 ▶ ②

정답찾기 ㉠ 승정원, ㉡ 『승정원일기』, ㉢ 『조선왕조실록』, ㉣ 춘추관
② 실록 편찬의 기초 자료인 『승정원일기』는 2001년 유네스코 세계 기록 유산으로 등록되었다.

선지분석 ① 의정부에 대한 설명이다.
③ 세종 때 서울 춘추관, 충주, 성주, 전주에 4대 사고를 두어 실록을 비치하였는데 임진왜란 때 전주 사고를 제외하고 모두 소실되면서 광해군 때 5대 사고로 재정비하였다.
④ 국왕의 교서를 제찬한 것은 예문관이고, 외교 사무를 관장한 것은 승문원이다.

0233 □□□

조선의 지방 제도에 대한 설명으로 옳지 않은 것은? 2008. 지방직 7급

① 읍을 중심으로 방위 명을 붙인 면(面)이 출현하였다.
② 부민고소금지법을 제정하여 지방관의 권한을 강화하였다.
③ 사족(士族) 세력이 강한 지역에 토관(土官)을 임명하였다.
④ 원악향리처벌법을 제정하여 향리(鄕吏) 세력을 억압하였다.

0234 □□□

우리나라 교통과 통신에 대한 시대별 설명으로 옳지 않은 것은?

2014. 계리직

① 신라 소지 마립간 때 사방에 우역(郵驛)을 두고 관도(官道)를 수리하였다.
② 고려 후기에 고려가 원에 복속되면서 몽골식 역참(驛站) 제도가 시행되었다.
③ 조선 초기에 중앙과 변방을 신속하게 연결하는 군사 통신 수단으로서 파발 제도를 시행하였다.
④ 조선 시대에 역로(驛路) 행정의 총괄은 6조 가운데 병조(兵曹)에서 담당하였다.

0235 □□□

다음 시설들에 대한 설명으로 옳지 않은 것은?

제2회 한국사능력검정시험 고급

> 조선 시대에는 서울 부근의 이태원, 홍제원, 누원 등이 유명하였고, 동래의 온정원, 경기도의 장호원, 퇴계원, 광혜원, 충청도의 미륵원, 황해도의 사리원 등의 시설이 있었다.

① 공적 업무 수행자에게 숙소로 제공되었다.
② 원주전을 지급하여 경비로 사용하게 하였다.
③ 일부 시설은 빈민 구휼의 업무도 맡고 있었다.
④ 교통의 요충지에 대략 30리 정도마다 하나씩 설치되었다.
⑤ 17세기 이후 상공업과 장시 발달을 배경으로 번성하였다.

0236 □□□

다음에서 공통적으로 추출할 수 있는 사실은? 2009. 국가직 7급

> • 신라 – 우역(郵驛)의 설치
> • 고려 – 이문소(理問所)의 혁파
> • 조선 – 도호부(都護府)의 설치
> • 조선 – 의흥삼군부(義興三軍府)의 설치

① 지방 도시의 육성
② 피지배층의 생활 안정
③ 최고 권력자의 통치권 강화
④ 지방에 대한 통제 장치 확대

0233

출제영역 〉 조선 지방 제도의 이해 **정답 ▶ ③**

정답찾기 ③ 토관(土官)은 평안도·함경도 지방민에게 주던 특수한 향직으로 사민 정책에 대한 민심 수습책의 일환으로 시행되었다.

선지분석 ② 부민고소금지법은 조선 시대에 하급 관리와 아전(衙前) 등이 상급 관원을 고소하거나, 지방의 향직자(鄕職者)나 백성들이 관찰사나 수령을 고소하는 것을 금지하던 법이다.

0234

출제영역 〉 조선의 교통·통신 제도의 이해 **정답 ▶ ③**

정답찾기 ③ 파발 제도는 임진왜란 때 명을 통해 도입되었다.

더⊕알아보기 〉 **파발제**

파발은 봉수에 비해 정보가 정확하고 비밀이 유지된다는 장점이 있었지만, 속도가 느리고 경비가 많이 든다는 단점이 있었다. 1583년(선조 16)부터 사람이 뛰어서 전달하는 보발(步撥)이 시행되다가, 1592년 말을 타고 전달하는 기발(騎撥)이 경상도에 설치되었다. 기발은 보통 25리마다, 보발은 30리마다 1참(站)을 두었다. 파발제가 체계적으로 정비된 것은 인조 때로, 한양을 중심으로 서로(평안도), 북로(함경도), 남로(경상도)의 3대로(大路)를 근간으로 시행되었다. 파발 중 중국과 연결되는 서로(평안도) 파발은 속도가 가장 빠른 기발이었다. 한편, 파발을 갈 때는 일의 완급에 따라 방울을 달았는데, 방울 셋을 달면 3급(級: 초비상), 둘은 2급, 하나는 1급을 표시하였고, 담당 부서는 공조였다.

0235

출제영역 〉 조선의 교통·통신 제도의 이해 **정답 ▶ ⑤**

정답찾기 제시문은 교통의 요지에 둔 국립 여관인 원(院)에 대한 설명이다. ⑤ 원(院)과는 관계없는 사실이다.

더⊕알아보기 〉 **원(院)**

지방 관아 근처나 역 주변 및 각 역과의 중간 지역 등에 설치한 숙박 시설로 공무 수행 중인 관민이 이용하였다.

0236

출제영역 〉 조선의 교통·통신 제도의 이해 **정답 ▶ ③**

정답찾기 • 신라 소지왕 때 국가 공문서의 송달을 위해 우역(郵驛)을 설치하였다.
• 고려 공민왕 때 원의 내정 간섭 기구였던 정동행성의 이문소를 혁파함으로써 자주성을 회복하고 왕권 강화를 도모하였다.
• 도호부(都護府)는 고려와 조선의 지방 행정 기구였다.
• 조선 태조 대에 의흥삼군부라는 최고의 군사 기구를 설치하여 중추원을 무력하게 하였으며 도평의사사의 군무 기능을 소멸시켰다.
⇨ 지문 4개의 공통점은 최고 권력자의 통치권 강화와 관련된다.

0237

조선 초기 향교에 대한 설명으로 옳지 않은 것은? 2019. 국가직 7급

① 학업 중 군역이 면제되었으나 성적 미달로 자격이 박탈될 경우 군역을 지도록 하였다.
② 매년 자체적으로 정기 시험을 치러 성적 우수자에게는 성균관 입학 자격이 주어졌다.
③ 모든 군현에 향교를 두기로 하고 군현의 규모에 따라 정원을 정하였다.
④ 원칙적으로 모든 양인 남자에게 입학이 허용되었고 학비는 없었다.

0237

출제영역 〉 조선 교육 제도의 이해 정답 ▶ ②

정답찾기 ② 향교의 교생은 매년 두 번 시험을 치러 우등자는 소과(생원·진사 시험)의 초시를 면제해주고 소과의 복시에 직접 응시할 자격이 주어졌다. 성균관의 입학 자격은 원칙적으로 소과 합격자에게 주어졌다.

선지분석 ① 향교의 교생 중 성적 미달의 교생은 군역을 지도록 하였다.
③ 향교는 인구 비례로 부(90명), 목(90명), 군(50명), 현(30명)에 각각 1교씩 두었다.
④ 향교는 양인이면 누구나 입학할 수 있었으며, 국비로 운영되었다.

0238

〈보기〉의 (가)에 대한 설명으로 가장 옳은 것은? 2018. 서울시 7급 2차

> 보기
> "(가)를 역을 피하는 곳으로 삼거니와, 어쩌다 글을 아는 자가 있어도 도리어 (가)에 이름을 두는 것을 부끄럽게 여겨 온갖 방법으로 교묘히 피하므로, 훈도·교수가 되는 자가 초동(樵童)·목수(牧竪)의 나머지를 몰아가다 그 부족한 수를 채워 살아갈 길을 도모하고 있습니다." 『중종실록』

① 군현의 인구 비례로 정원을 배정하였다.
② 천민도 입학이 허가되었다.
③ 국가의 사액을 받으면 면세의 특권이 주어졌다.
④ 성적이 우수한 자는 문과 복시에 바로 응시할 수 있었다.

0238

출제영역 〉 조선 교육 제도의 이해 정답 ▶ ①

정답찾기 (가)는 향교이다.
① 향교는 인구 비례로 부(90명), 목(90명), 군(50명), 현(30명)에 각각 1교씩 두었다.

선지분석 ② 향교는 양인이면 누구나 입학할 수 있었으나, 천민에게는 입학이 허가되지 않았다.
③ 서원에 대한 설명이다.
④ 향교에서 학습한 이후 소과에 응시하여 합격한 자는 성균관에 입학할 수 있는 자격을 얻었다. 성균관의 성적 우수자는 문과 초시를 면제해주고 복시에 바로 응시할 수 있게 해주었다.

0239

조선 시대의 교육 제도에 관한 설명으로 옳지 않은 것은?

2017. 서울시 사회복지직 9급

① 왕세자는 궁 안의 시강원에서 교육을 받았다.
② 성균관에는 생원이나 진사만 입학할 수 있었다.
③ 서울에는 서학, 동학, 남학, 중학이 설치되었다.
④ 향교의 교생 가운데 시험 성적이 나쁜 사람은 군역에 충정되기도 하였다.

0239

출제영역 〉 조선 교육 제도의 이해 정답 ▶ ②

정답찾기 ② 문과 초시인 생원시와 진사시에 합격한 유생에게 우선적으로 성균관 입학 기회를 주었고 상재생(上齋生)이라 하였다. 그 밖에도 소정의 선발 시험인 승보(升補)나 음서(蔭敍)에 의해 입학한 유생들도 있었는데 이들을 하재생(下齋生)이라 하였다.

선지분석 ① 시강원은 조선 시대 왕세자의 교육을 담당한 관청으로 1418년(태종 18)에 성립된 것으로 보인다.
③ 서울에 둔 4부 학당은 서학, 동학, 남학, 중학으로 구성되었고 성균관에 비해 규모가 작고 교육 정도가 낮은 점, 문묘를 두지 않은 점을 제외하고는 성균관과 운영 및 교육 내용이 거의 비슷하였다.
④ 지방 향교의 교생들은 1년에 2번 시험을 치러 우등자는 생원·진사시험의 초시를 면제해주고, 성적 미달의 교생은 군역을 지도록 하였다.

0240

다음 표에서 나타내는 조선 시대 과거의 종류와 정원에 대한 설명으로 옳지 않은 것은?

2012. 국가직 7급

종류		초시	복시	전시
문과(대과)		관시 50명 한성시 40명 향시 150명	(가)	갑과 3명 을과 7명 병과 23명
소과	생원시	한성시 200명 향시 500명	100명	–
	진사시	한성시 200명 향시 500명	100명	–
무과		원시 70명 향시 120명	(나)	갑과 3명 을과 5명 병과 20명

① 소과의 초시와 복시는 인구 비례에 의해 지역별로 할당되었다.
② 문과(대과)의 최종 합격자는 지역과 관련없이 성적에 따라 갑, 을, 병으로 나뉘었다.
③ (가)와 (나)에 해당하는 정원은 각각 33명과 28명이었다.
④ 알성시와 증광시의 합격자 수는 이 표에 포함되지 않았다.

0241

고려·조선 시대의 과거 제도에 대한 설명으로 옳은 것은?

2015. 서울시 7급

① 고려 전기의 과거에는 문과, 무과, 잡과, 승과가 있었다.
② 조선 초부터 현직 관리들이 과거에 응시하는 것이 금지되었다.
③ 조선의 과거 제도는 1910년 조선 총독부에 의해 폐지되었다.
④ 조선 후기에는 중인이 과거에 급제하면 교서관에 임용되는 것이 관례였다.

0242

고려와 조선 시대 과거 제도에 대한 설명으로 옳은 것을 모두 고른 것은?

2017. 국가직 7급

㉠ 고려 시대에는 제술업이 명경업보다 중시되어 그 합격자를 중용하였다.
㉡ 고려 시대 국자감시는 국자감의 학생만을 대상으로 치르는 시험이었다.
㉢ 조선 시대에 잡과에 합격한 기술관은 해당 관청에서 최고 정3품까지 승진할 수 있었다.
㉣ 조선 시대의 음서 대상도 고려 시대와 동일하게 음서를 통하여 고위 관리까지 진출하였다.

① ㉠, ㉢　　② ㉠, ㉣
③ ㉡, ㉢　　④ ㉢, ㉣

0240

출제영역 〉 조선 과거 제도의 이해　　정답 ▶ ①

정답찾기 ① 초시에서만 인구 비례에 의해 지역별로 할당되었다.

선지분석 ③ 문과는 초시에서 각 도의 인구 비례로 뽑고, 복시에서 33명을 선발한 다음 왕 앞에서 실시하는 전시에서 갑과(3명)·을과(7명)·병과(23명)로 등위를 결정하였다. 무과에도 초시·복시(28명)·전시가 있었으며, 전시에서 갑과(3명)·을과(5명)·병과(20명)를 뽑았다.

0241

출제영역 〉 고려·조선의 과거 제도 이해　　정답 ▶ ④

정답찾기 ④ 조선 시대의 중인(서얼을 포함한 넓은 의미의 중인)은 과거에 합격해도 청요직에 오르지 못하였다. 그러나 조선 후기 정조 때 이르러 중인이 문과에 합격하면 교서관에 배속되었고 무과에 합격하면 수문장이나 부장(部將)으로 추천되었으며, 지방관으로서 부사와 목사까지 올라갈 수 있게 하였다.

선지분석 ① 고려는 무과가 시행되지 않았다.
② 현직 관리의 과거 응시가 가능하였다.
③ 조선의 과거 제도는 1894년 갑오개혁 때 폐지되었다.

더⊕알아보기 〉 **분관(分館)**

과거에 합격한 사람이 거치는 일종의 수습 기간이다. 문과의 경우 교서관(서적 간행), 승문원(외교 문서 관장), 성균관(최고 교육 기관)으로 분관되는데 승문원 분관을 받아야 뒷날 정승 판서까지 갈 수 있고, 성균관 분관의 경우 정승은 불가능하지만 사헌부, 사간원의 벼슬을 할 수 있었다.

0242

출제영역 〉 고려·조선의 과거 제도 이해　　정답 ▶ ①

정답찾기 ㉠ 제술과는 한문학으로, 명경과는 유교 경전으로 시험을 보았는데 제술과 출신이 더 우대되었다.
㉢ 조선 시대 잡과 합격자는 해당 관청에서 벼슬하여 최고 3품까지 승진할 수 있었고, 2품 이상이 되려면 다시 문과를 보아야 했다.

선지분석 ㉡ 고려의 국자감시는 일명 사마시 또는 진사시로 향시 합격자, 국자감생, 사학 12도생, 현직 관리들이 응시할 수 있었다.
㉣ 고려의 음서 대상은 5품 이상 특권층으로 고위직 진출이 가능하였다. 그러나 조선의 음서(문음) 대상은 2품 이상이고 고위직으로의 승진은 불가능하였다.

PART 04

사림의 대두와 붕당 정치

0243 □□□

다음과 관련된 사건에 대한 설명으로 옳은 것은? 2018. 지방직 7급

> '조룡(祖龍)이 어금니와 뿔을 휘두른다'고 한 것은 세조를 가리켜 시황제에 비긴 것이요, '회왕을 찾아내어 민망(民望)에 따랐다'고 한 것은 노산군을 가리켜 의제(義帝)에 비긴 것이고, '그 인의를 볼 수 있다'고 한 것은 노산을 가리킨 것이니 의제의 마음에 비추어 말한 것이다.

① 폐비 윤씨 사건에 관련된 자들과 사림 세력이 제거되었다.
② 훈구 세력은 조광조 일파를 모함하여 죽이거나 유배 보냈다.
③ 훈구 세력이 사관 김일손의 사초 내용을 문제삼아 사림을 축출하였다.
④ 훈구 세력이 폭정을 일삼던 연산군을 몰아내고, 중종을 왕으로 세웠다.

0244 □□□

다음 인물에 대한 설명으로 옳은 것을 〈보기〉에서 고른 것은? 2017. 기상직 7급

> • 김숙자의 아들로 호는 점필재이다.
> • 성종 때에 이조 참판, 형조 판서, 홍문관 제학 등을 역임하였다.
> • 문하에서 정여창, 김굉필, 김일손 등이 수학하였다.

보기
㉠ 안향을 배향한 백운동 서원을 세웠다.
㉡ 공납의 폐단을 시정할 것을 주창하였다.
㉢ 무오사화의 단서를 제공한 조의제문을 지었다.
㉣ 온건파 신진 사대부인 길재의 학통을 계승하였다.

① ㉠, ㉡　　② ㉡, ㉢
③ ㉢, ㉣　　④ ㉠, ㉣

0245 □□□

㉠ 인물에 대한 설명으로 옳지 않은 것은? 2017. 하반기 국가직 7급

> (㉠)은/는 초야의 미천한 선비로 세조 대에 과거에 급제하였다. 성종 대에 발탁되어 경연에 두어 오랫동안 시종의 자리에 있었다. 병으로 물러나게 되자 성종은 소재지 관리를 통해 특별히 미곡을 내려 주었다. 지금 그의 제자 김일손이 사초에 부도덕한 말로써 선왕의 일을 거짓으로 기록하고 스승인 (㉠)의 조의제문을 실었다.

① 『여씨향약』을 도입하여 언문으로 간행하였다.
② 김굉필, 조광조가 그의 도학을 계승하였다.
③ 외가인 밀양에 서원이 세워져 봉사되었다.
④ 고려 말 정몽주, 길재의 학풍을 이었다.

0243

출제영역 조선 전기 사화의 이해　정답 ▶ ③

정답찾기 제시문은 김종직이 사초에 쓴 조의제문(弔義帝文)이다.
③ 무오사화(1498, 연산군 4년)는 『성종실록』 편찬을 담당했던 김일손(사림파)이 성종 23년 기사를 쓰면서 스승인 김종직이 사초(史草)에 쓴 조의제문(弔義帝文)을 실었는데, 훈구파가 이를 반격의 빌미로 이용한 사건이다.

선지분석 ① 갑자사화(1504, 연산군 10년), ② 기묘사화(1519, 중종 14년), ④ 중종반정(1506)에 대한 설명이다.

0244

출제영역 조선 사림파의 이해　정답 ▶ ③

정답찾기 제시문에서 설명하고 있는 인물은 김종직이다.
㉢ 김종직의 문인인 김일손이, 김종직이 세조를 비방한 '조의제문'을 사초에 실어 훈구파의 반감을 산 것이 발단이 되어 무오사화(1498, 연산군 4년)가 발생하였다.
㉣ 김종직은 길재의 학통을 이어받고 김굉필 등 제자들을 길렀다.

선지분석 ㉠ 주세붕, ㉡ 조광조・이이・유성룡 등에 대한 설명이다.

0245

출제영역 조선 사림파의 이해　정답 ▶ ①

정답찾기 ㉠은 김종직이다. 김종직은 세조 때 과거에 급제하였고 그의 제자들이 성종 때 중앙 정계에 본격 진출하면서 훈구 세력과 대립하였다.
① 조광조에 대한 설명이다. 조광조는 『여씨향약』과 『소학』을 국문으로 번역하여 『소학』 교육을 통한 유교적 가치관의 생활화와 향촌 자치를 위한 향약의 전국적 시행을 추진하였다.

0246

다음 시의 지은이와 관련이 없는 것은? 2010. 국가직 9급

> 임금 사랑하기를 어버이 사랑하듯이 하고
> 나라 근심하기를 내 집안 근심하듯이 했노라.
> 밝은 해가 이 땅을 비치고 있으니
> 내 붉은 충정을 밝혀 비추리라.

① 군주의 마음을 바르게 하는 것이 중요하다고 믿어 경연을 강화하였다.
② 자신들의 의견을 공론이라고 표방하면서 급진적 개혁을 요구하였다.
③ 「조의제문」으로 인해 사화를 당하였다.
④ 도교 및 민간 신앙을 배격하였다.

0246

출제영역 조선 사림파의 이해 정답 ▶ ③

정답찾기 제시문은 조광조의 절명시이다.
③ 조광조가 연루된 사화는 중종 때의 기묘사화이다. 김종직의 '조의제문'으로 인한 사화는 연산군 때의 무오사화이다.

0247

다음은 어느 왕에 대한 평가이다. 이 왕 때에 있었던 ㉠~㉤ 사실에 대한 탐구 활동으로 가장 적절한 것은? 수능

> ㉠ 왕이 어려서 즉위하여 모후가 수렴청정하였으므로 조정의 정사가 모두 원칙이 없어서 ㉡ 외척 간의 다툼으로 사림들이 큰 피해를 입었고, 또한 ㉢ 승려를 높이고 불교를 숭상하였으나 모두 왕의 뜻은 아니었다. ㉣ 부세가 무겁고 부역이 번거로워 백성들이 곤궁하였고, ㉤ 재정이 고갈되었다. 왕은 비록 성덕을 품었으나 끝내 펴지 못했으니 어찌 애석하지 않겠는가. 『○○실록』

① ㉠ – 안동 김씨에 의한 세도 정치의 양상을 조사한다.
② ㉡ – 무오사화의 전개 과정을 살펴본다.
③ ㉢ – 원각사지 10층 석탑의 건립 배경을 알아본다.
④ ㉣ – 임꺽정의 난이 일어난 원인을 조사한다.
⑤ ㉤ – 대동법의 운영 과정에서 나타난 폐단을 알아본다.

0247

출제영역 조선 전기 국왕의 업적 이해 정답 ▶ ④

정답찾기 제시문은 명종에 대한 평가이다.
④ 명종 때 조세의 부담이 커지면서 도둑이 각지에서 출몰하였는데, 그 중 임꺽정이 대표적인 인물이다.

선지분석 ① 19세기 상황, ② 연산군 때, ③ 세조 때, ⑤ 조선 후기 상황이다.

더⊕알아보기 **조선의 3대 의적**
홍길동(연산군), 임꺽정(명종), 장길산(숙종)

0248

다음 사건이 있었던 국왕 대의 역사적 사실로 옳지 않은 것은?

2015. 국가직 7급 / 2020. 지방직 9급 · 2019. 국가직 7급 유사

> 임꺽정은 양주의 백성으로 성품이 교활하고 또 날래고 용맹했으며 그 무리 10여 명이 모두 날래고 빨랐다. 도적이 되어 민가를 불사르고 소와 말을 빼앗고 만약 이에 항거하면 살을 베고 사지를 찢어 몹시 잔인하게 죽였다.

① 회령에서 니탕개(尼蕩介)가 반란을 일으켰다.
② 문정 왕후의 불교 숭신으로 선교 양종이 다시 설치되었다.
③ 세견선의 감소로 곤란을 겪던 왜인들이 전라도를 침범해 왔다.
④ 척신과 권신들은 많은 노동력을 투입하여 해택지(海澤地)를 개간하였다.

0248

출제영역 조선 전기 국왕의 업적 이해 정답 ▶ ①

정답찾기 제시문은 명종 때 발생한 임꺽정의 난에 대한 설명이다.
① 여진족인 니탕개(尼蕩介)의 반란은 선조 때 일이다(1583).

선지분석 ② 문정 왕후는 불교를 중흥하기 위해 보우를 중용하고 선·교 양종을 부활시켰으며, 승과제와 도첩제를 다시 실시하였다.
③ 을묘왜변(1555, 명종 10년)에 대한 설명이다.
④ 명종 때 왕실과 윤원형 등 권신들은 지방 백성들을 동원하여 갯벌에 둑을 쌓고 거기서 생겨나는 광대한 토지[해택지(海澤地), 언전(堰田)]를 개간하였다.

대외 관계

0249 □□□

조선 전기 대외 관계에 대한 설명으로 옳지 않은 것은?

2019. 지방직 7급

① 유구와 교류하여 불경·유교 경전·범종 등을 전해 주었다.
② 대마도주와 계해약조를 맺어 제한된 범위 내에서 교역을 허락하였다.
③ 태조 때 명으로부터 1년에 세 차례 이상의 정례적 사신 파견을 요청받았다.
④ 여진이나 일본과는 교린 관계를 유지하였고, 토벌과 회유의 양면 정책을 추진하였다.

0249

출제영역 〉 조선 전기 대외 관계의 이해 정답 ▶ ③

정답찾기 ③ 태조 때에 명은 조선에 3년에 한 번씩 정례적 사신 파견을 요청하였으나, 조선은 명에 1년에 3차례씩 사신을 파견하였고 그밖에도 수시로 사절을 파견하였다. 이러한 사절 파견은 주로 정치적 목적을 가졌으나 문화의 수입과 물품의 교역도 이를 통해 이루어졌다.

선지분석 ① 조선 초기에 유구(오키나와)와의 문물 교류가 활발하여 불경, 유교 경전, 범종 등을 전해 주었다.
② 세종 때 일본에 3포를 개항하고 계해약조(1443)를 맺어 제한된 범위에서의 교류를 허용하였다.
④ 조선의 여진이나 일본에 대한 기본 외교 방침은 교린 정책을 펼쳤는데, 교린 정책의 경우 회유책과 강경책이 동시에 이루어졌다.

0250 □□□

조선 초기 대외 관계의 설명으로 가장 옳은 것은? 2018. 서울시 7급 2차

① 신숙주는 일본에 다녀온 뒤, 일본의 사정을 자세하게 소개한 견문록 『해동제국기』를 성종 2년(1471)에 편찬하였다.
② 대마도주가 무역을 요청해오자, 벼슬을 내려 조선의 신하로 삼고, 부산, 인천, 원산 3포를 열어 무역을 허용하였다.
③ 태종은 요동 수복을 포기하지 않고, 삼남 지방의 향리와 부민을 대거 북방으로 강제 이주시켜 압록강 이남 지역의 개발을 추진했다.
④ 여진족에 대해서는 포섭 정책만을 구사하여, 국경 지역에서 무역을 허용하고, 조공과 귀화를 권장하였다.

0250

출제영역 〉 조선 전기 대외 관계의 이해 정답 ▶ ①

정답찾기 ①『해동제국기』는 1443년(세종 25)에 서장관으로 일본에 다녀온 신숙주가 1471년(성종 2) 왕명을 받아, 그가 직접 관찰한 일본의 정치·외교 관계·사회·풍속·지리 등을 종합적으로 정리 및 기록한 책이다.

선지분석 ② 부산포, 제포(진해), 염포(울산)를 개항하고 개항장에 왜관을 설치하여 일본과의 조공 무역을 허용하였다[3포 개항(1426, 세종 8년)].
③ 태종은 요동 수복을 보류하고 여진을 토벌하였다. 북방 사민 정책은 태종~중종 대에 걸쳐서 대대적으로 남방 민호를 북방으로 이주시키는 형태로 이루어졌다. 이는 여진족의 침략에 효과적으로 대응하고 주민의 자치적 지역 방어 체제를 확립하기 위함이었다.
④ 여진족에 대해서는 회유책(포섭 정책)뿐만 아니라 강경책을 함께 실시하였다. 여진에 대한 강경책으로는 국경 지방에 진(鎭)·보(堡)를 많이 설치하여 각 고을을 전략촌으로 바꾸고 방비를 강화하였으며, 때로는 대규모의 원정군을 파견하여 여진족의 본거지를 토벌하기도 하였다.

0251 □□□

〈보기〉의 (가)와 (나) 사이의 시기에 있었던 일로 가장 옳은 것은?

2019. 서울시 7급 1차

보기
(가) 왜인들이 세견선이 줄어든 것에 불만을 품고 을묘왜변을 일으켰다. (나) 일본을 통일한 도요토미 히데요시가 20만의 대군을 보내 조선을 침략하였다.

① 정여립 모반 사건이 일어나 많은 동인이 처형당했다.
② 4~5천 명의 왜인들이 삼포왜란을 일으켰다.
③ 도원수 강홍립이 거느리는 원군을 명에 파견하였다.
④ 최세진이 『훈몽자회』를 편찬하였다.

0251

출제영역 〉 조선 전기 대일 외교의 이해 정답 ▶ ①

정답찾기 (가) 을묘왜변(1555, 명종 10년), (나) 임진왜란(1592, 선조 25년)
① 정여립 모반 사건(1589, 선조 22년)

선지분석 ② 삼포왜란(1510, 중종 5년), ③ 강홍립 출병(1618, 광해군 10년)
④『훈몽자회』는 최세진이 1527년(중종 22)에 어린이들의 한자 학습을 위하여 지은 책이다.

0252

다음 내용이 포함된 조약으로 옳은 것은? 2016. 서울시 7급

> 1. 대마도주(對馬島主)의 세사미두(歲賜米豆)는 100석으로 한다.
> 1. 대마도주의 세견선(歲遣船)은 20척으로 한다.
> 1. 왜관의 체류 시일은 대마도주가 특별히 보낸 사람은 110일, 기타 세견선은 85일이고, 표류인 등을 송환할 때는 55일로 한다.

① 기유약조 ② 임신약조
③ 정미약조 ④ 계해약조

0253

다음 (가), (나)에 관한 설명으로 옳지 않은 것은? 수능

> (가) • 부산포, 제포, 염포를 개방한다.
> • 해마다 쌀과 콩 200석을 하사한다.
> • 세견선은 매년 50척으로 제한한다.
> (나) • 조선은 자주국이며 일본과 똑같은 권리를 갖는다.
> • 조선국은 부산 외에 두 곳의 항구를 개항한다.
> • 일본국 항해자가 자유로이 해안을 측량하도록 허가한다.

① (가)는 교린 정책의 일환으로 맺어졌다.
② (가)는 사명대사의 파견을 계기로 이루어졌다.
③ (나)는 운요호 사건 이후에 체결되었다.
④ (나)는 조선이 맺은 최초의 근대적 조약이었다.
⑤ (나)는 주권 침해 조항을 포함한 불평등 조약이었다.

왜란과 호란

0254

다음 사건 이후 전개된 사실로 옳은 것은? 2017. 기상직 9급

> 명의 사신이 배에 오르자 우리 사신 일행도 배에 올랐다. 이에 앞서 사카이(堺)에 도착했을 때, 우리나라에서 잡혀온 사람들이 앞을 다투어 찾아왔다. … 왜장들도 말하기를 화친이 이루어지면 사신과 함께 포로들을 돌려보내겠다고 하더니 … 이때에 이르러 화친이 성사되지 못해 다시 죽이려 한다는 말을 듣게 되자 목 놓아 우는 포로들이 얼마인지 알 수 없었다. 『일본왕환일기』

① 조선은 일본과 기유약조를 체결하여 제포만 개항하고 세견선 25척, 세사미두 100석의 제한된 교역을 허용하였다.
② 조선은 기민 구제와 정병 양성을 목적으로 훈련도감을 설치하였다.
③ 조선을 도우러 온 명군이 충청도 직산에서 왜군과 맞붙어 승리하였다.
④ 이순신이 사천 해전에서 거북선을 처음 사용하였다.

0252

출제영역 〉 조선 전기 대일 외교의 이해 정답 ▶ ①

정답찾기 ▶ 제시문은 1609년(광해군 원년)에 맺은 기유약조이다.

더⊕알아보기 〉 **일본과의 무역**

조약	내용
계해약조 (1443, 세종 25년)	세견선 50척, 세사미두 200석
임신약조 (1512, 중종 7년)	세견선 25척, 세사미두 100석, 특송선제 폐지
정미약조 (1547, 명종 2년)	벌칙 조항 추가
기유약조 (1609, 광해군 1년)	세견선 20척, 세사미두 100석
조·일 통상 장정 (1876)	무관세·무항세, 양곡의 무제한 유출
개정 조·일 통상 장정(1883)	협정 관세, 최혜국 조관, 방곡령(防穀令) 선포 조항

0253

출제영역 〉 조선 전기와 개화기 일본과의 대외 관계 이해 정답 ▶ ②

정답찾기 ▶ (가) 3포 개항(1426)과 계해약조(1443), (나) 강화도 조약(1876)
② 사명대사가 일본에 파견된 것은 왜란 직후인 선조 40년(1607) 때이다.

0254

출제영역 〉 임진왜란의 사건 순서 이해 정답 ▶ ③

정답찾기 ▶ 제시문은 왜군이 조선군의 공격을 완화시키고 전열을 재정비하기 위하여 휴전을 제의하였으나(1593), 도요토미 히데요시의 지나친 요구로 결렬되는 내용이다. 이 사건 이후 정유재란(1597)이 발생하였다.
③ 일본은 휴전 기간 동안 전열을 가다듬고 1597년 조선을 재침입하였다(정유재란). 이에 조선군과 명군은 왜군이 북상하는 것을 직산에서 막고 남쪽으로 격퇴시켰다.

선지분석 ▶ ① 일본 막부의 요청으로 기유약조를 맺은 것은 광해군 때(1609)이다. 기유약조를 통해 세사미두는 100석, 세견선은 20척으로 제한하고, 부산포 이외의 곳에 머무르는 것을 금지하였으며, 쓰시마 도서(圖書)를 만들어 일본인은 이 도서를 사용한 서계(書契, 외교 문서)를 지참하게 하였다.
② 유성룡의 건의로 훈련도감을 설치한 것은 1593년이다.
④ 최초로 거북선을 사용한 사천 해전은 1592년이다.

PART 04

0255 □□□

16세기 말 동아시아를 뒤흔든 임진왜란(壬辰倭亂) 이후의 동아시아 정세와 조선의 대외 정책에 대한 설명 가운데 사실과 다른 것은?

2015. 경찰간부

① 중국에서는 여진족이 일어나 명나라를 위협했다.
② 일본은 도쿠가와 이에야스[德川家康]가 에도 막부를 수립하였다.
③ 광해군은 친명 정책으로 일관하여 후금을 배척하였다.
④ 명은 후금과의 전쟁을 위해서 조선에 병력 지원을 요청하였다.

0256 □□□

다음과 같은 업적을 세운 국왕의 재위 시기에 있었던 일로 가장 옳지 않은 것은?

2016. 경찰간부

- 세자 시절에 분조(分朝)를 이끌며 일본군에 항전
- 임진왜란 때 소실된 궁궐의 중건, 사고의 정비
- 허준의 『동의보감(東醫寶鑑)』 편찬

① 압록강 북쪽에 살던 여진의 추장 누르하치가 부족을 통일하고 후금을 건국하였다.
② 권력 구조가 국왕을 지지하는 특정 당파에 편중되었다.
③ 남인은 형제를 죽이고 어머니를 폐위했다는 등의 명분으로 반정을 주도하였다.
④ 정인홍은 이언적과 이황을 문묘 제사에서 삭제하자고 주장하였다.

0257 □□□

임진왜란과 병자호란 사이의 시기에 있었던 사실들을 모두 고른 것은?

2010. 지방직 9급

㉠ 선조가 왜란이 끝나기 전에 사망하자 그의 뒤를 이어 광해군이 왕위에 올랐다.
㉡ 광해군을 추종한 북인은 동인 중에서 이황 문인을 제외한 파벌들이 연합한 붕당이었다.
㉢ 광해군은 명과 후금 사이의 싸움에 말려들지 않는 실리 정책을 폈다.
㉣ 인조반정으로 권력을 잡은 서인 정권은 광해군의 대외 정책을 계승하였다.

① ㉠, ㉡　　② ㉡, ㉢
③ ㉠, ㉢　　④ ㉠, ㉣

0258 □□□

조선 전기 일본과 관계된 주요 사건이다. (가)~(라) 각 시기에 있었던 사건으로 옳지 않은 것은?

2016. 서울시 9급

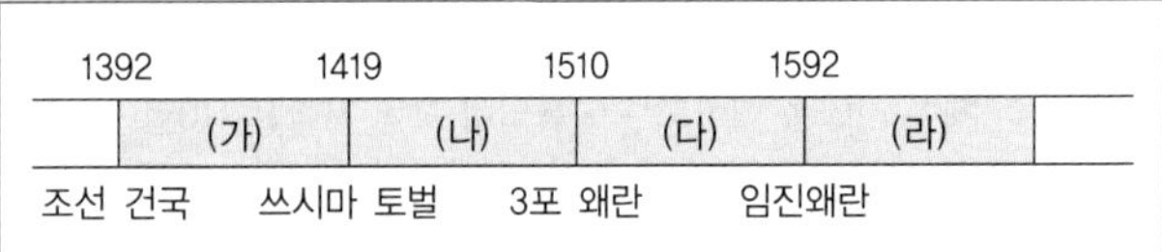

① (가): 부산포, 제포, 염포 등 3포를 개항하였다.
② (나): 계해약조를 체결하여 쓰시마 주의 제한적 무역을 허락하였다.
③ (다): 왜선이 침입하여 을묘왜변을 일으켰다.
④ (라): 조선은 포로의 송환 교섭을 위해 일본에 사신을 파견하였다.

0255

출제영역 〉 임진왜란 이후 동아시아 상황 이해　　정답 ▶ ③

정답찾기 ③ 광해군은 명이 쇠약해지고 북방 여진족이 강성해지는 정세 변화를 인식한 후 명과 후금 사이에서 신중한 중립 외교 정책을 펼쳤다.

0256

출제영역 〉 광해군의 정책 이해　　정답 ▶ ③

정답찾기 제시문은 모두 광해군 때의 사건이다.
③ 남인이 아니라, 서인들이 반정을 주도하였다(인조반정, 1623).

0257

출제영역 〉 왜란과 호란의 이해　　정답 ▶ ②

선지분석 ㉠ 왜란의 종전(1598) ⇨ 선조의 사망(1608) ⇨ 광해군 즉위
㉣ 광해군은 명과 후금 사이에 실리적 중립 외교를 펼쳤으며, 이는 서인과의 갈등을 초래하였다.

0258

출제영역 〉 조선 전기 대일 관계의 이해　　정답 ▶ ①

정답찾기 ① 3포 개항은 1426년의 사실이므로 (나) 시기이다.

선지분석 ② 계해약조(1443), ③ 을묘왜변(1555), ④ 1607년의 사실이다.

0259 □□□

다음의 밑줄 친 '비석'이 세워진 계기가 된 전쟁에 대한 설명으로 가장 옳지 않은 것은? 2016. 경찰간부

> 이 비석은 인조 17년(1639) 삼전도(지금의 서울 송파구 삼전동)에 세워진 청 태종 공덕비이다. 비신의 높이가 395㎝, 너비가 140㎝에 달하고 이수(螭首)와 귀부(龜趺)를 갖춘 큰 비이다. 비문(碑文)은 이경석(李景奭)이 지었다.

① 전쟁 후에 두 나라는 형제의 맹약을 맺었다.
② 전쟁이 끝나고 청은 세자를 인질로 데려갔다.
③ 전쟁을 앞두고 조선은 주화론과 척화론이 대립하였다.
④ 청군이 한양으로 진격하자 국왕은 남한산성으로 들어갔다.

0260 □□□

밑줄 친 '왕'의 재위 기간 중에 있었던 사실로 옳은 것은? 2017. 하반기 국가직 7급

> 최명길이 마침내 국서를 가지고 비변사에서 다시 수정하였다. 예조 판서 김상헌이 밖에서 들어와 그 글을 보고는 통곡하면서 찢어 버리고, 왕께 아뢰기를 "명분이 일단 정해진 뒤에는 적이 반드시 우리에게 군신의 의리를 요구할 것이니 성을 나가는 일을 면하지 못할 것입니다. … (중략) … 깊이 생각하소서."라고 하였다.

① 수도 외곽의 방어를 위하여 총융청을 설치하였다.
② 훈련도감을 신설하고 포수, 사수, 살수 등 삼수병을 두었다.
③ 북벌 계획에 따라 어영청을 정비하여 화포병과 기병을 늘렸다.
④ 도성을 수비하기 위해 기병과 훈련도감군의 일부를 주축으로 금위영을 설치하였다.

0261 □□□

다음 중 제시된 사건과 가장 가까운 시기인 것은? 2017. 경찰 1차

> 대금국(大金國) 한(汗)은 조선 국왕(朝鮮國王) 제(弟)에게 글을 전한다.
> 『인조실록』 권17, 인조 5년 8월 14일 정미

① 후금(金)의 건국　② 대보단(大報壇) 설치
③ 가도(椵島) 사건　④ 삼전도(三田渡)의 항복

0259

출제영역 〉 호란의 이해　정답 ▶ ①

정답찾기 ▶ 밑줄 친 '비석'은 병자호란(1636) 때 세운 삼전도비이다.
① 병자호란 이후 삼전도에서 굴욕적인 강화를 맺고 조선과 청은 군신 관계를 체결하였다. 또한 두 왕자(소현 세자, 봉림 대군)와 척화파 주동 인물(홍익한, 윤집, 오달제)들이 청에 인질로 잡혀갔다. 형제의 맹약을 맺은 것은 정묘호란(1627) 때이다.

더⊕알아보기 〉 **삼전도비**

병자호란 때 청 태종이 조선을 침략하고 이를 기념하기 위해 세운 비로, 뒷면은 몽골 문자와 만주 문자로, 앞면은 한자로 되어 있다.

0260

출제영역 〉 특정 국왕의 업적 이해　정답 ▶ ①

정답찾기 ▶ 제시문은 병자호란 당시 상황으로, 밑줄 친 '왕'은 인조이다.
① 인조 2년(1624)에 총융청을 설치하였다.

선지분석 ▶ ② 선조, ③ 효종, ④ 숙종 때의 사실이다.

0261

출제영역 〉 정묘호란 전후의 주요 사건 이해　정답 ▶ ③

정답찾기 ▶ 제시문은 인조 5년에 발생한 정묘호란(1627)이다.
③ 가도(椵島) 사건은 1623년(인조 1) 명나라가 평안도 가도에 도독부를 설치하고, 명의 모문룡이 조선과 손을 잡고 후금을 위협하자, 후금이 1627년(인조 5)에 정묘호란을 일으키고 조선에서 진을 치고 있던 명의 가도를 습격한 사건이다.

선지분석 ▶ ① 임진왜란 후 조·명 양국의 힘이 약화된 사이 여진족의 족장 누르하치가 만주를 평정하고 1616년에 후금을 건국하였다.
② 1704년(숙종 30) 창덕궁 금원 옆에 대보단을 설치하여 명의 태조·신종·의종의 제사를 받들었다.
④ 1636년 병자호란 당시, 인조와 신하들은 남한산성에서 45일간 항전하였으나, 사태가 기울어져 주화파인 최명길의 주장에 따라 결국 청의 요구를 받아들여 삼전도(현재 서울 송파)에서 굴욕적인 강화를 맺었다.

0262 □□□

다음 자료와 관련된 설명으로 옳은 것은? 2010. 지방직 7급

> (가) 최명길이 말하기를 "우리들이 비록 만고의 죄인이 될지라도 차마 임금을 망할 땅에 둘 수는 없으니, 오늘의 화친은 하지 않을 수 없을 것이다."라고 하였다.
> (나) 정온이 상소를 올려 "예로부터 지금까지 천하 국가에 어찌 영원히 존속하며 망하지 않은 나라가 있겠습니까마는, 남에게 무릎을 꿇고 사는 것이 어찌 바른 도리를 지키면서 사직을 위해 죽는 것보다 낫겠습니까?"라고 하였다. 『연려실기술』

① 광해군 대 후금과의 전쟁을 앞둔 정부의 대책 논의이다.
② (가)의 입장에 동조하는 정파는 패전 직후 북학 운동을 적극 추진하였다.
③ (나)의 입장에 동조하는 정파는 이후 패전의 책임을 지고 정권에서 완전히 축출되었다.
④ 전쟁이 끝난 후 조선은 청과 러시아 간의 충돌 시 청의 군사 요청에 응할 수밖에 없었다.

0263 □□□

밑줄 친 내용과 관련된 사실로 가장 옳지 않은 것은?

2017. 서울시 사회복지직 9급

> 전일 ㉠ <u>세자</u>가 심양에 있을 때 집을 지어 고운 빨간 빛의 흙을 발라서 단장하고, 또 ㉡ <u>포로</u>로 잡혀간 조선 사람들을 모집하여 둔전을 경작해서 곡식을 쌓아 두고는 그것으로 진기한 물품과 무역을 하느라 ㉢ <u>관소</u>의 문이 마치 시장 같았으므로, ㉣ <u>임금</u>이 그 사실을 듣고 불평스럽게 여겼다.

① ㉠ 세자 – 북경에서 아담 샬과 만나 교류하였다.
② ㉡ 포로 – 귀국한 여성 중에는 가족들의 천대와 멸시를 받는 이도 있었다.
③ ㉢ 관소 – 심양관은 외교적 기능을 담당하기도 하였다.
④ ㉣ 임금 – 전쟁의 치욕을 벗기 위해 북벌론을 적극 추진하였다.

0264 □□□

조선 시대 북방 정책과 관련된 인물에 대한 설명으로 옳은 것은?

2016. 사회복지직 9급

① 최명길 – 청나라의 군신 관계 요구에 대해 무력 항쟁을 주장하였다.
② 남이 – 기병을 주축으로 하는 별무반을 조직하여 여진과의 싸움에 대비하였다.
③ 김종서 – 세종의 명으로 두만강 유역의 여진족을 몰아내고 6진을 개척하였다.
④ 임경업 – 효종을 도와 북벌을 계획하고 국방력 강화에 주력하였다.

0262

출제영역 〉 호란 당시 정치 세력의 입장 이해 **정답 ▶ ④**

정답찾기 ④ 병자호란 이후 청과 군신 관계를 맺게 되면서 조선은 청의 요구에 의해 나선(러시아) 정벌에 참여하였다(1654, 1658).

선지분석 ① 인조 대 청의 군신 관계 요구에 대한 조정 관리의 상반된 입장이다.
②③ 호란 이후 (나) 입장인 서인들이 여전히 정권을 장악하고 효종과 함께 북벌론을 주장하였다. 북학론은 북벌론 실패 이후 18세기에 재야의 지식인(북학파 실학자) 사이에서 나온 주장이다.

0263

출제영역 〉 호란 이후 상황 이해 **정답 ▶ ④**

정답찾기 ㉠ 소현 세자, ㉣ 인조
④ 북벌론은 청에 볼모로 잡혀갔다가 돌아온 효종과 송시열·송준길·이완 등 서인에 의해 본격적으로 제기되었다.

선지분석 ① 병자호란 결과 청에 볼모로 가게 된 소현 세자는 베이징에서 선교사 아담 샬과 교류하였고 귀국 때 천주교 서적과 서양 서적 및 과학 기구들을 가져왔다.
② 병자호란 때 청나라로 끌려갔다 천신만고 끝에 다시 고향으로 돌아온 조선 여인들은 결코 환영받지 못하였다.
③ 심양관은 청나라의 수도 심양에 인질로 잡혀갔던 소현 세자와 봉림대군 등이 거주하였던 관소(館所)로, 세자와 대군의 가족 및 세자시강원과 세자익위사의 관속들이 함께 거주하며 집무하였다. 심양관에 거주하였던 소현 세자 일행은 인질의 신분이었지만, 조선과 청의 연락을 담당하였고 외교 업무도 수행하였다.

0264

출제영역 〉 조선 북방 정책의 이해 **정답 ▶ ③**

정답찾기 ③ 역대 북방 정책과 관련된 인물을 이해하고 있는지 물어보는 문제로, 세종 때 최윤덕을 보내 4군을, 김종서를 보내 6진을 개척하였다.

선지분석 ① 최명길은 호란 당시 외교 담판을 주장한 주화파이다. 청에 대하여 무력 항쟁을 주장한 척화파는 김상헌, 3학사(홍익한, 윤집, 오달제)이다.
② 별무반은 고려 숙종 때 윤관의 건의로 조직되었다.
④ 임경업은 병자호란 당시 백마산성에서 항쟁한 무인이다. 북벌론은 효종 때 송시열, 송준길, 이완 등이 주장하였다.

더⊕알아보기 〉 고려·조선의 북방 정책과 관련된 주요 인물

- **서희(고려 성종)**: 10세기 말 거란의 1차 침입 때 외교 담판으로 강동 6주 획득
- **강감찬(고려 현종)**: 11세기 거란의 3차 침입을 물리침(귀주 대첩).
- **윤관(고려 숙종~예종)**: 12세기 여진을 치기 위해 별무반 조직, 동북 9성 구축(⇨ 이후 여진에 반환)
- **박서(고려 고종)**: 13세기 몽골의 침입을 귀주에서 물리침.
- **최윤덕(조선 세종)**: 15세기 여진족 이만주(李滿住)를 정벌하고, 평안도에 4군을 설치 cf 이종무와 함께 쓰시마 정벌
- **김종서(조선 세종)**: 두만강 유역의 여진족을 몰아내고 6진을 개척
- **임경업(조선 인조)**: 병자호란 당시 백마산성에서 항쟁
- **송시열(조선 효종)**: 서인의 영수, 친명배청(親明背淸)의 입장에서 청(여진족)에 대한 북벌론 주장
- **윤휴(조선 숙종)**: 남인, 숙종 초 친명배청(親明背淸)의 입장에서 청(여진족)에 대한 북벌론 주장 but 실천에 옮기지 못함.

PLUS⁺ 선지 OX 조선 전기의 정치

01 조선 태종은 창덕궁과 창경궁을 새로 건설하였으며, 세종은 사가독서제를 실시하여 학문 활동을 장려하였다. 2018. 국가직 7급 O X

02 관가의 노비가 아이를 낳았을 때 100일간의 휴가를 더 준 국왕 때 사형의 판결에 삼복법을 적용하였다. 2019. 지방직 9급 O X

03 『칠정산』을 편찬한 왕이 재위한 시기에 함흥부 유향소 별감 이시애가 난을 일으켰다. 2019. 경찰 1차 O X

04 1919년 3월 1일 민족 대표 33인이 서명한 독립 선언서가 낭독된 탑골 공원에 있는 탑을 세운 왕은 6조 직계제를 실시하여 국왕 중심의 정치 체제를 구축하였다. 2021. 국가직 9급 O X

05 『이륜행실도』가 편찬된 국왕 재위 시기에 주세붕이 백운동 서원을 세웠다. 2018. 국가직 9급 O X

06 조선 시대 왕은 5품 이하 당하관을 임명할 때 의정부의 재상과 이조 판서의 동의를 얻어야 했다. 2010. 법원직 O X

07 조선 시대 사족(士族) 세력이 강한 지역에는 그 지역의 주민을 토관(土官)으로 임명하였다. 2016. 경찰간부 O X

08 조선 시대 무과의 경우 조선 후기에 이르러서는 재정상의 이유 등으로 합격자가 양산되어 '만과(萬科)'로 불리었다. 2019. 서울시 7급 2차 O X

09 조선 시대 성균관에서 생원·진사시를 거치지 않은 고급 관료의 자제는 상재생(上齋生)으로 편성되었다. 2003. 행정고시 O X

10 이순신의 명량 대첩이 벌어졌던 시기에 국왕은 남한산성으로 피신하였고, 조선과 명의 연합군은 평양성 전투에서 승리하였다. 2016. 법원직 O X

PLUS⁺ 선지 OX 해설 조선 전기의 정치

01 ☒ 창덕궁은 태종이 경복궁의 동쪽에 이궁으로 지은 궁궐이나, 창경궁은 성종 때 지은 궁궐이다. 세종은 집현전을 설치한 뒤, 젊은 문신들에게 휴가를 주어 독서에 전념할 수 있도록 한 사가독서제를 실시하였다.

02 ⊡ 노비의 출산 휴가를 연장시켜준 왕은 조선 세종이다. 세종은 형벌 제도를 개선하여 사형의 경우 3번 재판받게 하는 (금부) 삼복법을 실시하였다.

03 ☒ 『칠정산』은 조선 세종 때 편찬되었다. 이시애의 난은 세조 때 이시애가 함경도 지방의 차별에 반발하여 일으킨 사건이다.

04 ⊡ 탑골 공원에 있는 원각사지 10층 석탑을 세운 것은 세조이다. 세조는 의정부 서사제를 폐지하고 6조 직계제를 부활시켜 국왕 중심의 정치 체제를 구축하였다.

05 ⊡ 『이륜행실도』는 중종 13년(1518)에 간행된 윤리서이다. 백운동 서원은 서원의 시초로 중종 38년(1543)에 풍기 군수 주세붕이 안향을 봉사하기 위해 세운 것이다.

06 ☒ 5품 이하 당하관 관리를 임명할 때는 서경(署經)권을 갖고 있는 사헌부와 사간원의 동의가 있어야 했다.

07 ☒ 평안도, 함경도, 제주도 지방 토착민에게 주던 특수한 향직인 토관 제도는 사족 세력이 강한 곳에 둔 것이 아니라, 지방 세력을 효율적으로 통치하기 위해 그 지역 출신을 관리로 삼은 것이다.

08 ⊡ 조선 무과의 정원이 28명으로 한정되어 있었으나 조선 후기에는 과거 제도가 문란해지면서 수백 명, 수천 명, 만 명으로 늘어나 많은 인원을 뽑는다는 뜻에서 무과에 만과(萬科)라는 명칭이 생겨났다.

09 ☒ 성균관에서 생원·진사의 자격을 가진 사람은 상재생이고, 보결로 충원된 학생이 하재생(기재생)이다.

10 ☒ 이순신의 명량 대첩(1597. 9.)은 정유재란(1597) 때 일어났다. 남한산성으로 피신한 왕은 병자호란 때 인조이다. 또한 평양성 전투(1593)는 정유재란(1597) 이전 사실이다.

조선 전기의 사회

최근 5년간 국가직·지방직 출제 비율

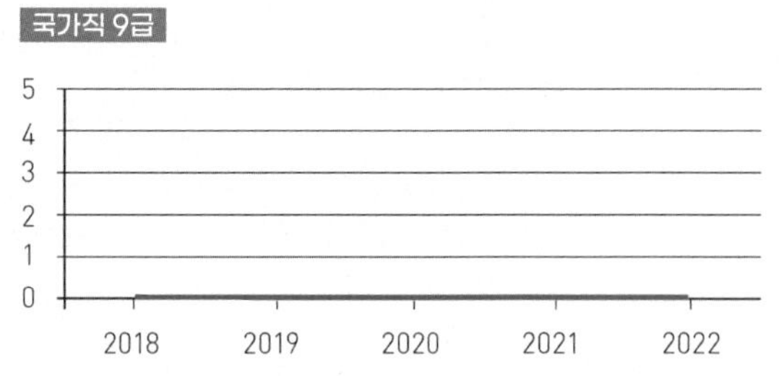

지방직 9급

연도	2018	2019	2020	2021	2022
출제 수	0	0	0	0	1

- 최근 5년간 국가직과 지방직에서 거의 출제되지 않았다.
- 2022년 지방직에서 서얼의 특성을 묻는 문제가 출제되었다.

주요 고난도 문제 키워드

#조선의 노비 제도 #향약 #호적

고난도 이론 정리 선우쌤 PICK

구분			내용
조선 시대 신분 구조	신분 구조		• [1] ______ (법제적): 양인과 천민으로 구분 • [2] ______ (실제적): 양반·중인·상민·천민으로 구분
	[3] ______		• 15C 문·무반 ⇨ 16C 사족(士族), 즉 그 가족이나 가문으로 확대 • 토지와 노비를 소유한 지주가 대부분 • 과거·음서(문음)·천거로 고위직 독점 • 면세·면역의 특권 보장
	중인	중인	• 중앙과 지방 관청의 서리나 향리, 기술관 등 전문 기술이나 행정 실무 담당 • 직역 세습, 같은 신분 안에서 혼인, 관청 근처 거주
		[4] ______ (중서)	• 양반의 첩의 자손 • 문과 응시 금지(태종의 서얼차대법), 잡과에 가끔 등용
	상민 (평민, 양인)		• 농민, 수공업자, 상인, [5] ______ (양인 중 천역 담당 계층, 해척, 염간, 사기간 등) • 법적으로 [6] ______ 응시 가능, 조세·공납·부역 의무
	천민		• 공·사노비, 백정, 무당, 창기, 광대 등 • [7] ______: 매매·상속·증여의 대상 – 공노비: 유외잡직(流外雜職)이라는 하급 기술직 가능 – 공·사노비 중 외거 노비: 주인과 떨어져 생활, 독립된 생활 기반(토지·집) 소유 가능
	신분 이동		• 신분 상승: 법적으로 [8] ______ 이면 누구나 과거에 응시하여 관직에 진출 가능 • 신분 하강: 양반이 죄를 저질러 노비가 되거나 경제적으로 몰락하여 중인이나 상민이 되기도 함.

정답 1. 양천제 2. 반상제 3. 양반 4. 서얼 5. 신량역천 6. 과거(문과) 7. 노비 8. 양인

신분 제도

0265

조선 전기의 신분 제도에 대한 설명으로 옳지 않은 것은?

2013. 국가직 7급

① 공노비는 유외(流外)잡직으로 불리는 하급 기술관직을 가질 수 있었다.
② 서얼은 『경국대전』에 의해 문과 응시가 가능했지만 실제로는 제약을 받았다.
③ 지위가 높은 문무 관원의 자손에게는 음서와 대가(代加) 등의 혜택이 주어졌다.
④ 국역 노동이 끝난 공장(工匠)들은 시장을 상대로 필요한 물품을 만들어 판매하여 이득을 취하였다.

0265

출제영역 〉 조선 신분 제도의 이해

정답 ▶ ②

정답찾기 ② 서얼은 문과 응시가 불가능하였다. 조선 시대 문과의 경우 반역 죄인과 탐관오리의 아들, 재가한 여자의 아들과 손자, 서얼은 응시가 불가능하였지만 무과와 잡과는 자격 제한이 없었다.

0266

조선 전기의 노비에 대한 설명으로 옳은 것은?

2022. 계리직

① 노와 양녀 사이에 태어난 소생을 모의 신분을 따라 양인으로 삼는 '노비종모법'이 시행되었다.
② 중앙 관청에 소속된 공노비 가운데에는 하급 기술관직에 임용되기도 하였다.
③ 부족한 군역 자원을 확충하기 위해 양인과 함께 노비를 속오군에 편제하였다.
④ 국가에 소속된 공노비의 도망이 속출하자 내·시노비 중 일부를 속량하기도 하였다.

0266

출제영역 〉 조선 신분 제도의 이해

정답 ▶ ②

정답찾기 ② 공노비는 좁은 기회지만 능력이 뛰어날 경우 유외잡직(流外雜職)이라는 하급 기술직에 나갈 수 있었다.

선지분석 ①③④ 조선 후기에 대한 설명이다.

0267

〈보기〉는 어느 책의 일부를 발췌한 것이다. 이 책을 저술한 사람은?

2018. 서울시 기술직 9급

보기

하늘이 재능을 균등하게 부여하는데 관리의 자격을 대대로 벼슬하던 집안과 과거 출신으로만 한정하고 있으니 항상 인재가 모자라 애태우는 것은 당연한 일이다. 어느 시대, 어느 나라에서 노비나 서얼이어서 어진 인재를 버려두고, 어머니가 개가했으므로 재능을 쓰지 않는 것은 듣지 못했다.

① 이황　② 이이
③ 허균　④ 유형원

0267

출제영역 〉 조선 서얼 및 특정 인물의 이해

정답 ▶ ③

정답찾기 제시문은 허균의 『유재론』으로, 허균은 하늘이 인재를 태어나게 함은 본래 한 시대의 쓰임을 위한 것이므로 인재를 버리는 것은 하늘을 거역하는 것이라고 하였다. 그는 서얼이라서, 어머니가 재가했다고 해서 인재를 버리는 조선 사회를 개탄하였다.

사회 정책과 법률 제도

0268 □□□

다음은 조선 시대 사람들의 생활상을 주제로 방송 대본을 작성한 것이다. 역사적 사실과 다른 내용이 들어 있는 것은?

제3회 한국사능력검정시험 고급

	제목	대본 요약 내용
①	신문고를 쳐라	태종 때 너무나 억울한 일을 당했던 갑돌이는 궁궐 앞에 매달아 놓은 신문고를 치려고 미친 듯이 달려갔으나, 절차를 무시했다며 수비병들에게 오히려 쫓겨나고 말았다.
②	신참의 비애	선조 때 문과에 급제했던 이 판서는 처음 배속 받은 관청 선배들로부터 심한 모욕을 견디다 못해 소까지 잡아 여러 차례 잔치를 벌인 후에야 정상 근무를 할 수 있었다.
③	원통했던 돌쇠	세종 때 안성 땅에 살았던 돌쇠는 주민들을 강제로 동원하여 노역을 시키는 안성 군수의 행위를 더 이상 두고 볼 수 없어 경기 감영에 고발한 후에야 고을이 안정을 되찾았다.
④	처가살이	세종 때 전라도 부안 땅 양반 이철성은 무남독녀의 집으로 장가를 가 처가살이를 17년간이나 한 후 그 많은 재산을 혼자서 물려받고 거부가 되었다.
⑤	김생원의 죽음	성종 때 안동 땅에 살았던 김생원이 죽자, 그의 자녀 3남 4녀가 함께 의논하여 재산을 고루 나눠 가진 후, 제사도 아들딸 구분 없이 돌아가면서 지내고 있었다.

향촌 사회 조직과 가족 제도

0269 □□□

다음 중 조선 시대 향촌 사회의 모습에 대한 설명으로 옳은 것은 모두 몇 개인가?

2016. 경찰 1차

> ㉠ 유향소는 수령을 보좌하고 향리를 감찰하며 향촌 사회의 풍속을 바로잡기 위한 기구였다.
> ㉡ 경재소는 중앙 정부가 현직 관료로 하여금 연고지의 유향소를 통제하게 하는 제도로서, 중앙과 지방의 연락 업무를 맡았다.
> ㉢ 향촌 사회에서 지주로 농민을 지배하던 계층은 사족(士族)이었다.
> ㉣ 향약은 중종 때 조광조가 처음 시행한 이후 전국적으로 확산되었다.

① 1개　② 2개
③ 3개　④ 4개

0270 □□□

16~17세기 재지사족의 향촌 지배와 운영에 대한 설명으로 옳지 않은 것은?

2010. 지방직 7급

① 수령과의 관계를 원활히 하면서 경재소를 만들어 중앙 진출의 발판으로 삼았다.
② 유향소를 통해 조세의 부과 및 수세 과정에 관여하며 향리와 농민을 통제하였다.
③ 향약 조직을 만들어 마을 공동체에 영향력을 행사하였다.
④ 임진왜란 이후에는 향촌 사회의 안정을 위해 사족들의 동계와 농민들의 향도계가 하나로 합쳐지기도 하였다.

0268

출제영역 〉 조선 사회 정책의 이해　정답 ▶ ③

정답찾기 ③ 조선 시대에는 하급 관리와 아전(衙前) 등이 상급 관원을 고소하거나, 지방의 향직자(鄕職者)나 백성들이 관찰사나 수령을 고소하는 것을 금지하는 부민고소금지법이 있었다.

0269

출제영역 〉 조선 향촌 사회의 이해　정답 ▶ ④

정답찾기 조선 시대 향촌 사회의 모습으로 ㉠㉡㉢㉣ 모두 맞는 내용이다.

㉠ 유향소는 수령을 보좌하고 풍속 교정·향리 규찰·정령 시달·민정 대표 등을 수행하는 지방 자치 기구이다.

㉡ 경재소는 정부와 유향소 간의 연락을 꾀하여 정부와 향촌을 직접 연결시키고 유향소를 중앙에서 직접 통제할 수 있게 하였다.

㉢ 향촌 사회의 지배 계층인 사족은 향안, 동약, 서원, 향약, 향회 등을 장악하며 지위 강화를 위해 노력하였다.

㉣ 향약은 중종 때 조광조가 처음 시행한 이후 선조 때 이황과 이이 등에 의해 우리 실정에 맞는 향약이 마련되었다.

0270

출제영역 〉 조선 향촌 사회의 이해　정답 ▶ ①

정답찾기 ① 경재소는 향촌의 유향소를 지시·견제하기 위해 설치한 중앙 기구이다. 지방의 사족들은 유향소를 통해 세력을 강화하였다.

0271

다음 자료가 작성된 시기의 사회상으로 적절한 것을 〈보기〉에서 고른 것은?

2016. 기상직 9급

율곡 이이의 형제자매 분재기

보기
㉠ 남녀 차등 상속이 원칙이었다.
㉡ 성리학적 사회 질서의 확립에 따른 재산 상속의 특성이 나타나 있다.
㉢ 제사를 승계하는 자식에게 재산의 5분의 1을 더 배정하고 나머지는 균분했다.
㉣ 『경국대전』의 재산 분배 원칙을 따랐다.

① ㉠, ㉡ ② ㉡, ㉢
③ ㉢, ㉣ ④ ㉠, ㉣

0272

다음 글은 우리나라 전근대 사회 결혼 풍습을 시대순으로 나열한 것이다. (다)의 시기에 나타난 양상으로 옳지 않은 것은?

2009. 지방직 7급

(가) 형이 죽은 뒤에 동생이 형수와 같이 사는 풍습이 있었다.
(나) 친족 간의 혼인이 성행하여 이를 금하였으나 쉽게 사라지지 않았다.
(다) ______________________
(라) 부계 중심의 가족 제도가 강화되어 혼인 후 주로 남자 집에서 결혼 생활이 이루어졌다.

① 제사는 계층에 따라 봉사(奉祀)의 범위를 3대 · 2대 · 부모 제사로 지낼 것을 법제화하였다.
② 여자가 친정으로부터 가져온 재산의 처분권은 남편에게 있었다.
③ 제사는 윤회 봉사, 분할 봉사 그리고 외손 봉사가 행해졌다.
④ 혼인은 법적으로 남자 15세, 여자 14세 이상이면 가능하였지만, 그렇지 않은 경우도 있었다.

0271

출제영역 〉 조선 가족 제도의 이해 정답 ▶ ③

정답찾기 제시된 '율곡 이이의 형제자매 분재기'는 16세기의 재산 상속과 분배에 대한 내용을 알려 주는 문서이다.
㉢㉣ 조선 전기의 재산 상속에 대한 내용이다.

선지분석 ㉠㉡ 조선 후기 성리학적 가족 윤리(『주자가례』)가 보급되면서 나타난 사회 모습이다.

0272

출제영역 〉 전근대 사회 결혼 풍습의 이해 정답 ▶ ②

정답찾기 (가) 부여 · 고구려의 형사취수제, (나) 고려, (다) 조선 전기, (라) 조선 후기
② 조선 전기에는 자녀 균분 상속으로 여성도 재산 처분권을 스스로 행사할 수 있었다.

더⊕알아보기 〉 **고려 · 조선 전기와 후기의 사회상 비교**

구분	고려 · 조선 전기	조선 후기
생활윤리	전통적 생활윤리(불교 · 민간 신앙)	성리학적 생활윤리 보급(민간 신앙 · 풍습을 음사로 규정)
가족 제도	부계 · 모계가 함께 영향	부계 위주 형태
혼인 형태	남귀여가혼	친영 제도
재산 상속	남녀 균분 상속 cf 조선 전기, 장자 1/5 더 줌.	장자 중심 상속 cf 아들이 없으면 양자 입양
제사 담당	자녀 윤회 봉사	장자 봉사
여성 지위	가정 내 지위가 비교적 높음.	남존여비
족보	출생순 자녀 기록	아들 먼저 기록

0273

우리나라 족보에 대한 설명으로 옳지 않은 것은? 2017. 지방직 9급

① 조선 시대에는 족보가 배우자를 구하거나 붕당을 구별하는 데 중요한 자료로 활용되기도 하였다.
② 현존하는 가장 오래된 족보는 성종 7년에 간행된 『문화 류씨 가정보』이다.
③ 조선 초기의 족보는 친손과 외손을 구별하지 않고 모두 수록하였다.
④ 조선 후기에 부유한 농민들은 족보를 사거나 위조하기도 하였다.

0273

출제영역 조선 족보 제도의 이해 정답 ▶ ②

정답찾기 ② 현존하는 가장 오래된 족보는 1476년 간행된 『안동 권씨 성화보』로, 당시 중국 연호인 '성화' 연간에 만들어진 것이라 해서 성화보라 부른다. 아들은 물론 딸과 그 자녀(외손)들을 모두 기록하였고, 아버지 쪽 성씨 자손과 구별하지 않았다. 자녀는 출생 순서에 따라 기록하였으며 양자를 들인 기록은 없다.

더+알아보기 **족보의 기재 방식**

- 자녀는 출생 순서에 따라 기재
- 본가의 가계를 자세히 기록, 외손도 기록
- 사위도 기재함으로써 만성보(萬姓譜)의 성격을 지님.
- 딸이 재혼하였을 경우, 후부(後夫)라 하여 재혼한 남편의 성명 기재
- 자녀가 없는 사람은 무후(無後)라고 기재

더+알아보기 **조선 전기와 후기의 족보 구별법**

- **조선 전기**: 내외 자손을 모두 기록하는 자손보 – 자녀의 구별 없이 출생순으로 기록
- **조선 후기**: 부계 친족만 수록하는 씨족보 – 아들을 먼저 기록하는 것이 보편화

0274

다음에서 설명하고 있는 조선 시대 호적에 대한 내용으로 적절한 것을 〈보기〉에서 모두 고른 것은? 2020. 경찰 1차

> 국가는 재정의 토대가 되는 수취 체제를 운영하기 위해 토지 대장인 양안과 인구 대장인 호적을 작성하였다. 이를 근거로 전세, 공납, 역을 백성에게 부과하였다.

보기

㉠ 호적은 3년에 한 번씩 관청에서 호주의 신고를 받아 작성하였다.
㉡ 호적에 관료였던 양반은 관직과 품계를 기록하고 관직에 몸담지 않은 양반은 유학이라고 기록하였다.
㉢ 호적에는 호의 소재지, 호주의 직역과 성명, 호주와 처의 연령, 본관과 4조(부, 조부, 증조부, 외조부) 등을 적었다.
㉣ 호적에 평민은 보병이나 기병 등 군역을 기록하였으며, 노비는 이름을 기록하였다.

① ㉠ ② ㉠, ㉡
③ ㉠, ㉡, ㉢ ④ ㉠, ㉡, ㉢, ㉣

0274

출제영역 조선 호적 제도의 이해 정답 ▶ ④

정답찾기 ㉠㉡㉢㉣ 모두 옳은 설명이다.

더+알아보기 **호적**

- **작성 절차**: 3년마다 작성, 우선 호주가 호구 단자 2부를 작성하여 이임(里任)·면임(面任)의 검사를 거쳐 주군(州郡)에 보내고, 주군에서는 그 호구 단자를 구(舊) 호적과 비교하여 작성
- **내용**: 호주의 거주지·관직·신분·성명·나이·본관(本貫)·4대조(증조, 조, 부, 외조), 처의 성씨·나이·4대조(祖), 자녀의 이름·나이(사위는 본관도 기록), 노비와 머슴의 이름·나이 기록
- **보관**: 호조, 한성부, 해당 도, 해당 고을

PLUS⁺ 선지 OX 조선 전기의 사회

01 조선 전기 지위가 높은 문무 관원의 자손에게는 음서와 대가(代加) 등의 혜택이 주어졌다. 2020. 해경 1차 O X

02 조선 시대 사노비는 주인이 마음대로 매매 · 양도 · 상속할 수 있었을 뿐 아니라, 주인이 사노비를 함부로 죽이거나 사형(私刑)을 가하는 게 법으로 허용되었다. 2019. 서울시 7급 1차 O X

03 조선 시대 사노비는 주인의 집에서 거주하는 솔거 노비와 주인과 떨어져 거주하는 외거 노비가 있었는데, 그 수는 솔거 노비가 절대 다수였다. 2019. 서울시 7급 1차 O X

04 조선 시대 호적에는 소유한 토지의 면적과 가옥 규모를 기재하였다. 2008. 국가직 7급 O X

05 조선 시대 호적에는 가부장적 제도로 인해 16세 이상 60세 이하 남성만 기재하였다. 2008. 국가직 7급 O X

06 조선 시대 선상 노비는 10세부터 60세까지 역(役)을 부담하였고 급료가 지급되었다. 2016. 해경간부 O X

07 조선 세종 대에 호적의 기능을 보완하기 위하여 인보제를 새롭게 만들었다. 2008. 국가직 7급 O X

08 조선 시대에 강상죄는 범죄 중에서 가장 무겁게 취급되었지만, 범인에 한정하여 처벌하였다. 2012. 사회복지직 9급 O X

09 조선 시대 소송은 원칙적으로 신분에 관계없이 제기할 수 있었다. 2018. 경찰 3차 O X

10 조선 시대에 농민의 생활이 어려워졌을 때 지방 자치적으로 의창과 상평창을 설치했고, 환곡제를 실시해 농민을 구제했다. 2010. 서울시 9급 O X

PLUS⁺ 선지 OX 해설 조선 전기의 사회

01 ⓞ 조선 전기 2품 이상의 자손에게는 과거를 치르지 않고 관직에 나갈 수 있는 음서나, 당상관 이상의 관리 자신에게 부여된 품계를 아들 · 사위 · 아우 · 조카 등 친족 중 한 사람에게 대신 더해줄 수 있는 대가(代加)의 혜택이 주어졌다.

02 ☒ 노비는 재산으로 취급되어 매매 · 상속 · 증여의 대상이 되었고, 주인에 의해 죽임을 당하기도 하였지만 사형(私刑)을 할 수 있는 법은 없었다. 오히려 세종 때 노비에 대한 주인의 사형을 금지하였다.

03 ☒ 조선 시대에는 주인과 떨어져 거주하는 외거 노비의 수가 주인과 함께 거주하는 솔거 노비보다 많았다.

04 ☒ 호적이 아니라 재산 상속 자료인 분재기(分財記)에 대한 설명이다.

05 ☒ 조선 시대 호적에는 호주와 호주의 처, 자녀, 노비, 고공(머슴) 등이 기재되었다.

06 ☒ 공노비인 선상 노비의 의무는 양인의 역과 마찬가지로 15세에 시작하여 60세가 넘어야 면제되었다.

07 ☒ 세종이 아니라 태종 때(1407) 향촌 통제와 호적 작성을 위해 인보제가 제정되었다.

08 ☒ 조선 시대에는 강상죄나 반역죄 같은 큰 죄의 경우, 범인은 물론 부모, 형제, 처와 자식까지도 함께 처벌하는 연좌법이 적용되었다.

09 ⓞ 조선은 신분제 사회지만 신분에 관계없이 누구나 소송을 제기할 수 있었다.

10 ☒ 환곡은 국가가 실시한 제도이고, 지방 자치적으로는 사창이 실시되었다. 의창은 고려 성종 때 전국 각주에 설치한 것으로 춘궁기에 관곡을 빌려주고 추수 후에 받는 제도이다. 상평창은 성종 때 설치한 물가 조절 기관으로 평상시에 쌀을 비축해 두었다가 흉년에 매매하게 하여 물가 안정을 도모하였다.

조선 전기의 경제

최근 5년간 국가직·지방직 출제 비율

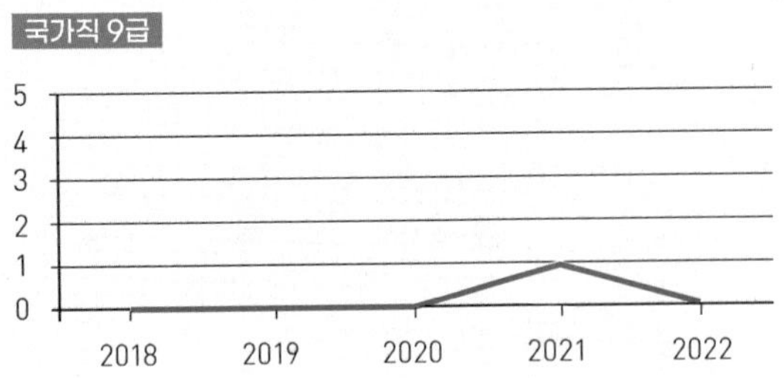

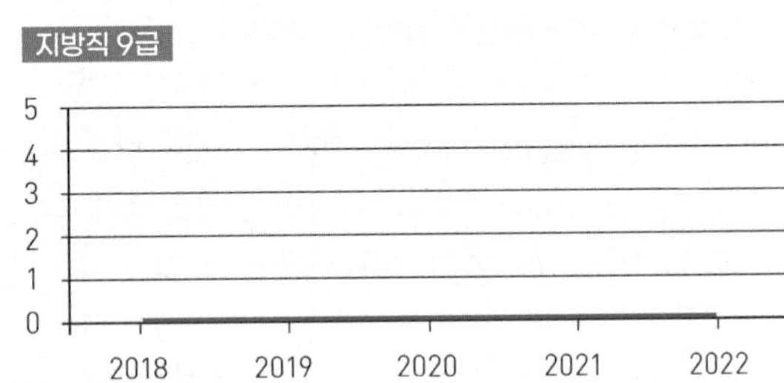

- 최근 5년간 국가직과 지방직에서 거의 출제되지 않았다.
- 다른 직렬에서는 주로 '과전법'과 '공법'이 출제되었다.

주요 고난도 문제 키워드

#과전법 #토지 제도의 변천 #16세기 경제 상황

고난도 이론 정리 선우쌤 PICK

토지 제도의 변천

구분	[1]	직전법	[6]	직전법 폐지
시기	공양왕(1391)	[3] (1466)	성종(1470)	[7] (1556)
대상	전·현직 관리	[4] 관리	현직 관리	현직 관리
배경	권문세족의 농장 확대에 대한 재정 궁핍	경기의 과전 부족	과전에 대한 과도한 수취	직전법 체제 붕괴
목적	사대부 관료의 경제적 기반 확보	토지 부족 보완, 국가 재정 안정	국가의 토지 지배권 강화	
원칙	• [2] 에서만 지급 • 유가족: 수신전, 휼양전 지급(1대 세습 가능)	[5] , 휼양전 폐지 (국가의 토지 지배력 강화)	수조권의 국가 대행	
영향	농민의 경작권 법적 보장	현직 관리의 위기의식 초래 ⇨ 가혹한 수취, 겸병, 훈구파의 농장 확대	현직 관리의 위기의식 초래 ⇨ 농장 확대 가속	농장의 보편화

정답 1. 과전법 2. 경기 3. 세조 4. 현직 5. 수신전 6. 관수 관급제 7. 명종

토지 제도

0275 □□□

조선 시대 과전법 제도에 대한 설명으로 옳지 않은 것을 ㉠~㉤ 중에서 모두 고른 것은? 2015. 서울시 7급

> 과전은 ㉠ 18등급으로 나누어 경기 지방의 전지와 시지를 지급하였는데, 이때 관리들에게 준 토지는 ㉡ 소유권을 지급한 것이다. 이 토지를 ㉢ 받은 자가 죽거나 반역을 하면 국가에 반납하도록 정해져 있었다. ㉣ 공신전은 세습을 할 수 없었으나, 죽은 관료의 가족에 대해서는 생계를 유지할 수 있도록 하기 위하여 받았던 토지 중 일부를 ㉤ 수신전, 휼양전 등으로 다시 지급하여 세습이 가능하도록 하였다.

① ㉠, ㉡ ② ㉠, ㉡, ㉢
③ ㉠, ㉡, ㉣ ④ ㉢, ㉤

0275

출제영역〉 조선 토지 제도의 이해 정답 ▶ ③

정답찾기 ㉠ 과전은 전지만 지급하였다.
㉡ 소유권이 아니라 수조권을 지급하였다.
㉣ 공신전은 세습이 가능하였다.

0276 □□□

고려 말 과전법에 대한 설명으로 옳지 않은 것은? 2016. 지방직 7급

① 제1과 150결에서 제18과 10결까지 차등 지급하였다.
② 지방 거주의 한량품관에게 군전으로 5결 혹은 10결씩 지급하였다.
③ 수조율은 공전·사전을 막론하고 1결당 30두로 정하였다.
④ 전민변정도감의 주재하에 분급 대상인 관인 선정 작업을 시작하였다.

0276

출제영역〉 조선 토지 제도의 이해 정답 ▶ ④

정답찾기 ④ 과전법(공양왕, 1391)은 급전도감 주재하에 과전 수급자 선정 작업을 시작하였다. 전민변정도감은 고려 후기 권세가들이 탈점한 토지나 노비를 되찾기 위해 설치한 임시 관청으로 1269년(원종 10)에 처음 설치되었으며 이후 필요할 때마다(충렬왕, 공민왕, 우왕) 설치되었다.

0277 □□□

다음 토지 제도의 실시에 따른 변화상에 대한 설명으로 옳은 것은? 2014. 기상직 9급

> • 중앙의 관료들에게 사전(私田)이라는 명목으로 과전을 지급하였다.
> • 죽은 관료의 가족 생계를 위하여 수신전, 휼양전을 지급하였다.
> • 특별히 공이 있는 신하에게 공신전이나 별사전을 지급하였다.
> • 지방 전주(田主)들의 수조지를 몰수하고 군전(軍田)을 지급하였다.

보기
㉠ 사전의 소유권은 전객(佃客)에게 있었고 수조권은 전주에게 있었다.
㉡ 농민의 생활 안정을 위하여 농민의 토지 소유권을 보장하고 10분의 1세를 공정하게 하여 병작제가 법적으로 허용되었다.
㉢ 세습되는 토지가 많아져 관료들에게 지급할 토지가 점차 부족하게 되었다.
㉣ 관계(官階)만 있고 관직이 없는 사람들은 수조권을 갖지 못하게 되었다.

① ㉠, ㉡ ② ㉠, ㉢
③ ㉡, ㉢ ④ ㉡, ㉣

0277

출제영역〉 조선 토지 제도의 이해 정답 ▶ ②

정답찾기 제시문은 조선의 과전법에 대한 내용이다.

선지분석 ㉡ 과전법에서는 병작제를 법적으로 금지하였다(but 현실은 관행).
㉣ 조선의 군전(軍田)은 유향품관, 즉 관계(官階) 또는 품계만 있고 관직이 없는 사람들에게 지급하였다.

0278

다음 토지 제도의 변천 과정에 대한 설명으로 옳은 것은?

2012. 지방직 7급

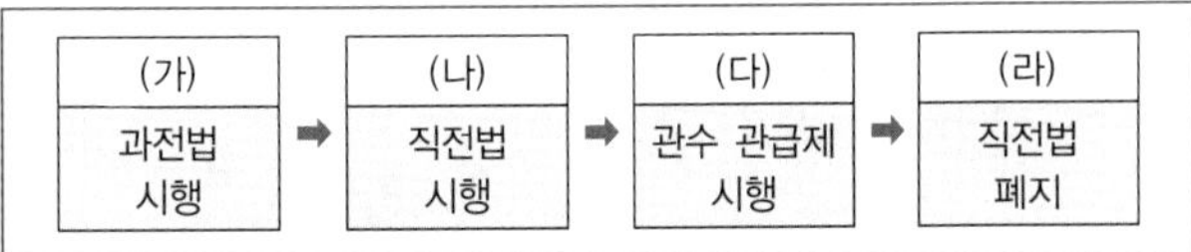

(가)		(나)		(다)		(라)
과전법 시행	➡	직전법 시행	➡	관수 관급제 시행	➡	직전법 폐지

① (가)를 계기로 관료의 유가족에게 구분전과 한인전이 지급되었다.
② (나)로 인해 수조권 지급 제도가 사라졌다.
③ (다)를 계기로 수조권자의 과다한 수취를 막기 위해 국가가 수조를 대행하였다.
④ (라)로 인해 자영농의 수가 급속히 늘어나게 되었다.

0278

출제영역 〉 조선 토지 제도의 이해 정답 ▶ ③

선지분석 ▶ ① 과전법 실시로 관료의 유가족에게 휼양전과 수신전이 지급되었다.
② 과전법과 직전법은 수조권을 지급한 것이다.
④ 직전법 폐지로 지주 전호제가 확산되면서 자영농의 수가 줄고 소작농의 수가 증가하였다.

0279

고려의 전시과와 조선의 과전법에 대한 설명으로 옳지 않은 것은?

2013. 지방직 7급

① 전국의 민전은 과전법의 대상지로 설정되어 운영되었다.
② 전시과의 군인전은 군역이 세습됨에 따라 자손에게 세습되었다.
③ 관료가 사망한 후에 토지를 국가에 반납하는 것이 전시과의 원칙이었다.
④ 과전법의 토지 분급은 토지에 대한 소유권이 아니라 수조권을 나누어 준 것이었다.

0279

출제영역 〉 고려와 조선의 토지 제도 이해 정답 ▶ ①

정답찾기 ▶ ① 과전은 경기의 민전을 대상으로 수조권을 지급한 것이다. 고려 전시과에서는 전국의 토지를 대상으로 수조권을 지급하였다.

0280

다음은 고려 · 조선 시대 토지 제도의 폐단을 기술한 것이다. 이를 시정하기 위해 실시한 내용으로 옳은 것은?

2018. 지방직 7급

> (가) 권문세족의 대토지 소유와 토지 겸병으로 국가 재정이 부족해졌다.
> (나) 수신전, 휼양전, 공신전 세습과 증가로 신진 관료에게 지급할 수조지가 부족해졌다.
> (다) 수조권을 받은 관료가 권한을 남용하여 과다하게 수취하는 일이 빈번하게 발생하였다.
> (라) 거듭되는 흉년과 왜구의 침입 등으로 국가 재정이 악화되어 직전이 유명무실해졌다.

① (가) – 권문세족이 겸병한 토지를 몰수하고, 전국 토지의 수조권을 관료에게 지급하였다.
② (나) – 공신전을 몰수하고 신진 관료에게 수조권 지급을 중지하였다.
③ (다) – 관료의 직접적인 수조권 행사를 금지하고 관청에서 수조권 행사를 대행하였다.
④ (라) – 관료에게 수조권과 함께 녹봉도 지급하였다.

0280

출제영역 〉 고려와 조선의 토지 제도 이해 정답 ▶ ③

정답찾기 ▶ (가) 과전법(1391, 공양왕 3년), (나) 직전법(1466, 세조 12년), (다) 관수 관급제(1470, 성종 1년), (라) 직전법 폐지(1556, 명종 11년)
③ 관수 관급제는 국가가 관료의 직전에서 직접 수조를 하여 관료에게 지급하였다.

선지분석 ▶ ① 과전법 시행 당시 현직 관료들은 모두 18과로 나뉘어 최고 150결에서 최하 10결까지 과전을 지급받았는데, 과전의 지급은 전국의 토지가 아닌 경기에 제한하였다.
② 직전법은 관료의 유가족에게 나누어 주던 수신전과 휼양전을 폐지하고, 현직 관리에게만 과전을 지급하였다.
④ 명종 때 직전법이 폐지되면서 관리들은 녹봉만 지급받게 되었다.

수취 체제

0281

다음은 조선 시대 어느 관원의 일기에서 발췌한 사실이다. 이와 관련된 내용으로 적절하지 않은 것은? 2017. 국가직 7급

- 1568년: 광흥창에서 쌀 7섬, 콩 7섬, 명주베 1필, 삼베 3필을 받아왔다.
- 1568년: 쌀 4섬 5되와 베 10필, 콩 2섬으로 이형이라는 사람의 밭을 샀다.
- 1569년: 노비 석정이 와서 올해 논의 총 수확이 모두 83섬이라고 말했다.
- 1570년: 이효원이 찾아와 호조에 속한 공장(工匠)이 만들어 파는 충정관(沖靜冠)의 구입을 권하였다.

① 이 관원은 녹봉을 광흥창에 가서 받았다.
② 이 관원이 이형에게 산 밭은 병작반수의 형태로 경작을 시킬 수 있었다.
③ 이 관원은 논의 총 수확 83섬의 10분의 1을 농민들로부터 수조할 수 있었다.
④ 이 관원은 관청에 소속된 공장들이 개인적으로 생산 판매하는 물품을 구입할 수 있었다.

0281

출제영역 〉 조선 전기 수취 체제의 이해 정답 ▶ ③

정답찾기 ③ 16세기에는 지주 전호제가 일반화되면서 대부분의 농민들은 생산량의 1/2을 지주에게 납부해야 했다.

선지분석 ① 서강의 광흥창은 녹봉을 담당하였다(cf 용산의 군자창: 군량미 담당, 용강과 서강의 풍저창: 왕실·국가 경비 담당).
② 16세기 직전법이 폐지되고 관리들이 녹봉을 지급받게 되면서 토지 소유의 사적 소유권과 병작반수제에 입각한 지주 전호제가 더욱 강화되었다.
④ 조선 전기의 전문적 수공업자인 공장은 공장안에 등록되어 각 관청에 소속되었는데, 책임량을 초과한 생산품은 세를 내고 판매하는 것이 가능하였다.

0282

다음과 같은 문서의 작성 목적과 유사한 조선 시대의 노력으로 옳은 것을 〈보기〉에서 고르면? 수능

일본에서 발견된 통일 신라 시대의 민정 문서에는 남녀별·연령별 정확한 인구와 소, 말, 뽕나무, 호두나무, 잣나무의 수를 3년마다 한 번씩 통계 내고 있다.

보기

㉠ 호적의 정비　㉡ 족보의 편찬
㉢ 호패제의 시행　㉣ 양전(量田)의 실시
㉤ 향안(鄕案)의 작성

① ㉠, ㉢, ㉣　② ㉠, ㉢, ㉤
③ ㉡, ㉢, ㉣　④ ㉡, ㉣, ㉤

0282

출제영역 〉 조선 전기 수취 체제의 이해 정답 ▶ ①

정답찾기 제시문은 신라의 민정 문서로, 민정 문서의 작성 목적은 국가의 국역 및 조세 징수의 자료를 확보하기 위해서였다. 이는 ㉠ 호적제 정비, ㉢ 호패제 시행, ㉣ 양전 실시와 목적이 유사하다.

선지분석 ㉡ 족보와 ㉤ 향안(지방 사림의 명단)은 양반의 세력 강화와 관련있다.

0283

다음 자료와 관련된 전세 제도에 대한 설명으로 옳은 것을 〈보기〉에서 모두 고른 것은? 2011. 지방직 7급

> 모든 토지는 6등급으로 나누었다. 20년마다 토지를 다시 측량하여 양안(토지 대장)을 만들어 호조와 해당 도, 고을에 갖추어 둔다. 1등전의 척(尺, 자)은 주척으로 4척 7촌 7분이며, 6등전의 척은 9척 5촌 5분이다. …… 항상 경작하는 토지를 정전(正田)이라 하고, 경작하다 때로 휴경하는 토지를 속전(續田)이라 부른다. 정전으로 기록되었더라도 토질이 좋지 못하여 곡식이 잘 되지 않는 토지라든지, 속전으로 기록되어도 토질이 비옥하여 소출이 많은 경우에는 수령이 이를 관찰사에게 보고하여 다음에 개정한다.
> 『경국대전』

보기
- ㉠ 전세는 풍흉에 따라 6등급으로 나누어 부과하였다.
- ㉡ 1등전의 1결과 6등전의 1결은 그 생산량이 같았다.
- ㉢ 조세 액수를 1결당 최고 20두에서 최하 4두를 내도록 하였다.
- ㉣ 토지를 측량할 때 등급에 따라서 사용하는 척이 달랐다.

① ㉠, ㉡ ② ㉡, ㉢
③ ㉠, ㉡, ㉣ ④ ㉡, ㉢, ㉣

0283

출제영역 〉 조선의 수취 제도 이해 정답 ▶ ④

정답찾기 ▶ 제시문은 세종의 전분 6등법(수등이척법 적용, 토지의 비옥도에 따라 6등급으로 구분)에 대한 내용이다.

선지분석 ▶ ㉠ 전세는 풍흉에 따라 9등급(연분 9등법)으로 나누어 부과하였다.

0284

〈보기〉는 조선 시대 전세(田稅) 수취 제도에 대한 내용이다. 이 제도의 시행으로 나타난 변화상에 대한 설명으로 옳지 않은 것은? 2022. 계리직

보기
- 1결당 생산량을 300두에서 400두로 상향 조정하였다.
- 생산량의 1/10을 징수하던 것을 1/20로 조정하였다.
- 종래 3등으로 나누던 토지 등급을 6등으로 세분화하였다.

① 토지 등급과 작황 정도에 따라 전세를 차등 징수하였다.
② 이 제도는 전라도부터 시행하여 점차 전국으로 확산되었다.
③ 토지 등급에 따라 면적을 달리하는 이적동세를 실시하였다.
④ 이 제도의 시행으로 농민의 전세 부담이 낮아졌다.

0284

출제영역 〉 조선의 수취 제도 이해 정답 ▶ ③

정답찾기 ▶ 제시문은 세종 때 실시된 공법(1444)에 대한 내용이다.

③ 조선 후기 상황이다. 조선 후기 인조 때 영정법을 실시하여 전세를 4두~6두로 고정시키고 종전의 수등이척(隨等異尺)과 연분 9등을 폐지하고 양전하는 자(尺)를 통일하되, 그 대신 토지의 등급에 따라 1결의 면적을 달리하는 이적동세(異積同稅)를 실시하였다. 공법 시행 당시에는 토지의 등급이 아닌 토지의 비옥도에 따라 6등급으로 구분하였다(수등이척법에 의거). 따라서 실제 면적은 다르지만 연분(年分)이 같다는 것을 전제로 1등전 1결이나 6등전 1결이나 같은 세액을 내게 되었다.

0285

디음은 조선 시대의 조세 제도에 관한 자료이다. (가)~(다)에 대한 설명으로 옳지 않은 것은? 수능

> (가) 소출이 10분이면 상상년(上上年)으로 정해 1결당 20두, … (중략) … 2분이면 하하년(下下年)으로 4두씩 거두며 1분이면 면세하였다.
> (나) 농부의 둘째 손가락으로 열 번을 재어 상전척(上典尺)으로 삼고, … (중략) … 1결에서 조(租)는 모두 30두씩 거두는 것을 정수로 하였다.
> (다) 처음 삼남 지방은 정해진 결수로 조세 대장에 기록하되 … (중략) … 나머지 5도 모두 하지하(下之下)로 정하여 징수하였다. 이후 경기·삼남·해서·관동 모두 1결에 4두를 징수하였다.

① (가)에서 토지는 비옥도에 따라 6등급으로 구분되었다.
② (나)에서는 1결의 최대 생산량이 300두로 정해졌다.
③ (다)에서는 여러 명목의 수수료, 운송비 등이 함께 부과되었다.
④ (가)에서는 풍흉에 따라, (나)와 (다)에서는 풍흉에 상관없이 세금이 부과되었다.
⑤ (가), (나), (다)에서는 토지 소유자가 세금을 부담하는 것이 원칙이었다.

경제 활동

0286

밑줄 친 '농서'가 편찬된 왕대의 경제생활로 옳은 것은?

2016. 국가직 7급

> 각 지역의 풍토가 달라 곡식을 심고 가꾸는 법이 옛글과 다 같을 수 없습니다. 이에 여러 도의 감사들이 주현의 늙은 농부를 방문하여 실제 농사 경험을 들었습니다. 저희 정초 등은 이를 참고하여 농서를 편찬하였습니다.

① 칠패 시장에서 어물을 판매하였다.
② 녹비법을 활용하여 지력을 회복하였다.
③ 고구마·감자를 구황 작물로 활용하였다.
④ 시전에서 남초를 거래하였다.

0285

출제영역 조선의 수취 제도 이해 정답 ▶ ④

정답찾기 (가) 세종 때 연분 9등법, (나) 과전법 체제하의 조세, (다) 인조 때 영정법
④ (가)와 (나)는 풍흉에 따라 세금이 달라졌으며, (다)는 풍흉에 관계없이 세금이 부과되었다. 특히 (나) 과전법 체제하에서의 조세는 태종 때에 답험손실법을 실시하여 수조권자가 매년 풍흉을 살펴보고 수조율을 확정하게 하였다.

선지분석 ① 세종의 공법(貢法)은 연분 9등법과 전분 6등법을 동시에 실시하였다.
② 과전법 체제에서 1결의 최대 생산량이 300두로 정해졌기에 전세량은 1결의 1/10인 30두를 징수하였다.
③ 인조의 영정법에서 풍흉에 관계없이 1결당 4두로 전세율 자체가 내려가자 다른 세금을 부가적으로 징수하였다.
⑤ 전세(토지세)는 토지 소유자에게 징수하는 세금이다.

0286

출제영역 조선 전기의 농업 이해 정답 ▶ ②

정답찾기 밑줄 친 '농서'는 세종 때 편찬된 『농사직설』이다.
② 조선 전기의 경제 상황이다.

선지분석 ①③④ 조선 후기 상황이다. 남초는 담배이다.

0287 □□□

다음에서 (㉠)과 (㉡)에 들어갈 내용을 바르게 짝지은 것은?

2022. 계리직

> 조선 전기에 (㉠)이/가 저술한 (㉡)은/는 예로부터 사람들이 감상하고 길러온 꽃과 나무 몇십 종에 대한 재배법과 이용법을 설명하고 있으며, 또한 꽃과 나무의 품격과 그 의미, 상징성을 논하고 있다.

	㉠	㉡
①	강희안	『양화소록』
②	양성지	『농잠서』
③	강희맹	『금양잡록』
④	신속	『농가집성』

0287

출제영역〉 조선 전기의 농업 이해 정답 ▶ ①

정답찾기 ① 제시문은 강희안이 쓴 우리나라에서 가장 오래된 원예서인 『양화소록』에 대한 설명이다.

더⊕알아보기〉 **조선 시대의 농서**

농사직설	정초(세종)	중국의 화북 농법을 받아들이면서도, 우리나라의 풍토에 맞는 농사 기술과 씨앗의 저장법, 토질의 개량법, 모내기법 등 농민의 실제 경험을 토대로 우리의 독자적 농법을 최초로 정리
사시찬요	강희맹(세조)	계절에 따른 농작 기술 수록
농산축목서	신숙주(세조)	농업·목축업에 관한 저술
양화소록	강희안(세조)	화초 재배법 수록
금양잡록	강희맹(성종)	금양(지금의 시흥, 과천) 지방에서 저자가 직접 경험하고 들은 농경 방법을 기술, 그 내용이 뛰어남.

0288 □□□

고려 시대와 조선 시대의 사회 경제에 대한 설명으로 옳지 않은 것은?

2014. 계리직

① 고려 시대에는 관청, 소(所), 사찰, 민간에서 수공업 활동이 이루어졌다.
② 조선 초기에는 직전제를 실시하여 관리들에게 수조권 분급 제도를 확대하였다.
③ 15세기 말에 전라도 지방에서 발생한 장시는 조선 후기에 이르러 전국적으로 확대되었다.
④ 고려 시대에는 국가의 특정한 복지 기금을 마련하기 위해 광학보, 제위보, 팔관보 등 보(寶)를 많이 만들었다.

0288

출제영역〉 고려와 조선의 사회·경제 이해 정답 ▶ ②

정답찾기 ② 조선 초기에는 직전제를 실시하면서 과전법에 비해 관리들의 수조권 분급이 축소되었다.

PLUS⁺ 선지 OX 조선 전기의 경제

01 과전법하에서 국가는 수조권자들로부터 수조액의 일부를 세로 거두어 들였다. 2004. 입법고시 O X

02 조선 명종 때 직전법이 폐지됨에 따라 자영농의 숫자가 급속히 늘어나게 되었다. 2018. 경찰 1차 O X

03 조선 시대에 조세는 쌀, 콩으로 냈는데 평안도, 황해도 등은 바닷길로, 강원도는 한강으로, 경상도는 낙동강과 남한강을 통해 경창으로 운송하였다. 2010. 법원직 O X

04 조선 전기 제주도의 세곡은 일본과의 교역을 위해 한양으로 운송하지 않고 남겨두었다. 한능검 O X

05 성종 때 토지 8결을 기준으로 1명씩 동원하고, 동원할 수 있는 날을 1년에 6일 이내로 한하도록 한 조선의 수취 체제에 대한 농민들의 기피가 늘면서 군인들이 동원되었다. 수능 O X

06 임꺽정이 활동하던 시기에 수확량의 1/4을 토지세로 징수하였다. 2012. 경찰간부 O X

07 조선 전기 양반도 간이 수리 시설을 만들고, 중국의 농업 기술을 도입하는 등 농업에 관심이 많았다. 2008. 국가직 9급 O X

08 세종 때 농부들의 경험담을 모아 저술한 『농사직설』은 백성들이 누구나 쉽게 읽을 수 있도록 한글로 편찬하였다. 2016. 기상직 7급 O X

09 조선 전기 시전 상인들은 점포세와 상세를 부담하며 경시서의 통제를 받았다. 한능검 O X

10 조선 시대 류큐 및 동남아시아에서 물소뿔, 침향을 들여 왔다. 2016. 국가직 7급 O X

PLUS⁺ 선지 OX 해설 조선 전기의 경제

01 O 과전법의 조세 규정에 따르면, 공전·사전을 막론하고 수조권자에게 바치는 조는 1결당 1/10(30두)이었고, 수조권자가 국가에 바치는 세는 걷은 조(租)의 1/15(2두)이었다.
cf 관수 관급제의 실시로 조(租)와 세(稅)의 구별이 없어짐.

02 X 직전법 폐지로 지주 전호제가 확산되면서 자영농의 수가 줄고 소작농의 수가 증가하였다.

03 X 평안도와 함경도는 잉류 지역이어서 세금을 걷되 서울로 보내지 않고, 그곳의 군사비와 사신 접대비로 쓰게 하였다.

04 X 잉류 지역 중 하나인 제주도의 경우 일본과의 교역을 위한 것이 아니라, 논이 거의 없어 쌀이 나지 않고 바닷길도 험한데다 운송 거리까지 멀어서 조운에서 제외되었다.

05 O 요역에 대한 설명이다. 16세기에 이르러 농민 생활이 어려워지고 요역 동원으로 농사에 지장을 초래하게 되자 농민들이 요역 동원을 기피하였다. 이에 농민 대신 군인들이 각종 토목 공사에 동원되었다.

06 X 임꺽정이 활동하던 시기는 16세기 명종 때이다. 이 시기에는 수확량의 1/10을 토지세로 징수하였다.

07 O 15세기 말 16세기 초 조선 훈구파들은 농장을 확대하기 위해 간이 수리 시설을 만들고, 중국 농법에 관심을 가졌다.

08 X 『농사직설』은 관찬(官撰: 정부에서 편찬한 책)으로 간행하여 각 도의 감사와 수령에게 나누어 준 책으로, 한문으로 편찬하였다.

09 O 시전은 서울 종로 거리에 있었는데 정부는 상인들에게 점포를 대여해주고 점포세와 상세를 받았으며, 시전 상인들의 불법적 상행위를 통제하기 위해 경시서를 두었다.

10 O 조선은 명·여진·일본과 무역을 실시하였고 동남아시아와도 교류하였다.

PART 04

조선 전기의 문화

최근 5년간 국가직·지방직 출제 비율

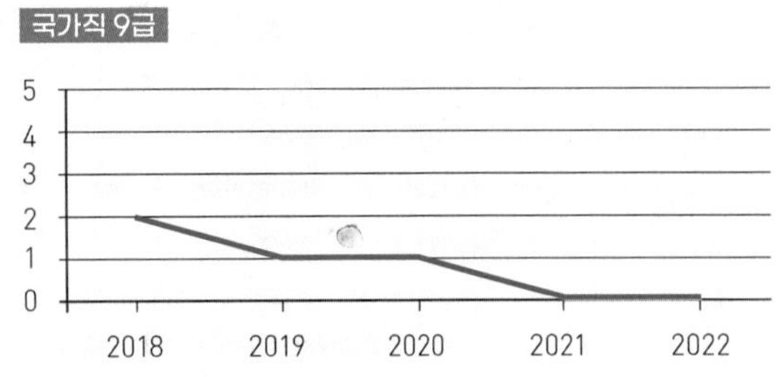

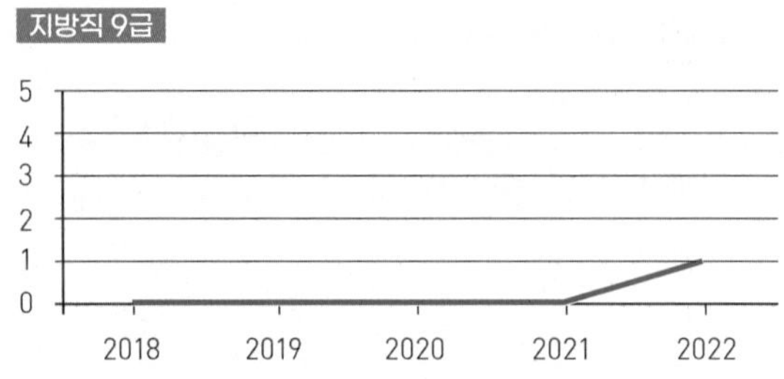

- 최근 5년간 국가직과 지방직에서 출제 빈도가 높지 않았다.
- 성리학자 중 이황과 이이의 특징을 묻는 문제와 주요 역사서의 특징을 묻는 문제가 주로 출제되었다.

주요 고난도 문제 키워드

#역사서 #법전 #통치 기록 #주요 왕 재위 시기 저서
#이언적 #조식

고난도 이론 정리 선우쌤 PICK

구분	시기	내용
조선 전기 역사서	건국 초	• 1 ______ (정도전, 태조): 고려 시대 역사 정리 •『동국사략』(권근, 태종): 고조선~삼국의 역사 정리
	15세기 중반	• 2 ______ (정인지, 세종~문종): 고려사 자주적 재정리, 국왕 중심, 여말 역사 왜곡, 기전체 •『고려사절요』(김종서, 문종): 정도전의 『고려국사』 보완, 『고려사』에서 빠진 부분 보완 • 3 ______ (서거정, 성종): 고조선~고려 역사 정리, 최초 통사, 고조선~삼한까지를 외기(外紀)로 기록 •『삼국사절요』(서거정, 성종): 고조선~삼국 시대까지 역사 정리
		특징 | 민족적 자각 강조, 고려 시대 역사를 자주적 입장에서 재정리
	16세기	•『동국사략』(박상, 16세기 초): 15세기 『동국통감』 비판 •『표제음주동국사략』(유희령, 중종): 『동국통감』 정리, 고조선~고려까지의 통사 • 4 ______ (이이, 선조): 기자 강조, 우리나라 왕도 정치의 기원을 기자에서 찾음.
		특징 | 사림의 존화주의적·왕도주의적 정치·문화 의식 반영, 5 ______ 숭상
『조선왕조실록』		• 태조~철종까지의 사실을 6 ______ 로 기록(『고종실록』, 『순종실록』은 일제 총독부에 의해 편찬), 유네스코 세계 기록 유산 등재 • 왕 사후 춘추관 내 7 ______ 을 두고, 사관이 국왕 앞에서 기록한 8 ______, 각 관청 문서를 모아 만든 9 ______ 와 승정원일기, 의정부등록, 비변사등록, 일성록 등을 보조 자료로 하여 편찬 • 10 ______ 에 보관: 세종 때 4대 사고 ⇨ 임진왜란 때 소실(11 ______ 사고 제외) ⇨ 12 ______ 때 5대 사고(춘추관, 오대산, 태백산, 마니산, 묘향산) ⇨ 이괄의 난 때 춘추관 사고 소실

정답 1.『고려국사』 2.『고려사』 3.『동국통감』 4.『기자실기』 5. 기자 6. 편년체 7. 실록청 8. 사초 9. 시정기 10. 사고(史庫) 11. 전주 12. 광해군

민족 문화의 발달

0289

문자(표기) 체계와 관련된 설명으로 옳지 않은 것은? 2008. 국가직 9급

① '기역', '니은'은 『훈민정음』 용자례에서 비롯되었다.
② 향찰로 기록된 글은 문장 전체를 고유어 발음으로 읽을 수 있다.
③ 훈민정음의 초성(初聲) 글자들은 음성 기관의 상형(象形)을 기본으로 삼아 만들어졌다.
④ 이두는 고구려에서 발생하여 신라에서 발달하였다.

0290

다음의 내용과 관련된 설명으로 옳은 것은? 2015. 경찰간부

> 나랏말이 중국과 달라서 문자로 서로 통하지 못한다. 고로 어리석은 백성들이 말하고 싶은 바가 있어도 마침내 그 뜻을 펴지 못하는 이가 많다. 내 이를 매우 딱하게 여겨 새로 스물여덟 글자를 만들어 내노니 사람마다 쉽게 익히어 나날이 사용이 편리하도록 함에 있다.

① 이전부터 사용했던 발음이 유사한 한자에서 글자의 모양을 따왔다.
② 양반 관료층의 적극적인 지지를 받아 이루어졌다.
③ 세종은 이후 모든 서적을 훈민정음을 써서 편찬하도록 했다.
④ 한글로 풀이한 『삼강행실도』 등을 간행하여 유교 윤리를 보급하였다.

0291

다음 서사시가 간행되어 보급되던 시기에 만들어진 것은 모두 몇 개인가? 2012. 경찰 3차 / 2006. 대구시 9급 유사

> 불휘 기픈 남ᄀᆞᆫ ᄇᆞᄅᆞ매 아니 뮐ᄊᆡ 곶 됴코 여름하ᄂᆞ니 ᄉᆡ미 기픈 므른 ᄀᆞᄆᆞ래 아니 그츨ᄊᆡ 내히 이러 바ᄅᆞ래 가ᄂᆞ니 『용비어천가』

보기

㉠ 『칠정산』 내 · 외편	㉡ 『향약구급방』
㉢ 『농사직설』	㉣ 『상정고금예문』
㉤ 자격루	㉥ 『의방유취』

① 2개 ② 3개
③ 4개 ④ 5개

0289

출제영역 〉 한글의 문자 체계 이해 정답 ▶ ①

정답찾기 ① 1527년에 최세진이 『훈몽자회』를 지으면서 '기역(其役), 니은(尼隱), 디귿(池末)' 등의 명칭을 만들었다.

0290

출제영역 〉 한글의 문자 체계 및 보급 이해 정답 ▶ ④

정답찾기 제시문은 『훈민정음 해례본』 중 일부로, 세종의 한글 창제 목적, 발음과 쓰는 법, 제자(製字)의 원리 등을 담고 있다.
④ 세종은 한글을 보급하기 위해 불경(『석보상절』, 『월인천강지곡』)과 농서, 윤리서(『삼강행실도』)를 한글로 번역하거나 편찬하였다.

선지분석 ① 훈민정음 자음의 기본자는 발음 기관을, 모음은 천(天) · 지(地) · 인(人)의 원리를 상형한 글자이다.
② 양반층은 한글 창제와 사용을 반대하였고, 한글을 멸시한다는 뜻에서 '언문', '암글'이라고 하였다.
③ 모든 서적을 한글로 편찬한 것은 아니다.

0291

출제영역 〉 동(同)시대 민족 문화의 이해 정답 ▶ ③

정답찾기 『용비어천가』는 세종 때 간행되었다. 그러나 이 문제는 세종의 업적을 물어본 것이 아니라 이 시기, 즉 15세기 문화를 물어보는 문제이다. ㉠㉢㉤㉥ 15세기 세종 때 간행 · 제작되었다.

선지분석 ㉡㉣ 고려 후기에 제작되었다.

Tip 이 제시문이 그대로 나와 이 시기 국왕의 업적을 물어보는 문제가 출제될 수도 있다.

0292 □□□

다음의 ㉠, ㉡, ㉢에 대한 설명으로 가장 옳은 것은? 2016. 경찰간부

> 조선 시대에는 왕조의 정통성을 확립하고 성리학적 통치 규범을 정착시키기 위하여 국가적 차원에서 역사서를 적극적으로 편찬하였다. 한 왕대의 역사를 후대에 남기기 위한 실록의 편찬을 중요하게 여겨 (㉠)를/을 편찬하였다. 그 밖에도 고려 시대의 역사를 정리한 (㉡)과/와 『고려사절요』 등을 완성하였고, 고조선부터 고려 말까지의 역사를 정리한 (㉢)를/을 편찬하였다.

① ㉠ - 임진왜란 이전까지 춘추관, 충주, 전주, 성주의 4대 사고에 보관하였다.
② ㉡ - 조선 건국 이후부터 착수하여 수정을 거쳐 15세기 중엽에 편년체로 편찬된 정사이다.
③ ㉢ - 500여 종의 중국 및 일본의 자료를 참고하여 편찬한 비판적이고 고증적인 역사책이다.
④ ㉠, ㉢ - 유네스코 세계 기록 유산으로 지정되었다.

0293 □□□

다음 설명한 인물이 편찬한 서적으로 옳은 것은? 2018. 계리직

> 그는 고려의 과거에 합격하였으며, 이색의 문하에서 수학하였다. 조선 왕조 창건 후에는 이른바 '표전 문제'를 수습하기 위해 사신으로 명에 다녀왔다.

① 동국사략 ② 조선경국전
③ 삼강행실도 ④ 동국여지승람

0294 □□□

다음 기록과 관련하여 임금의 명에 따라 새로이 개수된 역사서에 대한 설명으로 옳은 것은? 2008. 법원직

> 임금이 말하기를, "…… 고려실록에 기록되어 있는 천변과 지괴를 정사(正史)에 기록하지 않은 것은 전례에 의하여 다시 첨가하여 기록하지 말고, 또 그 군왕의 시호는 아울러 실록에 의하여 태조 신성왕, 혜종 의공왕이라 하고, 묘호와 시호도 그 사실을 인멸하지 말 것이며, 그 태후, 태자와 관제(官制)도 또한 모름지기 고치지 말고, 오직 대사천하(大赦天下)라고 한 곳에는 천하 두 글자만 고칠 것이요, 또한 천하를 경내로 고칠 필요는 없는 것이다."라고 하였다. 『조선왕조실록』, 세종 5년

① 고조선부터 고려 말까지의 통사였다.
② 고려의 역사를 기전체로 서술하였다.
③ 박상의 『동국사략』의 역사관을 극복하였다.
④ 이제현이 성리학적 사관에 입각하여 편찬하였다.

0292

출제영역 〉 조선 전기 역사서의 이해 정답 ▶ ①

정답찾기 ㉠ 『조선왕조실록』, ㉡ 『고려사』, ㉢ 『동국통감』
① 『조선왕조실록』은 세종 때 서울 춘추관, 충주, 전주, 성주의 4대 사고에 비치하여 보관하였으나, 임진왜란 때 전주 사고를 제외하고 나머지가 모두 소실되었다.

선지분석 ② 『고려사』는 세종 때 시작하여 문종 때 완성한 기전체 사서이다.
③ 한치윤의 『해동역사』에 대한 설명이다.
④ ㉠ 『조선왕조실록』만 세계 기록 유산으로 등재되었다.

0293

출제영역 〉 조선 전기 역사서의 이해 정답 ▶ ①

정답찾기 제시문에서 설명하고 있는 인물은 권근이다. 명은 정도전이 작성한 표전(외교 문서)에 명을 모욕하는 내용과 경박한 문투가 있다는 표전(表箋) 문제를 빌미로 정도전의 소환을 요구하였는데, 조선은 정도전 대신 권근을 파견하였다.
① 권근은 단군 조선에서 삼국까지의 역사를 성리학적 입장에서 정리한 『동국사략』을 저술하였다.

선지분석 ② 『조선경국전』은 정도전이 여말 선초의 조례를 정리한 최초의 법전이다.
③ 『삼강행실도』는 세종 16년(1434)에 설순 등이 편찬한 윤리서로, 삼강의 모범이 되는 충신・효자・열녀들의 행실을 그림으로 그리고 이에 설명을 붙인 것이다.
④ 『동국여지승람』은 성종 때 강희맹・노사신 등이 편찬한 지리서로, 군현의 연혁・지세・인물・풍속・성씨・고적・산물・교통 등을 수록하였다.

0294

출제영역 〉 조선 전기 역사서의 이해 정답 ▶ ②

정답찾기 제시문은 세종이 『고려사』 저술을 지시하는 내용이다.
② 『고려사』는 고려 왕조의 역사를 자주적 입장에서 재정리한 기전체 사서이다.

선지분석 ① 『동국통감』에 대한 설명이다.
③ 권근의 『동국사략』의 역사관을 극복하였다.
④ 『사략』에 대한 설명이다.

0295

(가)에 대한 설명으로 옳은 것을 〈보기〉에서 고른 것은?

2017. 기상직 7급

(가)은/는 성종 때에 편찬한 관찬 사서로서 삼국균적(三國均敵)을 내세워 삼국을 대등한 국가로 해석하여 고려 시대의 고구려 계승 주의와 신라 계승 주의의 갈등을 해소하였으며, 개국 후 권력 갈등을 일으켜 온 국왕과 훈구, 사림의 합작품으로 평가받고 있다.

보기

㉠ 편년체로 서술되었다.
㉡ 단군 조선에서 고려 말까지의 역사를 정리하였다.
㉢ 『자치통감강목』의 범례를 규범으로 삼아 서술하였다.
㉣ 중국 및 일본의 자료를 참고하여 민족사 인식의 폭을 넓혔다.

① ㉠, ㉡ ② ㉡, ㉢
③ ㉢, ㉣ ④ ㉠, ㉣

0295

출제영역 〉 조선 전기 역사서의 이해 정답 ▶ ①

정답찾기 (가)는 성종 때 편찬된 서거정의 『동국통감』이다.
㉠㉡ 『동국통감』은 단군 조선에서 고려 말까지의 역사를 편년체로 쓴 통사로, 단군 조선에서 삼한까지는 외기(外紀)로, 삼국 건국부터 669년(신라 문무왕 9)까지는 삼국기로, 669년부터 935년(고려 태조 18)까지는 신라기로, 이후 고려는 고려기로 서술하였다.

선지분석 ㉢ 안정복의 『동사강목』, ㉣ 한치윤의 『해동역사』에 대한 설명이다.

0296

『조선왕조실록』에 대한 서술로 옳지 않은 것은? 2013. 지방직 7급

① 고려 시대의 왕대별 실록을 편찬하는 전통이 조선 시대에도 계속되었다.
② 사초와 각 관청의 문서들을 종합하여 실록청에서 시정기(時政記)를 만들었다.
③ 실록 편찬의 공정성을 확보하기 위하여 왕이 죽은 후에 실록을 편찬하는 것이 관례였다.
④ 국왕과 신하가 정사를 논의한 발언과 행동을 사관(史官)이 기록하였는데 이를 사초(史草)라고 불렀다.

0296

출제영역 〉 조선 전기 역사서의 이해 정답 ▶ ②

정답찾기 ② 시정기(時政記)는 춘추관에서 만들었다.

0297

조선 시대 기록 문화에 대한 설명으로 옳지 않은 것은?

2019. 지방직 7급

① 실록청에서 사초·시정기·승정원일기 등을 바탕으로 실록을 편찬하였다.
② 임진왜란 이전에 실록은 4부를 만들어 한양의 춘추관과 전주·성주·충주의 사고에 보관하였다.
③ 후대 왕에게 본보기로 제공하고자 국왕의 언행을 실록에서 가려뽑아 『국조보감』을 편찬하였다.
④ 국왕과 대신이 국정을 논의할 때 예문관 한림이 사관으로 참가하여 시정기를 작성하였다.

0297

출제영역 〉 조선 전기 역사서의 이해 정답 ▶ ④

정답찾기 ④ 국왕과 대신이 국정을 논의할 때 사관이 작성하는 것은 사초(史草)이다. 시정기는 사관이 기록하는 사초와 각 관청의 기록을 모아 정리한 것을 말한다.

0298

다음 사료를 분석하여 당시 관료들의 사관을 옳게 추론한 것을 〈보기〉에서 고른 것은? 제2회 한국사능력검정시험 고급

- **태조 원년 8월**: 조선의 단군(檀君)은 동방에서 처음으로 천명을 받은 임금이고, 기자(箕子)는 처음으로 교화를 일으킨 임금이니, 평양부에서 시제(時祭)를 드리게 할 것입니다.
- **태종 12년 6월**: 우리나라에 기자가 있는 것은 중국에 요임금이 있는 것과 같으니, 원컨대 기자 사당은 (중국) 조정에서 요임금을 제사하는 예에 의거하여 기자의 묘에 제사 지내기 바랍니다.
- **태종 13년 11월**: 단군과 기자에게는 '국왕'이라 일컫고, 고려 태조는 '조선 국왕'이라 일컫는 것은 합리적이지 않은 듯합니다. 단군과 기자에게도 '조선 국왕'이라고 일컫도록 허락하소서.

『조선왕조실록』

보기

㉠ 기자의 동래(東來)로 우리나라에서 유교적 예의의 교화가 시작되었다고 인식하였다.
㉡ 우리 역사의 정통성을 밝혀 단군 조선 – 기자 조선 – 삼한 – 삼국 – 고려 – 조선으로 체계화하였다.
㉢ 우리 역사의 유구성과 정통성을 교화지군(敎化之君)인 단군 숭배를 통해 강조하면서 문화적 자부심을 표출하였다.
㉣ 조선을 독립적인 개국 시조를 가지고 있으면서 중국과 동등한 역사 편년을 가진 국가로 인식하여 대외적인 자신감을 나타내었다.

① ㉠, ㉡ ② ㉠, ㉣
③ ㉡, ㉢ ④ ㉡, ㉣
⑤ ㉢, ㉣

0299

조선 시대에 편찬된 다음의 사서에서 추론할 수 있는 역사 인식으로 가장 옳은 것은? 2010. 지방직 7급

물론 단군께서 제일 먼저 나시기는 하였으나 문헌으로 상고할 수 없다. 삼가 생각하건대 기자께서 우리 조선에 들어와서 그 백성을 후하게 양육하고 힘써 가르쳐 주어 머리를 틀어 얹는 오랑캐의 풍속을 변화시켜, 문화가 융성하였던 제나라와 노나라 같은 나라로 만들어 주셨다.

① 왕조의 정통성에 대한 명분을 내세웠다.
② 성리학적 통치 규범을 정착시키기 위해 국가적 차원의 노력을 기울였다.
③ 사림들이 추구하는 왕도 정치에 대한 뿌리 찾기의 시도를 보여 주었다.
④ 민족적 자주 의식을 바탕으로 전통문화에 대한 올바른 이해를 중시하였다.

0298

출제영역 〉 조선 전기 역사서의 이해 정답 ▶ ②

정답찾기 ▶ 제시문은 조선 초기 관학파의 역사관이다. 조선의 역사가들은 단군 조선과 기자 조선을 강조하였다. 특히 15세기 관학파들은 역사의 유구성과 천손 후예로서의 자부심을 내세우면서 단군 조선을 강조하였다. 또한 8조법의 윤리와 이상적 토지 제도인 정전제를 보급한 기자에 대해 교화지군(敎化之君)이라 칭하면서 기자 조선에서 도덕 문명의 뿌리를 찾아 이를 계승·발전시켜야 한다고 주장하였다.

선지분석 ▶ ㉡ 18세기 안정복의 삼한 정통론에서 이루어졌다.
㉢ 단군 조선에서는 우리 역사의 유구성과 정통성을 강조했으나, 교화지군(敎化之君)으로서의 인식을 강조한 것은 정전제와 8조 금법을 보급한 기자 조선이다.

0299

출제영역 〉 조선 전기 역사서의 이해 정답 ▶ ③

정답찾기 ▶ 제시문은 이이의 『기자실기』로, 이 사실을 모르더라도 단군보다 기자를 강조한 점에서 16세기 사림의 글임을 유추할 수 있다.

선지분석 ▶ ①②④ 15세기의 역사관이다.

0300

조선 시대의 법전 편찬과 관련된 설명으로 옳지 않은 것은?

2008. 지방직 7급

① 조종성헌준수(祖宗成憲遵守)는 조선 시대 법전 편찬의 기본 원칙이었다.

② 『경국대전』이 편찬되기 전에 교지·수교·조례 등을 모아 『속육전』을 펴냈다.

③ 영구히 시행해야 할 록(錄)과 편의에 따라 시행해야 할 전(典)으로 구분되었다.

④ 『속대전』은 『경국대전』 이후 새롭게 바뀐 사회상을 법조문화하였다.

0301

밑줄 친 '자료'에 대한 설명으로 옳은 것을 〈보기〉에서 모두 고르면?

2009. 국가직 7급

> 본 자료는 조선 시대 중앙 각 부, 육조, 각 원, 각 사, 각 아문과 지방 관청 등 기관에서 접수한 문서를 등사한 책으로, 각 관아의 소관 업무나 관아 간에 문서의 전달 및 업무의 시행 과정 등을 잘 파악할 수 있다. 각사등록, 비변사등록, 종묘등록이 현존하며, 각 도감(都監)에서도 의궤를 만들 때 기초 자료로 사용하고자 기록하였다.

보기

㉠ 현존하는 자료는 임진왜란 이후의 것이다.
㉡ 국가적인 행사가 있을 때 관청을 두어 작성하였다.
㉢ 행사나 업무에 관한 일체의 과정을 날짜에 따라 기록하였다.
㉣ 어람용을 별도로 제작하였고 행사 자체의 의식 절차 등을 알 수 있다.

① ㉠, ㉡ ② ㉡, ㉢
③ ㉢, ㉣ ④ ㉠, ㉣

0302

조선 시대의 통치 기록에 대한 설명으로 옳지 않은 것은?

2016. 지방직 7급

① 역대 국왕의 언행을 본보기로 삼기 위해 태종 때부터 국조보감을 편찬하였다.

② 춘추관은 관청별 업무 일지인 여러 관청의 등록(謄錄)을 모아 시정기를 정기적으로 편찬하였다.

③ 조선 초기부터 왕실 관련 행사나 국가적인 행사에 관한 기록이나 장면을 모은 의궤를 만들었다.

④ 승정원의 주서(注書)는 왕과 신하 간에 오고간 문서와 국왕의 일과를 매일 기록하여 승정원일기를 작성하였다.

0300

출제영역 조선 법전의 편찬 이해 정답 ▶ ③

정답찾기 ③ 『경국대전』은 6조의 직능에 맞추어 이·호·예·병·형·공전의 6전으로 구성하였다. 조종성헌준수(祖宗成憲遵守, 즉 『경제육전』을 절대 바꾸지 않고 존중한다는 법전 편찬의 원칙)에 의해 영구히 시행해야 할 사항들을 편집하여 6개의 전(典)으로 묶고, 편의에 따라 시행해야 할 것은 록(錄)으로 구분하였다.

더⊕알아보기 **조선 시대 법전**

조선경국전	정도전(태조)	여말 선초의 조례를 정리한 최초의 법전[사찬(私撰)]
경제문감	정도전(태조)	태조 때의 정치 조직 초안
경제육전	조준, 하륜(태조)	여말(우왕 때)에서 선초까지의 조례를 정리한 최초의 성문 통일 법전 ⇨ 태종 때 증보되어 『원육전』으로 개편
속육전	하륜(태종)	『경제육전』을 수정·증보
육전등록	집현전(세종)	『속육전』 간행 이후 수교·조례 정리
경국대전	최항, 노사신(세조~성종)	• 국초의 여러 법전을 토대로 명의 『대명회전』을 참고하여 편찬된 조선의 기본 법전 • 세조 때 착수, 예종 때 완성, 성종 때 교정·반포 • 이전, 호전, 예전, 병전, 형전, 공전의 6전으로 구성
속대전	김재로(영조)	『경국대전』 보완, 관형주의(寬刑主義) 표방
대전통편	김치인(정조)	『경국대전』, 『속대전』 통합
대전회통	조두순(고종)	『대전통편』과 그 후의 법 규정 보완 ⇨ 조선 최후의 통일 법전
육전조례	조두순(고종)	『대전회통』에서 빠진 시행 규례 보완

0301

출제영역 조선의 관청 기록물 이해 정답 ▶ ②

정답찾기 밑줄 친 '자료'는 각 관청 기록인 『등록』이다.

선지분석 ㉠ 『등록』 중 하나인 『각사등록』의 경우 선조 10년(1577)부터 1910년까지의 자료가 현존하고 있다.
㉣ 『의궤』에 대한 설명이다.

0302

출제영역 조선의 통치 기록 이해 정답 ▶ ①

정답찾기 ① 『국조보감』의 편찬은 세종 때 구상되어 태조·태종보감을 편찬하려 하였으나 완성되지 못하였다. 이후 세조 때 태조·태종·세종·문종 4조의 보감을 처음으로 완성하였다.

0303

〈보기 1〉 지도에 대한 설명으로 옳은 것을 〈보기 2〉에서 모두 고른 것은? 2018. 서울시 7급 1차

보기 1

1402년(태종 2)에 의정부 정승 이무와 김사형이 발의하여 이회가 제작하고, 권근이 발문을 쓴 세계 지도이다.

보기 2

㉠ 원나라 세계 지도를 참고하고, 여기에 한반도와 일본 지도를 첨가하여 만들었다.
㉡ 지도의 중심에 중국이 위치하였고, 중국과 한국을 실제보다 크게 그렸다.
㉢ 유럽과 아프리카 대륙은 지도에 빠져 있다.
㉣ 후대의 모사본 가운데 하나를 일본 류코쿠 대학이 소장하고 있다.
㉤ 지도 제작에 참여한 이회는 이보다 앞서 「동국지도」도 만든 바 있다.

① ㉠, ㉡, ㉣　② ㉠, ㉡, ㉤
③ ㉡, ㉢, ㉣　④ ㉡, ㉣, ㉤

0304

㉠과 ㉡ 사이의 시기에 있었던 사실로 가장 적절하지 않은 것은? 2020. 경찰 1차

㉠ 지리서의 편찬이 추진되어 『신찬팔도지리지』를 편찬하였다.
㉡ 조선 전기를 대표하는 『동국지도』를 완성하였다.

① 고조선부터 고려 말까지 역사를 정리한 『동국통감』을 간행하였다.
② 고려의 역사를 자주적 입장에서 정리한 『고려사절요』를 편찬하였다.
③ 역대의 전쟁을 체계적으로 정리한 『동국병감』을 편찬하였다.
④ 우리 풍토에 알맞은 약재와 치료 방법을 개발하여 정리한 『향약집성방』을 편찬하였다.

0305

다음은 『조선왕조실록』에 언급된 어떤 의학 서적 서문의 일부이다. 이 서적에 대한 설명으로 옳은 것은? 2015. 기상직 7급

명의(名醫)가 병을 진찰하고 약을 쓸 때, 모두 기질에 따라 처방하지 처음부터 한 가지 방법에만 매달리지 않았다. 대개 백 리만 떨어져 있어도 풍속이 같지 않고, 천 리가 떨어져 있으면 풍토가 다르다. …… 그러므로 옛 성인(聖人)은 모든 풀과 나무의 맛을 보고 각 지역의 환경에 따라 병을 고쳤다. 우리나라 역시 동방(東方)에 한 지역으로 자리 잡아, 산과 바다에는 여러 가지 보화가 있고, 풀과 나무와 약재들이 자란다. 무릇 백성들의 생명을 기르고 병자(病者)를 치료할 만한 조건을 갖추지 못한 것이 아니다.

『세종실록』 15년 6월 11일

① 우리나라 약초의 적절한 채취 시기를 월령으로 만든 책이다.
② 우리 풍토에 맞는 약재와 치료 방법을 개발, 정리한 책이다.
③ 중국의 의학 서적과 우리의 의학 서적을 망라한 백과사전이다.
④ 우리의 전통 한의학을 체계적으로 정리한 책으로 중국과 일본에서도 간행되었다.

0303

출제영역 〉 조선의 통치 기록 이해　정답 ▶ ①

정답찾기 〈보기 1〉에서 설명하고 있는 지도는 「혼일강리역대국도지도」이다.
㉠ 「혼일강리역대국도지도」는 태종 때 원나라 이택민의 「성교광피도(聲敎廣被圖)」와 승려 청준의 「혼일강리도」를 토대로 우리나라와 일본을 추가하여 완성한 우리나라 최초의 세계 지도이다.
㉡ 「혼일강리역대국도지도」에는 중국과 조선 부분이 상대적으로 크게 묘사되어 있다.
㉣ 「혼일강리역대국도지도」의 원본은 현재 없으며, 모사본을 일본 류코쿠 대학 도서관이 소장하고 있다.

선지분석 ㉢ 「혼일강리역대국도지도」에는 유럽과 아프리카는 묘사되어 있으나 아메리카 대륙은 빠져 있다.
㉤ 「동국지도」는 세조 때 양성지에 의해 제작되었다. 이회는 「혼일강리역대국도지도」의 제작 직전에 조선 최초의 전국 지도인 「팔도도」를 만든 바 있다.

0304

출제영역 〉 조선 전기의 주요 편찬 기록 이해　정답 ▶ ①

정답찾기 ㉠ 『신찬팔도지리지』 편찬(1432, 세종 14년), ㉡ 「동국지도」 제작(1463, 세조 9년, 양성지)
① 『동국통감』 간행(성종, 서거정)

선지분석 ② 『고려사절요』 편찬(1452, 문종 2년, 김종서)
③ 『동국병감』 편찬(문종, 김종서)
④ 『향약집성방』 편찬(1433, 세종 15년)

0305

출제영역 〉 조선 전기 의서의 이해　정답 ▶ ②

정답찾기 제시문의 출처가 『세종실록』이라는 점에서 세종 때 편찬된 『향약집성방』임을 충분히 유추해 낼 수 있다.

선지분석 ① 세종 때 유효통 등이 간행한 의약서인 『향약채취월령』에 대한 내용이다.
③④ 광해군 때 허준이 간행한 『동의보감』에 대한 내용이다.

0306 □□□

밑줄 친 '왕'이 재위하던 시기에 편찬되지 않은 것은?

2017. 하반기 국가직 9급

> 지금 우리 왕께서도 밝은 가르침을 계승하시고 다스리는 도리를 도모하시어 더욱 백성들의 일에 뜻을 두셨다. 여러 지방의 풍토가 같지 않아 심고 가꾸는 방법이 지방에 따라서 차이가 있기 때문에 옛 글의 내용과 모두 같을 수가 없었다. 이에 각 도의 감사들에게 명령하시어, 주・현의 노농(老農)을 방문하여 그 땅에서 몸소 시험한 결과를 자세히 듣게 하시었다. 또 신 정초(鄭招)에게 명하시어 말의 순서를 보충케 하시고, 신 종부소윤 변효문(卞孝文) 등이 검토해 살피고 참고하게 하여, 그 중복된 것은 버리고 절실하고 중요한 것은 취해서 한 편의 책을 만들었다.

① 『의방유취』 ② 『향약채취월령』
③ 『향약집성방』 ④ 『향약제생집성방』

과학 기술의 발달

0307 □□□

조선 전기 과학 기술에 대한 설명으로 옳지 않은 것은?

2014. 지방직 7급

① 세종 대 경복궁에 간의대(簡儀臺)를 축조하고 간의를 설치하여 천문 관측을 하였다.
② 태조 대 고구려의 천문도를 바탕으로 천상열차분야지도(天象列次分野之圖)를 돌에 새겼다.
③ 세종 대 장영실 등이 물시계인 자격루(自擊漏)와 해시계인 앙부일구(仰釜日晷) 등을 제작하였다.
④ 태종 대 토지 측량 기구인 인지의(印地儀)와 규형(窺衡)을 제작하였다.

0308 □□□

다음의 지문과 같은 내용이 보이는 시기의 왕이 행한 정책으로 가장 옳지 않은 것은?

2017. 경찰간부

> 경자자(庚子字), 갑인자(甲寅字), 병진자(丙辰字) 등을 주조하였고, 이를 통해 『효행록』, 『총통등록』, 『의방유취』 등을 편찬하였다.

① 사형수에 대한 복심제를 시행하여 억울하게 죽는 일이 없도록 하였다.
② 백성과 더불어 즐거움을 함께 나눈다는 뜻을 가진 여민락을 만들었다.
③ 공법을 제정할 때 조정의 신하와 지방의 촌민에 이르기까지 18만 명의 찬부를 물었다.
④ 역대 문장의 정수를 모은 『동문선』, 우리의 통사인 『동국통감』 편찬을 완료했다.

0309 □□□

고대에서 조선 시대까지의 과학 기술에 대한 설명으로 옳지 않은 것은?

2007. 국가직 7급

① 통일 신라의 성덕 대왕 신종은 아연이 함유된 청동으로 만들어 매우 신비한 소리가 난다.
② 13세기에 편찬된 『향약구급방』은 현존하는 우리나라 최고의 의학 서적이다.
③ 조선 태조 때에는 고구려의 천문도를 바탕으로 '천상열차분야지도'를 돌에 새겼다.
④ 조선 세종 때에는 밀랍 활자 고정법을 개발하여 종전보다 2배로 인쇄 능률을 높였다.

PART 04

0306

출제영역 〉 조선 전기 의서의 이해 정답 ▶ ④

정답찾기 〉 제시문은 『농사직설』(정초)의 서문으로, 밑줄 친 '왕'은 세종이다. ④ 『향약제생집성방』은 조선 태조 7년(1398)에 제생원에서 편찬하고 정종 원년(1399)에 간행된 책으로 현재 전하지는 않는다. 이 책을 바탕으로 세종 때 『향약집성방』이 나오게 되었다.

0307

출제영역 〉 조선 전기 과학 기술의 이해 정답 ▶ ④

정답찾기 〉 ④ 세조 때 토지 측량 기구인 인지의(印地儀)와 규형(窺衡)을 제작하였다.

0308

출제영역 〉 세종의 업적 이해 정답 ▶ ④

정답찾기 〉 제시문은 세종의 업적이다.
④ 『동문선』은 성종 때 서거정이 우리나라의 역대 시문 가운데 뛰어난 것만을 뽑아 모은 것이고, 『동국통감』은 성종 때 서거정이 단군 조선에서 고려 말까지의 역사를 정리한 최초의 통사이다.

0309

출제영역 〉 역대 과학 기술의 이해 정답 ▶ ④

정답찾기 〉 ④ 세종 때 종전의 밀랍 대신, 식자판을 조립하는 방법이 창안되어 인쇄 능률을 두 배로 높였다.

선지분석 〉 ① 성덕 대왕 신종[경덕왕 때 주조 시작 ⇨ 혜공왕 때 완성(771)]은 아연이 함유된 청동으로 만들었는데 그 규모와 함께 비천상 조각과 맑고 장중한 소리로 유명하다.
② 13세기에 편찬된 『향약구급방』은 현존 최고(最古)의 의서로, 각종 질병에 대한 처방과 국산 약재 180여 종을 소개하여 우리나라 의약의 독자적 연구 계기가 된 책이다.
③ '천상열차분야지도'는 조선 태조 4년(1395)에 고구려 시대 평양에서 각석한 천문도[평양 성도(星圖)] 비석의 탁본을 바탕으로 돌에 새긴 천문도이다.

성리학의 발달

0310 □□□

조선 성리학의 학설이나 동향을 시기순으로 바르게 나열한 것은?

2018. 국가직 9급

㉠ 현실 세계를 구성하는 기를 중시하여 경장(更張)을 주장하였다.
㉡ 우주를 무한하고 영원한 기로 보는 '태허(太虛)설'을 제기하였다.
㉢ 정지운의 『천명도』 해석을 둘러싸고 사단 칠정 논쟁이 시작되었다.
㉣ 향약 보급 운동과 함께 일상에서의 실천 윤리가 담긴 『소학』을 중시하였다.

① ㉡ – ㉠ – ㉣ – ㉢　② ㉡ – ㉣ – ㉠ – ㉢
③ ㉣ – ㉡ – ㉢ – ㉠　④ ㉣ – ㉢ – ㉡ – ㉠

0311 □□□

다음 자료와 관계가 깊은 내용을 〈보기〉에서 모두 고른 것은?

2007. 국가직 7급

대저 정치하는 요령은 그 강이 하나 있고 그 목이 10개가 있습니다. 강이란 것은 체이니 정치를 하는 본령이오, 목이란 것은 용이니 정치를 마련하는 법입니다. …… 일강이란 무엇을 이름인가. 군주의 마음가짐입니다. 서정의 번잡함과 만민의 수효가 많음도 치란휴척의 기틀은 군주의 마음에 근본하지 않는 것이 없습니다. 그런 까닭으로 군주의 마음이 바르면 만사가 다스려지고 인심이 순하여 화기가 돌며, 군주의 마음이 바르지 못하면 만사가 배루되고 인심이 순하지 못하여 악기가 올 것이니 필연적인 이치입니다. 옛날 성인이 왕위에 있을 적에 하늘을 본받아 정치를 하게 되니 마음이 정대광명하여 천리의 공에 순수하고 인욕의 누가 없었던 것입니다. 그러므로 은미한 데서부터 현저한 데로 이르게 되고 안에서 밖으로 미치게 되어 밝고 환하여 사욕사심의 가림이 없었으므로 기강이 위에서 서고 교화가 아래서 밝아졌습니다. …… 여기서 임금의 마음가짐을 바로잡는 요령도 반드시 학문을 통하여 얻게 되는 것을 알 것입니다. 『회재집』

보기

㉠ 이언적은 성학군주론을 거론하였다.
㉡ 16세기 중엽 이후 이황과 이이에 이르러 두 경향의 성학군주론이 일어났다.
㉢ 정치의 성패와 인생의 향방은 군주의 일심과 마음가짐 여하에 달린 문제로 본다.
㉣ 군주가 성학을 익혀 성인 군주나 현철 군주가 될 것을 요구하는 정치 운영론의 성격을 지녔다.

① ㉠, ㉢, ㉣　② ㉡, ㉢, ㉣
③ ㉠, ㉡, ㉢　④ ㉠, ㉡, ㉢, ㉣

0310

출제영역 〉 조선 전기 성리학의 발달 이해　정답 ▶ ③

정답찾기 ㉣ 조광조 등 사림파의 향약 보급 운동 및 『소학』 중시(15세기 말~16세기 초) ⇨ ㉡ 서경덕의 태허설(16세기 중기) ⇨ ㉢ 이황과 기대승의 사단 칠정 논쟁(1559~1566) ⇨ ㉠ 이이의 경장론(개혁론, 16세기 후반)

0311

출제영역 〉 조선 전기 성리학의 발달 이해　정답 ▶ ④

정답찾기 제시문은 이언적의 '일강십목소(一綱十目疏)'이다. 그는 성학군주론에서 정치의 성패와 인생의 향방이란 오직 군주의 일심(一心)과 심술(心術) 여하에 달린 문제로 보고, 군주가 수신제가하는 방법으로서 성학을 당면한 실천 과제로 제안하였다. 이는 16세기 이황(『성학십도』)과 이이(『성학집요』)에 이르러 두 경향의 성학군주론이 나오게 되었다. ㉠㉡㉢㉣ 모두 옳은 지문이다.

0312 □□□

밑줄 친 '이 사람'에 대한 설명으로 옳은 것은? 2017. 서울시 7급

> 이 사람은 1501년에 출생하여 1572년에 타계한 경상우도를 대표하는 유학자이다. 그의 학문사상 지표는 경(敬)과 의(義)이다. 마음이 밝은 것을 '경(敬)'이라 하고 밖으로는 과단성 있는 것을 '의(義)'라고 하였다. 이러한 그의 주장은 바로 '경'으로써 마음을 곧게 하여 수양하는 기본으로 삼고 '의'로써 외부 생활을 처리하여 나간다는 생활 철학을 표방한 것이었다.

① 문인들이 주로 북인이 되었다.
② 이황과 사단 칠정 논쟁을 벌였다.
③ 『동호문답』, 『만언봉사』 등을 저술하였다.
④ 일본의 성리학 발전에 큰 영향을 끼쳤다.

0313 □□□

『주자서절요』를 집필한 인물에 대한 설명으로 옳은 것을 모두 고른 것은? 2014. 서울시 7급

> ㉠ 왕의 수신 교과서인 『성학십도』를 편찬했다.
> ㉡ 일본 주자학의 발달에 큰 영향을 끼쳤다.
> ㉢ 아동들의 수신서인 『격몽요결』을 편찬했다.
> ㉣ 도교 신앙을 주관하는 소격서의 폐지를 주장하였다.

① ㉠, ㉡　② ㉡, ㉣
③ ㉠, ㉡, ㉢　④ ㉠, ㉢, ㉣
⑤ ㉠, ㉡, ㉢, ㉣

0314 □□□

왕의 수신 교과서인 『성학십도』를 집필한 인물에 대한 설명으로 가장 옳은 것은? 2018. 서울시 9급

① 아동용 수신서인 『동몽선습』을 편찬하였다.
② 그의 학설을 따르는 이들이 처음에는 서인을 형성하였다.
③ 기(氣)보다는 이(理)를 중시했고, 예안 향약을 만들었다.
④ 『주자대전』의 중요 부분을 발췌하여 『주자문록』을 편찬하였다.

0312

출제영역 〉 조선 전기 성리학의 발달 이해　정답 ▶ ①

정답찾기 밑줄 친 '이 사람'은 남명 조식이다. 조식(1501~1572)은 두 차례의 사화를 경험하면서 훈척 정치의 폐해를 직접 목격하고 평생을 산림처사로 자처하며 오로지 학문 연구와 제자 양성에 매진하였다. 수기치인(修己治人)의 성리학적 토대 위에서 실천궁행(實踐躬行)을 중요시 여겨 '경(敬)'과 '의(義)'를 강조하였고 경상우도의 학문적 특징을 이루었다. 1568년 상소문 「무진봉사」에서 '서리망국론'을 통해 당대 서리들의 폐단을 극렬히 지적하였다.
① 조식의 사상은 임진왜란 때 정인홍, 곽재우 등의 의병 활동의 배경이 되었고, 광해군 때 북인 정권의 사상적 기반이 되었다.

선지분석 ② 고봉 기대승, ③ 율곡 이이, ④ 퇴계 이황에 대한 설명이다.

0313

출제영역 〉 조선 전기 성리학의 발달 이해　정답 ▶ ①

정답찾기 『주자서절요』는 이황의 저서이다.

선지분석 ㉢ 이이, ㉣ 조광조에 대한 설명이다.

0314

출제영역 〉 조선 전기 성리학의 발달 이해　정답 ▶ ③

정답찾기 『성학십도』의 저자는 퇴계 이황이다.
③ 이황은 주자의 이기이원론을 계승하여 이(理)는 존귀하고 기(氣)는 비천하다는 '이존기비론(理尊氣卑論)'으로 발전시켜 불완전한 기(氣)보다 완전한 이(理)를 중시하였다. 또한 여씨향약의 4대 강목 중 과실상규에 중점을 두고 예안 향약을 만들었다.

선지분석 ① 소요당 박세무, ② 율곡 이이, ④ 고봉 기대승에 대한 설명이다.

0315 □□□

다음은 사단 칠정에 대한 어느 유학자의 견해이다. 〈보기〉에서 이 유학자에 대한 설명으로 옳은 것을 모두 고른 것은?

2015. 국가직 7급 / 2018. 서울시 7급 유사

- 사단의 발은 순리이므로 선하지 않음이 없고, 칠정의 발은 이기를 겸하였기 때문에 선악이 있다.
- 사단은 이가 발함에 기가 따른 것이고, 칠정은 기가 발함에 이가 탄 것이다[理乘之]. 논사단칠정서

보기

㉠ 이는 무형(無形)하지만 기는 유형하므로 이통기국(理通氣局)이라 주장하였다.
㉡ 간략한 해석을 곁들인 10개의 도형으로 성리학의 핵심 내용을 집성하여 왕에게 바쳤다.
㉢ 형이하의 현실 세계를 기의 능동성으로 파악하여 경세적으로는 경장(更張)을 강조하였다.
㉣ 도덕적 행위의 근거로서 인간의 심성을 중시하고 근본적이며 이상주의적인 성격이 강하였다.

① ㉠, ㉢　② ㉠, ㉣
③ ㉡, ㉢　④ ㉡, ㉣

0316 □□□

〈보기〉의 인물 ㉠에 대한 설명으로 가장 옳은 것은?

2019. 서울시 7급 1차

보기

명나라 사신 왕경민이 "항상 기자가 동쪽으로 온 사적에 대해 알 수 없는 것이 한스럽다. 조선에 기록된 것이 있으면 보고 싶다." 라고 하니 (㉠)이(가) 전에 본인이 저술한 『기자실기』를 주었다.

① 백운동 서원에 소수 서원이라는 편액을 하사받도록 하였다.
② 『성학집요』와 『격몽요결』 등을 집필하였다.
③ 유성룡, 김성일, 장현광 등 주로 영남학자들에게 그의 학설이 계승되었다.
④ 일평생 처사로 지내며 독창적인 유기철학을 수립하였다.

0317 □□□

다음과 같이 주장한 인물에 대한 설명으로 옳은 것은?

2018. 국가직 7급

예로부터 나라의 역사가 중기에 이르면 인심이 반드시 편안만 탐해 나라가 점점 쇠퇴한다. 그때 현명한 임금이 떨치고 일어나 천명을 연속시켜야만 국운이 영원할 수 있다. 우리나라도 200여 년을 지내 지금 중쇠(中衰)에 이미 이르렀으니, 바로 천명을 연속시킬 때이다.

① 우리 역사에서 기자의 행적을 주목하고 그 전통을 계승하기 위해 『기자실기』를 지었다.
② 삼강오륜의 윤리를 설명하고 중국과 우리나라의 역사를 적은 『동몽선습』을 지었다.
③ 왕이 지켜야 할 왕도 정치 규범을 체계화한 『성학십도』를 지었다.
④ 경과 의를 근본으로 하는 실천적 성리학풍을 창도하였다.

0315

출제영역 〉 조선 전기 성리학의 발달 이해 정답 ▶ ④

정답찾기 제시문은 이황의 주장이다.
㉡ 이황의 『성학십도』에 대한 설명이다.
㉣ 이황은 주자의 이기이원론을 발전시켜 주리철학을 확립한 인물로, 도덕적 행위의 근거로 인간의 심성을 중시하여 이기호발설(理氣互發說)을 주장하였다.

선지분석 ㉠㉢ 이이의 주장이다.

0316

출제영역 〉 조선 전기 성리학의 발달 이해 정답 ▶ ②

정답찾기 ㉠은 율곡 이이로, 사림이 추구하는 왕도 정치가 기자에서 시작되었다는 평가를 담은 『기자실기』를 저술하였다.
② 율곡 이이는 현명한 신하가 성학을 군주에게 가르쳐 그 기질을 변화시켜야 함을 주장한 『성학집요』와 아동용 수신서인 『격몽요결』 등을 집필하였다.

선지분석 ①③ 퇴계 이황, ④ 화담 서경덕에 대한 설명이다.

0317

출제영역 〉 조선 전기 성리학의 발달 이해 정답 ▶ ①

정답찾기 제시문은 임진왜란 발생 11년 전 율곡 이이가 선조를 대면한 자리에서 조선의 현실을 진단하고 개혁을 주장한 내용이다. 당시 이이는 자신이 살던 16세기 후반을 '중쇠(中衰)기'로 인식하고, 조선의 각종 누적된 폐단이 사회의 역동성을 억누르고 민생을 도탄에 빠트렸기에 과감한 개혁을 해야 한다고 주장하였으나, 당시 조선 조정은 이에 주목하지 않았다.
① 이이는 『기자실기』를 통해 기자를 공자와 맹자에 버금가는 성인으로 추앙하고, 우리나라 왕도 정치의 기원을 기자에서 찾았다.

선지분석 ② 소요당 박세무, ③ 퇴계 이황, ④ 남명 조식에 대한 설명이다.

0318

다음은 외국인에게 경복궁에 대해 설명한 내용이다. 밑줄 친 (가)~(라)에 대한 설명으로 옳은 것을 <보기>에서 고른 것은?

제3회 한국사능력검정시험 고급

> 조선 왕조는 한양으로 천도한 이후 5대 궁궐을 지었는데, 그 가운데에서 법궁이 바로 이 경복궁이고, 나머지는 (가) 이궁으로 사용되었습니다. (나) 경복궁의 정문을 통과하면 가장 먼저 나오는 큰 건물은 바로 왕의 즉위식이나 책봉 등 국가적 의례가 있을 때에 사용하였고, 그 뒤에 (다) 왕의 집무실이 있었습니다. 경복궁은 임금이 거처하는 공간을 기준으로 왕세자는 동쪽에 있어 동궁이라 하였고, (라) 왕비의 거처 공간이 따로 있었습니다.

보기

ㄱ (가)는 창덕궁, 창경궁, 경희궁, 경운궁(덕수궁)을 말한다.
ㄴ (나)는 광화문을 가리키며, 좌측에 종묘, 우측에 사직이 배치되었다.
ㄷ (다)는 근정전을 말한다.
ㄹ (라)는 교태전으로, 임금이 거처하는 공간의 서쪽에 배치되었다.

① ㄱ, ㄴ
② ㄱ, ㄷ
③ ㄴ, ㄷ
④ ㄴ, ㄹ
⑤ ㄷ, ㄹ

0318

출제영역 조선 궁궐의 이해 **정답 ▶ ①**

선지분석 ㄷ (다) 왕의 집무실은 사정전이다. 근정전은 정전(正殿)이다. ㄹ (라) 왕비가 거처하는 공간인 교태전은 강녕전(왕의 침전) 뒤에 배치되었다.

더 알아보기 경복궁

- **'전조후시 좌묘우사(前朝後市 左廟右社)'**: 중국에서 고대부터 지켜져 오던 도성 건물 배치의 기본 형식[전조후시 좌묘우사(前朝後市 左廟右社)]을 지킨 궁궐로서, 궁의 왼쪽에는 역대 왕들과 왕비의 신위를 모신 종묘가 있으며, 오른쪽에는 토지와 곡식의 신에게 제사를 지내는 사직단이 자리 잡고 있다. 또한, 경복궁 앞에는 육조 거리가 조성되었다.
- **경복궁의 주요 건물 배치**: 궁궐의 핵심 공간으로 광화문 – 근정전 – 사정전 – 강녕전 – 교태전이 일직선 상에 놓여 있다.

0319

ㄱ~ㄹ에 대한 설명으로 옳은 것은?

2015. 국가직 7급

> 일제 강점기 조선 총독부는 수많은 우리 문화재를 훼손하였는데 남산도 예외가 아니었다. ㄱ 장충단을 공원화하고 그 동쪽에다 이토 히로부미를 기념하는 박문사를 세웠다. 거기에는 ㄴ 경복궁을 훼손하여 여러 부속 건물을 가져다 놓았고, ㄷ 원구단에 있던 석고전을 종각으로 변조하였으며, ㄹ 경희궁의 정문인 흥화문을 헐어서 정문으로 삼았다.

① ㄱ – 숙종 때 명나라 신종을 제사하려고 지은 사당이었다.
② ㄴ – 세종 때 만든 보루각과 간의대가 있었다.
③ ㄷ – 을미사변 때 죽은 이경직과 홍계훈 등 충신·열사의 넋을 기리는 제단이었다.
④ ㄹ – 역대 임금의 초상을 봉안하던 선원전이 있었다.

0319

출제영역 조선 주요 건축의 이해 **정답 ▶ ②**

정답찾기 ② 보루각은 경복궁 경회루 남쪽에 세워진 건물로서, 물시계인 자격루가 설치되었다. 천문 관측 기구인 간의를 설치한 관측대인 간의대는 경복궁 경회루 북쪽에 위치하고 있다.

선지분석 ① ㄱ – 숙종 때 명나라 신종을 제사하려고 지은 사당은 만동묘이다. 장충단(1900)은 대한 제국 때 을미사변·임오군란 등으로 순사한 충신과 열사의 제사를 지내던 곳이다.
③ ㄷ – 을미사변 때 죽은 이경직과 홍계훈 등 충신·열사의 넋을 기리는 제단은 장충단이다. 원구단은 하늘에 제사 지내는 단이다.
④ ㄹ – 선원전은 조선 시대 태조 이하 역대 임금과 왕후의 영정을 봉안한 곳으로, 조선 초기 이래로는 창덕궁에 위치하였으나, 고종 대에 창덕궁뿐 아니라 경복궁과 경운궁에도 영정을 봉안하여 왕이 거처하는 궁궐을 바꿀 때를 대비하였다. 경희궁에는 한때 고종의 어진을 보관했던 태령전이 있었다.

0320

조선 시대에 건축된 문화재로 바르게 묶은 것은?

2012. 국가직 7급 / 2018. 서울시 기술직 9급 유사

① 숭례문, 경천사 10층 석탑
② 봉정사 극락전, 법주사 팔상전
③ 수덕사 대웅전, 부석사 무량수전
④ 무위사 극락전, 원각사지 10층 석탑

0320

출제영역 조선 주요 건축의 이해 **정답 ▶ ④**

선지분석 ①②③ 경천사 10층 석탑, 봉정사 극락전, 수덕사 대웅전, 부석사 무량수전은 고려 후기의 건축물이다.

0321 □□□

사림의 문화를 반영한 16~17세기 그림에 해당하지 않는 것은?

2017. 국가직 7급

① 이정의 「풍죽도」 ② 심사정의 「초충도」
③ 어몽룡의 「월매도」 ④ 황집중의 「묵포도도」

0322 □□□

다음은 조선 시대의 대표적인 자기를 제작 시기와 상관없이 배열한 것이다. (가)~(다) 양식의 자기가 널리 유행하던 시기의 상황으로 옳은 것은?

2012. 경찰간부

(가) (나) (다)

① (가) – 옹기와 더불어 주로 서민들이 사용하였다.
② (나) – 『경국대전』이 반포되었다.
③ (다) – 척신 정치의 잔재를 어떻게 청산할 것인가를 둘러싸고 사림 세력이 갈등을 겪게 되었다.
④ (가) – 탕평책이 시행되었다.

0323 □□□

조선 전기 음악에 대한 설명으로 옳은 것은?

2013. 경찰간부

① 조선 전기에는 통례원에서 음악을 관장하였다.
② 세조는 정간보(井間譜)라는 새로운 악보를 창안하였다.
③ 세종 때 박연 등이 『악학궤범(樂學軌範)』을 편찬하였다.
④ 성현(成俔)은 연주법과 악옥을 합친 합자보(合字譜)를 만들었다.

0324 □□□

우리나라의 국보와 그 제작 시대를 연결한 것으로 옳지 않은 것은?

2016. 서울시 7급

① 조선 – 징비록, 비변사등록, 송시열 초상
② 고려 – 영주 부석사 무량수전, 안향 초상, 상원사 동종
③ 통일 신라 – 충주 탑평리 칠층 석탑, 성덕 대왕 신종, 보은 법주사 석련지
④ 백제 – 부여 정림사지 오층 석탑, 익산 미륵사지 석탑, 서산 용현리 마애 여래 삼존상

0321

출제영역 〉 조선 전기 미술의 이해 **정답 ▶ ②**

정답찾기 ② 심사정은 조선 후기 남종화풍을 토착화시킨 화가이다. 조선 후기 대표적 화가로 3원(園) 3재(齋)가 꼽히는데, 3원이란 단원 김홍도, 혜원 신윤복, 오원 장승업이고, 3재는 겸재 정선, 관아재 조영식, 현재 심사정이다.

선지분석 ①③④ 16세기 화가인 이정, 어몽룡, 황집중은 각각 대나무, 매화, 포도를 잘 그려 3절로 일컬어졌다.

0322

출제영역 〉 조선 도자기의 이해 **정답 ▶ ③**

정답찾기 (가) 15세기 분청사기, (나) 18세기 청화 백자, (다) 16세기 순백자
③ 16세기 말에 기성·신진 사림 간 갈등이 발생하였다.

선지분석 ① 분청사기는 양반들이 주로 사용하였다.
② 『경국대전』은 15세기 성종 때 반포되었다. – (가)
④ 18세기의 상황이다. – (나)

0323

출제영역 〉 조선 전기 음악의 이해 **정답 ▶ ④**

정답찾기 ④ 성현은 기존의 악보에다 구체적인 연주 방법까지 기록한 합자보(合字譜)를 창안하였고 이를 응용해 현금합자보(玄琴合字譜)를 간행함으로써 특정인의 지도 없이도 국악을 연주할 수 있도록 하였다.

선지분석 ① 조선의 음악 담당 부서는 장악원이다. 통례원은 조회 및 제사에 관한 의식을 맡던 부서이다.
② 세종 때 정간보(井間譜)라는 악보를 창안하였다.
③ 성종 때 성현 등이 『악학궤범(樂學軌範)』을 편찬하였다.

더+알아보기 〉 『악학궤범』

『악학궤범』은 성현이 음악 이론과 음악의 쓰임새, 악기의 구조 및 제작 기법과 연주법, 궁중 무용의 종류와 공연 절차 등을 관련 그림과 함께 편찬한 종합적인 악서(樂書)로, 조선 시대 궁중 음악의 전승에 큰 도움을 주고 있다.

0324

출제영역 〉 우리나라 국보의 이해 **정답 ▶ ②**

정답찾기 ② 상원사 동종은 통일 신라 때인 성덕왕 24년(725)에 만든 범종이다.

PLUS⁺ 선지 OX 조선 전기의 문화

01 포쇄(暴曬)는 3년에 한 번씩 전임 사관이 파견되어 일정한 규례에 따라 시행하였다. 2012. 경찰간부 O X

02 『동국통감』은 단군 조선에서 고려 말까지의 역사를 영사체(詠史體) 형식으로 정리한 책이다. 2019. 계리직 O X

03 조선 초 왕실에서는 불교 행사가 자주 시행되기도 하였지만, 숭유억불 정책의 일환으로 국가 차원에서 불경 등 불교 관련 책을 편찬하지는 않았다. 2005. 입법고시 O X

04 『경국대전』이 완성된 왕의 재위 시기에 중국과 우리나라의 역사를 담은 아동 교육서인 『동몽선습』이 편찬되었다.
2019. 국가직 9급 O X

05 칼과 방울을 의(義)와 경(敬)의 상징으로 차고 다닌 인물의 문하에서 다수의 의병장이 배출되었다. 2017. 기상직 7급 O X

06 세종 대왕이 경연에서 보지 않은 책은 이이의 『성학집요』이다. 2003. 입법고시 O X

07 15세기에는 성현에 의해 평양, 개성, 경주 등 옛 도읍지를 배경으로 남녀 간의 사랑과 불의에 대한 비판 등 민중의 생활 감정과 역사의식을 담은 『필원잡기』가 간행되었다. 2017. 경찰 1차 O X

08 『칠정산』이 간행된 시기에 혜정교와 종묘 앞에 앙부일구를 처음 설치하였고, 현주일구, 천평일구가 만들어졌다. 2016. 기상직 9급 O X

09 『조선왕조실록』에는 계절의 변화와 1년의 길이를 측정하기 위해 규형을 설치하였다는 기록이 있다. 2015. 기상직 9급 O X

10 조선 전기 측우기는 서운관에만 설치하여 강우량 측정의 통일성을 기하였다. 2015. 지방직 7급 O X

PLUS⁺ 선지 OX 해설 조선 전기의 문화

01 [O] 포쇄(暴灑)란 실록을 병충해와 습기로부터 보호하고자 바람에 말리는 일로서, 3년에 한 번 이루어졌다.

02 [X] 『동국통감』은 고조선에서 고려 말까지의 역사를 정리한 최초의 통사이다. 영사체는 역사적 사실을 시가로 읊는 형태로 『동명왕편』이나 『제왕운기』 등이 해당한다.

03 [X] 세종 때 수양 대군으로 하여금 한글로 석가모니의 일대기를 풀이한 『석보상절』을 간행하게 하였으며, 세조 때 간경도감을 통해 불경을 번역·간행하였다.

04 [X] 『경국대전』은 성종 때 완성되었다. 박세무가 지은 아동용 수신서인 『동몽선습』은 중종 때 편찬되었다.

05 [O] 칼과 방울을 의(義)와 경(敬)의 상징으로 차고 다닌 조식의 실천적 유학은 임진왜란 때 정인홍, 곽재우 등 조식 학파가 의병 활동을 하게 된 배경이 되었다.

06 [O] 율곡 이이가 쓴 『성학집요』는 영조 때 경연에 포함되었다. 조선 전기 주요 경연 과목은 『대학연의』, 『소학』, 『근사록』 등이다.

07 [X] 서거정의 『필원잡기』는 고대부터 전하는 일화를 수록한 설화집이다. 평양, 개성, 경주 등 옛 도읍지를 배경으로 우리나라의 고유한 신앙과 연결된 생활 감정 및 역사의식을 담은 것은 김시습의 『금오신화』이다.

08 [O] 『칠정산』은 세종 때 편찬되었다. 세종 때 만들어진 과학 기구로는 혼의, 간의, 앙부일구(해시계), 자격루(물시계), 측우기(강우량 측정 기구) 등이 있다. 또한 현주일구, 천평일구는 세종 때 장영실이 만든 휴대용 해시계이다.

09 [X] 규형은 땅의 거리와 높낮이를 측량하는 도구이다. 해가 떴을 때 막대기의 그림자를 측정해 1년의 길이를 측정하고 24기(氣)를 알기 위한 관측 기기는 규표이다.

10 [X] 이천·장영실 등이 제작한 측우기는 서울은 서운관(세조 : 관상감)에, 지방은 각 도(감영)와 군현에 설치하였다.

PART 04

기출문제가
예상문제이다!

05편

근대 사회의 태동 (조선 후기)

제1장 조선 후기의 정치
제2장 조선 후기의 경제
제3장 조선 후기의 사회
제4장 조선 후기의 문화

조선 후기의 정치

최근 5년간 국가직·지방직 출제 비율

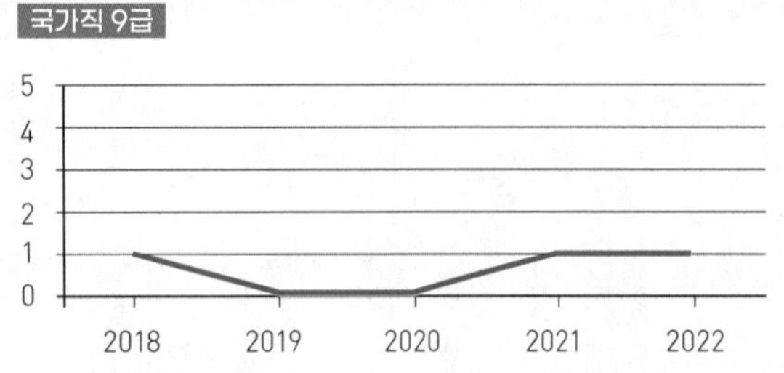

지방직 9급

5 4 3 2 1 0

2018 2019 2020 2021 2022

• 국가직과 지방직에서 매년 한 문제씩은 출제되는 단원이다.
• 주로 영조와 정조의 업적을 묻는 문제가 출제되었다.

주요 고난도 문제 키워드

#붕당 정치 #특정 붕당의 성격 #예송 논쟁 #숙종의 정책
#영조 · 정조 시기 개혁 정치 #영조 · 정조 시기 편찬 서적

고난도 이론 정리 선우쌤 PICK

영조와 정조의 개혁 정치		
구분	영조	정조
정치	• [1] ____ 탕평 : 즉위 후 '탕평교서' 발표, 온건하고 타협적인 인물 등용, [2] ____ 의 난(1728) 이후 본격적으로 탕평파 육성, [3] ____ 건립 • [4] ____ 의 존재 부정, [5] ____ 정리(붕당 근거지) • 이조 [6] ____ 의 권한 약화 • 군제 · 경제 개혁 단행, 병권을 왕권에 복속	• [13] ____ 탕평 : 적극적 탕평책 추진, 소론과 남인 중용 • 초월적 군주 : 스스로 '만천명월주인옹(萬川明月主人翁)'이라 하여 초월적 군주 자처 • [14] ____ 제도 : 37세 이하 참상 · 참하의 당하관 중 젊고 재능 있는 문신들을 의정부에서 1차로 뽑아 규장각에 위탁 교육을 시키고 40세가 되면 졸업시키는 제도 • [15] ____ (국왕 친위 부대) 설치 : 군권 장악 • [16] ____ 설치 : 국왕 직속의 학술 및 정책 연구 기관 • 수령의 권한 강화, 수원 [17] ____ 축조
제도 개혁	• [7] ____ : 군포 2필 ⇨ 1필로 감액 • 노비공감법 실시, 노비 [8] ____ 확정 • 형벌 제도 개선(사형 금지) • 백성 의견 반영 : [9] ____ 제도 부활, 격쟁 · 상언 활성화 • 청계천 준설(1760) • 수도 방어를 위한 수성윤음 공포(1751)	• [18] ____ 실시(1791) : 육의전을 제외한 시전 상인의 금난전권 혁파 • [19] ____ 폐지 : 장인 등록제 폐지 • [20] ____ 검서관에 [21] ____ 등용 예 이덕무, 박제가 등 • [22] ____ : 신문체 사용을 금지하고 고(古)문체 사용
대표 편찬 사업	• [10] ____ : 홍봉한, 한국학 백과사전 • 『속오례의』 : 『국조오례의』 보완 • [11] ____ (법전), 『속병장도설』, 『무원록』 등 • [12] ____ : 신경준, 채색 지도집 • 「해동지도」 : 조선의 각 도별 군현 채색 지도집	• [23] ____ : 정조가 세손 때부터 편찬 시작, 유네스코 세계 기록 유산 등재 • [24] ____ : 정조까지의 법전 재정비 • [25] ____ : 조선의 외교 문서집 • 『무예도보통지』 : 무예를 그림으로 설명 • 『오륜행실도』 : 세종 때의 『삼강행실도』와 중종 때의 『이륜행실도』를 합하고 수정 • 『고금도서집성』을 청에서 수입

정답 1. 완론 2. 이인좌 3. 탕평비 4. 산림 5. 서원 6. 전랑 7. 균역법 8. 종모법 9. 신문고 10. 『동국문헌비고』 11. 『속대전』 12. 「동국여지도」 13. 준론 14. 초계문신 15. 장용영 16. 규장각 17. 화성 18. 신해통공 19. 공장안 20. 규장각 21. 서얼 22. 문체반정 23. 『일성록』 24. 『대전통편』 25. 『동문휘고』

통치 체제의 개편

0325 □□□

다음의 자료에 해당하는 정부 기구에 대한 설명으로 가장 옳은 것은?

2016. 경찰간부 / 2020. 국가직 7급 유사

> • 중앙과 지방의 군국기무를 도맡아 관할하는 기구이다.
> • 도제조는 현임 또는 전임 의정이 의례 겸하며, 제조는 재신으로 변경의 사정에 밝은 자를 겸임하게 하고, 정원은 없다.
> • 이·호·예·병 4조 판서 및 강화유수는 상례로 겸임케 하며, 유사당상 3명은 제조로서 군무를 아는 사람을 상주하여 임명한다.
>
> 『만기요람』

① 국가의 중죄인을 다스리는 일을 맡았다.
② 고종 때 흥선 대원군에 의해 폐지되었다.
③ 정사를 비판하고 관리의 비리를 감찰하였다.
④ 정조 때 왕권을 뒷받침하는 기구로 창설되었다.

0326 □□□

어느 관리의 이력이다. (가)~(마)와 관련된 설명으로 맞지 않는 것은?

수능

영조 47년(1771)	진사시에 합격하다.	(가)
영조 49년(1773)	증광시에 급제하다.	
정조 4년(1780)	홍문관 부교리가 되다.	(나)
정조 5년(1781)	초계문신으로 선발되다.	(다)
정조 10년(1786)	승정원 좌승지가 되다.	
정조 18년(1794)	사헌부 대사헌이 되다.	(라)
정조 19년(1795)	공조 판서가 되다.	(마)
순조 2년(1802)	영의정이 되다.	

① (가) – 성균관에 입학할 수 있는 자격을 얻었다.
② (나) – 경연에 참가하여 정책을 토론하였다.
③ (다) – 왕의 뜻에 따라 규장각에서 재교육을 받았다.
④ (라) – 관리의 비리를 적발하여 탄핵하였다.
⑤ (마) – 비변사의 구성원이 되어 회의에 참여하였다.

0327 □□□

조선 후기의 5군영에 대한 설명으로 가장 옳지 않은 것은?

2017. 경찰간부

① 임진왜란 때 유성룡의 건의로 훈련도감이 설치되었다.
② 어영청, 총융청, 수어청, 금위영의 순서로 완성되었다.
③ 수어청은 북한산성에 근거지를 두었다.
④ 훈련도감에서는 척계광의 『기효신서』를 참고하여 훈련하였다.

0325

출제영역 〉 조선 후기 정치 구조의 변화 이해 　정답 ▶ ②

정답찾기 ▶ 제시문은 비변사에 대한 설명이다.
② 흥선 대원군에 의해 비변사의 기능이 축소(폐지)되어 군사는 삼군부가, 행정은 의정부가 담당하게 되었다.

선지분석 ▶ ① 의금부, ③ 사헌부, ④ 규장각에 대한 내용이다.

더⊕알아보기 〉 **『만기요람』**
『만기요람』은 1808년(순조 8) 서영보, 심상규 등이 왕명에 의해 편찬한 책으로, 18세기 후반부터 19세기 초에 이르는 조선 왕조의 재정과 군정에 관한 내용들이 집약되어 있다.

0326

출제영역 〉 조선 후기 정치 구조의 이해 　정답 ▶ ⑤

정답찾기 ▶ ⑤ (마) – 비변사의 구성원에서 공조 판서는 제외되었다.

0327

출제영역 〉 조선 후기 군사 제도의 변화 이해 　정답 ▶ ③

정답찾기 ▶ ③ 수어청의 주요 임무는 남한산성과 주변 방어이기 때문에 남한산성에 근거지를 두었다.

선지분석 ▶ ① 5군영의 핵심 군영인 훈련도감(1593, 선조 26년)은 임진왜란 중에 유성룡의 건의로 설치되었다.
② 어영청(1623, 인조 원년), 총융청(1624, 인조 2년), 수어청(1626, 인조 4년), 금위영(1682, 숙종 8년)의 순서로 완성되었다.
④ 조선 후기의 중앙군과 지방군은 명나라 장수 척계광이 저술한 『기효신서』에 나오는 속오법에 의해 운영되었다.

0328

다음의 사실들을 시기순으로 바르게 나열한 것은?

2017. 국회직 9급 / 2008. 지방직 7급 유사

㉠ 포수, 사수, 살수의 삼수병을 편성하고 급료를 지급하였다.
㉡ 중앙군을 옷의 색깔을 기준으로 9개의 서당으로 편성하였다.
㉢ 신기군, 신보군, 항마군으로 별무반을 편성하였다.
㉣ 정규군 외에 서리, 잡학인, 신량역천인, 노비 등으로 일종의 예비군을 구성하였다.
㉤ 야별초를 좌우로 나누고, 신의군과 합쳐 조직을 확대하였다.

① ㉡ - ㉠ - ㉢ - ㉤ - ㉣
② ㉡ - ㉢ - ㉤ - ㉣ - ㉠
③ ㉡ - ㉤ - ㉢ - ㉠ - ㉣
④ ㉢ - ㉡ - ㉣ - ㉤ - ㉠
⑤ ㉢ - ㉤ - ㉡ - ㉠ - ㉣

0329

〈보기〉의 조선 시대의 국방 정책을 시간순으로 바르게 나열한 것은?

2018. 서울시 9급

보기
㉠ 서울 주변의 네 유수부가 서울을 엄호하는 체제를 구축하였다.
㉡ 금위영을 발족시켜 5군영 제도가 성립되었다.
㉢ 하멜이 가져온 조총 기술을 도입하여 서양식 무기를 제조하였다.
㉣ 수도 방어 체계를 강화하고 『수성윤음』을 반포하였다.

① ㉠ - ㉡ - ㉢ - ㉣
② ㉡ - ㉣ - ㉠ - ㉢
③ ㉢ - ㉡ - ㉣ - ㉠
④ ㉣ - ㉢ - ㉠ - ㉡

정국의 변화와 탕평책

0330

다음은 조선 후기 붕당의 학풍을 설명한 것이다. 이와 연관된 서술로 타당한 것은?

제3회 한국사능력검정시험 고급

(가) 조식의 학통을 이었으며, 특히 절의를 중시하여 임진왜란 중에 정인홍, 곽재우와 같은 의병장을 많이 배출하였다.
(나) 학문의 본원적 연구를 중시하는 이황의 학통을 내세웠는데, 정계에서보다는 향촌 사회에서 그 영향력이 컸다.
(다) 송시열을 중심으로 이이의 정통 학통을 계승하였다고 자부하였으며, 보수적이고 강경 정책을 취하였다.
(라) 윤증의 학통을 이었으며, 이황의 학설에도 호의를 보이는가 하면 이이에 대해 비판적이기도 하여 성리학의 이해에 탄력성을 보여 주었다.

① (가)는 실리보다 명분을 중시하여 친명배금 정책을 추진하였다.
② (나)는 현종 때 예송 논쟁을 계기로 몰락하여 지방 세력화되었다.
③ (다) 가운데 일부 학자들이 중농적 실학사상을 발달시켰다.
④ (라)의 학자 가운데 18세기 강화학파가 형성되었다.
⑤ (가)와 (나)는 기호학파에서, (다)와 (라)는 영남학파에서 분화되었다.

0328

출제영역 〉 역대 군사 제도의 이해 정답 ▶ ②

정답찾기 ㉡ 9서당(통일 신라) ⇨ ㉢ 별무반(고려 숙종) ⇨ ㉤ 삼별초(최우 집권기) ⇨ ㉣ 잡색군(조선 전기) ⇨ ㉠ 훈련도감(조선 선조)

0329

출제영역 〉 조선 국방 정책의 시기순 이해 정답 ▶ ③

정답찾기 ㉢ 조총 기술 도입(1656, 효종 7년) ⇨ ㉡ 금위영 설치(1682, 숙종 8년) ⇨ ㉣ 『수성윤음』 반포(1751, 영조 27년) ⇨ ㉠ 4유수부 설치(1793, 정조 17년)

0330

출제영역 〉 붕당과 학풍의 이해 정답 ▶ ④

정답찾기 (가) 북인, (나) 남인, (다) 노론, (라) 소론
④ 18세기 경기 소론과 왕의 불우한 종친 사이에서 양명학이 확산되면서, 정제두에 의해 강화학파가 형성되었다.

선지분석 ① 서인의 주장이다.
② 남인은 2차 예송 논쟁(갑인예송) 때 그들의 1년설이 채택되면서 집권 세력이 되었다. 그러나 경신환국(1680, 숙종 6년) 때 몰락하여 지방 세력화되었다.
③ 중농적 실학사상은 경기 남인 세력에 의해 이루어졌다.
⑤ (가)와 (나)는 영남학파에서, (다)와 (라)는 기호학파에서 분화되었다.

0331

㉠~㉣에 대한 설명으로 옳지 않은 것은? 2018. 국가직 7급

> 예조가 아뢰기를, "㉠ 자의 왕대비께서 선왕의 상에 입어야 할 복제를 결정해야 하는데, ㉡ 어떤 사람은 삼년복을 입어야 한다고 하고 ㉢ 어떤 사람은 기년복(期年服)을 입어야 한다고 하니 어떻게 결정해야 할지 모르겠습니다."라고 하였다. 이에 국왕은 여러 대신에게 의견을 물은 다음 ㉣ 기년복으로 결정하였다.
>
> 『조선왕조실록』

① ㉠ – 인조의 계비 조대비를 가리킨다.
② ㉡ – 윤휴는 왕통을 이었으면 적장자로 보아야 하므로 3년복을 입어야 한다고 주장하였다.
③ ㉢ – 송시열은 '체이부정(體而不正)'을 내세워 기년복을 입어야 한다고 주장하였다.
④ ㉣ – 『국조오례의』의 상복 규정에 따라 기년복으로 결정되었다.

0332

다음 지문의 작가가 속한 붕당에 대한 설명으로 옳은 것은? 2020. 국회직 9급

> 江湖(강호)애 病(병)이 깁퍼 竹林(듁님)의 누엇더니,
> 關東(관동) 八百里(팔빅니)에 方面(방면)을 맛디시니,
> 어와 聖恩(셩은)이야 가디록 罔極(망극)ᄒᆞ다. 「관동별곡(關東別曲)」

① 이황과 조식의 문인으로 이루어져 있다.
② 이조전랑 자리를 두고 다툰 김효원을 추종하는 세력이다.
③ 광해군을 세자로 책봉하자고 건의한 사건으로 피해를 입었다.
④ 정여립 모반 사건에 연루되어 많은 사람들이 실각하였다.
⑤ 선조가 사망하고 광해군이 즉위하자 실권을 장악하였다.

0333

다음 글을 지은 인물이 속했던 조선 시대 정치 세력[붕당]에 대한 설명으로 가장 적절한 것은? 2020. 경찰 1차

> 내 버디 몃치나 ᄒᆞ니 水石(수석)과 松竹(송죽)이라.
> 東山(동산)의 ᄃᆞᆯ 오르니 긔 더옥 반갑고야.
> 두어라 이 다ᄉᆞᆺ밧긔 또 더ᄒᆞ야 머엇ᄒᆞ리.

① 예송에서 왕의 예는 일반 사대부와 다르다고 주장하였다.
② 효종의 비가 죽었을 때 시어머니인 자의 대비가 대공복을 입어야 한다고 주장하였다.
③ 자신들의 학문적 정통성을 확립하기 위하여 조식을 높이고 이언적과 이황을 폄하하였다.
④ 경종이 즉위하자 그가 병약하다는 이유를 들어 이복동생 연잉군을 세제로 책봉할 것을 요구하였다.

0331

출제영역 예송 논쟁의 이해 정답 ▶ ④

정답찾기 제시문은 1차 기해예송(1659)에 대한 내용으로 ㉡은 남인, ㉢은 서인이다.
④ 기해예송 당시 상복을 둘러싼 서인과 남인들의 논쟁이 격화되자, 영의정이었던 정태화는 장자(맏아들)와 중자(둘째 아들)를 구분하는 두 설을 모두 버리고, 『대명률』과 『경국대전』에 '어머니는 장자와 중자에게 모두 기년복을 입는다.'는 규정(국제 기년복)을 들어 기년복의 시행을 주장하였고 이것이 받아들여졌다.

선지분석 ① 자의 대비는 16대 인조의 계비이자 효종의 계모이다.
② 윤휴, 윤선도 등의 남인은 왕가의 특수성과 차남인 효종이 왕통을 이었기 때문에 장자와 같은 3년복을 입어야 한다고 주장하였다.
③ 송시열, 송준길 등을 중심으로 하는 서인은 효종이 선왕의 혈통은 이어받았지만 적장자가 아닌 서자로서 '체이부정(體而不正)'에 해당한다고 하면서 1년복을 주장하였다.

0332

출제영역 특정 붕당의 이해 정답 ▶ ③

정답찾기 제시문은 서인 정철의 「관동별곡」이다.
③ 동인은 서인 정철이 광해군을 세자로 책봉하자고 왕에게 건의한 것을 문제삼아 정철 일파를 몰아내었다(건저의 사건).

선지분석 ①②④ 동인, ⑤ 북인에 대한 설명이다.

0333

출제영역 특정 붕당의 이해 정답 ▶ ①

정답찾기 제시문은 윤선도의 '오우가(五友歌)'로, 윤선도는 대표적인 남인이다.
① 현종 때 일어난 예송 논쟁에서 왕권을 강조한 남인은 왕의 예(禮)는 일반 사람과 같지 않다고 하여 왕을 절대화시켰다[왕례(王禮) 중시].

선지분석 ② 2차 예송 논쟁에서 9개월설(대공복)을 주장한 것은 서인이다. 남인은 1년설을 주장하였다.
③ 북인에 대한 설명이다. 북인은 조식을 추앙하고 이언적과 이황을 폄하시켜서 서인·남인과의 반목을 심화시켰다.
④ 연잉군(영조)을 추대한 것은 노론이다.

0334

다음은 조선 후기 붕당 정치의 전개 과정에서 일어난 사건들이다. 이 가운데 남인이 집권하는 계기가 된 사건들만을 모두 고른 것은?

2014. 지방직 7급

㉠ 1차 예송 논쟁	㉡ 2차 예송 논쟁
㉢ 경신환국	㉣ 기사환국
㉤ 갑술환국	㉥ 이인좌의 난

① ㉠, ㉤　② ㉡, ㉣
③ ㉠, ㉢, ㉤　④ ㉡, ㉣, ㉥

0334

출제영역 조선 후기 정치 변화의 이해　정답 ▶ ②

정답찾기 남인이 권력을 잡은 사건은 ㉡ 2차 예송 논쟁과 ㉣ 기사환국이다.

선지분석 ㉠ 1차 예송 논쟁, ㉢ 경신환국, ㉤ 갑술환국은 서인들이 권력을 잡은 사건이다.

㉥ 이인좌의 난은 1728년(영조 4) 소론과 남인의 일부 세력이 영조와 노론에 반발하여 일으킨 난으로, 이를 계기로 영조는 그를 지지하는 탕평파를 형성하였다.

숙종 · 영조 · 정조의 탕평책

0335

〈보기〉의 정치적 사건이 일어난 왕대의 일과 가장 관련이 없는 것은?

2018. 서울시 7급 1차 / 2019. 기상직 9급 유사

보기

후궁이 낳은 왕자가 세자로 책봉되는 과정에서 서인이 몰락하고 남인이 집권하였으며, 송시열과 김수항 등이 처형당하였다.

① 청과 러시아 사이에 국경 충돌이 일어나자, 청의 요구에 따라 수백 명의 조총 부대를 영고탑(지금의 지린성)에 파견하였다.
② 병조 판서 김석주의 건의에 따라 국왕 호위와 수도 방위의 핵심 군영 중 하나인 금위영이 설치되었다.
③ 안용복이 울릉도와 우산도(독도)에 출몰하는 왜인을 쫓아내고 일본 당국과 담판하여 그곳이 우리 영토임을 승인받았다.
④ 삼남 지방에 대한 양전 사업이 완료되었고, 세종 때 설치했다가 폐지한 '폐사군'의 일부를 복설하였다.

0335

출제영역 숙종 때 정국 이해　정답 ▶ ①

정답찾기 제시문은 기사환국(1689, 숙종 15년)에 대한 설명이다.
① 나선 정벌[1654(효종 5년), 1658(효종 9년)]

선지분석 ② 금위영 설치(1682, 숙종 8년)
③ 조선 숙종 때 일본 어민이 독도를 자주 침범하자, 동래 어민 안용복이 이들을 축출하고 일본에 건너가서 독도가 조선 영토임을 확인하였다(1696).
④ 조선 숙종 때 폐4군(자성 · 무창 · 우예 · 여연)의 일부를 복설하였다.

0336

〈보기〉의 조치를 시행한 국왕에 대한 설명으로 옳은 것은?

2018. 서울시 7급 2차

보기

- 노산 대군의 시호를 올리고 (중략) 묘호를 단종이라 하였다.
- 임금이 친히 명나라 신종 황제를 제사하였다.
- 충무공 이순신의 사우(祠宇)에 '현충'이라는 호를 내렸다.

① 왕권 강화를 위해 수시로 환국을 단행하였다.
② 수원에 새로운 성곽 도시인 화성을 건설하였다.
③ 명의 요청을 수용하여 중국에 원병을 파견하였다.
④ 백성들의 군역 부담 완화를 위해 균역법을 시행하였다.

0336

출제영역 숙종 때 정국 이해　정답 ▶ ①

정답찾기 제시문은 조선 숙종이 시행한 조치들이다.
① 조선 숙종 때에는 노론과 소론의 대립으로 환국이 일어났다.

선지분석 ② 정조, ③ 광해군, ④ 영조에 대한 설명이다.

0337 □□□

다음 중 같은 국왕 대에 일어난 사실들로 바르게 짝지은 것은?

2014. 사회복지직 9급

(가) 적극적인 북벌 운동을 계획하고 어영청을 2만여 명으로 확대하였다.
(나) 서인이 송시열을 영수로 하는 노론과 윤증을 중심으로 하는 소론으로 갈라졌다.
(다) 대외적으로 명과 후금의 싸움에 휘말리지 않으면서 실리적인 외교 정책을 펼쳤다.

보기
㉠ 하멜이 가져온 조총의 기술을 활용하여 서양식 무기를 제조하였다.
㉡ 후금의 태종이 광해군을 위한다는 명분으로 황해도 평산까지 쳐들어 왔다.
㉢ 대동법을 처음으로 경기도에 시행하였다.
㉣ 백두산정계비를 세워 서쪽으로 압록강, 동쪽으로 토문강을 경계로 삼았다.

① (가) – ㉣　　② (가) – ㉡
③ (나) – ㉠　　④ (다) – ㉢

0338 □□□

다음 중 영조 때 편찬된 것으로 바르게 묶은 것은?

2011. 서울시 9급 / 2016. 서울시 9급 유사

(가) 동국문헌비고　(나) 동문휘고
(다) 속병장도설　(라) 무원록
(마) 전운옥편

① (가), (나), (라)　　② (나), (다), (마)
③ (가), (다), (라)　　④ (가), (다), (마)
⑤ (다), (라), (마)

0339 □□□

밑줄 친 '이 같은 풍습'과 관계가 먼 것은?

2010. 국가직 7급

근래 지방의 민심이 사나워 수령을 능멸하는 폐단이 있습니다. 이전에 성상께서 행차하는 길에, 황주와 해주의 백성이 수령에 대한 불만을 성상의 수레 앞에서 호소하여, 수령을 바꾸어달라고까지 하였습니다. 백성들의 이 같은 풍습은 이전에는 들어보지 못한 것입니다. 성상은 이들을 고양군에 가두라고 한 다음 특별히 어사를 보내 옳고 그름을 따지지 말고 모두 석방하라 하였습니다.

『영조실록』

① 민권 의식의 증대　　② 소원 제도의 확대
③ 언관·언론의 발전　　④ 상언·격쟁의 증가

0337

출제영역 〉 조선 후기 주요 국왕의 업적 이해　　정답 ▶ ④

정답찾기 (가) 효종, (나) 숙종, (다) 광해군
㉠ – 효종, ㉡ – 인조(정묘호란), ㉢ – 광해군, ㉣ – 숙종

0338

출제영역 〉 영조의 정책 이해　　정답 ▶ ③

선지분석 (나) (마) 정조 때 편찬되었다.

더⊕알아보기 〉 **영조 때 편찬 사업**

여지도서	『동국여지승람』 이후 변화된 지리 지식 반영
동국여지도	신경준이 쓴 8권의 채색 지도집
해동지도	• 조선의 각 도별 군현 채색 지도집 • 만리장성과 중국 전도, 유구(오키나와) 지도 등 370여 종의 지도 수록
동국문헌비고	제도·문물을 총정리한 한국학 백과사전
속오례의	『국조오례의』를 보완한 의례집
속대전	법전을 재정리한 법령집
(증수)무원록	관리의 행정 지침서적 성격을 띤 법의학서
속병장도설	무예법을 재정리한 병서
국조악장	궁중의 아악 정리

0339

출제영역 〉 영조의 정책 이해　　정답 ▶ ③

정답찾기 밑줄 친 '이 같은 풍습'은 영조 대의 소원 제도 중 상언·격쟁이다. 소원 제도란 백성 스스로가 행정 행위가 위법하거나 부당할 때에 상급 관청에 대하여 처분의 취소 또는 변경을 호소하는 일이다.
③ 3사의 언관 같은 언론 정치는 백성이 직접 호소하는 소원 제도가 아니라, 사대부 양반이 왕에게 상소하는 형식이었다.

PART 05

0340 □□□

밑줄 친 '왕'의 업적으로 옳은 것만을 〈보기〉에서 모두 고르면?

2018. 지방직 7급

> 왕은 계지술사(繼志述事)를 내걸고 전통문화를 계승하면서 중국과 서양의 과학 기술을 받아들여 국가 경영을 혁신하였다. 또한 재정 수입을 늘리고 상공업을 진흥하기 위해 육의전을 제외한 시전의 금난전권을 폐지하여 자유 상업을 진작하고, 전국 각지의 광산 개발을 장려하였다.

보기

ㄱ 무위영을 설치하였다.
ㄴ 『동문휘고』를 편찬하였다.
ㄷ 수성윤음(守城綸音)을 반포하였다.
ㄹ 한구자(韓構字)와 정리자(整理字)를 주조하였다.

① ㄱ, ㄷ　② ㄱ, ㄹ
③ ㄴ, ㄷ　④ ㄴ, ㄹ

0341 □□□

밑줄 친 '이 책'을 편찬하기 시작한 (가) 왕의 업적으로 옳은 것은?

2016. 기상직 7급

> 이 책은 1760년 1월부터 1910년 8월까지 151년간의 국정에 관한 제반 사항들이 기록되어 있는 일기로 필사본이며, 총 2,329책이다. (가) 왕이 세손 시절에 쓴 개인 일기에서 비롯되어 왕의 재가를 받은 공식적인 국정 일기로 전환되었다.

① 화폐 유통을 위해 최초로 상평통보를 주조하였다.
② 중·하급 관리의 재교육을 위한 초계문신제를 시행하였다.
③ 청과 북방 경계선을 확정지어 백두산 아래 정계비를 세웠다.
④ 백성들의 군역 부담을 완화하기 위해 균역법을 처음 시행하였다.

0342 □□□

다음 교서가 발표된 시기의 정치 상황으로 가장 적절한 것은?

2013. 국가직 7급

> 오늘날 사설(邪說)의 폐단을 바로잡는 길은 더욱 정학(正學)을 밝히는 길밖에 없다. … (중략) … 연전에 서학(西學) 서적을 구입해 온 이승훈은 어떤 속셈이든지 간에 죄를 묻지 않을 수 없다. 이에 전 현감 이승훈을 예산현으로 귀양을 보내고, 이외 시골 백성에게도 상줄 만한 백성은 상주어야 할 관서가 있어야 하니 묘당(廟堂)에서는 소관 관서를 철저히 감독하라. … (중략) … 이렇게 교시한 뒤에도 다시 서학(西學) 때문에 문제가 생긴다면 어찌 정부가 있다고 말할 수 있겠는가? '척사학교'

① 탕평 정치가 시작되고 『속대전』이 편찬되었다.
② 화성이 완성되었고 노론 벽파와 시파, 남인 간의 갈등이 커졌다.
③ 기사환국, 갑술환국 등 환국 정치가 이어지고 장길산 농민군이 봉기하였다.
④ 근기(近畿) 지역에 거주하는 훈구 세력은 실용적인 학문 경향을 가지고 있었다.

0343 □□□

다음에서 설명하는 조치가 시행된 왕대의 상황에 대한 설명으로 옳은 것은?

2008. 국가직 7급 / 2017. 교육행정직 9급 유사

> 국역을 부담시키는 대신 육의전을 비롯한 시전에 주어지던 자금의 대차권 및 자신들의 이익 보호권, 금난전권 등을 혁파하였다. 서울 및 성저십리 지역 안에서 난전의 설치를 규제하는 대표적인 특권을 혁파하여 독점의 폐단을 시정하자, 특권 상업 체제는 서서히 변모하기 시작했다.

① 상평통보가 법화로서 채택되어 처음으로 유통되기 시작하였다.
② 청나라로부터 『고금도서집성』을 구해 왔다.
③ 청계천을 준설하여 실업 문제와 홍수 문제를 해결하고자 하였다.
④ 군역 제도 개선을 위하여 양역 사정청을 설치하고 양인의 호구 조사를 실시하였다.

0340

출제영역 〉 정조의 정책 이해　**정답 ▶ ④**

정답찾기 밑줄 친 '왕'은 정조이다.
ㄴ 『동문휘고』는 정조 때 편찬된 조선의 외교 문서집이다.
ㄹ 정조 때에는 정리자, 한구자(동활자), 생생자(목활자) 등을 주조하여 많은 서적을 간행하였다.

선지분석 ㄱ 고종은 군제 개편의 일환으로 종래의 5군영을 무위영과 장어영의 2영으로 통합·개편하였다.
ㄷ 영조는 수성윤음을 반포(1751)하여, 서울 백성이면 누구나 수도 방위를 맡고 있는 훈련도감, 어영청, 금위영의 3군문에 소속되도록 하였다.

0341

출제영역 〉 정조의 정책 이해　**정답 ▶ ②**

정답찾기 밑줄 친 '이 책'은 정조가 세손 시절부터 쓴 『일성록』이다.
② 정조 때의 정책이다.

선지분석 ① 인조, ③ 숙종, ④ 영조 때의 사실이다.

0342

출제영역 〉 정조의 정책 이해　**정답 ▶ ②**

정답찾기 제시문은 정조의 천주교 금지령에 대한 교서(1795)이다.

선지분석 ① 영조, ③ 숙종 때의 일이다.
④ 훈구 세력은 15세기 지배 세력이다.

0343

출제영역 〉 정조의 정책 이해　**정답 ▶ ②**

정답찾기 제시문은 조선 정조 15년(1791)에 시행된 신해통공 정책이다.
② 정조는 중국 문화를 이해하기 위해 청에서 『고금도서집성』을 수입하였다.

선지분석 ① 숙종, ③④ 영조에 대한 설명이다.

0344 □□□

다음 시나리오에 등장하는 밑줄 친 ㉠과 빈칸 ㉡에 대한 설명으로 옳은 것은? 2019. 국가직 7급

> S#3
> 즉위한 지 얼마 안 되어 아직 상복 차림인 ㉠ 국왕, 대신과 여러 관원을 부르다.
>
> 국 왕: 우리나라의 역대 임금님들이 지은 글은 제대로 봉안할 곳이 없었다. 그리하여 창덕궁 후원에 [㉡]을(를) 세우고 임금님들의 글을 봉안하게 하였다. 따라서 이를 담당하는 관원이 있어야 할 것 같은데, 경들은 어떻게 생각하는가?
>
> 신하들: 이 일은 문치의 교화를 진작시킬 것입니다. 마땅히 관원을 두셔야 할 줄로 아뢰옵니다.

① ㉠ – 신경준에게 명하여 『동국여지도』를 편찬하도록 하였다.
② ㉠ – 내수사와 궁방 및 각급 관청에 속한 관노비의 장적을 소각하도록 하였다.
③ ㉡ – 백성의 억울함을 왕에게 알릴 수 있는 창구 역할을 하였다.
④ ㉡ – 조정 관료 중에서 재능 있는 문신들을 선발하여 이곳에서 재교육하였다.

0345 □□□

다음의 정책을 시행한 왕대에 편찬된 서적은? 2012. 국가직 7급

> 대유둔전이라는 국영 농장을 설치하고 만석거, 만년제 등의 수리 시설을 정비하였다.

① 동국여지도 ② 『속대전』
③ 『동문휘고』 ④ 『고금도서집성』

0346 □□□

다음 ㉠~㉢의 인물들이 행한 일로 가장 적절한 것은? 2020. 경찰 2차

> "아! (㉠)은/는 (㉡)의 아들이다. (㉢)께서 종통(宗統)의 중요함을 위하여 나에게 효장 세자(孝章世子)를 이어받도록 명하신 것이다. 아! 전일에 (㉢)께 올린 글에서 '근본을 둘로 하지 않는 것(不貳本)'에 관한 나의 뜻을 볼 수 있을 것이다. …… 이미 이런 분부를 내리고 나서 괴귀(怪鬼)와 같은 나쁜 무리들이 이를 빙자하여 추숭(追崇)하자는 의논을 한다면 (㉢)께서 유언하신 분부가 있으니, 마땅히 해당 형률로 논죄하고 (㉢)의 영령(英靈)께도 고하겠다."

① ㉠은/는 금난전권을 폐지하였다.
② ㉡은/는 『동국문헌비고』와 『속대전』 등을 편찬하였다.
③ ㉢은/는 수원 화성을 건설하였다.
④ ㉠와/과 ㉡은/는 탕평책을 실시하였다.

0344

출제영역 〉 정조의 정책 이해 정답 ▶ ④

정답찾기 ㉠ 정조, ㉡ 규장각으로, 정조는 국왕 직속의 학술 및 정책 연구 기관으로 규장각을 설치하였다.
④ 정조는 37세 이하 참상·참하의 당하관 중 젊고 재능 있는 문신들을 의정부에서 1차로 뽑아 규장각에 위탁 교육시키고 40세가 되면 졸업시키는 초계문신 제도를 실시하였다.

선지분석 ① 영조, ② 순조의 업적이다.
③ 신문고에 대한 설명이다. 신문고 제도는 태종 때 처음 설치되었으나 연산군 때 폐지되었고, 영조 때 부활되었다.

0345

출제영역 〉 정조의 정책 이해 정답 ▶ ③

정답찾기 제시문은 정조의 정책이다.
③ 『동문휘고』는 정조 때 편찬된 조선의 외교 문서집이다.

선지분석 ①② 영조 때의 지도와 법전이다.
④ 『고금도서집성』은 정조 때 편찬된 책이 아니라, 정조 때 청에서 들여온 백과사전이다.

더⊕알아보기 〉 **정조 때 편찬 사업**

대전통편	정조까지의 법전 재정비
전운옥편	한글로 주석을 붙인 자전
동문휘고	조선의 외교 문서집
증보문헌비고	『동국문헌비고』를 수정·보완
무예도보통지	무예를 그림으로 설명
추관지	형정에 관한 법령집
규장전운	음운 정리
탁지지	호조의 사례 정리(경제서)
오륜행실도	세종 때의 『삼강행실도』와 중종 때의 『이륜행실도』를 합하고 수정
존주휘편	1595년(선조 28)부터 정조 연간까지 대후금·대청 교섭사와 이에 관련된 인물들의 행적 정리
일성록	정조가 세손 때부터 쓰던 『존현각일기』를 왕이 된 뒤에는 규장각의 신하들에게 왕을 대신하여 매일매일의 주요 정사를 상세하게 기록하게 함(1760년부터 1910년까지 기록, 2011년 유네스코 세계 기록 유산 등재).

0346

출제영역 〉 정조의 정책 이해 정답 ▶ ①

정답찾기 제시문은 『조선왕조실록』의 정조 대왕 행장의 내용으로, ㉠은 정조, ㉡은 사도 세자, ㉢은 영조이다.
① 정조는 신해통공(1791)으로 육의전을 제외한 시전의 금난전권을 폐지하였다.

선지분석 ② 영조, ③ 정조에 대한 설명이다.
④ 탕평책을 실시한 것은 영조와 정조이다.

외척 세도 정치

0347

19세기 조선 사회에 대한 설명으로 옳은 것만을 모두 고르면?

2011. 국가직 9급

㉠ 순조 초에 훈련도감이 벽파 세력에 의해 혁파되고, 군영 대장 후보자를 결정할 권한은 당시 권력 집단이 장악한 비변사가 가지고 있었다.
㉡ 중앙 정치 참여층이 경화 벌열로 압축되고 중앙 관인과 재지 사족 간에 존재했던 경향의 연계가 단절되면서 전통적인 사림의 공론 형성은 거의 불가능해졌다.
㉢ 환곡은 본래 진휼책의 하나였지만, 각 아문에서 환곡의 모곡을 재정 수입의 주요 항목으로 이용하면서 부세와 다름없이 운영되었다.
㉣ 홍경래 난을 계기로 국가는 삼정이정청을 설치하여 삼정의 개선 방안을 모색하였으며, 각지의 사족들 또한 상소문을 올려 해결 방안을 제시하였다.

① ㉠, ㉡, ㉢ ② ㉡, ㉢
③ ㉡, ㉢, ㉣ ④ ㉢, ㉣

0347

출제영역 19세기 외척 세도 정치의 이해 정답 ▶ ②

선지분석 ㉠ 순조 초 노론 벽파들은 훈련도감을 그들의 권력 기반으로 장악하고 있었다. 훈련도감은 고종 때 신식 군대가 창설되면서 혁파되었다.
㉣ 삼정이정청은 임술민란(1862)을 계기로 설치되었다.

조선 후기의 대외 관계

0348

다음 역사적 사실을 순서대로 바르게 나열한 것은? 2017. 서울시 7급

㉠ 청의 요청으로 조선은 나선(러시아) 정벌에 조총병을 파병하였다.
㉡ 청의 정세 변화를 이용하여 윤휴를 중심으로 북벌 움직임이 제기되었다.
㉢ 조선과 청의 두 나라 대표가 백두산 일대를 답사하고, 국경을 확정하는 백두산정계비를 세웠다.
㉣ 안용복은 울릉도에 출몰하는 일본 어민들을 쫓아내고, 일본에 건너가 울릉도와 독도가 조선의 영토임을 확인받고 돌아왔다.

① ㉠ - ㉡ - ㉢ - ㉣ ② ㉠ - ㉡ - ㉣ - ㉢
③ ㉡ - ㉠ - ㉢ - ㉣ ④ ㉡ - ㉠ - ㉣ - ㉢

0348

출제영역 조선 후기 대외 관계 시기순 이해 정답 ▶ ②

정답찾기 ㉠ 나선 정벌[변급(1차, 1654, 효종 5년), 신유(2차, 1658, 효종 9년)] ⇨ ㉡ 윤휴를 중심으로 한 북벌론 제기[조선 숙종 즉위 초, 경신환국(1680) 이전 시기] ⇨ ㉣ 안용복의 활약(1696) ⇨ ㉢ 백두산정계비 건립(1712)

0349

조선 시대의 사행(使行)에 대한 설명으로 옳지 않은 것은?

2016. 지방직 7급

① 조선 전기 명에 파견된 사신은 조천사, 조선 후기 청에 파견된 사신은 연행사로 불렸다.
② 임진왜란 이후 일본으로 통신사를 매년 파견하여 교류하였다.
③ 북경에 사신으로 다녀온 인물들을 중심으로 북학이 전개되었다.
④ 조선 후기 사행에서 역관들은 팔포 무역 등을 통해 국제 무역의 활성화에 기여하였다.

0349

출제영역 조선의 외교 사절단 이해 정답 ▶ ②

정답찾기 ② 조선 통신사는 매년 파견되지 않고 일본의 막부가 바뀔 때 사절단으로 파견되었다.

PLUS⁺ 선지 OX 조선 후기의 정치

01 조선 후기 현직의 3정승이 비변사의 우두머리인 도제조를 겸임하기도 하였다. 2019. 기상직 9급 O X

02 수도 외곽의 방어를 위하여 총융청을 설치한 왕 시기에 북벌 계획에 따라 어영청을 정비하여 화포병과 기병을 늘렸다. 2017. 하반기 국가직 7급 O X

03 남인이 서인을 역모로 몰아 정권을 독점한 경신환국 이후 남인은 서인에 대한 처벌 문제로 분열되었다. 2017. 경찰 1차 O X

04 균역법을 실시한 왕 때 흉년을 당해 걸식하거나 버려진 아이들을 구휼하기 위하여 『자휼전칙』을 반포하였다. 2018. 서울시 7급 2차 O X

05 영조 재위 시기에 『속대전』과 『탁지지』를 편찬하였다. 2020. 법원직 O X

06 조선 정조 재위 시기에 열고관, 개유와, 서고 등의 부속 건물이 있는 규장각이 창덕궁에 건설되었으며, 채색 지도 모음집인 '해동지도'가 편찬되었다. 2017. 경찰간부 O X

07 "하나의 달빛이 땅 위의 모든 강물에 비치니 강물은 세상 사람들이요, 달은 태극이며 그 태극은 바로 나다."라고 한 왕 때 이순신에게 현충이라는 시호를 내리고 강감찬 사당을 건립하였다. 2018. 국가직 9급 O X

08 효장 세자의 후사(後嗣)로서 왕위에 오른 숙종은 후금의 침입에 대비하여 어영청을 설치하였다. 2019. 기상직 9급 O X

09 향약을 수령이 직접 주관하게 한 왕은 『대전회통』을 편찬하여 국정 수행의 편의를 도모했다. 2015. 서울시 7급 O X

10 순조 초에 훈련도감이 벽파 세력에 의해 혁파되고, 군영 대장 후보자를 결정할 권한은 당시 권력 집단이 장악한 비변사가 가지고 있었다. 2011. 국가직 9급 O X

PLUS⁺ 선지 OX 해설 조선 후기의 정치

01 O 비변사의 도제조는 시임대신(현직 3정승), 원임대신(전직 3정승 또는 타 부서의 종1품)이 겸임하였다.

02 X 총융청을 설치한 것은 인조이다. 인조 때 만들어진 어영청을 정비하여 화포병과 기병을 늘린 것은 효종이다.

03 X 갑인예송으로 집권한 남인의 횡포가 심해지자 숙종이 영의정 허적의 '기름 천막 사건'과 '허견 역모 사건'을 빌미로 100여 명의 남인을 숙청한 사건이 경신환국(1680, 숙종 6년)이다. 이를 계기로 다시 서인 정권이 수립되면서 서인은 노론과 소론으로 분열되었다.

04 X 균역법을 실시한 왕은 영조이다. 『자휼전칙』은 흉년을 당해 걸식하거나 버려진 아이들의 구호 방법을 규정한 법령집으로, 1783년(정조 7)에 반포하였다.

05 X 영조는 『속대전』을 편찬하여 법전 체계를 정리하였다. 그러나 『탁지지』는 호조의 사례를 정리한 경제서로 정조 때 편찬되었다.

06 X 정조 재위 시기에 국왕 직속의 학술 및 정책 연구 기관인 규장각이 건설된 것은 옳은 설명이다. 그러나 조선의 각 도별 군현 채색 지도집인 '해동지도'는 영조 때 편찬되었다.

07 X '만천명월주인옹(萬川明月主人翁)'을 자처한 왕은 정조이다. 그러나 이순신에게 시호를 내리고 강감찬 사당을 건립한 왕은 숙종이다.

08 X 효장 세자(사도 세자의 형, 영조의 장남)의 후사로서 왕위에 오른 것은 정조이다. 후금의 침입에 대비하여 어영청을 설치한 것은 인조이다.

09 X 정조는 재야 사림이 주관하던 군현 단위의 향약을 수령이 직접 주관하게 하여 지방 사림의 영향력을 줄이고 백성에 대한 국가 통치력을 강화하였다. 그러나 『대전회통』은 흥선 대원군 때 만들어진 법전이다. 정조 때 만들어진 법전은 『대전통편』이다.

10 X 순조 초 벽파 세력은 훈련도감을 혁파하지 않고 오히려 권력 기반으로 장악하고 있었다.

PART 05

CHAPTER

02 조선 후기의 경제

최근 5년간 국가직·지방직 출제 비율

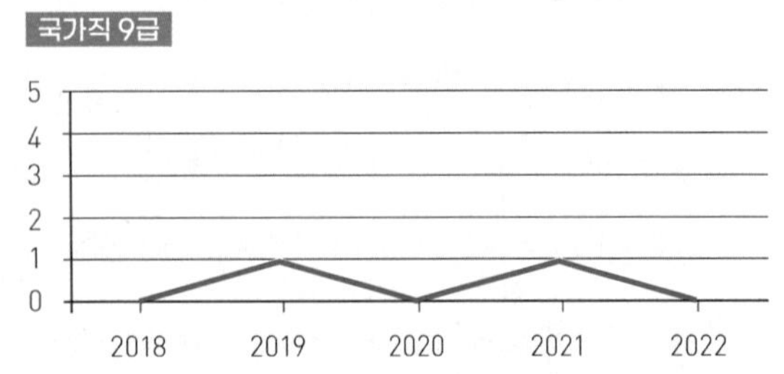

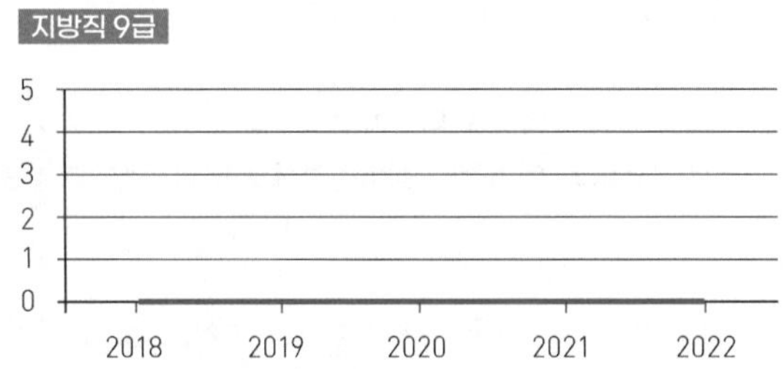

- 최근 5년간 지방직에서는 한 문제도 출제되지 않았다.
- 국가직에서는 조선 후기 경제 상황을 묻는 문제만 출제되었다.

주요 고난도 문제 키워드

#대동법 #역대 수취 제도 # 균역법
#조선 후기 경제 상황 #화폐 유통

고난도 이론 정리 선우쌤 PICK

조선 후기 경제 생활	농업		• 논농사 – [1] (전국 보급)의 확대, 밭농사 – 견종법 보급 ⇨ 노동력 절감, 생산량 증가 ⇨ [2] • [3] 재배(담배, 고추, 인삼 등) • 새로운 구황 작물 재배(고구마, 감자) • 지대의 변화[타조법(관행, 수확량의 1/2) ⇨ [4] (수확량의 1/3, 계약 관계)
	상업	사상의 대두	• 개성의 송상, 의주의 만상, 부산의 내상 등 • 대동법 실시로 공인의 대두 ⇨ [5] (독점적 도매업자)로 성장
		[6] 의 발달	• 사상의 성장 배경, 지방민의 교역 장소, 보부상의 활동 • 15세기 말 [7] 지방에서 개설 ⇨ 16세기 전국 확대 ⇨ 18세기 중엽 전국 1,000여 개 개설
		포구 상업	• 18세기에 상업 중심지로 성장(대규모 상거래, 선상의 활동 두각) • 선상 · 객주 · [8] 중심으로 상행위
	수공업		18세기 정조 때 장인 등록제(공장안) 폐지, 납포장 증가, [9] 수공업(대상인이 물주가 되어 수공업자에게 원료와 임금 제공)의 대두
	광업		• 수공업 발달에 따른 광물 수요 증가, 청과의 무역 확대로 은 수요 증가 • 15C 국가가 직접 광산 개발 ⇨ 17C [10] (민간 개발 허용) • 광산 경영 : [11] (전문 경영인)가 혈주와 채굴 · 제련 노동자 고용 ⇨ 분업에 토대를 둔 협업
	화폐		• [12] 의 전국적 유통 ⇨ 불법으로 사적 주조, [13] (화폐의 퇴장) 현상 발생 • 대규모 상거래에서 환 · 어음 등 신용 화폐 이용
	대외 무역		• 공 · 사무역의 발달([14] , 후시) • 의주의 [15] (대청 무역), 동래의 [16] (일본 무역), 개성의 [17] (인삼 · 은을 매개로 청 · 일 사이의 중계 무역)

정답 1. 이앙법 2. 광작 3. 상품 작물 4. 도조법 5. 도고 6. 장시 7. 전라도 8. 여각 9. 선대제 10. 설점수세제 11. 덕대 12. 상평통보 13. 전황 14. 개시 15. 만상 16. 내상 17. 송상

수취 체제의 개편

0350 □□□

다음 주장에 따라 시행된 세제에 대한 설명으로 옳은 것을 〈보기〉에서 고른 것은? 제4회 한국사능력검정시험 고급

> 각 고을에서 진상하는 공물이 각급 관청의 방납인에 의해 중간에서 막혀 한 물건의 값이 3, 4배 혹은 수십, 수백 배까지 되어 그 폐해가 극심하고, 특히 경기 지방은 더욱 그러합니다. 지금 마땅히 별도로 1청을 설치하여 매년 봄가을로 백성에게서 쌀을 거두되, 토지 1결마다 두 번에 걸쳐 8두씩 거두어 본청에 수납하게 하고, 본청은 그때의 물가 시세를 보아 쌀로 방납인에게 지급하여 수시로 무역해서 납부하게 하소서.

보기
- ㉠ 진상과 별공이 폐지되어 농민의 부담이 가벼워졌다.
- ㉡ 답험(踏驗)에 따른 관리의 농간을 없애기 위해 실시하였다.
- ㉢ 상품의 수요와 공급이 증가하면서 시장 경제가 발전하는 계기가 되었다.
- ㉣ 처음 시행된 지 100년 만에 함경도와 평안도를 제외한 전국으로 확대 실시되었다.

① ㉠, ㉡　② ㉠, ㉢
③ ㉡, ㉢　④ ㉡, ㉣
⑤ ㉢, ㉣

0351 □□□

밑줄 친 (가) 인물에 대한 설명으로 옳은 것을 〈보기〉에서 모두 고른 것은? 2016. 기상직 7급 / 2018. 법원직 유사

> 우의정 (가)이/가 말했다. "이 법은 역(役)을 고르게 하여 백성을 편안케 하기 위한 것이니 실로 시대를 구할 수 있는 좋은 계책입니다. 비록 여러 도(道)에 두루 행하지 못하더라도 기전과 관동에 이미 시행하여 힘을 얻었으니, 양호(兩湖) 지방에서 시행하면 백성을 편안케 하고 나라에 도움이 되는 방도로 이것보다 더 큰 것이 없습니다."

보기
- ㉠ 동전 유통을 활성화할 것을 주장하였다.
- ㉡ 기사환국으로 정계에서 물러나게 되었다.
- ㉢ 새로운 역법 도입을 건의하였다.
- ㉣ 기해예송에서 자의 대비가 1년 복상할 것을 주장하였다.

① ㉠, ㉡　② ㉠, ㉢
③ ㉡, ㉣　④ ㉢, ㉣

0352 □□□

다음 자료에서 제기한 문제를 해결할 수 있는 대책으로 가장 적절한 것은? 2011. 국가직 7급

> "예전에는 군포가 2필이었던 것이 지금은 1필로 되었으니 백성들이 더욱 넉넉해져야 마땅한데 더욱 가난해지고 있습니다. 이는 군적에 누락된 장정이 많기 때문입니다." 『정조실록』

① 재정 확보를 위해 공명첩을 발매해야 한다.
② 도망한 사노비를 찾아서 주인에게 돌려주어야 한다.
③ 서얼 출신이 관직에 진출할 수 있도록 제한을 없애야 한다.
④ 양인과 노비 사이에서 태어난 자식은 양인으로 인정해야 한다.

0350

출제영역 〉 조선 후기 공납 제도의 변화 이해　정답 ▶ ⑤

정답찾기 ▶ 제시문은 대동법에 대한 내용이다.

선지분석 ▶ ㉠ 대동법은 상공을 전세화한 것으로 진상과 별공 같은 현물 징수는 여전히 존재하였다.
㉡ 답험(踏驗)손실법은 조선 전기 태종 때 수조권자가 매년 농사 형편을 살펴보고 수조율을 확정하는 제도였다. 그러나 이 제도는 실무 담당 관리의 농간과 수조권자의 횡포 등 폐단이 많아 이후 세종이 공법(연분 9등법, 전분 6등법)을 실시하였다.

0351

출제영역 〉 조선 후기 특정 정치인의 이해　정답 ▶ ②

정답찾기 ▶ 밑줄 친 '(가)'는 대동법 확대를 주장한 김육(1580~1658)이다. 김육은 광해군 때 10년간의 은거 생활과 인조·효종 연간의 중국 사행 체험을 통해 대동법과 동전 유통을 강조한 용전론(用錢論)에 바탕을 둔 경세학을 탄생시켰다. 김육은 대동법 외에도 상평통보의 주조, 마차 및 수차의 제조와 보급, 새로운 역법(曆法)인 시헌력(時憲曆)의 사용 등 혁신적인 제도 개혁을 주장하였고, 이 가운데서도 특히 대동법의 전국적인 시행을 필생의 사업으로 삼아 마지막 운명의 순간에도 전라도 대동법 안을 유언으로 상소할 만큼 강한 의지와 집념을 보였다.

선지분석 ▶ ㉡ 숙종 때 발생한 기사환국(1689)과 ㉣ 현종 즉위년에 발생한 기해예송(1659) 모두 김육의 사망 이후에 일어난 사건이다.

0352

출제영역 〉 조선 후기 군역 제도의 변화 이해　정답 ▶ ④

정답찾기 ▶ 조선 후기에 양반 수가 증가하고 양인 수가 감소하면서 양인의 경제적 부담이 증가하자, 정부는 그 대책으로 양인 수를 확보하려는 정책을 실시하여야 했다.
④ 노비종모법은 양인 수 확보책이다.

0353 □□□

고대에서 조선 시대까지의 수취 제도에 대한 설명으로 옳은 것은?

2008. 지방직 7급

① 현존하는 신라 촌락 문서에 의하면 호(戶)는 3등급으로, 인구는 6등급으로 나누었다.
② 고려는 토지의 비옥도를 3등급으로 나누어 조세를 부과했다.
③ 조선 세종 대에는 연분 6등법과 전분 9등법을 제정해 조세 제도를 더욱 체계적으로 운영하였다.
④ 임진왜란 이후 공납의 폐단이 더욱 심해지자 균역법을 시행하여 농민의 부담을 경감시켰다.

0354 □□□

빈칸에 들어갈 숫자를 모두 합하면? 2015. 기상직 7급

> • 대동여지도는 (　　)리마다 눈금을 표시하였다.
> • 대동법은 기존의 공납 대신 토지 1결당 대동미 (　　)두를 납부하게 하는 제도이다.
> • 균역법은 군역의 폐단이 심해지자, 군포 부담을 1년에 (　　)필에서 (　　)필로 줄인 제도이다.

① 20　　② 25
③ 35　　④ 115

경제 활동

0355 □□□

다음 내용과 같은 시기의 새로운 경제 현상을 〈보기〉에서 모두 고르면?

2008. 지방직 7급 / 2017. 국가직 9급 유사

> 황해도 관찰사의 보고에 의하면 수안에는 본래 금광이 다섯 곳이 있었다. 두 곳은 금맥이 다하였고 세 곳만 금맥이 풍성하였다. 지난해 장마가 심해 광꾼들 대부분이 흩어졌다. 올해 여름 새로이 39곳의 금혈을 팠는데 550여 명의 광꾼이 모여들었다. 일부는 도내 무뢰배들이었지만 대부분은 사방에서 이득을 좇아 몰려온 무리이다. 『비변사등록』

보기

ㄱ 민간 수공업자들이 상인 자본으로부터 주문뿐만 아니라 자금과 원료를 미리 받아 제품을 생산하는 선대제가 성행하였다.
ㄴ 덕대가 상인 물주에게 자본을 조달받아 채굴업자, 채굴 노동자, 제련 노동자를 고용하여 광물을 채굴하고 제련하였다.
ㄷ 관장들은 의류, 활자, 화약, 무기, 문방구, 그릇 등을 제조하여 납품하였다.
ㄹ 공장안에 등록된 기술자들은 국가가 필요로 하는 무기류, 가구류, 금·은 세공품 등을 제조하였다.

① ㄱ, ㄴ　　② ㄴ, ㄷ
③ ㄷ, ㄹ　　④ ㄱ, ㄹ

0353

출제영역 〉 역대 수취 제도의 이해　　정답 ▶ ②

정답찾기 ② 고려는 토지를 논과 밭으로 나누고, 비옥한 정도에 따라 3등급으로 나누어 조세를 부과하였다.

선지분석 ① 신라 촌락 문서에 의하면 호(戶)는 인정(人丁)의 다과에 따라 9등급으로, 인구는 남녀(노비 포함)를 구별하여 6등급으로 나누었다.
③ 세종 대에는 조세 제도로 연분 9등법과 전분 6등법을 제정하였다.
④ 공납의 폐단을 시정하기 위해 대동법을 시행하였다.

0354

출제영역 〉 조선 후기 제도의 이해　　정답 ▶ ②

정답찾기 • 대동여지도는 매방 10리마다 눈금을 표시하였다.
• 대동법은 토지 1결당 12두를 납부하게 하였다.
• 균역법은 군포 부담을 1년에 2필에서 1필로 줄인 제도이다.

0355

출제영역 〉 조선 후기 경제 활동의 변화 이해　　정답 ▶ ①

정답찾기 제시문은 조선 후기 광산촌 모습에 대한 내용이다.
ㄱ 조선 후기에 원료 구입과 제품 처분에 있어서 수공업자가 대체로 상인 자본의 지배를 받는 선대제가 유행하였다.
ㄴ 18세기 후반 이후 경영 전문가인 덕대는 상인 물주에게 자본을 조달받아 채굴업자인 혈주, 채굴 노동자, 제련 노동자를 고용하여 광물을 채굴·제련하였다.

선지분석 ㄷ 조선 후기에 관장이 약화되면서 민영 수공업자를 고용하여 물품을 제조하는 것이 일반적 현상이었다.
ㄹ 조선 후기 정조 때 공장안(장인 등록제)을 폐지하였다.

0356 □□□

(   )의 농법과 관련된 설명으로 옳은 것은? 2009. 국가직 7급

> 근년에 농사가 특히 가뭄을 입은 것은 (   ) 때문입니다. 옛날에는 (   )이(가) 없었는데, 우리나라 중고(中古) 이후 남쪽에서 시작하여 서로 모방하게 되었습니다.

① 조선 초기, 정부는 이 농법에 반대하였고 농종법을 권장하였다.
② 조선 중기, 밭작물 재배가 활성화되면서 삼남 지방에서 이 농법이 위축되었다.
③ 조선 후기, 이 농법의 확대를 우려한 정부는 보(洑)의 증설을 억제하였다.
④ 19세기 초, 수리답 비중이 천수답을 앞지르기 시작하였다.

0357 □□□

밑줄 친 '이 농법'에 대한 설명으로 옳은 것만을 모두 고르면? 2021. 국가직 9급

> 대개 이 농법을 귀중하게 여기는 이유는 다음과 같다. 두 땅의 힘으로 하나의 모를 서로 기르는 것이고, … (중략) … 옛 흙을 떠나 새 흙으로 가서 고갱이를 씻어 내어 더러운 것을 제거하는 것이다. 무릇 벼를 심는 논에는 물을 끌어들일 수 있는 하천이나 물을 댈 수 있는 저수지가 꼭 필요하다. 이러한 것이 없다면 볏논이 아니다. 『임원경제지』

보기
㉠ 세종 때 편찬된 『농사직설』에도 등장한다.
㉡ 고랑에 작물을 심도록 하였다.
㉢ 『경국대전』의 수령 칠사 항목에서도 강조되었다.
㉣ 직파법보다 풀 뽑는 노동력을 절약할 수 있었다.

① ㉠, ㉡ ② ㉠, ㉣
③ ㉡, ㉢ ④ ㉢, ㉣

0358 □□□

다음 자료의 밑줄 친 부분에 대한 설명으로 옳지 않은 것은? 2017. 기상직 9급

> ㉠ 조선 전기에는 은을 제련하는 획기적인 기술이 개발되었다. 그러나 ㉡ 조선의 은광 개발이 본격화된 것은 17세기 이후 ㉢ 청과의 무역에서 은의 수요가 늘어나면서 부터였다. ㉣ 이 시기 조선의 광산 개발에서는 근대적 생산 방식이 나타나고 있었다.

① ㉠: 연은분리법(회취법)이라 부른다.
② ㉡: 단천(端川) 은광이 대표적이다.
③ ㉢: 사행 무역, 개시·후시 무역의 방식이 있었다.
④ ㉣: 정부가 농민을 역에 동원하여 채굴하는 방식이다.

0356

출제영역 조선 농법의 변화 이해 정답 ▶ ①

정답찾기 괄호 안에 들어갈 농법은 이앙법이다. 조선 정부는 이앙법이 봄 가뭄에 취약한 점을 내세워 금지령을 내리고 이앙법보다는 직파법을, 때로는 논농사보다는 밭농사(농종법)를 권장하였다. 그러나 이앙법이 적은 노동력으로 생산력을 높일 수 있다는 점, 벼와 보리의 2모작이 가능하다는 점, 또한 보리가 수취 대상에서 제외된다는 점에서 농민들은 이앙법을 선호하였다.

선지분석 ④ 여전히 빗물에 의존하는 천수답 비중이 높았다.

0357

출제영역 특정 농법의 이해 정답 ▶ ②

정답찾기 밑줄 친 '이 농법'은 이앙법이다.
㉠ 세종 때 편찬된 『농사직설』은 우리나라의 풍토에 맞는 농사 기술과 씨앗의 저장법, 토질의 개량법, 이앙법 등 농민의 실제 경험을 토대로 우리의 독자적 농법을 최초로 정리한 책이다.
㉣ 이앙법은 볍씨를 뿌린 땅에서 그대로 키우는 직파법에 비해 풀을 뽑는 노동력을 절감해 주고 수확량을 증대시켰다.

선지분석 ㉡ 조선 후기 밭농사에서 개발된 농법인 견종법에 대한 설명이다.
㉢ '수령 7사' 항목에는 농사와 양잠을 장려하라고는 나와 있으나 이앙법의 사용을 강조하지는 않았다. 더구나 조선 전기 정부에서는 이앙법을 금지하였다.

0358

출제영역 조선 광업의 변화 이해 정답 ▶ ④

정답찾기 ④ 조선 정부가 농민을 역에 동원하여 채굴하는 방식은 조선 전기 상황이다. 조선 후기 광산 경영은 경영 전문가인 덕대(德大)가 상인 물주로부터 자본을 조달받아, 채굴업자인 혈주(穴主)와 채굴 노동자, 제련 노동자 등을 고용하여 광물을 채굴하고 제련하는 것이 일반적이었다.

더알아보기 조선 광업의 변화

국가 직영(15세기) ⇨ 사채 허용(16세기) ⇨ 설점수세제 실시(조선 후기, 채은관제 → 별장제 → 수령제) ⇨ 광산의 분업화·협업화 현상 대두(전문 경영인인 덕대 대두)

0359 □□□

다음 자료에 나타난 시기의 경제 상황으로 옳지 않은 것은?

2013. 국가직 7급

> 이현(梨峴)과 칠패(七牌)는 모두 난전(亂廛)이다. 도고 행위는 물론 집방(執房)하여 매매하는 것이 어물전의 10배에 이르렀다. 또 이들은 누원점의 도고 최경윤, 이성노, 엄차기 등과 체결하여 동서 어물이 서울로 들어오는 것을 모두 사들여 쌓아 두었다가 이현과 칠패에 보내서 난매(亂賣)하였다. 『각전기사』

① 사상과 난전의 발호로 시전 상인의 특권이 위협받았다.
② 강경포, 원산포 지역이 새로운 상업 중심지로 성장하였다.
③ 포구를 이용하여 경강상인이 선상(船商) 활동을 활발히 하였다.
④ 중개 무역을 하던 송상이 운송업, 조선업을 지배하면서 거상으로 성장하였다.

0360 □□□

다음의 내용과 관련된 설명으로 옳지 않은 것은? 2012. 국가직 7급

> 숙종 4년 1월 을미, 대신과 비변사의 여러 신하들을 접견하고 비로소 돈을 사용하는 일을 정하였다. 돈은 천하에 통행하는 재화인데, 오직 우리나라에서는 예부터 누차 행하려 하였으나 행할 수 없었다. …… 시중에 유통하게 되었다. 『숙종실록』

① 위의 화폐 이전에는 팔분체 조선통보가 주조 유통되었다.
② 화폐의 유통이 원활하지 않아 전황 현상이 일어났다.
③ 평안도와 전라도의 감영과 병영에서도 이 화폐의 주조가 허락되었다.
④ 이익은 화폐 사용이 백성들의 삶에 크게 유익하다는 주장을 제기하였다.

0361 □□□

역대 화폐의 발달을 설명한 내용으로 옳은 것은? 2009. 국가직 7급

① 고려 시대에는 상업 활동의 융성으로 인하여 활구(闊口)가 유행하였다.
② 고려 말에 출현한 지폐인 저화는 조선 건국과 함께 유통이 금지되었다.
③ 조선 숙종 때부터 주조되기 시작한 상평통보는 교환 및 재산 축적의 수단으로 기능하였다.
④ 조선 후기에 전황(錢荒)에도 불구하고 소작료를 화폐로 지불하는 현상이 발생하였다.

0359

출제영역 조선 후기 경제 변화의 이해 정답 ▶ ④

정답찾기 제시문은 조선 후기의 상업에 대한 내용이다.
④ 조선 후기 운송업과 조선업을 담당한 상인은 선상과 경강상인이다. 송상은 주로 인삼을 재배·판매하였고 대외 무역에도 관여하여 부를 축적하였다.

더⊕알아보기 **조선 후기의 상업**

사상의 대두	• 공인이 상업 활동 주도 ⇨ 도고로 성장 • 사상의 대두 및 성장(송상, 경강상인 등)
장시의 발달	• 사상의 성장 배경, 지방민의 교역 장소, 지역적 시장권 형성, 보부상의 활동 ⇨ 도고로 성장 • 15세기 말 전라도 지방에서 개설 ⇨ 16세기 전국 확대 ⇨ 18세기 중엽 전국 1,000여 개 개설
포구 상업	• 18세기에 상업 중심지로 성장(대규모 상거래, 포구 형성 지역과 포구·시장 연계, 선상의 활동 두각) • 선상·객주·여각 중심으로 상행위

0360

출제영역 조선 후기 화폐 유통의 이해 정답 ▶ ④

정답찾기 제시문은 숙종 때 전국적으로 유통된 상평통보에 대한 내용이다.
④ 이익은 전황 현상으로 농민들의 삶이 피폐해지자 폐전론을 주장하였다. 화폐 사용을 강조하여 용전론을 주장한 인물은 박지원이다.

선지분석 ① 인조 때 팔분체 조선통보가 새로 주조되었다.
② 국가가 대량으로 동전을 발행해도 퇴장 화폐가 많아져 유통 화폐의 부족 현상이 나타났는데 이를 '전황'이라 한다.
③ 상평통보는 호조, 상평창, 선혜청, 감영 등 여러 기관에서 주조되었다.

0361

출제영역 역대 화폐 유통의 이해 정답 ▶ ④

정답찾기 ④ 조선 후기 상공업의 발달로 금속 화폐, 즉 동전이 전국적으로 유통되면서 화폐의 일시 퇴장 현상인 전황 현상이 일어나 사회적 문제를 일으켰다. 그러나 18세기 후반부터는 세금과 소작료를 동전(화폐)으로 대납할 수 있게 되었다.

선지분석 ① 고려 숙종 때 의천의 주전론을 채택하고 주전도감을 설치하여 활구를 만들어 강제적으로 유통시키려 하였으나, 일반적인 거래는 곡식이나 삼베가 사용되었다.
② 조선에서는 태종 1년(1401)에 사섬서를 두고 저화를 발행하였다.
③ 상평통보는 숙종이 아니라 조선 인조 때 처음 주조되었다.

더⊕알아보기 **역대 화폐의 변천**

고조선	철기 단계 ⇨ 중국 화폐 유입(명도전, 오수전, 반량전)
고려	• 건원중보(성종, 최초의 철전) • 활구(은병, 숙종)·해동통보(숙종)·동국통보(숙종) ⇦ 의천의 주전론 영향 • 저화(공양왕, 최초의 지폐, 자섬저화고 발행)
조선 전기	• 저화(태종, 사섬서 발행), 조선통보(세종) ⇨ 팔분체 조선통보 • 전폐(세조, 일명 팔방통보, 동으로 만든 유엽전, 전시에 화살촉으로 사용)
조선 후기	• 상평통보(인조 때 처음 주조 ⇨ 효종 때 재주조 ⇨ 숙종 때 전국적 유통) • 당백전(고종, 경복궁 중건의 비용 충당) • 당오전(고종, 묄렌도르프 건의)

PLUS⁺ 선지 OX 조선 후기의 경제

01 16세기 연분 9등법이 제대로 시행되지 못하여 그 문제점을 해결하기 위해 새로 시행된 제도는, 광해군 때 경기도에서 처음 실시되었다. 2016. 법원직 O X

02 공납제 개혁에 대해 대토지를 소유한 양반들과 방납업자들이 찬성하였다. 수능 O X

03 대동법 실시 결과 담당 관청인 선혜청은 중앙의 궁방이나 관아에서 사용할 유치미의 확보에 주력하였다. 2007. 국가직 7급 O X

04 대동법은 1894년(고종 31) 세제 개혁으로 지세(地稅)에 통합될 때까지 존속되었다. 2019. 국회직 O X

05 감영과 병영이 독자적으로 군포를 거두면서 군포 부담이 증가하자 균역법이 실시되었다. 2021. 국회직 9급 O X

06 이앙법이 전국적으로 보급되던 시기에 시비법이 발달하여 처음으로 매년 같은 땅에 농사지을 수 있게 되었다. 2010. 경북 교육행정직 9급 O X

07 조선 후기 고구마 종자는 청에 파견된 연행사가 가져왔다. 2020. 지방직 7급 O X

08 18세기 말 광산 경영에서 별장제(別將制)가 널리 시행되었다. 2004. 행정고시 O X

09 조선 후기 상평통보가 널리 유통되면서 환·어음 등의 신용화폐는 점차 소멸하였다. 2015. 국가직 7급 O X

10 조선 후기 포구의 상거래는 장시보다 규모는 작았으나 포구를 거점으로 선상, 객주, 여각 등이 활발한 상행위를 하였다. 2019. 경찰간부 O X

PLUS⁺ 선지 OX 해설 조선 후기의 경제

01 ☒ 세종 때 만들어진 공법(연분 9등법, 전분 6등법)이 제대로 시행되지 못하자 17세기 인조 때 전세를 풍흉에 관계없이 1결당 미곡 4두로 고정시키는 영정법을 실시(1635)하게 되었다. 광해군 때 경기도에서 처음 실시한 것은 대동법이다.

02 ☒ 공납제 개혁에 대해서 대토지를 소유한 양반과 방납업자들은 반대하였다.

03 ☒ 대동법 실시 결과 선혜청은 중앙의 궁방이나 관아에서 사용할 상납미의 확보에 주력하였다. 유치미는 지방 관아의 재정 확충을 위한 것이다.

04 ⊡ 1894년 고종이 모든 세납을 병합하여 결가(토지의 수확량에 매기던 조세 제도)를 결정하였을 때 대동미도 지세에 병합되면서 폐지되었다.

05 ⊡ 조선 후기 단일 관청에 의한 세금 징수가 이루어지지 못하였고, 그 결과 5군영, 중앙 정부 기관, 지방 감영·병영까지 세금을 징수함에 따라 장정 한 사람이 이중 삼중의 부담을 지게 되었다. 이에 장정의 부담을 감소시키기 위해 영조 때 균역법이 실시되었다.

06 ☒ 이앙법이 전국적으로 보급된 것은 조선 후기이고, 매년 같은 땅에 농사를 짓는 연작이 이루어진 것은 조선 전기이다.

07 ☒ 고구마는 18세기에 조선 통신사(조엄)가 일본에서 가져온 구황 작물이다.

08 ☒ 호조가 선정해 파견한 별장들이 은점의 수세 임무만을 담당하게 한 별장제는 17세기에 이루어졌다. 18세기 영조 때 수령이 직접 세를 거두는 수령수세제를 실시하였다.

09 ☒ 조선 후기 상품 화폐 경제가 발달하면서 환·어음 등의 신용화폐가 점차 보급되어 갔다.

10 ☒ 수레와 도로가 발달하지 못한 시기에는 대규모의 물화가 육로보다는 수로를 통해 운송되었기 때문에 포구에서의 상거래는 장시보다 규모가 훨씬 컸다.

CHAPTER

03 조선 후기의 사회

최근 5년간 국가직·지방직 출제 비율

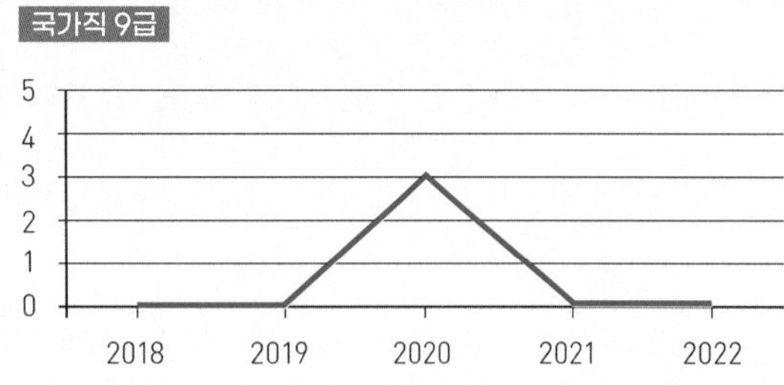

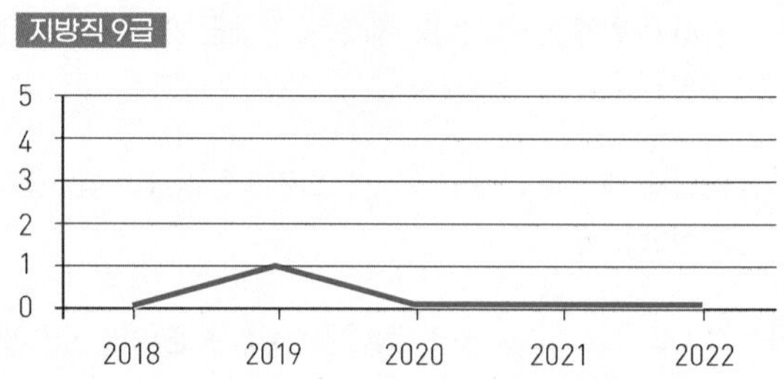

- 이례적으로 2020년에 국가직에서 3문제가 출제된 것을 제외하고는 거의 출제되지 않았다.
- 최근 5년간 다른 직열에서는 천주교와 조선 후기 향촌 사회를 묻는 문제가 출제되었다.

주요 고난도 문제 키워드

#홍경래의 난 #임술민란 #동학
#천주교 박해 #삼정의 문란

고난도 이론 정리 선우쌤 PICK

<table>
<tr><td rowspan="6">사회 변혁의 움직임</td><td rowspan="3">천주교</td><td>수용</td><td colspan="2">17세기 중국에서 서양 학문으로 수용 ⇨ 18세기 후반 일부 [1] 이 신앙으로 수용</td></tr>
<tr><td rowspan="2">박해</td><td>요인</td><td>전례 문제(제사 부정), 인간 평등 주장 ⇨ 양반 중심의 신분 질서 및 국왕의 권위에 대한 도전으로 인식</td></tr>
<tr><td>과정</td><td>[2] (정조, 1791, 전례 문제로 윤지충 사형) ⇨ [3] (순조, 1801, 대탄압, 이승훈 사형, 정약전·[4] 유배, 황사영 [5]) ⇨ 기해박해(헌종, 1839, 척사윤음) ⇨ 병인박해(고종, 1866)</td></tr>
<tr><td>동학</td><td colspan="3">• [6] 가 경주에서 창시(1860)
• 서학에 반대 ⇨ but 종합적 성격(유교 + 불교 + 도교 + 샤머니즘 + 천주교까지 수용)
• 시천주·[7] 사상 ⇨ 인간 평등, 후천개벽 ⇨ 조선 왕조 부정, 보국안민 ⇨ 반외세
• 반봉건적·반외세적 동학의 확산 ⇨ 정부의 탄압 ⇨ 재확산[2대 교주 최시형, 교단 조직 정비([8]), 경전 편찬(『동경대전』, 『용담유사』)]</td></tr>
<tr><td rowspan="2">농민의 항거</td><td>홍경래의 난
(1811)</td><td colspan="2">• 원인: 외척 세도 정치의 부패, [9] 지역에 대한 차별 대우, 탐관오리의 횡포, 연이은 가뭄 및 질병
• 경과: 몰락한 농민, 중소 상인, 광산 노동자들의 적극 지지 ⇨ 청천강 이북 지역 장악
• 결과: 실패 ⇨ 사회 불안 고조</td></tr>
<tr><td>임술민란
(1862)</td><td colspan="2">• 경과: 진주 목사 백낙신의 횡포로 [10] 에서 시작 ⇨ 전국적 확산
• 결과: 실패
• 정부 대응: 안핵사 박규수의 건의로 [11] 설치, 암행어사 파견 ⇨ 제대로 시행되지 못함.</td></tr>
</table>

정답 1. 남인 2. 신해박해 3. 신유박해 4. 정약용 5. 백서 사건 6. 최제우 7. 인내천 8. 포접제 9. 평안도 10. 진주 11. 삼정이정청

사회 구조의 변동

0362

조선 후기 신분제의 변화에 대한 설명으로 옳지 않은 것은?

2011. 지방직 7급

① 양천제가 해체되면서 이를 대신해서 정부는 반상제를 법제적 신분제로 규정하였다.
② 노비는 군공과 납속 등을 통해서 자신의 신분을 상승시킬 수 있었다.
③ 서얼도 18세기 후반부터는 점차적으로 청요직의 허통이 이루어졌다.
④ '환부역조'와 '모칭유학' 등이 신분 상승을 위해 사용되었다.

0362

출제영역 〉 조선 후기 신분 제도의 변화 이해 정답 ▶ ①

정답찾기 ① 1894년 갑오개혁에 의해 신분제가 폐지될 때까지 조선의 법제적 신분제는 양천제였다.

선지분석 ② 변란으로 인한 재정적 위기의 타개와 흉년 시 굶주린 백성의 구제에 필요한 재정 확보를 위해 국가에서 일시적으로 일정한 특전을 내걸고 곡식이나 돈을 받는 납속 제도를 시행하였고, 이를 통해 양인은 물론 노비도 신분에서 해방될 수 있었다. 또 조선 후기 속오군에 들어간 노비들은 군공을 통해 신분 상승이 가능하였다.
③ 영조·정조의 개혁 분위기에서 서얼들의 청요직 진출이 점차 허용되었다.
④ '환부역조(換父易祖)'란 아버지와 할아버지를 바꾼다는 뜻으로, 지체가 낮은 사람이 부정한 방법으로 양반 행세 함을 이르는 말이다. '모칭유학(冒稱幼學)'은 조선 후기 일종의 신분 세탁 방법으로 족보를 위조하고 유생을 사칭하는 것이다.

더⊕알아보기 〉 **조선 후기 정부의 노비 정책**

- 노비종모법을 법으로 확정(1731, 영조 7년)
- 노비공감법 실시(1755, 영조 31년)
- 관노비(납공 노비) 66,067명 해방(1801, 순조 원년)
- 노비의 신분 세습제 폐지(1886, 고종 23년)
- 공·사노비제 완전 폐지(갑오개혁, 1894, 고종 31년)

PART 05

0363

다음 그래프는 『조선왕조실록』에 기록된 인구수의 변화를 나타낸 것이다. 이와 관련된 추론으로 적절하지 않은 것은?

수능

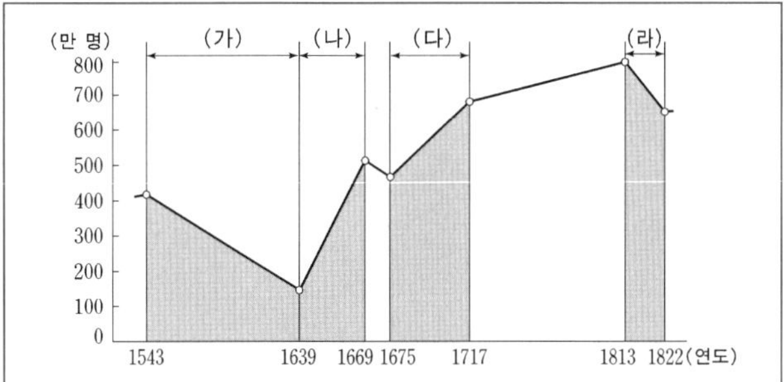

① (가) – 전란의 영향으로 통계 인구가 감소하였을 것이다.
② (나) – 국가 재정 수입의 확대를 위해 공노비를 대규모로 해방시켰을 것이다.
③ (다) – 호패법과 5가작통법을 실시하여 파악된 인구가 늘었을 것이다.
④ (라) – 자연재해와 수령의 수탈로 유망하는 인구가 많았을 것이다.
⑤ 국가의 인구 파악은 군역 부과와 밀접한 관련이 있었을 것이다.

0363

출제영역 〉 조선 인구 변동의 이해 정답 ▶ ②

정답찾기 ② 공노비를 대규모로 해방시킨 것은 (나) 시기가 아니라, 1801년 순조 때이다.

0364 □□□

다음은 조선과 일본, 중국의 인구 변화 추세를 나타낸 〈표〉이다. 이에 대한 설명으로 옳은 것은? 2014. 국가직 9급

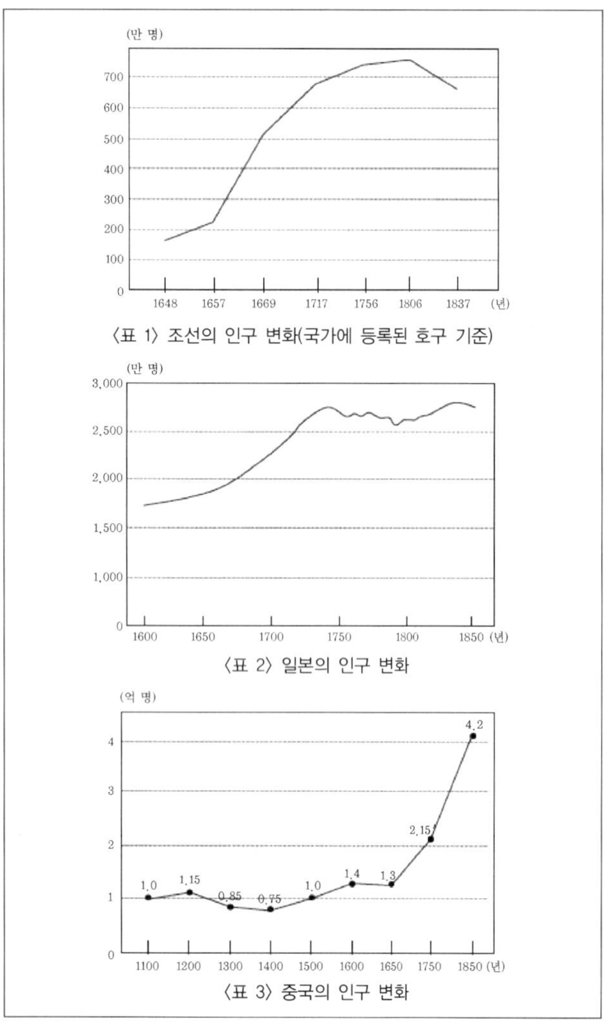

〈표 1〉 조선의 인구 변화(국가에 등록된 호구 기준)
〈표 2〉 일본의 인구 변화
〈표 3〉 중국의 인구 변화

① 18세기 중반 이후 조선의 급격한 인구 증가는 삼남 지방의 개발과 인구 유입 때문이었다.
② 명대 초기 1억 4천만 명 정도였던 중국의 인구는 청대 초기 3억 명을 돌파하였고, 19세기 중반에 4억 2천만 명에 이르렀다.
③ 17세기~18세기 초반 조선을 비롯한 삼국은 농업 기술이 발달하고 농경지가 늘어나서, 결과적으로 인구가 많이 증가하였다.
④ 17세기 이후 일본의 인구는 정체 현상을 보이는데, 이러한 경향은 18세기까지 지속되었다.

0365 □□□

다음의 역사서가 편찬된 시기의 상황에 대한 설명으로 옳은 것은? 2009. 국가직 9급

> 부여씨가 망하고 고씨(고구려)가 망한 다음 김씨(신라)가 남방을 차지하고 대씨(발해)가 북방을 차지하고는 발해라 하였으니, 이것을 남북국이라 한다. 당연히 남북국사가 있어야 하는데, 고려가 편찬을 하지 않은 것은 잘못이다. 저 대씨가 어떤 사람인가? 바로 고구려 사람이다. 그들이 차지하고 있던 땅은 어떤 땅인가? 바로 고구려 땅이다.

① 양명학이 수용되기 시작하였다.
② 성리학 수용을 지지하는 여론이 조성되었다.
③ 서얼 출신을 규장각 검서관으로 등용하였다.
④ 우리 역사의 통사 체계가 처음으로 확립되었다.

0364

출제영역 〉 동양 삼국의 인구 변화 이해 **정답 ▶ ③**

정답찾기 ③ 그래프를 통해 17~18세기 초반에 조선·일본·중국의 인구가 증가하였음을 알 수 있다.

선지분석 ① 18세기 중반 이후부터 조선의 인구는 정체되다가 19세기부터는 하락하였다.
② 명대(1368년 건국) 초기 중국의 인구는 1억 명 미만이었으며, 청대(1636년 건국) 초기에 1억 4천만 명 정도였다.
④ 17~18세기 일본의 인구는 증가하는 모습을 보이고 있다.

0365

출제영역 〉 특정 역사서 편찬 시기의 이해 **정답 ▶ ③**

정답찾기 제시문은 18세기 유득공의 『발해고』이다.
③ 정조 때 이덕무, 유득공, 서이수, 박제가 등의 서얼 출신들이 규장각 검서관에 등용되었다.

선지분석 ① 양명학은 16세기에 수용되었다.
② 18세기에는 성리학을 비판하는 여론이 조성되었다.
④ 15세기 『동국통감』에서 한국사의 통사 체계가 이미 확립되었다.

가족 제도의 변화

0366

밑줄 친 ㉠, ㉡에 관한 설명으로 적절하지 않은 것은?

2017. 하반기 국가직 7급

> • 사대부가 수백 년 동안 관직에서 막혀 있어도 존부(尊富)를 잃지 않는 까닭은 집집마다 각기 한 조상을 떠받들고 넓은 농지를 점하여 종족이 흩어져 살지 않으므로 그 ㉠ 풍습이 견고하게 유지되고 근본이 뽑히지 않았기 때문이다. 『여유당전서』
> • 퇴계 이황이 영남 예안에 역동사(易東祠)를 창건하고 ㉡ 족보를 손수 필사하여 그곳에 보관하였다. … (중략) … 산이 있으면 물이 있는 것이니 백파(百派)가 순류하여 끝내 한곳에 모이는 것인데 이는 종합(宗合)의 뜻이다. 「단양 우씨 족보서」

① ㉠ – 친영이 일반화되었다.
② ㉠ – 이성불양의 관념으로 양자 제도가 확산되었다.
③ ㉡ – 동성 마을의 감소를 초래하였다.
④ ㉡ – 적서 차별과 가족 간의 위계를 중시하였다.

사회 변혁의 움직임

0367

밑줄 친 ㉠과 직접 관련된 천주교 박해에 대한 설명으로 옳은 것은?

2015. 서울시 9급

> 프란치스코 교황은 16일 오전 순교자 124위 시복미사에 앞서 한국 최대 순교 성지이자 이번에 시복될 124위 복자 중 가장 많은 27위가 순교한 서소문 성지를 참배했다. 이곳은 본래 서문 밖 순교지로 불리는 천주교 성지였다. 한국에 천주교가 들어온 후 박해를 당할 때마다 이곳에서 많은 사람들이 처형당했으니 ……「황사영 백서」로 알려진 ㉠ 황사영도 이곳에서 처형되었다.
>
> 『한국일보』, 2014년 8월 16일

① 모친상을 당해 신주를 불태운 것이 알려지면서 박해가 일어났다.
② 함께 붙잡혀 박해를 받은 정하상은 『상재상서』를 통해 포교의 정당함을 주장하였다.
③ 순조 즉위 후 정권을 장악한 노론 벽파가 반대파를 정계에서 제거하려고 박해를 일으켰다.
④ 대원군 집권기에 발생한 대규모 박해로, 프랑스 선교사를 비롯한 수천 명의 희생자를 낳았다.

0368

천주교가 전래됨에 따라 일어난 사건을 시간순으로 나열한 것으로 가장 옳은 것은?

2017. 경찰간부

> (가) 주문모 신부 입국 (나) 안정복 『천학문답』 작성
> (다) 윤지충 신주 소각 사건 (라) 김대건 신부 처형
> (마) 황사영 백서 사건

① (다) – (가) – (나) – (라) – (마)
② (가) – (나) – (다) – (마) – (라)
③ (나) – (다) – (가) – (마) – (라)
④ (가) – (나) – (다) – (라) – (마)

0366

출제영역 〉 조선 후기 가족 제도의 변화 이해 정답 ▶ ③

정답찾기 ③ 양반을 자처하는 이들은 족보를 만들어 가족 집단 전체가 양반 가문으로 행세하고 상민과 통혼하지 않았으며, 족적(族的) 결합을 강화하기 위해 동성 마을을 형성하였다.

0367

출제영역 〉 조선 후기 천주교의 이해 정답 ▶ ③

정답찾기 ㉠ 황사영 백서 사건은 신유박해(순조, 1801) 때의 사실이다.

선지분석 ① 신해박해(정조, 1791)에 대한 설명이다.
② 정하상은 기해박해(1839) 때 『상재상서』를 저술하여 천주교의 도리를 밝히고 박해의 부당함을 주장하였다. 신유박해 때는 정하상이 아니라 정하상의 아버지 정약종과 형 정철상이 박해를 받고 순교하였다.
④ 병인박해(1866)에 대한 설명이다.

0368

출제영역 〉 천주교 주요 사건의 시간순 이해 정답 ▶ ③

정답찾기 (나) 안정복 『천학문답』 작성(1785) ⇨ (다) 윤지충 신주 소각 사건(1791) ⇨ (가) 주문모 신부 입국(1795) ⇨ (마) 황사영 백서 사건(1801) ⇨ (라) 김대건 신부 처형(1846)

0369

다음 그림과 관련된 종교에 대한 설명 중 옳지 않은 것은?

2015. 기상직 7급

① 최제우가 창도한 것으로 전해지며, 창도 당시 경천과 시천주 신앙을 중심으로 하였다.
② 이 종교의 다른 경전인 『용담유사』는 포덕문, 논학문, 수덕문 등이 포함되어 있다.
③ 삼남 일대의 농촌 사회를 중심으로 교세가 날로 확장되고, 포・접 등의 교단 조직도 이루어졌다.
④ 1905년 손병희에 의하여 천도교로 개칭되었다.

0370

다음 종교와 관련 있는 것을 〈보기〉에서 고른 것은? 2019. 법원직

> 사람이 곧 하늘이라, 그러므로 사람은 평등하며 차별이 없나니, 사람이 마음대로 귀천을 나눔은 하늘을 거스르는 것이다. 우리 도인은 차별을 없애고 선사의 뜻을 받들어 생활하기를 바라노라.

보기
㉠ 중광단을 결성하였다.
㉡ 임술 농민 봉기를 주도했다.
㉢ 양반과 상민을 차별하지 않는다.
㉣ 잡지 '신여성'과 '어린이'를 발간하였다.

① ㉠, ㉡ ② ㉠, ㉢
③ ㉡, ㉢ ④ ㉢, ㉣

0369

출제영역 〉 동학의 이해 정답 ▶ ②

정답찾기 ▶ 제시된 화보는 동학의 교리서인 『동경대전(東經大全)』이다. 『동경대전』은 포덕문(布德文)・논학문(論學文)・수덕문(修德文)・불연기연(不然其然)의 네 편으로 구성되어 있다.
② 동학의 또 다른 경전인 『용담유사』는 최제우가 지은 포교 가사집으로, 용담가(龍潭歌)・안심가(安心歌)・교훈가(敎訓歌)・몽중노소문답가(夢中老少問答歌)・도수사(道修詞)・권학가(勸學歌)・도덕가(道德歌)・흥비가(興比歌)・검결(劍訣)의 9편으로 이루어져 있다.

0370

출제영역 〉 동학의 이해 정답 ▶ ④

정답찾기 ▶ 제시문에서 설명하고 있는 종교는 동학이다.
㉢ 동학에서는 양반과 상민을 차별하지 않고 노비 제도를 없애며 여성과 어린이의 인격을 존중하는 평등 사회를 추구하였다.
㉣ 동학을 계승한 천도교는 일제 침략기에 청년회와 소년회를 만들어 청년・여성・어린이 운동을 벌였으며, 『개벽』, 『신여성』 등의 잡지를 발간하여 평등사상을 보급하고 민족의식을 높였다.

선지분석 ▶ ㉠ 대종교에 대한 설명이다.
㉡ 임술 농민 봉기는 지배층의 부정과 탐학이 심해짐에 따라 농민들이 전국적으로 봉기한 것으로, 특정 종교와는 관련이 없다.

0371 □□□

19세기 부세 제도인 도결(都結)에 대한 설명으로 옳은 것을 모두 고른 것은? 2017. 하반기 국가직 9급

> ㉠ 군역, 환곡, 잡역 중 일부 또는 전부를 토지에 부과하여 화폐로 징수하였다.
> ㉡ 노비 신공과 결세는 그 해의 작황을 참작하여 중앙에서 일방적으로 도별 총액을 할당하였다.
> ㉢ 양전하는 자(尺)를 통일하였고, 전세율을 1결당 4말~6말로 고정시켰다.
> ㉣ 제도적으로 신분에 따른 부세의 차별이 거의 남지 않게 되었음을 의미한다.
> ㉤ 수령과 아전이 횡령한 관곡을 민의 토지에 부세로 부과하는 수단이 되었다.

① ㉡, ㉢, ㉣　　② ㉢, ㉣, ㉤
③ ㉡, ㉢, ㉤　　④ ㉠, ㉣, ㉤

0372 □□□

(가)와 (나) 사건 사이에 있었던 사실로 옳은 것은? 2016. 국가직 7급

> (가) 평서대원수는 급히 격문을 띄우노니 관서의 부로자제와 공·사천민은 모두 이 격문을 들으라. … (중략) … 조정에서 관서를 버림이 분토와 다름없다. 심지어 권세가의 노비도 서토의 사람을 보면 반드시 '평한(平漢)'이라고 말한다.
> (나) 백성들이 소동을 일으킨 것은 우병사 백낙신이 탐욕을 부려 침학하였기 때문입니다. 환포와 도결 6만 냥을 가호(家戶)에 배정하여 백징(白徵)하였으므로 백성들이 봉기했던 것입니다.

① 양헌수가 정족산성에서 프랑스군을 격퇴하였다.
② 정약용이 유배 중 『목민심서』를 저술하였다.
③ 홍선 대원군이 경복궁을 중건하였다.
④ 이승훈이 사행 중 천주교 세례를 받고 돌아왔다.

0373 □□□

밑줄 친 '반란'에 대한 설명으로 옳은 것을 〈보기〉에서 모두 고른 것은? 2021. 계리직

> <u>반란</u>을 일으킨 적도들은 평안도 가산읍 북쪽 다복동에서 무리를 모아 봉기하여 가산과 선천, 곽산 등 청천강 북쪽의 주요 고을들을 점령하고 기세를 떨쳤다. 『서정록(西征錄)』

보기
> ㉠ 평안도 지역에 대한 차별에 저항하였다.
> ㉡ 반정 후의 논공행상에 대한 불만이 원인이었다.
> ㉢ 지역의 무반 출신과 광산 노동자들이 적극 가담하였다.
> ㉣ 의주와 안주를 연이어 점령하여 조정에 큰 위협이 되었다.

① ㉠, ㉡　　② ㉠, ㉢
③ ㉡, ㉢　　④ ㉡, ㉣

0371

출제영역 〉 조선 후기 삼정의 문란 이해　　정답 ▶ ④

정답찾기 도결은 19세기 삼정의 문란 중 한 사례인 전정의 폐해로, 탐관오리들이 사적으로 소비한 공금을 보충하기 위해 토지세를 법정액 이상으로 받아가는 것을 말한다.
㉠ 도결은 군역, 환곡, 잡역 등 여러 가지 명목의 세금을 통틀어 토지의 결수 단위로 부과하는 세금 양식으로, 화폐로 징수하였다.
㉣ 도결은 토지로 세금을 징수함으로써 신분에 따른 세금의 차별은 사라지게 되었지만 전국적으로 공통된 규정에 의한 것이 아니라 각 고을에서 임의대로 정한 것이기 때문에 세금의 내용이 각각 다르며 단위 면적에 부과되는 세액도 시기와 장소에 따라 각각 달라서 지방관들이 중간에서 수탈할 여지가 많았다.
㉤ 지방관이나 고을의 아전들은 관곡이나 군포를 사사로이 착복하고 이를 보충하기 위해 도결을 규정 이상으로 거두어들이는 일이 흔하였다. 때문에 농민들은 가혹한 수탈에 시달려 기아와 빈곤에 허덕였다. 이와 같은 도결의 과다한 징수는 임술민란(1862) 발생의 주요한 원인의 하나가 되었다.

선지분석 ㉡ 조선 후기 비총법 중 도비총법에 대한 설명이다.
㉢ 효종 때 양척 동일법, 인조 때 영정법에 대한 설명이다.

0372

출제영역 〉 19세기 민란 발생 시기의 이해　　정답 ▶ ②

정답찾기 (가) 홍경래의 난(1811), (나) 임술민란(1862)
② 『목민심서』는 신유박해(1801) 때 전라도 강진에 18년간 유배를 간 정약용이 지방 관리의 도리를 밝힌 책으로 1818년에 완성되었다.

선지분석 ① 병인양요(1866), ③ 흥선 대원군 집권기(1863~1873)
④ 이승훈은 정조 때 청에서 천주교 세례를 받았다(1783).

0373

출제영역 〉 19세기 민란의 이해　　정답 ▶ ②

정답찾기 밑줄 친 '반란'은 홍경래의 난(1811)이다.
㉠ 국초 이래 평안도 지역 출신자의 중용이 기피되는 등 차별로 인하여 홍경래의 난이 발생하였다.
㉢ 홍경래의 난은 서북 지방의 몰락 양반과 무반 출신자, 영세 농민, 중소 상인, 광산 노동자 등이 참여하였다.

선지분석 ㉡ 이괄의 난(1624, 인조 2년)에 대한 설명이다.
㉣ 홍경래의 난은 다복동을 기점으로 북진군은 의주를 향해 진격하여 선천, 정주 등을 점거하였고 한때 청천강 이북 지역을 거의 장악하였다. 그러나 남진군의 안주 공격은 실패하였다.

0374 □□□

밑줄 친 '난'의 주체들이 주장했을 구호로 거리가 먼 것은?

2012. 지방직 7급 / 2013. 서울시 기술직 9급 · 2012. 사회복지직 9급 유사

> 최근 남쪽에서 일어나는 난은 양민이 일으키는 것이 아니라 궁민(窮民)이 일으킨다. 이들은 생활할 만한 자산이 없으므로 밤낮 원망하고 난을 생각한 지 오래되었다. 비록 의리를 말하면서 그들을 타일러도 따르지 않는다. 요사이 남쪽 농민들의 소란은 대개 이들이 주동한 것이며 양민은 단지 협조자일 뿐이다. 『고환당수초』

① 잡역세 부과를 반대한다. ② 토지는 농민에게 넘겨라.
③ 과중한 결세를 해결하라. ④ 군포 부담을 고르게 하라.

0374

출제영역 〉 19세기 민란의 이해 정답 ▶ ②

정답찾기 밑줄 친 '난'은 임술민란(1862)이다. 제시문의 출처인 『고환당수초』를 모르더라도, '남쪽에서 일어나는 난', '궁민(窮民)' 등에서 19세기 임술민란을 유추해야 한다.
② 19세기 민란은 삼정(전정 · 군정 · 환곡)의 문란으로 일어났으며, 토지 분배는 1894년 동학 농민 운동에서 제기되었다.

0375 □□□

다음 민중 봉기에 대한 내용을 시기순으로 바르게 나열한 것은?

2012. 지방직 7급

> ㉠ 경주와 그 주변 지역을 중심으로 신라 부흥을 외친 농민 봉기가 자주 일어났다.
> ㉡ 군현에 사자를 보내어 조세를 독촉하자 원종과 애노가 상주에 웅거하여 반란을 일으켰다.
> ㉢ 서북 지방의 대상인, 향임층, 무사, 농민 등이 연합하여 지방 차별 타파를 외치며 봉기하였다.
> ㉣ 백정 출신이 몰락한 사림, 아전, 평민 등을 규합하여 구월산을 본거지로 의협 활동을 전개하였다.

① ㉠ - ㉡ - ㉢ - ㉣ ② ㉠ - ㉡ - ㉣ - ㉢
③ ㉡ - ㉠ - ㉢ - ㉣ ④ ㉡ - ㉠ - ㉣ - ㉢

0375

출제영역 〉 역대 민란의 이해 정답 ▶ ④

정답찾기 ㉡ 원종 · 애노의 난(신라 하대) ⇨ ㉠ 김사미 · 효심의 난(고려 무신 정변기) ⇨ ㉣ 임꺽정의 난(조선 16세기) ⇨ ㉢ 홍경래의 난(19세기 초)

0376 □□□

다음 글에 나타난 '무리들'에 대한 설명으로 옳은 것은? 2017. 국가직 7급

> 그 무리들이 번성한 지 벌써 십 년이 지났으나 아직 잡지 못하고 있다. 지난번 양덕에서 군사를 징발하여 그 무리들을 체포하려고 포위하였지만 끝내 잡지 못하였으니 역시 그 음흉함을 알 만하다. 지금 이영창의 심문 기록을 살펴보니 더욱 통탄스럽다.

① 양주 백정 출신인 임꺽정을 중심으로 황해도에서 활동하였다.
② 장길산을 우두머리로 하여 황해도와 평안도 등지에서 활동하였다.
③ 실존 인물인 홍길동이 이 집단의 우두머리로 충청도에서 활동하였다.
④ 몰락 양반인 홍경래를 중심으로 영세농과 광산 노동자 등이 가세하였다.

0376

출제영역 〉 역대 민란의 이해 정답 ▶ ②

정답찾기 제시문은 조선 후기 숙종 대에 활동한 장길산 일당에 대한 내용이다. 1696년 서얼 출신 이영창과 승려 운부가 장길산과 함께 봉기하여 거사를 도모하려 하였으나 성공하지 못하였다. 이에 왕은 상금을 걸어 장길산을 체포하고자 하였으나 실패하였다.
② 장길산 일당은 숙종 때 황해도 지방의 구월산을 중심으로 활동하였으며, 평안남도 양덕 일대로 이동하여 세력을 확장하기도 하였다.

선지분석 ① 백정 임꺽정은 16세기 명종 때 활약한 의적이다.
③ 서얼 홍길동은 16세기 연산군 때 활약한 의적이다.
④ 몰락한 양반 홍경래는 순조 때(1811) 민란을 일으켰다.

0377

다음 수행 평가 과제에 따라 작성한 보고서에 들어갈 지역과 탐구 주제로 적절하지 않은 것은? 수능

〈수행 평가 과제〉
- 과제 내용: 지도에 표시된 A~D 지역 중 두 지역을 골라 공통된 탐구 주제를 설정하여 보고서를 작성할 것
- 분량: A4용지 2장 이상
- 기한: 2008년 12월 ○○일

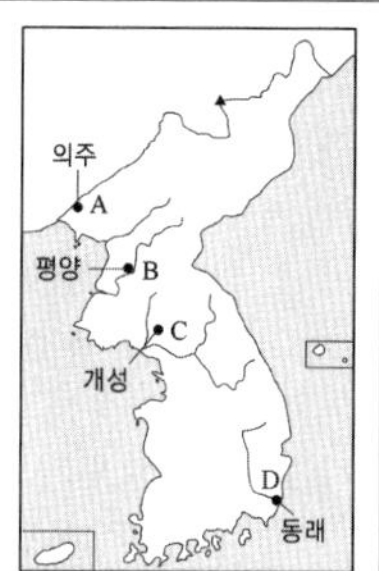

	지역	탐구 주제
①	A, B	홍경래 반군 점령지의 농민 동향
②	A, D	조선 후기 대외 무역의 발달
③	B, C	우리나라 역대 도성의 특징
④	B, D	임진왜란의 격전지와 전쟁 양상
⑤	C, D	조선 후기 사상(私商)의 성장

0378

다음 사료와 관련된 지역에 대한 설명으로 옳지 않은 것은? 2015. 기상직 7급

> 어른과 아이[父老子弟]와 공사천민(公私賤民)은 모두 이 격문을 들어라. 무릇 관서는 기자와 단군 시조의 옛터로, 훌륭한 인물이 넘친다. … (중략) … 그러나 조정에서 서토(西土)를 버림이 분토(糞土)나 다름없이 한다.

① 탕평 정치를 추진하던 영·정조 때에도 사헌부와 사간원의 진출은 제한되었다.
② 경제 성장을 바탕으로 부유해진 서민층이 향임을 차지하여 향권을 장악하였다.
③ 문과 시험에도 적극적으로 도전하여 8도 가운데 높은 급제자 비율을 보였다.
④ 급제율에 비해 벼슬을 얻는 취직률은 8도 가운데 가장 낮았으며, 그나마 홍문관이나 승문원 등 청요직 벼슬은 거의 받기 어려웠다.

0379

조선 후기 평안도에 대한 설명으로 옳지 않은 것은? 2017. 하반기 지방직 9급

① 평안도 사람들은 서북인이라 하여 차별을 받았다.
② 두 차례의 호란 직후 사회가 불안정해져 인구가 급감하였다.
③ 영·정조 대에 들어서 문과 합격자 중 평안도 출신자의 비중이 높아졌다.
④ 중국과의 무역량이 증가하면서 의주, 평양, 정주 등지의 상인들이 많은 부를 축적하였다.

0377

출제영역〉 특정 지역의 역사 이해 정답 ▶ ①

정답찾기 A: 의주는 대청 무역에 종사했던 만상의 활동 근거지였다.
B: 평양은 고구려의 도성으로 임진왜란 때 명의 원군과 함께 조선군이 평양성을 탈환하면서 전세의 역전을 기하였던 격전지이다.
C: 개성은 고려의 도읍지로서 고려 도성의 특징을 파악할 수 있으며, 조선 후기 송상의 활동 근거지였다.
D: 동래는 임진왜란 때 왜군이 상륙하여 격전이 벌어졌던 곳이며, 조선 후기 일본과의 무역에 종사했던 내상의 활동 근거지였다.
① 홍경래의 반군은 의주를 포함하여 평안도 북부 지역을 장악하였다. 따라서 평양은 홍경래 난의 점령지가 아니다.

0378

출제영역〉 특정 지역의 역사 이해 정답 ▶ ①

정답찾기 제시문은 평안도 지역에서 발생한 홍경래의 난(1811) 당시 격문이다.
① 영조 32년(1756)에 '서북인을 재주에 따라 지평(사헌부)·정언(사간원)에 의망하고 대주첩을 시행하도록 하라.'라는 교지를 내려 사헌부와 사간원의 진출을 허용하였다.

선지분석 ② 평안도 지역은 광산이 많고 대외 무역을 통한 대상인이 성장하는 등 신흥 상공업자들이 성장하여 경제적으로 다른 지역보다 부유한 곳이었으나, 지역 차별로 사족층의 형성이 미흡한 곳이었다.
③④ 평안도 지역은 조선 후기에 과거에 급제한 인물이 한양을 제외하고 8도에서 가장 많은 지역이었다. 과거 급제자의 출신지 기록이 남아 있는 영조 이후 합격자 5,191명 가운데 평안도 지역 합격자가 829명(16%)이었다. 하지만 평안도 과거 합격자의 대부분은 신분이 낮은 인물로 실제 관직을 받는 비율이 8도 급제자 중 가장 낮았고 요직에 진출하는 경우도 드물었다. 조선 시대에 실시된 최초의 문과 시험인 1392년(태조 1)의 시험부터 1877년(고종 14)까지의 급제자를 수록한 『국조방목(國朝榜目)』에 의하면 서북인으로서 등과(登科)한 사람은 상당히 많았으나, 당상관 이상의 관직에 오른 사람은 한 사람도 없었으며, 참의(參議)·직제학·목사가 5명, 그 외에는 모두 지방 수령에 불과하였다.

0379

출제영역〉 특정 지역의 역사 이해 정답 ▶ ②

정답찾기 ② 호란으로 전국의 인구가 급감하였지만 평안도 지역은 다른 지역에 비해 급감하지 않았다. 이는 전란 이후 조선에 귀화한 여진인, 즉 향화인(向化人)과 청나라를 피해 도망해온 한인(漢人)들이 평안도 지역에 다수 유입되었기 때문이다.

선지분석 ① 평안도 지역에 대한 차별로 인하여 홍경래의 난(1811)이 발생하였다.
③ 조선 시대의 문과 급제자를 연대순, 시험종별, 성적순으로 수록한 명부인 『국조방목』에 의하면, 영조 이후 문과 합격자 5,191명 가운데 한양 출신이 가장 많았고 그 다음이 평안도 출신이었는데, 평안도에서는 합격자 5,191명 가운데 829명(16%)을 배출하였다. 이는 조선 후기 평안도에 중국과의 무역으로 부를 축적한 계층이 늘면서 과거를 준비할 경제적 여력이 생긴 사람이 많아졌기 때문이다.
④ 평안도 지역은 광산이 많고 대외 무역을 통한 대상인(만상·유상)이 성장하는 등 신흥 상공업자들이 성장하여 경제적으로 다른 지역보다 부유한 곳이었다.

PLUS⁺ 선지 OX 조선 후기의 사회

01 동학을 창시한 최제우는 『동경대전』과 『용담유사』를 펴내 교리를 정하였다. 2021. 경찰간부 O X

02 임술민란 이후 박규수의 건의로 설치한 삼정이정청은 삼정의 문제를 해결하기 위해 '삼정이정절목'을 공포하였다. 2017. 기상직 7급 O X

03 조선 후기 사대부 가문에서의 4대 봉사(奉祠)가 점차 사라졌다. 2014. 계리직 O X

04 홍경래의 난이 발생할 당시 재위하던 국왕은 공노비 6만 6천여 명을 양인으로 해방시켰다. 2014. 국가직 9급 O X

05 19세기에는 농민들의 불만이 조직적으로 확산되어 정부와 탐관오리를 비방하는 괘서 사건으로 표출되었다. 2013. 지방직 7급 O X

06 동학 사상은 유·불·선 사상에 회교까지 가미하였다. 2003. 법원 행정고시 O X

07 조선 후기 신향과 구향의 대립으로 향전이 발생하였으며, 향촌 사회의 수령권이 강화되어 향리의 자의적 농민 수탈이 약화되었다. 한능검 O X

08 조선 후기 사찰 대신 집안에 가묘를 설치하고 영정을 봉안하여 제사를 지냈다. 2010. 국가직 9급 O X

09 조선 후기 구향은 권위를 유지하려고 청금록에 의지하였으며, 신향은 산림이라는 이름으로 재야의 여론을 주도하고자 하였다. 수능 O X

10 왕조 교체가 5행의 상생 순서에 따라 이루어진다는 믿음을 토대로 한 비기 도참설의 예언 내용을 적은 한글판 책이 정조 때 유포되었다. 한능검 O X

PLUS⁺ 선지 OX 해설 조선 후기의 사회

01 ☒ 동학의 2대 교주 최시형에 의해 『동경대전』(동학의 경전)과 『용담유사』(동학 포교 가사집)가 보급되었다.

02 ⊡ 임술민란 당시 안핵사로 파견된 박규수는 민란의 원인이 삼정의 문란에 있다고 보고 삼정이정청을 설치할 것을 건의하였다. 삼정이정청이 설치되자 좌의정 조두순이 삼정을 바로잡기 위하여 '삼정이정절목'을 반포하였다.

03 ☒ 조선 후기 『주자가례』가 민간에 보급되면서 사대부 가문만이 아니라 일반 백성들에게도 4대 봉사가 관행이 되었다.

04 ⊡ 홍경래의 난(1811)은 순조 때 발생하였다. 순조는 양인 수를 확보하기 위해 공노비 6만 6천여 명을 해방시켰다(1801).

05 ⊡ 괘서 사건은 탐관오리의 가렴주구를 벽보를 통하여 폭로하는 것이다. 당시 농민들이 지방관을 고소하게 되면 오히려 무고죄로 처벌당하기 때문에 익명으로 하였다.

06 ☒ 동학의 교리는 전통적인 민족 신앙을 바탕으로 하여 유교, 불교, 도교 사상까지 수용한 것은 맞으나, 회교(이슬람교)가 아니라 천주교의 교리까지 흡수한 종합적 성격을 가지고 있었다.

07 ☒ 조선 후기 부농층과 관권의 결합은 궁극적으로 관권의 강화를 초래하였고, 이는 관권을 실질적으로 장악하고 있던 아전·서리 등 향리 세력의 권한을 상대적으로 키워주었다.

08 ☒ 성리학 도입 이후 조선 양반들은 조상의 위패를 사찰(절) 대신 집안에 가묘(사당)를 두고 이곳에 모셨다. 그러나 아주 특별한 집안을 제외하고는 영정(초상화)이 아닌 위패를 모셨다.

09 ☒ 산림은 지방의 덕망 있는 인사로서 붕당의 공론을 형성한 계층으로, 신향과는 관련이 없다.

10 ⊡ 국가 운명이 이제 머지않아 이씨 대신 정씨 왕조로 교체된다는 『정감록』이 정조 때 들어와 한글판으로 유포된 것으로 추정하고 있다.

MEMO

CHAPTER 04 조선 후기의 문화

최근 5년간 국가직·지방직 출제 비율

국가직 9급

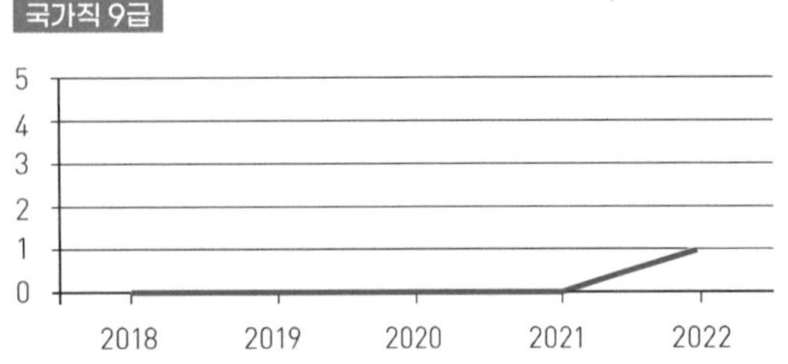

지방직 9급

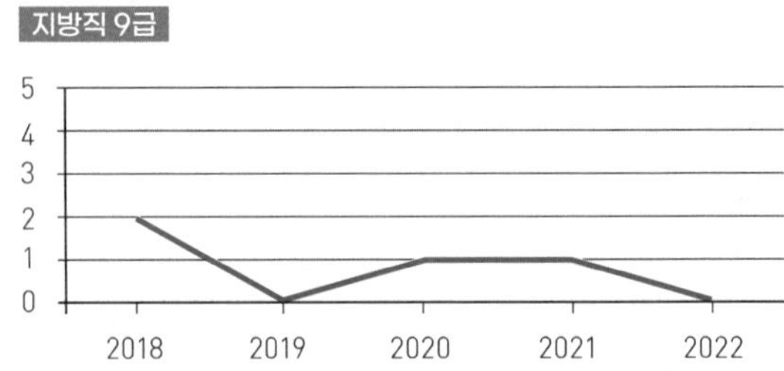

- 최근 5년간 국가직과 지방직에서 출제 비중이 높지는 않았다.
- 국가직과 지방직에서는 실학자의 개혁안과 저서에 대해 집중적으로 출제하였다.

주요 고난도 문제 키워드

#호락논쟁 #양명학 #역사서 #주요 서적의 편찬 시기

고난도 이론 정리 선우쌤 PICK

조선 후기 성리학의 변화		
성리학의 절대화	의리 명분론 강조, 주자 중심의 성리학을 지나치게 절대화(송시열 중심)	
성리학의 비판	1 (유교 경전의 독자적 해석), 박세당(주자 비판) ⇨ 서인(노론)에게 2 으로 몰림.	
호락논쟁	3	• 4 : 인간과 사물의 본성이 다름. • 주자학(성리학)의 절대화, 배타적 성향(기존의 신분 질서 유지 기능) • 충청도 지역의 5 (한원진, 윤봉구 등) 주장 • 19세기 6 사상으로 계승
	7	• 8 : 인간과 사물의 본성이 같음. • 유연한 입장(조선 후기의 사회 변화 수용) • 서울·경기 일대의 9 (이간, 김창협 등) 주장 • 19세기 10 사상으로 계승

실학 사상의 발달		
구분	11 학파(경세치용 학파)	12 학파(이용후생 학파, 북학파)
공통점	• 재야의 지식인들의 주장 ⇨ 현실 미반영 • 성격: 실증적, 민족적, 근대 지향적, 피지배층 입장 반영 • 목표: 민생 안정, 부국강병	
차이점	• 13 제도 개혁 중시 • 지주제 반대 ⇨ 자영농 육성 • 화폐 부정(14 의 폐전론) • 남인 계열(농촌 거주)	• 15 중심 개혁 강조 • 지주제 긍정 ⇨ 농업의 상업적 경영(광작) 옹호 • 화폐 긍정(16 의 용전론) • 노론 계열(도시 거주, 낙론)
중심 인물	• 17 : 『반계수록』, 균전론(자영농 육성), 양반 문벌·과거·노비 제도 비판 • 18 : 『성호사설』, 한전론, 6가지 좀의 폐단 지적 • 19 : 『목민심서』, 『경세유표』, 실학 집대성, 여전론(공동 농장제) ⇨ 이후 정전제로 수정, 과학 기술과 상공업 발달에도 관심	• 20 : 『우서』, 사농공상의 직업적 평등화와 전문화 주장 • 21 : 『임하경륜』, 『의산문답』, 기술 혁신, 중국 중심의 세계관 비판, 성리학 극복 강조 • 22 : 『열하일기』, 「양반전」 등, 수레와 선박의 이용과 화폐 유통 주장, 양반 문벌의 비생산성 비판 • 23 : 『북학의』, 청과 통상 강조, 수레와 선박 이용 주장, 절약보다 24 권장
영향	애국 계몽 운동	개화사상

정답 1. 윤휴 2. 사문난적 3. 호론 4. 인물성이론 5. 노론 6. 위정척사 7. 낙론 8. 인물성동론 9. 노론 10. 북학 11. 중농 12. 중상 13. 토지 14. 이익 15. 상공업 16. 박지원 17. 유형원 18. 이익 19. 정약용 20. 유수원 21. 홍대용 22. 박지원 23. 박제가 24. 소비

성리학의 발달 및 반성

0380 □□□

조선 후기 학문의 변화를 정리한 내용 중 (가)에 들어갈 내용으로 옳지 않은 것은? 2015. 기상직 7급

시기	학문의 변화
16세기	이황 학파와 이이 학파 사이에 이기론 논쟁이 일어났다.
17세기	윤휴와 박세당은 성리학의 절대화 경향을 비판하였다.
18세기	(가)

① 유형원은 균전론을 내세워 자영농 육성을 위한 토지 제도의 개혁을 주장하였다.
② 홍대용은 『의산문답』에서 서양의 과학 사상을 소개하였다.
③ 한원진과 이간 사이에 인간과 사물의 본성을 어떻게 볼 것인가 하는 문제에 대한 논쟁이 일어났다.
④ 정제두는 양명학을 체계적으로 연구하여 학파로 발전시켰다.

0381 □□□

다음을 주장한 학자에 대한 설명으로 옳은 것은? 수능

> • 청이 중국을 차지하고 있으나 정세가 변하여 전국 각지에서 반란이 일어나고 나라가 어지럽다. 우리는 이 기회를 놓치지 말고 군사를 일으켜 청을 공격해야 한다.
> • 중용은 공자의 도를 전한 경전이며 주자가 이미 그 의미를 해설하였다. 그러나 나는 내 소견대로 원문의 순서를 다시 정하고 재해석하였다. 이를 두고 유교 교리를 어지럽히는 행동이라고 비난해도 피하지 않겠다.

① 노론의 중심인물로 대의명분을 중시하였다.
② 사상적 기반을 6경과 제자백가에서 찾으려 하였다.
③ 자영농 육성을 위해 토지를 재분배하자는 균전론을 주장하였다.
④ 호락논쟁에 참여하여 사람과 사물의 본성이 같다고 주장하였다.
⑤ 중국 중심의 역사관에서 벗어나 우리 역사의 독자적 체계를 세웠다.

0382 □□□

다음은 어느 인물을 알아보기 위한 모둠별 탐구 제목이다. 이 인물에 대한 설명으로 옳은 것은? 수능

> • 모둠 1: 예송 논쟁의 전개
> • 모둠 2: 효종의 북벌 운동
> • 모둠 3: 숙종 때 세자 책봉 논란과 그의 죽음
> • 모둠 4: 그를 제사 지낸 강한사(江漢祠)의 유래

① 윤휴와 학문적으로 대립하며 사문난적이라 비판하였다.
② 이황의 이기호발설을 지지하며 영남학파를 주도하였다.
③ 6경과 제자백가에서 학문의 사상적 기반을 찾으려 하였다.
④ 주리론과 주기론을 절충한 입장에서 성리학을 이해하였다.
⑤ 인간과 사물의 본성이 다르다고 주장하는 호론을 이끌었다.

0380

출제영역 〉 조선 후기 사상계의 동향 이해 정답 ▶ ①

정답찾기 ① 유형원(1622~1673)은 17세기 중농학파 실학자이다.

선지분석 ② 홍대용(1731~1783, 중상학파), ③④ 18세기의 사실이다.

0381

출제영역 〉 조선 후기 사상계의 동향 이해 정답 ▶ ②

정답찾기 제시문은 남인 학자 윤휴의 주장이다. 그는 비록 남인이었지만 숙종 초기 북벌론을 주장하였고 한때는 서인 송시열과 친분을 맺었다. 주자 중심의 정통 성리학을 비판하고 6경과 제자백가서를 다시 연구하여 주자와 다른 경전 해석을 시도하자, 송시열에 의해 사문난적으로 규탄받았다.

선지분석 ① 송시열, ③ 유형원, ④ 이간 등 낙론, ⑤ 이익·안정복에 대한 설명이다.

0382

출제영역 〉 조선 후기 사상계의 동향 이해 정답 ▶ ①

정답찾기 제시문에서 강한사(江漢祠)는 송시열을 제사 지내기 위해 세운 사우이다(경기 여주).
① 송시열은 윤휴를 사문난적이라고 비판하였다.

선지분석 ② 송시열은 이이의 기발이승설을 지지하였다.
③ 윤휴와 박세당의 학문 경향, ④ 소론의 학문 경향이다.
⑤ 인물성이론을 주장한 호론은 한원진·윤봉구 등에 의해 주도되었다.

PART 05

0383

다음과 같은 주장에 대한 설명으로 가장 적절한 것은?

2013. 국가직 7급

> 만물이 생기고 나면 바르고 통(通)한 기운을 받은 것이 사람이 되고, 편벽되고 막힌 기운을 받은 것이 물건이 된다. 물건은 편벽되고 막힌 기운을 받았기 때문에, 이(理)의 전체를 받지 못한 것은 아니지만 기질을 따라 본성 역시 편벽되고 막히게 된다. … (중략) … 사람만은 바르고 통한 기운을 받았기 때문에 마음이 가장 영묘하여 건순과 오상의 덕을 모두 갖추었으니, 그 지극한 것을 확충하면 천지에 참여하여 만물을 화육하는 것을 돕는 것도 모두 우리 인간이 할 수 있는 일이다. 이는 사람과 물건의 다른 점이다.

① 최한기에 의해 서양의 경험 철학과 연결되어 개화사상의 철학적 기반이 되었다.
② 이(理)의 중요성을 강조하여 과학 기술과 이용후생을 강조하는 북학의 배경이 되었다.
③ 화이론에 따라 중화와 오랑캐를 본질적으로 구별되는 존재로 보려는 배타적 입장이 깔려 있었다.
④ 정권에서 소외된 소론파와 왕실의 종친 그리고 서얼 출신 인사들 사이에서 가학으로 이어졌다.

0383

출제영역 〉 호락논쟁의 이해 　　　정답 ▶ ③

정답찾기 제시문은 조선 후기 노론 안에서 벌어진 호락논쟁 중 인간과 사물의 본성이 다르다는 인물성이론에 대한 내용이다.

선지분석 ① 서경덕의 유기론, ② 호락논쟁 중 낙론, ④ 양명학에 대한 설명이다.

더⊕알아보기 〉 호론과 낙론의 비교

구분	호론(湖論)	낙론(洛論)
주장	인물성이론(人物性異論) : 인간과 사물의 본성이 다르다는 주장	인물성동론(人物性同論) : 인간과 사물의 본성이 같다는 주장
특징	기존의 신분 질서 유지 기능	조선 후기의 사회 변화 수용
지역	충청도	서울·경기도
인물	한원진·윤봉구 등	이간·김창협·김원행 등
성리학 분파	기(氣)의 특수성 강조	리(理)의 보편성 강조
계승	북벌론 ⇨ 19세기 위정척사 사상	북학 사상 ⇨ 19세기 개화 사상

0384

다음의 표는 기호 남인과 노론의 학통을 나타낸 것이다. (가)~(라)의 인물에 대한 설명으로 옳은 것을 〈보기〉에서 고른 것은?

제2회 한국사능력검정시험 고급

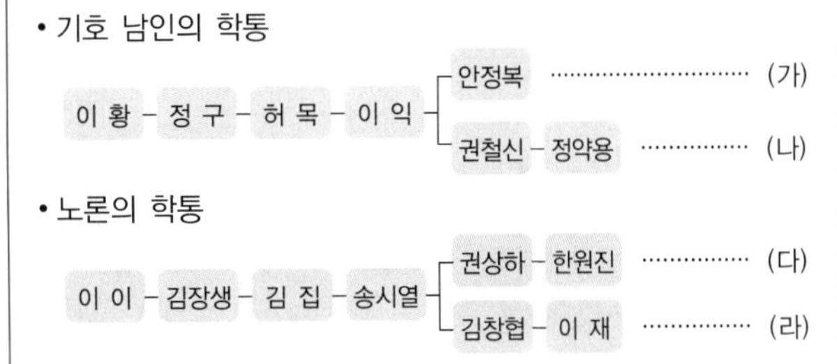

보기

㉠ (가)는 성리학의 입장에서 천주교를 배격하였다.
㉡ (나)는 순조 때에 천주교 박해로 탄압을 받았다.
㉢ (다)는 인물성동론(人物性同論)을 주장하였다.
㉣ (라)는 호론 계열의 대표적 인물이다.

① ㉠, ㉡ 　② ㉠, ㉢
③ ㉡, ㉢ 　④ ㉡, ㉣
⑤ ㉢, ㉣

0384

출제영역 〉 조선 후기 특정 정당과 사상의 동향 　　　정답 ▶ ①

정답찾기 ㉠ 안정복은 『천학고(天學考)』와 『천학문답(天學問答)』을 통해 천주교를 불교와 비슷한 이단으로 배척하였다. 이는 실학자이면서도 성리학적 명분론을 완전히 탈피하지 못한, 그의 사상적 양면성을 반영하는 것이라고 할 수 있다.
㉡ 정약용은 신유박해(1801, 순조 1년) 때 전라도 강진으로 유배되었다.

선지분석 ㉢ (다)는 인물성이론(人物性異論)을 주장한 호론이다.
㉣ (라)는 인물성동론(人物性同論)을 주장한 낙론이다.

더⊕알아보기 〉 붕당의 학통과 성향

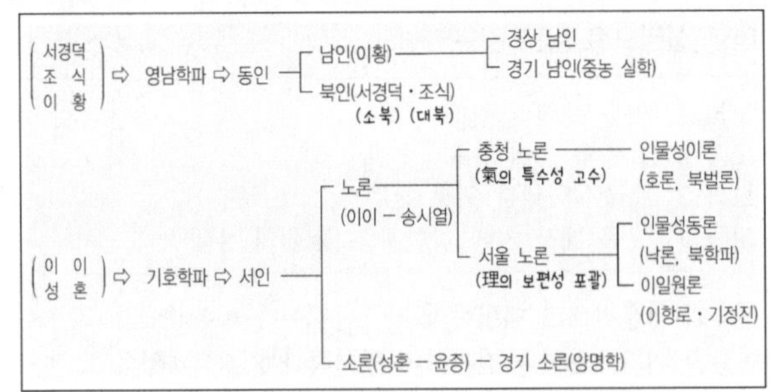

0385 □□□

양명학에 대한 설명으로 옳은 것만을 모두 고르면? 2019. 국가직 7급

> ㉠ 명종 대에 처음 전래되어 이황에 의해 이단으로 비판받았다.
> ㉡ 수용 초기 양명학자들은 성리학을 배척하여 양립할 수 없었다.
> ㉢ 박은식의 유교구신론과 정인보의 조선학 운동에 큰 영향을 끼쳤다.
> ㉣ 정권에서 소외된 소론과 왕가의 종친 그리고 서얼 출신 인사들 사이에서 가학(家學)으로 이어지면서 퍼졌다.

① ㉠, ㉡ ② ㉠, ㉣
③ ㉡, ㉢ ④ ㉢, ㉣

0386 □□□

아래의 지문과 관계있는 것으로 가장 옳지 않은 것은? 2017. 경찰간부

> 본래 사람의 생리 속에는 밝게 깨닫는 능력이 있기 때문에 스스로 두루 잘 통해서 어둡지 않게 된다. 따라서 불쌍히 여길 줄 알고 부끄러워하거나 미워할 줄 알며 사양할 줄 알고 옳고 그름을 가릴 줄 아는 것 가운데, 어느 한 가지도 못하는 것이 없다. 이것이 본래 가지고 있는 덕이며 이른바 양지(良知)라고 하는 것이니, 또한 인(仁)이라고도 한다.

① 위의 글을 지은 인물은 집권 노론의 자제로 한양을 중심으로 하는 학파를 형성하였다.
② 왕수인의 친민설(親民說)을 적극 지지하였다.
③ 위의 글을 지은 인물은 하곡(霞谷)을 호로 하고 있다.
④ 위의 글을 지은 인물은 일반 민을 도덕 실천의 주체로 인정하였다.

0387 □□□

다음과 같이 주장한 학자에 대한 설명으로 옳은 것은?

2017. 국가직 7급

> 나의 학문은 안에서만 구할 뿐이고 밖에서는 구하지 않는다. … (중략) … 그런데 오늘날 주자를 말하는 자들로 말하면, 주자를 배우는 것이 아니라 다만 주자를 빌리는 것이요, 주자를 빌릴 뿐만 아니라 곧 주자를 부회해서 자기들의 뜻을 성취하려 하고 주자를 끼고 위엄을 지어 자기들의 사욕을 달성하려 할 뿐이다.

① 양지와 양능의 본체성을 근거로 지행합일을 긍정하였다.
② 교조화된 주자학을 비판하다가 사문난적으로 몰리어 죽음을 당하였다.
③ 서인의 영수로서 왕과 사족·서민은 예가 같아야 한다고 주장하였다.
④ 유교 문명 이외에도 유럽·회교·불교 문명권을 소개하여 시야를 넓혀 주었다.

0385

출제영역 〉 양명학의 이해 정답 ▶ ④

정답찾기 ㉢ 양명학은 이건창, 박은식, 정인보 등의 국학자들에게 영향을 주었다.
㉣ 양명학은 17세기 말에서 18세기 초에 주로 경기도 지방의 소론 계열과 왕의 불우한 종친들, 그리고 서얼들 사이에서 확산되면서 정제두를 중심으로 강화학파가 형성되었다.

선지분석 ㉠ 양명학은 16세기 중종 때 명에서 전래되었는데, 이황이 『전습록변』에서 양명학을 이단으로 규정하였다.
㉡ 양명학은 성리학을 배척한 것이 아니라 성리학의 교조화와 형식화에 대한 반성으로 연구되기 시작한 학문이다.

Tip 『기본편』 497번 〈더 알아보기〉 양명학 참조

0386

출제영역 〉 양명학의 이해 정답 ▶ ①

정답찾기 제시문은 양명학에 대한 정제두의 글이다. 양명학의 주요 사상은 심즉리[心卽理, 인간의 마음이 곧 이(理)라는 이론], 치양지[致良知, 인간이 상하존비(上下尊卑)의 차별이 없이 본래 타고난 천리(天理)로서의 양지(良知)를 실현하여 사물을 바로잡을 수 있다는 이론], 지행합일[知行合一, 앎과 행함은 분리되거나 선후(先後)가 있는 것이 아니라 앎은 행함을 통해서 성립한다는 이론]이다.
① 양명학은 17세기 말에서 18세기 초에 주로 경기도 지방의 소론 계열과 왕의 불우한 종친들에게 확산되었다.

선지분석 ② 왕수인(왕양명)은 양명학을 체계화시킨 인물로 『대학』 고본(古本)을 자신의 이론으로 재해석하였는데 특히 '친민(신민)'에 있어 주자가 지나치게 백성의 교화에 치우친 것과 달리 왕수인은 '백성들을 친하게 한다'는 것은 '백성을 사랑한다'는 것과 같고, '밝은 덕을 천하에 밝혀 백성을 교화하고 양생한다'고 주장하였다.
③ 조선 후기 양명학을 학문화시킨 인물은 하곡 정제두로 그는 『존언』, 『만물일체설』을 저술하였다.
④ 정제두는 일반 민을 도덕 실천의 주체로 인정하고 나아가 양반 신분제의 폐지를 주장하였다.

0387

출제영역 〉 양명학의 이해 정답 ▶ ①

정답찾기 제시문은 당시 주자학(성리학)의 권위주의적 학풍에 대하여 학문적 진실성에서 비판하고 있는 양명학자 정제두의 글이다. 그는 주자가 백성을 가르쳐서 깨우치게 해야 한다는 의미로 이해한 신민설(新民說)을 반대한 양명학의 창시자인 왕수인(왕양명)의 친민설(親民說)을 지지하여, 백성을 주체로 인식하고 일반민을 도덕의 주체로 인정하였으며 양반 신분제 폐지를 주장하였다. 정제두는 강화도로 옮겨 살면서 『존언』, 『만물일체설』 등을 써서 양명학의 학문적 체계를 세웠고, 그의 영향하에 이른바 강화학파로 불리는 양명학자들이 배출되었다.
① 양명학에서는 앎과 행함은 분리되거나 선후가 있는 것이 아니라 앎은 행함을 통해서 성립한다는 이론인 지행합일(知行合一)을 주장하였다.

선지분석 ② 윤휴, ③ 송시열에 대한 설명이다.
④ 이수광의 『지봉유설』에 대한 설명이다.

사회 개혁론(중농학파 · 중상학파)

0388 □□□

〈보기〉의 ㉠과 ㉡에 들어갈 인물에 대한 설명으로 가장 옳은 것은?

2019. 서울시 7급 1차

보기

조선 후기에 과학 및 기술 분야에서 많은 저술 활동이 이루어졌다. (㉠)은(는) 『과농소초』를 집필하여 농업 기술 발달에 기여하였고, (㉡)은(는) 『마과회통』을 저술하여 의학 분야 발달에 기여하였다.

① ㉠은/는 천주교도를 탄압한 신유사옥 때 유배형에 처해졌다.
② ㉡은/는 여전제 실시를 주장하였다.
③ ㉠은/는 서얼 출신으로 상공업 육성과 청과의 통상 무역 등을 주장하였다.
④ ㉡은/는 『반계수록』을 집필해 토지 재분배의 필요성을 주장하였다.

0389 □□□

조선 후기 토지 개혁론에 대한 설명으로 옳은 것을 〈보기〉에서 모두 고르면?

2016. 서울시 7급

보기

㉠ 연암 박지원은 한전론(限田論)을 제안하였는데, 토지 소유의 상한선을 정하면 토지 소유의 양극화를 해소할 수 있다고 생각하였다.
㉡ 풍석 서유구는 둔전론(屯田論)을 주장하였는데, 소농 생활의 안정을 위해서는 세금을 줄일 뿐만 아니라 지주제도 철폐해야 한다고 생각하였다.
㉢ 다산 정약용은 정전론(井田論)을 제시하였는데, 구획이 가능한 곳은 정자(井字)로, 불가능한 곳은 계산상으로 구획한 뒤 노동력의 양과 질에 따라 토지를 차등적으로 분급할 것을 주장하였다.
㉣ 성호 이익은 농가를 안정시키는 방법으로 매 호마다 영업전(永業田)을 갖게 하고, 그 이외의 토지는 매매를 허락하여 점진적으로 토지 균등을 이루어 나가자고 주장하였다.

① ㉠, ㉡, ㉢　② ㉠, ㉡, ㉣
③ ㉠, ㉢, ㉣　④ ㉡, ㉢, ㉣

0390 □□□

다음 글이 나오는 책을 지은 학자에 대한 설명으로 옳은 것은?

2021. 계리직

수령이라는 직책은 관장하지 않는 것이 없으니, 여러 조목을 열거하여도 오히려 직책을 다하지 못할까 두려운데, 하물며 스스로 실행하기를 기대할 수 있겠는가? 이 책은 첫머리의 부임(赴任)과 맨 끝의 해관(解官) 2편을 제외한 나머지 10편에 들어 있는 것만 해도 60조나 되니, 진실로 어진 수령이 있어 제 직분을 다할 것을 생각한다면 아마도 방법에 어둡지는 않을 것이다.

① 노론의 중심 인물로 대의명분을 중시하였다.
② 조세 제도 개혁을 통해 정전제의 이념을 구현하려 하였다.
③ 자영농 육성을 위해 토지를 재분배하자는 균전론을 제기하였다.
④ 본인의 연행 경험을 바탕으로 상공업 진흥과 기술 발전을 제안하였다.

0388

출제영역 〉 조선 후기 사회 개혁론의 이해　정답 ▶ ②

정답찾기 ㉠ 박지원, ㉡ 정약용

② 정약용은 『전론』에서 여전제를 주장하였는데, 이는 한마을을 단위로 토지를 집단화하여 경자유전(耕者有田)의 원칙하에 공동 경작하고 그 수확량을 노동량에 따라 공동 분배하는 일종의 공동 농장 제도이다.

선지분석 ① 정약용, ③ 박제가, ④ 유형원에 대한 설명이다.

0389

출제영역 〉 조선 후기 사회 개혁론의 이해　정답 ▶ ③

정답찾기 ㉠ 박지원의 한전제, ㉢ 정약용의 정전론(제), ㉣ 이익의 한전제에 대한 내용이다.

선지분석 ㉡ 서유구의 둔전론은 지주제를 인정하였다. 조선 후기 농서인 『임원경제지』를 편찬한 실학자 서유구는 농업 기술과 영농 방법을 개선해 생산성을 높이고자 하였고, 토지 제도는 둔전제로 개혁하고자 하였다. 그는 둔전제(론)를 통해 정조 사후 세도 정권의 현실적 한계를 인정하고 지주제를 인정한 상태에서 최소한의 토지 개혁을 주장하였다. 그가 주장한 둔전은 국가가 주도해 설립하는 '시범 농장' 또는 '협동 농장'이었다. 둔전은 국가에서 재정을 출자하여 설치하는 '국둔(國屯)'과 부자가 개인 재산을 출자해 만드는 '민둔(民屯)'으로 나뉜다. 전자는 '국영 농장', 후자는 '민영 농장'이라고 할 수 있다. 그런데 이 둔전론은 전체 토지에 대한 개혁을 목표로 삼은 것이 아니라 일부 한정된 지역에서 한정된 규모로 둔전을 설치하고자 하였다.

0390

출제영역 〉 조선 후기 사회 개혁론의 이해　정답 ▶ ②

정답찾기 제시문은 정약용의 『목민심서』이다.

② 정약용은 국가 재정과 농촌 경제의 안정을 위해 정전 제도(井田制度)를 우리나라 현실에 맞게 시행할 것을 주장하였다. 즉, 국가가 장기적으로 토지를 사들여 가난한 농민에게 나누어 주어 자영농을 육성하고, 아직 국가가 사들이지 못한 지주의 토지는 농민에게 골고루 병작권을 주자는 것이었다.

선지분석 ① 송시열, ③ 유형원, ④ 박지원 또는 박제가에 대한 설명이다.

0391 □□□

다음 주장을 펼친 인물에 대한 설명으로 옳은 것은? 2021. 경찰 2차

> • 무릇 천자란 무엇 때문에 있는 것인가. 하늘이 천자를 공중에서 내려보내서 세운 것인가, 아니면 땅에서 솟아나게 하여 천자가 된 것인가. …… 여러 현장(縣長)들이 함께 추대한 자가 제후가 되며, 제후들이 함께 추대한 자가 천자가 되니, 천자란 민중이 추대하여 만든 것이다.
> • 활차(滑車)를 이용하여 무거운 물건을 운반하는 것은 두 가지 편리한 점이 있으니 첫째는 사람의 힘을 줄이는 것이고, 둘째는 무거운 물건을 떨어뜨리지 않고 안전하게 운반하는 것입니다. …… 크고 작은 바퀴가 서로 통하고 서로 튕기는 방법을 이용하면 천하에 무거운 물건이 없습니다.

① 『목민심서』, 『경세유표』 등을 저술하였다.
② 『열하일기』에서 수레와 선박 이용의 필요성을 강조하였다.
③ 노비제, 과거제 등 여섯 가지를 '나라의 좀'으로 규정하였다.
④ 재물을 우물에 비유하며 소비를 권장해야 한다고 주장하였다.

0392 □□□

다음 글의 저자와 관계가 깊은 것은? 2008. 지방직 7급

> 지금 호남 지방 인민의 형편을 보면 평균 100호 중에서 남에게 토지를 주어 소작료를 받아먹는 자는 불과 5호이고, 자기 땅을 경작하는 자는 25호가량이며, 지주 땅을 경작하여 소작료를 바치는 농민은 70호나 된다. 『여유당전서』

① 결부제 폐지와 경무법 실시를 주장하였다.
② 농업의 발전을 위해 동전 폐지론을 주장하였다.
③ 자영농을 육성하기 위한 한전제를 주장하였다.
④ 채소・약재・담배 등 상업적 농업의 육성을 주장하였다.

0393 □□□

다음의 주장을 펼친 조선 후기 실학자에 대한 설명으로 옳은 것은? 2017. 국회직 9급

> 『주례』에 나타난 주나라 제도를 모범으로 하여 중앙과 지방의 정치 제도를 개혁해야 한다. 정치적 실권을 군주에게 몰아주고, 군주가 수령을 매개로 민을 직접 다스리도록 하되, 민의 자주권을 최대로 보장하여 아랫사람이 통치자를 추대하는 형식에 의하여 권력이 짜여져야 한다.

① 방대한 문화백과사전을 편찬하였다.
② 자영농 육성을 위한 한전론을 주장하였다.
③ 정전제를 현실에 맞게 실시할 것을 주장하였다.
④ 청나라에 다녀와 상공업의 진흥을 강조하였다.
⑤ 고조선부터 고려 말까지의 역사를 정리한 『동국통감』 편찬에 참여하였다.

0391

출제영역 〉 조선 후기 사회 개혁론의 이해 **정답 ▶ ①**

정답찾기 첫 번째 제시문은 정약용의 『탕론』이고, 두 번째 제시문은 정약용의 『기중도설』 총설이다.
① 정약용은 지방관(목민관)이 지켜야 할 도리를 제시한 『목민심서』, 중앙 정치 제도의 개혁 방안을 제시한 『경세유표』 등을 비롯한 500여 권의 저술을 남겼다.

선지분석 ② 박지원, ③ 이익, ④ 박제가에 대한 설명이다.

0392

출제영역 〉 조선 후기 사회 개혁론의 이해 **정답 ▶ ④**

정답찾기 제시문은 정약용의 주장이다.
④ 정약용은 전통적인 논농사 외에 채소, 약재, 담배 등 상품화할 수 있는 작물의 재배를 주장하였다.

선지분석 ① 유형원, ② 이익의 폐전론, ③ 이익의 한전제에 대한 설명이다.

0393

출제영역 〉 조선 후기 사회 개혁론의 이해 **정답 ▶ ③**

정답찾기 제시문은 정약용의 주장이다. 정약용은 『경세유표』에서 『주례』에 나타난 주(周)나라 제도를 모범으로 하여 중앙과 지방의 정치 제도를 개혁할 것을 제안하였다. 이에 의하면 정치적 실권을 군주에게 몰아주고, 군주가 수령을 매개로 백성을 직접 다스리도록 하되, 백성의 자주권을 최대로 보장하여 아랫사람이 통치자를 추대하는 형식에 의해서 권력이 짜여져야 한다고 하였다. 그리고 중앙의 행정 기구인 6조의 기능을 평등하게 재조정하고 이용감(利用監)을 새로 설치하여 과학・기술의 발전 등 북학(北學)을 수행할 수 있도록 바꾸며, 지방의 부유한 농민들에게 향촌 사회에서 공헌도에 따라 관직을 주어야 한다고 주장하였다.
③ 정약용은 국가 재정과 농촌 경제의 안정을 위해 정전 제도(井田制度)를 우리나라 현실에 맞게 시행할 것을 주장하였다. 즉, 국가가 장기적으로 토지를 사들여 가난한 농민에게 나누어 주어 자영농을 육성하고, 아직 국가가 사들이지 못한 지주의 토지는 농민에게 골고루 병작권을 주자는 것이었다.

선지분석 ① 이규경에 대한 설명이다. 그는 우리나라와 중국 등 외국의 고금 사물 1,417항을 고증적 방법으로 설명한 『오주연문장전산고』를 편찬하였다.
② 이익에 대한 설명이다. 이익은 『곽우록』에서 한 가정의 생활을 유지하는 데 필요한 일정한 토지를 영업전으로 하고, 영업전은 매매를 금지시키고 그 밖의 토지는 매매할 수 있게 하여 토지 소유의 평등을 이루자는 한전론을 주장하였다.
④ 박지원이나 박제가 등 북학파에 대한 설명이다.
⑤ 서거정에 대한 설명이다. 『동국통감』은 고조선에서 고려 말까지의 역사를 기록한 조선 전기 최초의 통사(通史)이다.

0394 □□□

다음은 정약용의 토지 제도 개혁안의 일부이다. ㉠과 ㉡에 들어갈 말로 옳은 것은? 2017. 서울시 사회복지직 9급

> (㉠)법은 시행할 수 없다. (㉠)은 모두 한전이었는데, 수리 시설이 갖춰지고 메벼와 찰벼가 맛이 좋으니 수전을 버리겠는가. (㉠)이란 평평한 농지인데 나무를 베어 내느라 힘을 들였고 산과 골짜기가 이미 개간되었으니, 이러한 밭을 버리겠는가. (㉡)법은 시행할 수 없다. (㉡)은 농지와 인구를 계산하여 분배해 주는 것인데, 호구의 증감이 달마다 다르고 해마다 다르다. 금년에는 갑의 비율로 분배하였다가 명년에는 을의 비율로 분배해야 하므로 조그마한 차이는 산수에 능한 자라도 살필 수 없고 토지의 비옥도가 경마다 묘마다 달라 한정이 없으니, 어떻게 균등하게 하겠는가.

	㉠	㉡		㉠	㉡
①	한전	균전	②	정전	여전
③	여전	한전	④	정전	균전

0395 □□□

다음과 같은 주장을 제기한 학자에 대한 설명으로 옳은 것은? 2018. 기상직 9급

> 어찌하여 하늘은 천한 금수(禽獸)에게 후하게 하고 귀하게 해야 할 인간에게는 야박하게 하였는가. 그것은 인간에게는 지혜로운 생각과 교묘한 궁리가 있으므로 기예(技藝)를 익혀서 제힘으로 살아가게 한 것이다. …… 온갖 공장의 기예가 정교하면 궁실과 기구를 만들고 성곽과 배, 수레, 가마 따위도 모두 편리하고 튼튼하게 될 것이니, 진실로 그 방법을 다 알아서 힘껏 시행한다면 나라는 부유해지고 군사는 강성해지고 백성도 부유하면서 오래 살 수 있을 것인데 이를 알면서도 고치지 않는구나.

① 지식과 행동의 통일을 주장하였으며, 강화학파를 이끌었다.
② 마을 토지를 공동 경작하고, 노동량에 따라 소득을 분배할 것을 주장하였다.
③ 생산과 소비를 우물물에 비유하였다.
④ 무한우주론, 지구 구형(球形)설, 지전(地轉)설 등을 제시하여 중국 중심의 세계관을 비판하였다.

0396 □□□

다음 자료의 주장을 전개한 인물의 활동으로 옳은 것은? 2019. 기상직 9급

> 아홉 도의 전답(田畓)을 고루 나누어 3분의 1을 취해서 아내가 있는 남자에 한해서는 각각 2결(結)을 받도록 한다. (그 자신에 한하며 죽으면 8년 후에 다른 사람에게 옮겨 준다.) 전원(田園) 울타리 밑에 뽕나무와 삼[麻]을 심도록 하며, 심지 않는 자에게는 벌로 베[布]를 받는데 부인이 3명이면 베[布] 1필, 부인이 5명이면 명주[帛] 1필을 상례(常例)로 정한다.

① 『역학도해』에서 지전설을 주장하였다.
② 동·서양 수학을 정리하여 『주해수용』을 저술하였다.
③ 우주현상과 지리, 문화현상을 상술한 『지구전요』를 편찬하였다.
④ 『곽우록』을 저술하여 국가적 문제의 해결책을 제시하고자 하였다.

0394

출제영역 〉 조선 후기 사회 개혁론의 이해 정답 ▶ ④

정답찾기 ▶ 제시문은 정약용의 『경세유표』 중 전제(田制)에 대한 내용으로 ㉠ 정전, ㉡ 균전이다.

정약용은 초기에 주(周)나라 정전제의 시행 가능성을 부정하고 여전제를 주장하였으나 유배지 생활 이후 다시 여전제를 수정하여 정전제를 주장하였다. 정약용은 정전제를 시행하기 어렵다는 것을 알고 있었으나 다른 전제를 검토하면서 정전제로 귀결될 수 밖에 없는 당위성을 설명하였다. 예컨대 농지와 인구를 계산하여 분배하는 균전제는 토지의 사유화를 인정하고 따라서 지주 전호제를 되풀이하며 이는 농업 생산성을 저해하는 것이기 때문에 강력히 비판하였다. 결국 정약용의 정전제는 궁극적으로는 토지 국유화를 바탕으로 한 토지 제도이나, 현실에 있어서는 지주 전호제를 인정하고 궁극적으로 모든 농민을 자영농으로 육성하여 지주 전호제를 철폐하려 하였다.

0395

출제영역 〉 조선 후기 사회 개혁론의 이해 정답 ▶ ②

정답찾기 ▶ 제시문은 정약용의 「기예론」 중 일부이다. 정약용은 「기예론」에서 인간이 다른 동물보다 뛰어난 것은 기술 때문이라고 보았다.

② 정약용은 『전론』에서 여전제를 주장하였는데, 한 마을을 단위로 토지를 집단화하여 공동 경작하고 그 수확량을 노동량에 따라 공동 분배하는 일종의 공동 농장 제도였다.

선지분석 ▶ ① 정제두, ③ 박제가, ④ 홍대용에 대한 설명이다.

더+알아보기 〉 정약용의 학문 영역

- **실학의 집대성**: 2서 1표(二書一表)의 삼부작(『목민심서』, 『흠흠신서』, 『경세유표』)
- **지리서**: 『아방강역고』, 『대동수경』
- **국어학**: 『아언각비』
- **과학 기술 분야**: 『마과회통』(제너의 종두법 소개), 지전설 주장, 한강 주교[배다리] 설계, 수원성 축조(거중기)
- **역사학**: 민족의 주체적 자각 고취
- **성리학**: 독자적 철학 체계 수립

0396

출제영역 〉 조선 후기 사회 개혁론의 이해 정답 ▶ ②

정답찾기 ▶ 제시문은 성인 남자들에게 2결의 토지를 나누어 주자는 홍대용의 균전론이다.

② 홍대용의 『주해수용』은 우리나라·중국·서양 수학의 연구 성과를 정리한 책이다.

선지분석 ▶ ① 김석문, ③ 최한기, ④ 이익에 대한 설명이다.

0397 □□□

정치적 입장이 노론이었던 학자가 쓴 책의 주요 내용을 바르게 소개한 것은? 2018. 서울시 7급 1차

① 실옹과 허자의 문답 형식을 빌려 고정관념을 상대적 논법으로 비판했다.
② 부안 우반동에서 농촌 사회의 안정을 위해 공전제와 토지 재분배를 주장했다.
③ 첨성촌에 은거하면서 견문한 내용들을 백과사전식으로 저술했다.
④ 야사 400여 종을 참고해 조선 정치사를 객관적 입장에서 기술했다.

0398 □□□

밑줄 친 '아버지'에 대한 설명으로 옳은 것은? 2016. 지방직 7급

> 아버지는 권력의 부침에 따라 아첨하는 자들을 보면 참지 못하였으니 이 때문에 평생 남의 노여움을 사고 비방을 받는 일이 아주 많았다. … (중략) … 여기에 붙었다 저기에 붙었다 하는 세태가 꼴불견이었는데 아버지는 젊을 때부터 이런 세태를 미워하셨다. 그래서 아홉 편의 전(傳)을 지어 세태를 풍자하셨는데 그 속에는 왕왕 우스갯소리가 들어 있었다.

① 정조가 일으킨 문체반정(文體反正)의 주 대상 인물이었다.
② 주자 성리학을 비판하고 양명학을 학문적으로 체계화하였다.
③ 『청사열전』을 지어 김시습 등 도가(道家) 관련 인물들의 행적을 정리하였다.
④ 경제적으로 여유가 있는 호민(豪民)이 나라의 중심이 되어야 한다고 주장하였다.

0399 □□□

다음 내용을 주장한 사람에 대한 설명으로 가장 적절한 것은? 2020. 경찰 2차

> 옛날에 백성에는 네 가지 부류가 있었습니다. 이는 사농공상입니다. 사의 업은 오래되었습니다. 농공상의 일은 처음에 역시 성인의 견문과 생각에서 나왔고, 대대로 익힌 것을 전승하여 각기 자신의 학문이 있었습니다. …… 그러나 사의 학문은 실제로 농공상의 이치를 포괄하는 것이므로 세 가지 업은 반드시 사를 기다린 뒤에 완성됩니다. 일반적으로 이른바 농업에 힘쓰는 것이나, 상업을 유통시켜 공업에 혜택을 준다고 했을 때 그 힘쓰는 것이나, 상업을 유통시켜 공업에 혜택을 준다고 했을 때 그 힘쓰게 하고 유통시키고 혜택을 주게 하는 것은 사가 아니라면 누가 하겠습니까?

① 지구가 둥글다는 것을 인정하고, 중국이 세계의 중심이라는 생각을 비판하였다.
② 토지를 공동으로 소유·경작하여, 노동량에 따라 수확량을 배분하자고 제안하였다.
③ 양반의 상업 종사를 강조하였고, 절약보다는 소비를 권장해야 한다고 주장했다.
④ 농업 생산력을 높이는 데 관심을 기울였으며, 화폐 유통의 필요성을 주장했다.

0397

출제영역 〉 조선 후기 사회 개혁론의 이해 정답 ▶ ①

정답찾기 조선 후기 노론 일부 소장파 안에서 중상학파 실학자들이 출현하였다.
① 노론 집안이었던 중상학파 실학자 홍대용은 『의산문답』에서 실옹과 허자의 문답 형식을 빌려 지구의 1일 1회전설을 주장하여 성리학적 세계관을 비판하였다.

선지분석 ② 중농학파 유형원에 대한 설명이다. 유형원은 농촌 문제의 핵심이 토지에 있다고 보고 균전론을 주장하여 관리와 선비·농민 등에게 차등 있게 토지를 재분배함으로써 자영농을 육성할 것을 주장하였다. ③ 중농학파 이익에 대한 설명이다. 이익은 천지·만물·경사·인사·시문의 5개 부분으로 기술한 백과사전식 저서인 『성호사설』을 편찬하였다. ④ 이긍익의 『연려실기술』에 대한 설명이다.

0398

출제영역 〉 조선 후기 사회 개혁론의 이해 정답 ▶ ①

정답찾기 밑줄 친 '아버지'는 연암 박지원이다.
① 정조 때에는 패관잡기나 명말 청초(明末淸初) 중국 문인들의 문집에 영향을 받아 개성주의에 입각한 참신한 문체가 크게 유행하였다. 이에 대해 정조는 서양학, 패관잡기, 명말 청초의 문집을 사(邪)로 규정하고 이를 배격함으로써 순정한 고문의 문풍을 회복하고자 하였다. 정조는 당시 유행하던 불순한 문체의 근원이 박지원과 그의 저작인 『열하일기』에 있다고 보았다.

선지분석 ② 정제두, ③ 허목, ④ 허균의 호민론에 대한 내용이다.

0399

출제영역 〉 조선 후기 사회 개혁론의 이해 정답 ▶ ④

정답찾기 제시문은 박지원의 『과농소초』 제가총론(諸家總論)의 내용이다.
④ 박지원은 『과농소초』, 『한민명전의』 등의 농서를 통해 농업 생산력을 높이는 데 관심을 쏟았으며, 상공업의 진흥을 위해 수레와 선박의 이용이나 화폐 유통의 필요성을 강조하였다.

선지분석 ① 홍대용, ② 정약용, ③ 박제가에 대한 설명이다.

PART 05

조선 후기의 국학

0400 □□□

역사서와 그 저자들의 정치적 입장에 관한 설명이 옳지 않은 것은?

2009. 국가직 9급

① 『여사제강』 – 서인의 입장에서 북벌 운동을 지지하였다.
② 『동사(東事)』 – 붕당 정치를 비판하였다.
③ 『동사강목』 – 성리학적 명분론을 비판하였다.
④ 『동국통감제강』 – 남인의 입장에서 왕권 강화를 주장하였다.

0400

출제영역 〉 조선 후기 국학의 이해 정답 ▶ ③

정답찾기 ③ 안정복은 『동사강목』을 통해 성리학적 사관을 바탕으로 고조선에서 고려 말까지의 역사를 편년체로 서술하면서 역사적 사실들을 치밀하게 고증해 고증 사학의 토대를 닦았다.

선지분석 ① 『여사제강』은 서인 유계가 저술하였다.
② 『동사(東事)』는 남인 허목이 저술한 책으로, 그는 서인의 붕당 정치를 비판하였다.
④ 『동국통감제강』은 남인 홍여하가 저술하였다.

0401 □□□

조선 후기 역사서에 나타나는 정통론에 대한 설명으로 옳지 않은 것은?

2017. 국가직 7급

① 임상덕의 『동사회강』에서는 마한을 정통으로 인정하지 않고 삼국을 무통으로 보았다.
② 안정복의 『동사강목』에서는 삼국을 무통으로 하고 단군 – 기자 – 마한 – 통일 신라를 정통으로 하였다.
③ 홍만종의 『동국역대총목』에서는 단군을 배제하고 기자 – 마한 – 통일 신라의 흐름을 정통으로 규정하였다.
④ 홍여하의 『동국통감제강』에서는 기자의 전통이 마한을 거쳐 신라로 이어졌다고 하여 기자 – 마한 – 신라를 정통 국가로 내세웠다.

0401

출제영역 〉 조선 후기 국학의 이해 정답 ▶ ③

정답찾기 ③ 홍만종의 『동국역대총목』에서는 단군에서 정통이 시작되어 기자로 이어졌다고 이해하는 단기(단군 – 기자) 정통론을 제시하였다.

선지분석 ① 임상덕의 『동사회강』에서는 삼국 이전을 편년에서 삭제함으로써 기자 조선과 마한을 정통 국가로 취급하지 않았다. 또한 삼국 시대를 무통(無統)의 시대로 간주하였고, 통일 신라와 고려 통일 이후만을 정통 시대라 인정하였다.
② 안정복의 『동사강목』에서는 위만을 정통 왕위로 보지 않고 삼한(마한)을 그 정통으로 보는 삼한 정통론을 제시하였으며, 단군 – 기자 – 삼한 – 신라의 정통성을 주장하였다.
④ 홍여하의 『동국통감제강』에서는 고대사 부분의 시대 구분을 조선 – 삼국 – 신라의 크게 세 시기로 나누고 조선은 기자와 마한으로 나누어 서술하였다.

0402 □□□

(가)~(다)에서 설명하고 있는 조선 시대 역사서와 역사가를 바르게 나열한 것은?

2011. 지방직 7급

(가) 고조선에서 고려에 걸친 통사로서 외기・삼국기・신라기・고려기로 구성되어 있는데, 당시 정계에 진출한 사림 계열의 역사 인식이 반영된 결과 사론이 대폭적으로 첨가되었다.
(나) 중국과 일본의 문헌을 광범위하게 참작한 유서(類書)적 성격의 사서로서 기전체 형식을 취하고 있지만 열전은 없고 세기・지・고(考)로 구성되어 있다.
(다) 역사를 움직이는 힘을 '시세(時勢)', '행불행(幸不幸)', '시비(是非)'의 순서로 봄으로써 도덕 중심 사관을 비판하였다.

	(가)	(나)	(다)
①	동국통감	해동역사	이익
②	동사강목	연려실기술	허목
③	동국통감	연려실기술	이익
④	동사강목	해동역사	허목

0402

출제영역 〉 조선 후기 국학의 이해 정답 ▶ ①

정답찾기 (가) 서거정의 『동국통감』, (나) 한치윤의 『해동역사』, (다) 이익의 역사관에 대한 설명이다.

0403

조선 후기에 전개된 국학 연구에 대한 설명으로 옳지 않은 것은?

2017. 서울시 9급

① 유희는 『언문지』를 지어 우리말의 음운을 연구하였다.
② 이의봉은 『고금석림』을 편찬하여 우리의 어휘를 정리하였다.
③ 한치윤은 『기언』을 지어 토지 제도의 개혁을 주장하였다.
④ 이종휘는 『동사』를 지어 고구려사에 대한 관심을 고조시켰다.

0404

다음 (가)~(다)에 나타난 역사 인식을 옳게 분석한 것은?

제3회 한국사능력검정시험 고급

(가) 우리 해동에 나라가 생긴 것이 맨 처음에 단군 조선에서 시작하였는데, 그때는 까마득한 시절이어서 민속이 순박하였다. 기자가 주나라의 봉함을 받아서 8조의 가르침을 시행하니 문물과 예의의 아름다운 것이 실제로 이로부터 시작되었다. 『동문선』
(나) 오늘날의 중국은 대지 가운데에서 한 조각의 땅에 지나지 아니한다. …… 크게는 구주(九州)도 하나의 나라이고, 작게는 초(楚)도 하나의 나라이고, 제(齊)도 하나의 나라이다. 『성호사설』
(다) 예로부터 유학자들은 언제나 중화와 이적의 구분을 엄격히 하며, 중국 땅에서 태어나지 않으면 다 이(夷)라 하는데, 이것은 통할 수 없다. 하늘이 어찌 지역을 가지고 인간을 구별하겠는가? 『순암선생문집』

① (가)는 성리학적 명분론을 거부하고 단군 조선의 역사성과 정통성을 주장하고 있다.
② (나)는 중국 중심의 전통적인 화이관을 벗어난 새로운 자아의식을 보여 준다.
③ (나)는 중국 문화의 전통이 오직 우리나라에만 남아 있는 것으로 파악하고 있다.
④ (다)는 화이의 문화적인 차별성을 내세우며 존화의 의리를 주장하고 있다.
⑤ (다)는 중국 중심의 정통론에 입각하여 우리의 역사적 위치를 파악하고 있다.

0405

다음 서적들의 편찬 시기가 바르게 나열된 것은? 2011. 국가직 7급

㉠ 동국이상국집	㉡ 불씨잡변
㉢ 임원경제지	㉣ 해동제국기

① ㉠ - ㉡ - ㉢ - ㉣
② ㉠ - ㉡ - ㉣ - ㉢
③ ㉡ - ㉠ - ㉢ - ㉣
④ ㉡ - ㉠ - ㉣ - ㉢

0406

〈보기〉의 백과사전(유서)을 편찬한 순서대로 바르게 나열한 것은?

2018. 서울시 기술직 9급

보기	
㉠ 대동운부군옥	㉡ 지봉유설
㉢ 성호사설	㉣ 오주연문장전산고

① ㉠ - ㉡ - ㉢ - ㉣
② ㉡ - ㉢ - ㉣ - ㉠
③ ㉠ - ㉢ - ㉡ - ㉣
④ ㉠ - ㉣ - ㉢ - ㉡

0403

출제영역 〉 조선 후기 국학의 이해 정답 ▶ ③

정답찾기 ③ 『기언』은 조선 후기 허목의 시문집으로 일반적으로 저자의 호를 따서 『미수기언』이라고 부른다. 조선의 성리학을 비판한 내용으로, 이익의 학문에 이어져 실학 발전의 터전이 되었다고 평가받고 있다.

선지분석 ① 유희의 『언문지』(1824)는 우리말의 음운을 연구한 책으로, 훈민정음을 초·중·종 3성(三聲)으로 나누어 그 원리 및 중국음과의 관계를 논했다.
② 이의봉의 『고금석림』(1789)은 우리말의 어휘를 정리한 책으로, 우리의 어휘뿐만 아니라 동양의 여러 언어에 대한 자료의 집대성으로서 가장 방대한 어휘집이다.
④ 이종휘의 『동사』(1803)는 조선 후기의 가장 완벽한 기전체 역사서로, 고조선과 삼한, 그리고 부여·고구려 계통의 역사와 문화를 다룬 것이 특징이다.

0404

출제영역 〉 조선 역사서의 역사 인식 이해 정답 ▶ ②

정답찾기 (가) 서거정, (나) 이익, (다) 안정복
② 이익은 중국 중심의 역사관을 비판하여 민족에 대한 주체성과 자각을 높이는 데 이바지하였다.

선지분석 ① (가) 서거정은 성리학적 명분론을 거부하지 않았다.
③ (나) 이익은 중국 문화의 전통, 즉 존화양이적 입장을 탈피하였다.
④⑤ 이익과 마찬가지로 안정복 역시 존화주의적 입장에서 탈피하고 삼한 정통론을 주장하였다.

0405

출제영역 〉 역대 역사서의 시대순 이해 정답 ▶ ②

정답찾기 ㉠ 『동국이상국집』(고려 후기) ⇨ ㉡ 『불씨잡변』(조선 태조) ⇨ ㉣ 『해동제국기』(조선 성종) ⇨ ㉢ 『임원경제지』(조선 순조)

0406

출제영역 〉 역대 역사서의 시대순 이해 정답 ▶ ①

정답찾기 ㉠ 『대동운부군옥』(권문해, 1589, 선조 22년) ⇨ ㉡ 『지봉유설』(이수광, 1614, 광해군 6년) ⇨ ㉢ 『성호사설』(이익, 영조) ⇨ ㉣ 『오주연문장전산고』(이규경, 헌종)

0407 □□□

조선 후기 지도 편찬에 대한 설명으로 가장 옳지 않은 것은?

2019. 서울시 9급

① 김정호는 「대동여지도」를 편찬하기 이전에 이미 「청구도」 등을 제작하였다.
② 정상기는 백리척을 이용하여 「동국지도」를 제작하였다.
③ 모눈종이를 이용한 정밀한 지도도 제작되었다.
④ 「대동여지도」가 완성되자 나라의 기밀을 누설시킬 우려가 있다고 하여 판목은 압수 소각되었다.

과학 기술과 예술의 새 경향

0408 □□□

조선 후기 문화에 대한 설명으로 가장 옳지 않은 것은?

2014. 경찰간부

① 우리나라의 산천을 화폭에 담는 진경산수화가 등장하였다.
② 서예 부문에서는 중국에서 새로 들어온 송설체가 풍미하였다.
③ 현실 사회를 풍자하는 가면극으로 산대놀이 등이 인기를 끌었다.
④ 기존의 형식에서 벗어나 자유롭게 심정을 표현한 사설시조가 유행하였다.

0409 □□□

18세기 후반에 이르면 중인과 서얼층의 성장과 더불어 이른바 위항인(委巷人)들의 문학 활동이 활발해진다. 다음 중 위항인들의 작품이 아닌 것은?

2008. 계리직

① 『규사(葵史)』
② 『대동야승(大東野乘)』
③ 『연조귀감(掾曹龜鑑)』
④ 『호산외기(壺山外記)』

0407

출제영역 〉 조선 후기 지도의 이해 — 정답 ▶ ④

정답찾기 ④ 「대동여지도」가 완성되자 나라의 기밀을 누설시킬 우려가 있다고 하여 판목은 압수 소각되었다는 것은 역사적 사실이 아니며, 김정호의 업적을 덮기 위해 일제 침략기 조선 총독부가 조작한 내용이다. 「대동여지도」 목판본은 현재 보물 제1581호로 남아 있다.

선지분석 ① 김정호는 1834년에 「청구도」를, 1861년에 「대동여지도」를 판각하여 간행하였다.

②③ 조선 후기 정상기의 「동국지도」가 간행되기 이전에는 중국의 방안법, 즉 모눈종이에 지도를 그리는 양식이 유행하였다. 그러나 방안법은 중국처럼 넓은 평지나 사막이 많은 나라에는 유리했으나 조선의 경우 산이 많고 길이 구불구불하여 방안법으로 지도를 그리기에 적합하지 않았다. 이러한 불편함을 해소하고자 정상기는 「동국지도」에 백리척을 적용하여 실제에 가까운 방위와 거리 계산이 가능하도록 하였다.

더+알아보기 〉 **김정호의 대동여지도**

1. 16만 분의 1 축척, 22첩으로 구분하였고, 약 7m의 대형 지도로서 산업·군사적 성격이 강함.
2. 김정호가 실제로 답사하여 중국과 우리나라의 역대 지도 제작법을 계승하고 서양 과학 기술의 영향을 받음.
3. 특징
   - 지도에 축척 표시는 되어 있지 않으나, 좌표에 방안(方眼)을 그리고 '매방(每方) 10리'라 표시하여 사실상 축척을 표시
   - 목판으로 대량 인쇄하여 지도의 대중화를 도모

0408

출제영역 〉 조선 후기 문화의 이해 — 정답 ▶ ②

정답찾기 ② 송설체(조맹부체)는 고려 후기에 유행하였다. 조선 후기에는 추사체(김정희)와 동국진체(이광사)가 유행하였다.

0409

출제영역 〉 조선 후기 특정 문학의 이해 — 정답 ▶ ②

정답찾기 ② 『대동야승』은 조선 초부터 인조 때까지 약 250여 년간에 걸쳐 50여 종의 일기, 수필, 견문록 등을 시대순으로 모아 놓은 야사(野史)의 총서이다(작가 미상).

더+알아보기 〉 **중인의 역사서**

호산외기	조희룡	헌종 10년 (1844)	중인 이하 계층의 공동 전기집
연조귀감	이진흥	헌종 14년 (1848)	경상도 향리 가문 중 경주 이씨 이진흥 가(家)의 5대에 걸친 역사
고문비략	최성환	철종 9년 (1858)	행정적 실무의 합리적 개혁 주장
규사	이진택	철종 10년 (1859)	서얼의 역사, 서얼에 대한 차별 대우 철폐 주장
이향견문록	유재건	철종 13년 (1862)	중인층 이하 인물의 행적 기록
희조일사	이경민	고종 3년 (1866)	중인층 이하의 전기집

0410

밑줄 친 '시집'에 해당하는 것으로 옳은 것은? 2018. 국가직 7급

> 위항인들은 인왕산, 삼청동, 청계천, 광교 등의 지역에 많은 시사를 결성하여 문학 활동을 벌이면서 자신들의 위상을 높여 갔다. 그리고 문학을 하는 능력에는 신분의 귀천이 없음을 주장하면서 자신들의 시를 집성한 시집을 편찬하였다.

① 어우야담 ② 연조귀감
③ 호산외기 ④ 소대풍요

0411

다음 중 조선 후기 과학 기술의 발달에 대한 설명으로 옳은 것을 모두 고르면? 2008. 지방직 7급

> ㉠ 허임은 『침구경험방』을 저술하여 침구술을 집대성하였다.
> ㉡ 김육이 도입한 시헌력은 태양력에 태음력의 원리를 부합시켜 만든 역법이다.
> ㉢ 신속은 『농가집성』을 펴내 벼농사 중심의 농법을 소개하고 이앙법의 보급에 공헌하였다.
> ㉣ 하멜은 훈련도감에서 서양식 대포의 제조법과 조종법을 가르쳤다.
> ㉤ 정약용은 『기기도설』을 참고하여 거중기를 만들었다.

① ㉠, ㉡, ㉢ ② ㉠, ㉢, ㉤
③ ㉡, ㉢, ㉣ ④ ㉡, ㉣, ㉤

0412

다음에서 설명하는 인물의 저서로 옳은 것은? 2018. 지방직 9급

> • 종래의 조선 농학과 박물학을 집대성하였다.
> • 전국 주요 지역에 국가 시범 농장인 둔전을 설치하여 혁신적 농법과 경영 방법으로 수익을 올려서 국가 재정을 보충할 것을 제안했다.

① 색경 ② 산림경제
③ 과농소초 ④ 임원경제지

0413

〈보기〉의 그림들의 제작 시기를 시간순으로 바르게 나열한 것은? 2019. 서울시 7급 1차

> 보기
> ㉠ 고려대학교 박물관에 소장된 「동궐도」
> ㉡ 안견의 「몽유도원도」
> ㉢ 장승업의 「삼인문년도」
> ㉣ 정선의 「금강전도」

① ㉠ – ㉡ – ㉣ – ㉢ ② ㉡ – ㉢ – ㉣ – ㉠
③ ㉡ – ㉣ – ㉠ – ㉢ ④ ㉣ – ㉡ – ㉠ – ㉢

0410

출제영역 〉 조선 후기 특정 문학의 이해 정답 ▶ ④

정답찾기 조선 후기 중인의 문학 창작 활동이 활발해지면서 동인들이 시사를 조직하여 신분적·경제적 문제에 대한 불만과 좌절을 읊은 시들을 많이 발표하였다.
④ 『소대풍요』는 고시언이 세조~영조 사이의 서인·중인 등 이른바 위항인을 비롯하여 상인 출신의 시인 162명의 시 685편을 모아 엮은 시집이다.

선지분석 ① 『어우야담』은 조선 중기 유몽인이 편찬한 설화집이다.
② 『연조귀감』은 조선 후기 이진흥이 향리에 관계된 기록 및 그들 중 뛰어난 인물의 전기를 모아 엮은 책이다.
③ 『호산외기』는 조희룡이 간행한 위항인의 전기이다.

0411

출제영역 〉 조선 후기 과학 기술의 이해 정답 ▶ ②

선지분석 ㉡ 김육이 도입한 시헌력은 태음력에 태양력의 원리를 부합시켜 만든 역법이다.
㉣ 하멜은 훈련도감에 소속되었으나 조선을 탈출하였다. 벨테브레이가 훈련도감에서 서양식 대포의 제조법과 조종법을 가르쳤다.

0412

출제영역 〉 조선 후기 사회 개혁가의 농서 이해 정답 ▶ ④

정답찾기 제시문에서 설명하고 있는 인물은 서유구이다. 서유구는 전국 주요 도시에 국가 시범 농장인 둔전 설치를 주장하여, 혁신적 농법과 경영으로 수익을 올려서 국가 재정을 보충하고, 부민(富民)의 참여를 유도하고 유능한 자를 지방관으로 발탁할 것을 주장하였다.
④ 『임원경제지』는 서유구의 저서로, 홍만선의 『산림경제』를 토대로 한국과 중국의 저서 900여 종을 참고·인용하여 엮어낸 농업 위주의 백과전서이다.

선지분석 ① 『색경』은 박세당의 저서로, 곡물 재배법 외에 채소·과수·화초의 재배법과 목축, 양잠 기술에 대해 소개하고 있다.
② 『산림경제』는 홍만선의 저서로, 농업 기술을 중심으로 섭생(攝生), 구급 치료법 등에 관한 내용을 담고 있다.
③ 박지원은 『과농소초』, 『한민명전의』 등의 농서를 통해 전제·농구·개간·수리·파종·양우(養牛)의 법 등 농업 생산력을 높이는 데 관심을 쏟았다.

0413

출제영역 〉 조선 후기 그림의 시간순 이해 정답 ▶ ③

정답찾기 ㉡ 「몽유도원도」(1447, 세종 29년) ⇨ ㉣ 「금강전도」(18세기) ⇨ ㉠ 「동궐도」(19세기 전기) ⇨ ㉢ 「삼인문년도」(19세기 후반)

PART 05

0414

다음 그림에 대한 설명으로 옳은 것은? 2010. 지방직 7급

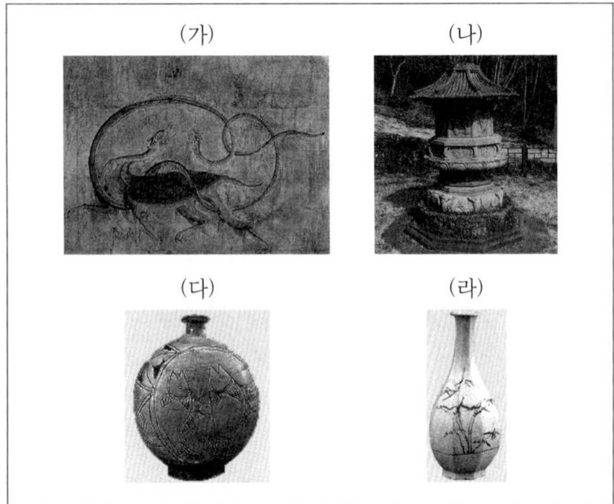

① (가) – 이상적인 불국토를 건설한다는 미륵 신앙의 상징이다.
② (나) – 통일 신라기 교종 불교가 성행하였음을 보여 준다.
③ (다) – 청자에 백토분을 칠한 것으로 소박하고 천진스러운 무늬가 어우러져 있다.
④ (라) – 이것이 유행한 시기에는 서민들도 옹기 대신 백자를 널리 사용하였다.

0415

우리나라 문화유산에 대한 설명으로 옳지 않은 것은? 2019. 국가직 9급

① 개성 경천사지 10층 석탑은 원의 석탑을 본떠 만들어졌다.
② 영주 부석사 무량수전은 주심포식 목조 건물이다.
③ 부여 정림사지 5층 석탑에서는 백제 무왕의 왕후가 넣은 사리기가 발견되었다.
④ 김제 금산사 미륵전은 다층 건물이나 내부가 하나로 통한다.

0416

우리나라의 토기 및 도자기에 대한 설명으로 옳지 않은 것은? 2011. 지방직 9급

① 신라 토기는 규산(석영) 성분의 태토를 구워 만드는데, 유약을 사용하지 않는 것이 원칙이다.
② 고려청자는 물에는 묽어지고 불에는 굳어지는 자토로 모양을 만들고 무늬를 새긴 후 유약을 발라 대략 1,250~1,300도 사이의 온도로 구워서 만든다.
③ 분청사기는 청자에 백토의 분을 칠한 것으로, 서민 문화가 발달하는 조선 후기에 성행하였다.
④ 조선백자는 규산(석영)과 산화알루미늄을 주성분으로 한 태토로 모양을 만들고 그 위에 유약을 발라 대략 1,300~1,350도에서 구워 만든다.

0414

출제영역 〉 역대 문화유산과 시대 상황 이해 정답 ▶ ③

정답찾기 (가) 고구려 강서 대묘의 사신도(도교 영향), (나) 신라 말 쌍봉사 철감선사 승탑(선종 영향), (다) 고려 말~조선 초기의 분청사기, (라) 조선 후기의 청화 백자

0415

출제영역 〉 역대 주요 문화유산의 이해 정답 ▶ ③

정답찾기 ③ 익산 미륵사지 석탑에 대한 설명이다.

선지분석 ① 경천사지 10층 석탑은 화강암으로 된 일반적인 석탑과는 달리 대리석으로 되어 있고, 화려한 조각들이 새겨져 있어 원의 라마교 영향을 받은 것으로 알려져 있다.
② 영주 부석사 무량수전(1376, 우왕 2년)은 고려의 대표적인 주심포 양식의 목조 건물로 배흘림기둥과 팔작지붕을 하고 있다.
④ 17세기에 건축된 금산사 미륵전은 규모가 큰 다층 건물이며 내부는 하나로 통하는 구조를 가지고 있다.

0416

출제영역 〉 역대 토기와 도자기의 이해 정답 ▶ ③

정답찾기 ③ 분청사기는 조선 전기에 유행하다가 16세기 이후 점차 쇠퇴하였다.

더⊕알아보기 〉 **우리나라 도자기의 발달 과정**

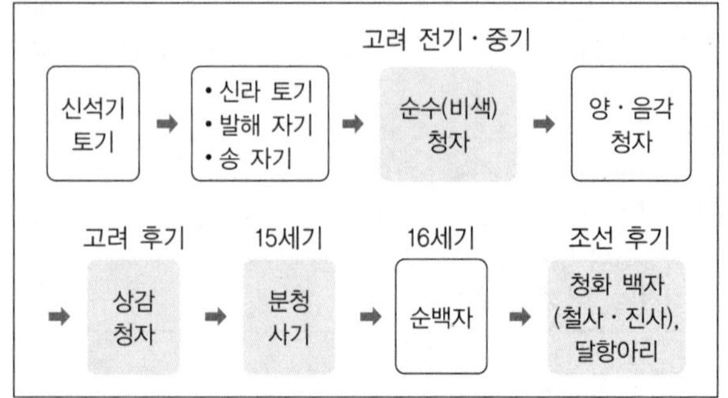

PLUS⁺ 선지 OX 조선 후기의 문화

01 16세기 중반부터 성리학에 대한 이해가 심화되면서 학설과 지역적 차이에 따라 서원을 중심으로 하는 학파가 형성되기 시작하였다. 2008. 지방직 9급 O X

02 서경덕 학파와 조식 학파로 구성된 북인은 서인보다 성리학적 의리 명분론에 구애를 덜 받았다. 2008. 지방직 9급 O X

03 윤증의 학통을 이었으며, 이황의 학설에도 호의를 보이는가 하면 이이에 대해 비판적이기도 하여 성리학의 이해에 탄력성을 보여준 학파의 학자 가운데에서 18세기 강화학파가 형성되었다. 한능검 O X

04 허목은 중농 정책의 강화, 부세의 완화, 호포제 실시 반대 등을 주장하였다. 2011. 지방직 9급 O X

05 1여(閭)마다 여장(閭長)을 두며 무릇 여의 인민이 공동으로 경작해야 한다는 여전제를 주장한 학자는 권력은 백성들의 합의에서 나온다고 하였다. 한능검 O X

06 안정복은 『열조통기』에서 한반도에 비정되어 온 고대의 여러 지명이 사실은 만주에 있었다는 것을 새롭게 고증하였다. 2008. 지방직 7급 O X

07 홍만종의 『동국역대총목』은 단군 정통론의 입장에서 기술하였으며, 이익은 '삼한 정통론'에서 기자가 조선에 봉해졌다는 주장을 부정하였다. 2018. 지방직 7급 O X

08 조선 후기 주자학에 대한 비판이 높아짐에 따라 역사 서술에서 강목체는 사라졌다. 2016. 사회복지직 9급 O X

09 정상기의 '동국지도'는 양계 지역 및 압록강 이북 지역까지 상세하게 기록하여 북방에 대한 관심을 반영하였다. 2020. 해경간부 O X

10 정선은 바위산을 선으로 묘사하고, 흙산을 묵으로 묘사하는 기법을 활용하였다. 2011. 사회복지직 9급 O X

PLUS⁺ 선지 OX 해설 조선 후기의 문화

01 O 16세기 중반부터 성리학에 대한 이해가 심화되면서 학설과 지역적 차이에 따라 서원을 중심으로 학파가 형성되기 시작하였다. 선조 때에 서경덕 학파와 이황 학파, 조식 학파가 동인을 형성하였으며, 이이 학파와 성혼 학파가 서인을 형성하였다.

02 O 광해군 때 북인은 명과 후금 사이에 중립 외교를 취하는 등 실리적 입장을 주장하였다. 인조반정으로 서인이 정국을 주도하자, 서경덕과 조식의 사상, 양명학, 노장 사상 등은 배척당하고, 이황과 이이의 학문, 즉 주자 중심의 성리학만 조선 사상계에서 확고한 우위를 차지하게 되었다.

03 O 윤증을 중심으로 한 소론에 대한 설명이다. 소론은 송시열에 의해 사문난적으로 지적된 윤휴의 학설을 변호·두둔하기도 하였고, 양명학에도 깊은 관심을 보였다. 17세기 말에서 18세기 초에 주로 경기도 지방의 소론 계열과 왕의 불우한 종친들, 서얼에게 확산되면서 정제두를 중심으로 강화학파가 형성되었다.

04 O 남인 허목은 중농학파의 선구자로서, 저서 『기언』에서 왕과 6조의 기능 강화, 중농 정책의 강화, 사상의 난전 금지, 부세의 완화, 호포제 실시 반대와 서얼 허통 방지 등을 주장하였다.

05 O 정약용에 대한 설명이다. 정약용은 『전론』에서 일종의 공동 농장 제도인 여전제를 주장하였다. 또한, 『원목』에서 통치자는 백성을 위해 존재한다고 주장하면서 백성의 이익과 의사가 적극적으로 반영될 수 있는 정치 제도에 대한 개선 방안을 제시하였다.

06 X 안정복의 『열조통기』는 조선사(태조~영조)를 다룬 편년체 사서이다. 한반도의 고대 지명이 만주에 있었다는 것을 고증한 책은 한백겸의 『동국지리지』, 정약용의 『아방강역고』, 이수광의 『지봉유설』 같은 책들이다.

07 X 홍만종은 『동국역대총목』에서 단군에서 정통이 시작되어 기자로 이어졌다고 이해하는 단기 정통론(또는 단군 정통론)을 제시하였으나, 이익은 단군 조선 – 기자 조선 – 삼한(마한)을 정통으로 보는 삼한 정통론을 주장하면서, 기자가 조선의 제후에 봉해졌다는 기자 동래설을 인정하였다.

08 X 조선 후기에는 강목체가 강조되었다. 홍여하의 『휘찬여사』·『동국통감제강』, 우계의 『여사제강』, 홍만종의 『동국역대총목』 등이 강목체로 편찬되었다.

09 X 세조 때 양성지가 만든 '동국지도'에 대한 설명이다. 조선 후기 영조 때 정상기의 '동국지도'는 백리척이라는 축척을 사용하여 제작한 지도이다.

10 O 정선은 대표작인 '인왕제색도'와 '금강전도'에서 바위산은 선으로 묘사하고 흙산은 묵으로 묘사하는 기법을 사용하여 산수화의 새로운 경지를 이룩하였다(진경산수화).

PART 05

기출문제가

예상문제이다!

06편

근대 사회의 발전 (개화기)

제1장 근대 사회로의 진전
제2장 근대 사회 발전기의 정치
제3장 근대 사회 발전기의 경제
제4장 근대 사회 발전기의 사회
제5장 근대 사회 발전기의 문화

근대 사회로의 진전

최근 5년간 국가직·지방직 출제 비율

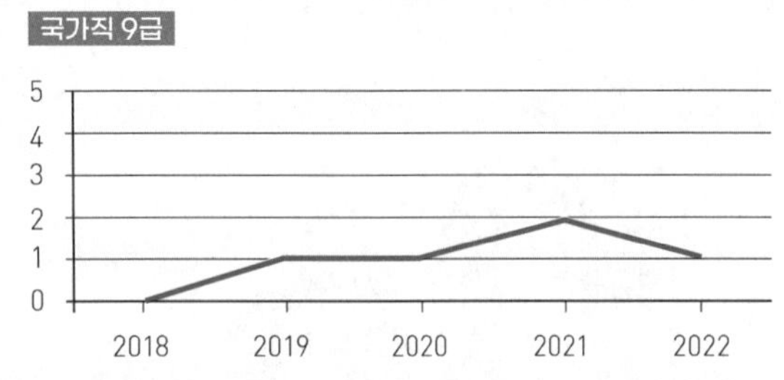

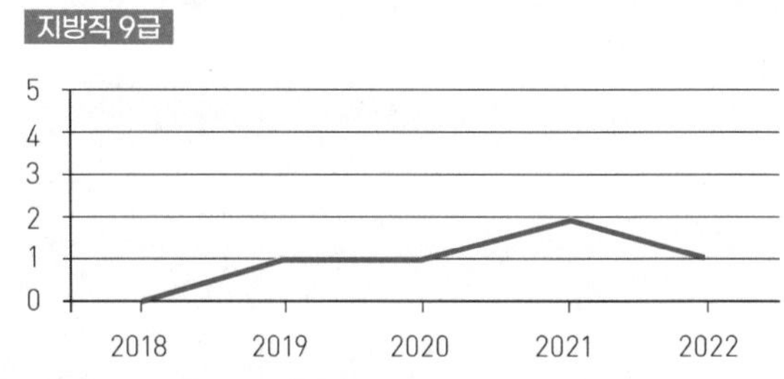

- 최근 5년간 국가직에서 꾸준히 출제 비중이 늘고 있다.
- 국가직과 지방직에서 흥선 대원군의 업적을 묻는 문제가 주를 이루고 있다.

주요 고난도 문제 키워드

#흥선 대원군 #근대적 조약 #강화도의 역사

고난도 이론 정리 선우쌤 PICK

<table>
<tr><td rowspan="8">강화도 조약 (조·일 수호 조규, 1876)</td><td>배경</td><td colspan="4">[1] 사건(1875)을 빌미로 일본이 조선에 대해 문호 개방 강요</td></tr>
<tr><td rowspan="5">내용</td><td>조항</td><td>주요 내용</td><td colspan="2">일본의 목적</td></tr>
<tr><td>1관</td><td>조선국은 자주의 나라, 일본과 평등한 권리 가짐.</td><td colspan="2">조선에 대한 [2] 의 종주권 부정</td></tr>
<tr><td>4관·5관</td><td>조선국은 부산 외에 두 곳을 개항하고, 일본인이 왕래 통상함을 허가[원산(1880), 인천(1883) 개항]</td><td colspan="2">경제적([3] 개항), 군사적([4] 개항), 정치적([5] 개항) 침략 목적</td></tr>
<tr><td>7관</td><td>일본국의 항해자가 자유로이 해안을 측량하도록 허가</td><td>[6]</td><td rowspan="2">결정적 자주권 침해</td></tr>
<tr><td>10관</td><td>일본국 인민이 조선국 지정의 각 항구에 머무르는 동안에 죄를 범한 것은 모두 일본 관원이 심판함.</td><td>[7]</td></tr>
<tr><td>의의</td><td colspan="4">조선이 외국과 맺은 최초의 근대적 조약, but 불평등 조약</td></tr>
<tr><td>후속 조치</td><td colspan="4">• [8] (1876. 8.): 일본 외교관의 내지 여행 허용, 개항장에서 일본 거류민의 거주 지역 및 일본 상인의 간행이정 사방 [9] 리 이내로 설정, 개항장에서 [10] 화폐 허용
• [11] (1차 통상 장정, 1876. 8.): 일본의 수출입 상품에 대한 무관세·무항세, 무제한 곡물 유출 허용</td></tr>
</table>

<table>
<tr><td rowspan="6">열강과의 조약</td><td>국가</td><td>성격 및 주요 내용</td><td>수교 방법</td></tr>
<tr><td>[12] (1882) – 조·미 수호 통상 조약</td><td>• 체결 배경: 미국의 접근, 연미론 대두(황쭌셴의 [13] 유포)
• 서구 국가와 맺은 최초의 조약, 조약 체결 과정에서 청이 의도한 조선에 대한 종주권([14])은 미국에 의해 거부됨.
• 내용: 협정 관세·[15] 대우, 거중 조정 조항 포함
• 결과: 민영익 등 보빙사 파견(1883), 박정양이 미국 공사로 파견(1887)</td><td rowspan="3">[16] 의 알선</td></tr>
<tr><td>영국(1882)</td><td>최혜국 대우·치외 법권 인정, 치외 법권과 아편 문제로 지연</td></tr>
<tr><td>독일(1882)</td><td>최혜국 대우·치외 법권 인정, 치외 법권 인정 문제로 지연</td></tr>
<tr><td>러시아(1884)</td><td>최혜국 대우·치외 법권 인정, 청과 일본의 견제로 지연</td><td rowspan="2">직접 수교</td></tr>
<tr><td>[17] (1886)</td><td>최혜국 대우·치외 법권 인정, [18] 포교 문제로 지연</td></tr>
</table>

정답 1. 운요호(운양호) 2. 청 3. 부산 4. 원산 5. 인천 6. 해안 측량권 7. 치외 법권 8. 조·일 수호 조규 부록 9. 10 10. 일본 11. 조·일 무역 규칙 12. 미국 13. 『조선책략』 14. 속방조회 15. 최혜국 16. 청 17. 프랑스 18. 천주교

흥선 대원군의 정치

0417 □□□

밑줄 친 '그'의 활동으로 옳은 것은?

2017. 하반기 국가직 7급 / 2012.·2010. 서울시 9급 유사

> 인정(人丁)에 대한 세를 신포(身布)라고 하는데 충신과 공신의 자손에게는 모두 그것이 면제되었다. 그 모자라는 액수는 반드시 평민에게만 덧붙여 징수하였다. 그는 이를 수정하고자 동포(洞布)라는 법을 제정하였다. 가령 한 동리에 2백여 호가 있으면 매 호에 더부살이 호가 약간씩 있는 것을 자세히 밝혀서 계산하고, 신포를 부과하여 고르게 징수하였다.

① 갑신정변 때 청군의 파견을 요청하였다.
② 군국기무처의 총재를 역임하였다.
③ 경상도 안핵사를 수행하였다.
④ 순무영을 설치하였다.

0418 □□□

다음 자료에 나오는 인물의 활동으로 옳은 것은?

2016. 지방직 7급 / 2017. 서울시 9급 유사

> 그가 대단한 능력을 발휘하여 힘써 교정하고 쇄신하니 치도(治道)가 맑고 깨끗하여 국가의 재정이 풍족하게 된 것은 득이며 장점인 것이요. … (중략) … 쇄국을 스스로 장하다 하여 대세의 흐름을 부질없이 반대하였으니 이것은 단점이요 실정인 것이다.

① 군국기무처에서 총재관을 역임하였다.
② 을미의병이 확산되자 해산 권고 조칙을 발표하였다.
③ 갑신정변이 발발하자 청군의 개입을 요청하였다.
④ 임오군란으로 집권하여 5군영을 복구하였다.

0419 □□□

다음 흥선 대원군 집권 시기의 내용 중 적절한 것만을 고른 것은 모두 몇 개인가?

2020. 경찰 2차

> ㉠ 경복궁 중건을 위해 당백전과 청전(淸錢)을 발행했고 이에 따라 화폐의 가치가 하락하고 물가가 폭등하였다.
> ㉡ 한성근 부대는 문수산성에서, 양헌수 부대는 정족산성(삼랑성)에서 프랑스 군대와 전투를 벌였다.
> ㉢ 통상 수교 거부 정책을 고수했기 때문에 서양 선박에 필요한 물자의 제공과 난파된 선박의 선원 구조도 거절하였다.
> ㉣ 동학의 최제우가 혹세무민으로 처형당한 이후 이필제의 난이 일어났다.
> ㉤ 서계 사건을 계기로 일본 내에서 정한론이 등장하였다.

① 2개 ② 3개
③ 4개 ④ 5개

0417

출제영역 흥선 대원군의 국내 정책 이해 **정답 ▶ ④**

정답찾기 제시문은 호포제(동포제)에 대한 설명으로 밑줄 친 '그'는 흥선 대원군이다.
④ 순무영은 조선 후기 순무사(巡撫使)의 임시 군영으로 1728년(영조 4) 처음 설치하였다. 이후 병인양요(1866) 때 흥선 대원군도 순무영을 설치하고 강화도를 수복하게 하였다.

선지분석 ① 민씨 정권, ② 1차 갑오개혁 당시 김홍집, ③ 철종 때 박규수에 대한 설명이다.

0418

출제영역 흥선 대원군의 국내 정책 이해 **정답 ▶ ④**

정답찾기 제시문의 인물은 흥선 대원군이다. 제시문 중 '쇄국'에서 쉽게 흥선 대원군을 유추할 수 있다.
④ 1873년에 하야한 흥선 대원군은 임오군란을 계기로 재집권하면서 그동안 민씨 정권이 추진해 온 개화 정책을 되돌리는 정책을 실시하여 통리기무아문과 별기군을 폐지하고 5군영과 삼군부를 부활시켰다.

선지분석 ① 김홍집, ② 고종, ③ 민씨 정권에 대한 설명이다.

0419

출제영역 흥선 대원군의 국내 정책 이해 **정답 ▶ ②**

정답찾기 옳은 지문은 ㉡㉣㉤ 3개이다.

선지분석 ㉠ 흥선 대원군은 경복궁 중건을 위해 당백전을 발행하고 청전을 수입하였다.
㉢ 흥선 대원군은 서양 선박에 필요한 물자를 제공하거나 난파된 선박의 선원을 구조하기도 하였으나, 통상 수교 거부 정책으로 통상 요구는 단호히 거절하였다.

0420 □□□

다음 '민요'가 나타난 시기의 역사적 사건으로 옳은 것은?

2012. 지방직 7급 / 2012. 경찰 2차 유사

> 남문을 열고 파루를 치니 계명산천이 밝아온다.
> 석수장이 거동 보소. 방 망치를 갈라 잡고 눈만 끔벅거린다.
> 도편수란 놈 거동 보소. 먹통 들고 갈팡질팡한다.
> 우리나라 좋은 나무, 이 궁궐 짓는 데 다 들어간다.

① 정족산성에서 프랑스군을 격파하였다.
② 상평통보를 발행하여 전국적으로 유통시켰다.
③ 나라 이름을 조선으로 하고 수도를 한양으로 옮겼다.
④ 일본군이 경복궁을 점령하고 청·일 전쟁을 일으켰다.

0421 □□□

다음 왕권 강화 시기에 해당하는 정책의 연결이 바르게 된 것은?

2007. 법원직

> • 신라 신문왕 시기: (가) • 고려 광종 시기: (나)
> • 조선 태종 시기: (다) • 조선 흥선 대원군 시기: (라)

① (가) – 독서삼품과를 시행하여 유학 교육을 강화하였다.
② (나) – 광덕, 준풍 등 독자적인 연호를 사용하였다.
③ (다) – 도첩제를 폐지하여 일체의 출가를 금지하였고 승과 제도를 폐지하였다.
④ (라) – 왕조의 통치 규범을 재정리하기 위하여 『대전통편』을 편찬하였다.

0422 □□□

다음 (가), (나)는 의정부와 관련하여 실시된 정책들이다. 이에 대한 설명으로 옳은 것을 〈보기〉에서 고르면? 수능

> (가) 의정부의 사무를 나누어 6조에 귀속시켰다. …… 왕은 의정부의 권한이 너무 큰 것을 염려하여 이를 단행하였다. 이로써 의정부는 사대 문서와 중죄수의 심의만을 관장하게 되었다.
> 『태종실록』
> (나) 의정부와 비변사를 한 관청으로 합치되 비변사 건물은 의정부의 대기 처소로 만들고 …… 비변사의 인장은 영영 녹여 없애며 모든 공문서는 의정부의 이름으로 올리게 하라.
> 『고종실록』

보기
㉠ (가)로 인해 종친, 외척의 정치 참여가 활발해졌다.
㉡ (가)는 세종 때 폐지되었다가 세조 때 다시 시행되었다.
㉢ (나)는 고종의 친정 이후 민씨 세력이 추진하였다.
㉣ (나)와 동일한 목적에서 삼군부의 기능이 회복되었다.

① ㉠, ㉡ ② ㉠, ㉢ ③ ㉡, ㉢
④ ㉡, ㉣ ⑤ ㉢, ㉣

0420

출제영역 흥선 대원군의 국외 정책 이해 **정답 ▶ ①**

정답찾기 제시된 민요는 '경복궁 타령'으로, 이 민요가 생겨난 배경으로는 경복궁 중건을 원망하는 시대상이 반영되었다는 견해와 경복궁을 짓는 과정에서 일의 능률을 높이기 위한 노동요가 필요했기 때문이라는 견해가 있다.
① 대원군 시기인 병인양요(1866) 때 일이다.

선지분석 ② 숙종, ③ 태조, ④ 고종(1894) 때 일이다.

0421

출제영역 역대 왕권 강화 정책의 이해 **정답 ▶ ②**

정답찾기 ② 고려 광종 때 광덕, 준풍 등 독자적인 연호를 사용하였다.

선지분석 ① 통일 신라 원성왕의 업적이다.
③ 태종은 도첩제를 강화하였고, 성종 때 도첩제를 폐지하였다.
④ 흥선 대원군은 『대전회통』을 편찬하였다. 『대전통편』은 정조 때 편찬된 법전이다.

0422

출제영역 역대 왕권 강화 정책의 이해 **정답 ▶ ④**

정답찾기 (가) 태종의 6조 직계제, (나) 흥선 대원군의 비변사 철폐
㉡ 세종은 왕권과 신권의 조화를 이루기 위해 6조 직계제를 폐지하고 맹사성, 황희 등 청렴한 재상을 등용하여 의정부 서사제(재상 합의제)를 실시하였다. 그러나 계유정난(1453)으로 왕위에 오른 세조는 왕권을 강화하기 위해 의정부 서사제를 폐지하고 6조 직계제를 부활시켰다.
㉣ 흥선 대원군은 국정 의결권을 의정부에 이관하면서 비변사의 기능을 약화시켰으며, 삼군부 제도를 부활시켜 군무를 처리하게 하였다.

선지분석 ㉠ 태종은 6조 직계제를 실시하면서 종친, 외척의 정치적 영향력을 약화시키고 왕권을 강화하였다.
㉢ (나)는 흥선 대원군이 섭정했을 당시의 정책이다.

0423 □□□

다음의 조선 법전들이 편찬된 국왕 대와 〈보기〉의 정치 상황을 바르게 연결한 것은? 2011. 사회복지직 9급

㉠『경국대전』	㉡『속대전』
㉢『대전회통』	㉣『대전통편』

보기

A 갑술환국	B 탕평 정치
C 사림 등장	D 세도 정치

① ㉠ – D ② ㉡ – B
③ ㉢ – C ④ ㉣ – A

0424 □□□

조선 시대의 법전에 대한 설명으로 옳지 않은 것은? 2016. 국가직 7급

①『경국대전』– 성종 대 육전 체제의 법전으로 완성하였다.
②『대전회통』– 법규교정소에서 만국공법에 기초하여 제정하였다.
③『대전통편』– 18세기까지의 법령을 모아 원·속·증 표식으로 체계화하였다.
④『속대전』– 영조가 직접 서문을 지어 간행하였다.

외세와의 조약

0425 □□□

(가) 서적에 대한 설명으로 옳은 것만을 〈보기〉에서 고른 것은? 2021. 경찰 2차

> (가) (이)라는 한 책이 유포되는 것을 보고서 저도 모르게 머리털이 쭈뼛 서고 간담이 떨리었으며, 곧이어 통곡하며 눈물을 흘리고 말았습니다. …… 러시아는 우리와 본래 혐의가 없습니다. 그런데도 헛되이 다른 사람의 이간질을 믿어서 우리의 위신을 손상시키고, 원교(遠交)를 믿고 근린(近隣)을 도발하여 만약 이를 구실로 침략해 온다면 장차 어떻게 막으시겠습니까?

보기

㉠ '조선 중립화론'을 제기하였다.
㉡ 주일 청국 외교관 황준헌이 저술하였다.
㉢『일동기유』를 저술한 인물에 의해 전래되었다.
㉣ 조·미 수호 통상 조약 체결에 영향을 끼쳤다.

① ㉠, ㉢ ② ㉠, ㉣
③ ㉡, ㉢ ④ ㉡, ㉣

0423

출제영역 조선의 법전과 관련 국왕 때의 상황 이해 정답 ▶ ②

정답찾기 ㉡『속대전』(영조) – B 탕평 정치

선지분석 ㉠『경국대전』(성종) – C 사림 등장
㉢『대전회통』(고종 혹은 흥선 대원군) – D 세도 정치(근절)
㉣『대전통편』(정조) – B 탕평 정치

0424

출제영역 조선의 법전 이해 정답 ▶ ②

정답찾기 ②『대전회통』은 고종 2년(흥선 대원군)에 만들어진 법전이다. 법규교정소에서 만국공법에 기초하여 제정한 것은 대한국 국제(1899)이다.

선지분석 ①『경국대전』은 국초의 여러 법전을 토대로 명의『대명회전』을 참고하여 성종 때 편찬된 조선의 기본 법전으로 이전, 호전, 예전, 병전, 형전, 공전의 6전으로 구성되었다.
③『대전통편』(김치인, 정조) 6전의 조문은『경국대전』을 맨 앞에,『속대전』을 그 다음에, 그리고 그 뒤의 법령순으로 수록하고 각각 '원(原)'·'속(續)'·'증(增)'자로 표시한 것이다.
④『속대전』(김재로, 영조)은『경국대전』시행 이후에 공포된 법령 중에서 시행할 법령만을 추려서 1746년에 편찬한 통일 법전으로, 영조가 직접 서문을 지어 간행하였다.

0425

출제영역 『조선책략』에 대한 이해 정답 ▶ ④

정답찾기 (가)는『조선책략』이다.
㉡ 주일 청국 외교관 황쭌셴(황준헌)은『조선책략』에서 러시아의 남하를 막기 위하여 친중국·결일본·연미국을 주장하였다.
㉣ 1880년 국내 지식층에 유포된 황쭌셴의『조선책략』으로 미국과 외교 관계를 가져야 한다는 주장이 제기되면서 조·미 수호 통상 조약 체결에 영향을 끼쳤다.

선지분석 ㉠ 조선 중립화론을 제기한 것은 독일 영사 부들러, 유길준, 김옥균이다.
㉢『일동기유』는 김기수가 저술하였고,『조선책략』은 2차 수신사로 파견된 김홍집에 의해 국내에 소개되었다.

PART 06

0426 □□□

다음 자료에서 밑줄 그은 '조약'과 관련된 설명으로 옳은 것을 〈보기〉에서 모두 고른 것은? 제4회 한국사능력검정시험 고급

> 미국 상민(商民)의 활동에 지장을 주지 않는 한, 조선과 중국 사이의 관계에 관여하지 않을 것이다. 미국은 귀 군주가 내치, 외교와 통상을 자주(自主)하고 있음을 잘 알고 있다. 국회는 조선과 수호하는 데 동의하였으며, 본인도 이를 비준하였다. 조선이 자주국이 아니라면 미국은 <u>조약</u>을 체결하지 않았을 것이다.
>
> 미국 아서 대통령이 고종에게 보낸 회답 국서

보기
- ㉠ 조선에서 크리스트교 선교의 자유가 처음으로 인정되는 계기가 되었다.
- ㉡ 조약 체결 과정에서 속방 조회(屬邦照會) 문제가 쟁점으로 대두되었다.
- ㉢ 조선이 서양과 맺은 첫 수호 통상 조약으로, 청의 알선으로 체결되었다.
- ㉣ 불평등 조약이기는 하지만 조선이 관세를 부과할 수 있는 권한을 명시하였다.

① ㉠, ㉢ ② ㉡, ㉣
③ ㉢, ㉣ ④ ㉠, ㉡, ㉣
⑤ ㉡, ㉢, ㉣

0426

출제영역 〉 미국과의 조약 내용 이해 정답 ▶ ⑤

정답찾기 밑줄 그은 '조약'은 조・미 수호 통상 조약(1882. 4.)이다.
㉡ 조・미 수호 통상 조약 체결 당시 청은 조약 내용에 조선이 청의 속방임을 명시해달라 주장하였으나, 미국이 거부함으로써 이루어지지 않았다.
㉢ 조・미 수호 통상 조약은 청의 알선으로 체결된 조선이 서양과 맺은 최초의 조약으로, 치외 법권과 최혜국 대우를 규정한 불평등 조약이었다.
㉣ 조・미 수호 통상 조약 제5조에 조선에 오는 미국 상인 및 상선은 모든 수출입 상품에 대하여 관세를 지불해야 한다고 명시되어 있다.

선지분석 ㉠ 1886년 프랑스와 수교를 맺음으로써 조선에서 크리스트교 선교의 자유가 처음으로 인정되었다.

0427 □□□

조선과 영국이 수호 조약을 체결한 1882년 이후의 양국 관계에 대한 설명으로 옳지 않은 것은? 2008. 지방직 7급

① 영국이 1882년의 조약을 비준하지 않은 것은 조선이 아편 수입을 금한다는 조항을 포함시켰기 때문이다.
② 영국이 1885년에 거문도를 점령한 것은 조선에 대한 러시아의 간섭을 배제하기 위함이었다.
③ 영국은 1902년의 영・일 동맹을 통하여 한국에서 일본이 특수한 이익을 가지고 있음을 인정하였다.
④ 영국은 1905년에 미국과 일본의 가쓰라・태프트 밀약에 앞서 일본의 한국에 대한 보호 조치를 승인하였다.

0427

출제영역 〉 외세와의 불평등 조약 이해 정답 ▶ ④

정답찾기 ④ 일본의 한국 보호화를 승인한 2차 영・일 동맹(1905. 8.)은 가쓰라・태프트 밀약(1905. 7.) 이후에 맺어졌다.

0428

□□□

다음 지도 속 동그라미로 표시한 지역의 역사 문화를 홍보하기 위한 기획서를 작성하고자 한다. 이 기획서의 제목으로 옳지 않은 것은?

2020. 지방직 7급

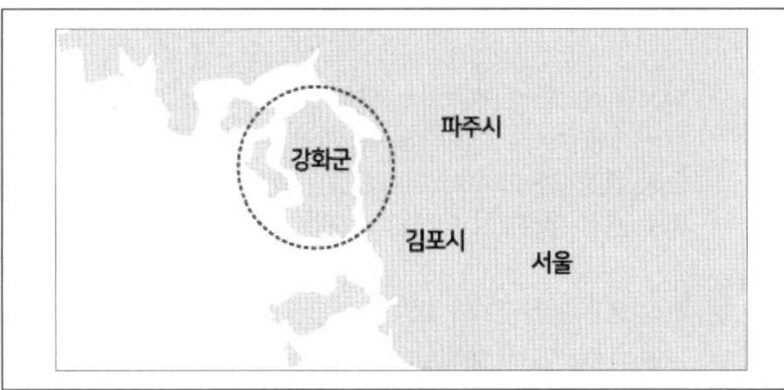

① 지눌, 이곳에서 꿈꾼 고려 불교의 개혁
② 병자호란, 그 쓰라린 패배의 현장
③ 철종, 국왕이 될 줄 몰랐던 시골 소년의 이야기
④ 의궤, 프랑스에서 다시 찾은 조선의 문화재

0429

□□□

다음 (가) 지역에서 일어난 사건으로 옳지 않은 것은? 2021. 계리직

(가)의 역사와 문화 탐방 계획

• 일시: 2021년 ○○월 ○○일
• 탐방 장소 및 주제

탐방 장소	주제
자연사 박물관, 역사 박물관	(가) 지역의 자연환경과 역사에 대한 기초적 이해
〈부근리 고인돌〉	고인돌을 통해 알 수 있는 선사 시대의 생활상
〈정족산성〉	병인양요와 정족산성 전투
〈초지진〉	운요호 사건과 초지진

① 몽골군의 침입에 대항하여 수도를 옮겼다.
② 프랑스군이 침입하여 문화재를 약탈하였다.
③ 을사조약에 반대하여 최익현이 의병을 일으켰다.
④ 진위대의 군인들이 군대 해산에 저항하여 봉기하였다.

0428

출제영역 〉 특정 지역의 역사 이해 정답 ▶ ①

정답찾기 ① 지눌은 순천 송광사를 중심으로 독경과 선 수행, 노동에 힘쓰자는 개혁 운동인 수선사 결사를 제창하였다.

선지분석 ③ 조선의 25대왕 철종은 형의 옥사로 가족과 함께 강화도에 유배되어 있었는데, 헌종이 후사 없이 죽자 세도 가문에 의해 왕으로 즉위한 인물이다.

더⊕알아보기 〉 **강화도의 주요 역사**

- 청동기 시대 고인돌
- **고려**: 1232년 강화 천도, 삼별초의 저항(1270~1273, 강화도 ⇨ 진도 ⇨ 제주도)
- **조선**: 15세기 강화도 마니산 초제(참성단), 17세기 광해군 때 5대 사고 중 하나(정족산 사고), 정묘호란 당시 인조 및 왕실 피신, 병자호란 당시 왕자와 비빈의 피신, 18세기 강화학파(양명학, 정제두)
- 병인양요(1866), 신미양요(1871), 강화도 조약(1876) 체결 장소

0429

출제영역 〉 특정 지역의 역사 이해 정답 ▶ ③

정답찾기 ③ 최익현이 의병을 일으킨 장소는 전라도 태인 지역이다.

선지분석 ① 몽골군에 대응하여 1232년 강화도로 천도하였다.
② 병인양요(1866) 때 프랑스군은 강화도 외규장각 도서(『조선왕조의궤』 등) 등 문화재를 약탈하였다.
④ 1907년 군대 해산에 대응하여 시위 대대장 박승환의 자결을 계기로 남대문 근처에서 일본군과 시가전이 발생하였고, 이후 군대 봉기는 원주 진위대, 강화도 분견대 등이 봉기하면서 전국으로 확산되었다.

PART 06

PLUS⁺ 선지 OX 근대 사회로의 진전

01 흥선 대원군 재위 시기에 세한도가 제작되었고, 삼군부가 부활되고 삼수병이 강화되었다. 2019. 지방직 9급 O X

02 흥선 대원군은 강화도 조약 체결 직전 화서학파의 적극적인 지지를 받았다. 2017. 서울시 9급 O X

03 흥선 대원군은 원납전, 당백전을 발행하여 화폐 제도를 개혁하였다. 2005. 서울시 9급 O X

04 흥선 대원군 집권 시기에 일본이 요청한 서계 수리를 거부하였다. 2019. 소방간부 O X

05 두 차례의 양요 시기에 박규수는 화공 작전을 펴서 프랑스 군대를 공격하였다. 2018. 서울시 9급 O X

06 강화도 조약에 의해 일본 상인들은 개항장 밖 내륙까지 진출할 수 있었기 때문에 조선 경제가 큰 타격을 입게 되었다. 한능검 O X

07 해안 측량권과 치외 법권이 들어간 일본과의 이 조약에서는 청을 견제하기 위해 조선을 자주국으로 인정하였고, 부산, 인천, 원산에 이어 군산, 마산까지 개항하기로 하였다. 2013. 국가직 7급 O X

08 '이 장정은 청이 속방을 우대하는 뜻에서 상정한 것이고, 각 조약국들에게 부여하는 모든 균점의 예와는 다르다.'라는 조약이 체결된 것은 임오군란과 갑신정변 사이 시기이다. 2013. 지방직 7급 O X

09 『조선책략』에서 견제하려던 국가는 용암포를 강제로 조차하였다. 2020. 소방간부 O X

10 신라 하대에 군진 세력의 하나인 혈구진이 있었으며, 정제두를 중심으로 한 조선의 양명학파가 형성된 지역은 조선 시대 실록이 보관된 사고가 있던 곳이다. 2010. 지방직 7급 O X

PLUS⁺ 선지 OX 해설 근대 사회로의 진전

01 ☒ 흥선 대원군(재위 1863~1873)은 비변사를 축소시키고 의정부와 삼군부를 부활시켰다. 그러나 김정희의 세한도는 헌종 재위 시기에 제작되었다.

02 ☒ 화서학파는 화서 이항로의 제자들을 일컫는 말로, 이들은 대원군의 위정척사 운동을 지지하였으나, 대원군의 서원 및 만동묘 철폐에는 반대하였다. 그 결과 화서학파인 최익현의 상소로 흥선 대원군은 1873년에 하야하였다.

03 ☒ 흥선 대원군 집권기에 고액 화폐인 당백전을 발행하였을 뿐 화폐 개혁은 하지 않았다. 또한 원납전은 화폐가 아니라 강제 기부금이다.

04 ◎ 일본은 메이지 유신(1868) 이후 새로운 국교 관계를 맺자고 조선에 요구하였다. 이때 대원군 정부는 외교 문서(서계)의 격식을 들어 이를 거부하였다.

05 ☒ 미국 상선 제너럴셔먼호가 평양 대동강에 들어와 약탈과 살육을 자행하자, 이에 분노한 주민은 평양 감사 박규수의 화공 작전에 따라 배를 불사르고 선원들을 모두 살해하였다(제너럴셔먼호 사건, 1866).

06 ☒ 강화도 조약 당시는 거류지(개항장) 무역으로 일본 상인의 활동 범위가 개항장 주변 10리 이내로 제한되었기 때문에 내륙까지 진출할 수 없었다.

07 ☒ 강화도 조약(1876) 내용이지만 강화도 조약에서는 부산, 원산, 인천을 개항하였다. 군산과 마산은 대한 제국 시기에 자발적으로 개항하였다.

08 ◎ 조·청 상민 수륙 무역 장정(1882)에 대한 설명이다. 이 조약은 임오군란(1882) 직후 체결되었다.
cf 갑신정변(1884)

09 ◎ 『조선책략』에서는 러시아를 막기 위해 중국과 친함을 유지하고, 일본과 결합하며, 미국과 연결될 것을 주장하였다. 러시아는 프랑스와 동맹을 맺고 남하 정책을 추진하여 용암포를 점령하고 군사 기지를 설치하였다(1903).

10 ◎ 혈구진을 두고, 양명학파가 형성된 지역은 강화도이다. 강화도 지역에는 17세기 광해군 때 5대 사고 중 하나인 정족산 사고가 설치되었다.

MEMO

CHAPTER

02 근대 사회 발전기의 정치

최근 5년간 국가직·지방직 출제 비율

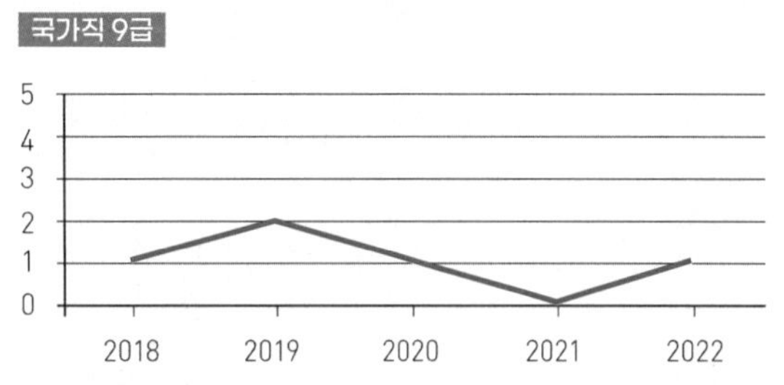

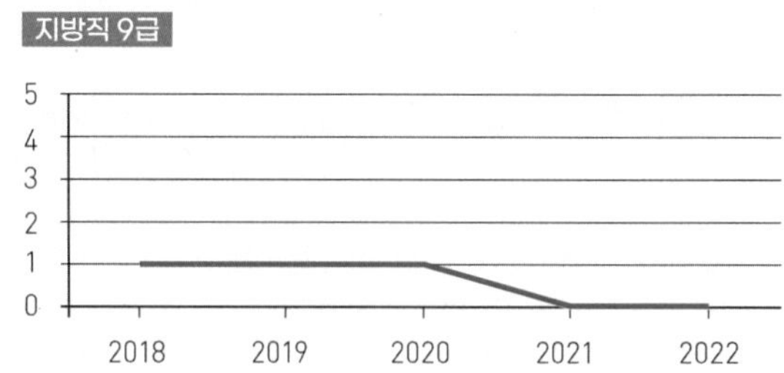

- 적어도 1~2문제는 출제되는 단원이다.
- 최근 5년간 독립 협회와 대한 제국의 개혁 정치를 묻는 문제가 주로 출제되고 있다.

주요 고난도 문제 키워드

#활빈당 #갑오개혁(1차·2차) #대한 제국 #근대 주요 조약 #동학 농민 운동 전개 과정

고난도 이론 정리 선우쌤 PICK

<table>
<tr><th colspan="4">갑오년(1894)·을미년(1895) 주요 사건 일지</th></tr>
<tr><td>1894. 1.~4.</td><td colspan="3">(1) 민란(조병갑의 탐학에 항거) ⇨ 동학군 1차 봉기(보국안민, 제폭구민) ⇨ 백산 봉기(격문, 4대 강령 발표) ⇨ 태인 ⇨ 황토현 전투(농민군 승리) ⇨ 장성 황룡촌 전투(농민군 승리) ⇨ (2) 점령 ⇨ 정부, 청에 파병 요청</td></tr>
<tr><td>1894. 5.</td><td colspan="3">청군 상륙 ⇨ 일본군 인천 상륙(청이 파병하자 일본은 (3) 조약의 위반을 명분으로 즉각 파병함) ⇨ 전주 화약 체결(5. 8.), 폐정 개혁 12개조 건의, 전라도에 (4) (민정 기관, 농민 자치 기구) 설치</td></tr>
<tr><td rowspan="4">1894. 6.</td><td colspan="3">조선 정부 개혁 기구인 (5) 설치 ⇨ 일본의 (6) 점령 ⇨ 청·일 전쟁(6. 23.) 발발 ⇨ 1차 갑오개혁[(6. 25.), 1차 김홍집 내각 ⇨ 흥선 대원군 섭정, (7) (초정부적인 회의 기관) 설치]</td></tr>
<tr><td rowspan="3">1차 갑오개혁</td><td>정치·행정</td><td>정부(의정부)와 왕실(궁내부) 사무 분리, 중국 연호 폐지, '(8)' 연호 사용, 6조제 ⇨ (9), (10) 신설(근대적 경찰 제도 확립), (11) 폐지(신분 구별 없이 인재 등용)</td></tr>
<tr><td>경제</td><td>(12) 으로 재정의 일원화, 왕실과 정부의 재정 분리, (13) 본위제 채택, 조세 금납제 및 도량형 통일</td></tr>
<tr><td>사회</td><td>공·사노비제 혁파, 연좌제 폐지, 조혼 금지, 과부 재가 허용</td></tr>
<tr><td>1894. 9.~11.</td><td colspan="3">9월 삼례 봉기 ⇨ 동학 농민군의 재봉기(남·북접 연합) ⇨ (14) 우금치 전투 ⇨ 패배, 녹두 장군 (15) 체포</td></tr>
<tr><td rowspan="3">1894. 12.</td><td colspan="3">(16) 에서 일본의 승세 ⇨ 제2차 김홍집·(17) 연립 내각의 개혁 추진, 군국기무처 폐지 ⇨ 고종의 (18) (국왕이 나라의 자주독립을 선포한 일종의 독립 선언문), (19) (국정 개혁의 기본 강령) 반포</td></tr>
<tr><td rowspan="2">2차 갑오개혁</td><td>정치·행정</td><td>내각제 시행, 8아문제 ⇨ 7부제, 8도제 ⇨ (20), (21) 설치(사법권과 행정권의 분리), 훈련대·시위대 설치</td></tr>
<tr><td>경제·사회·교육</td><td>탁지아문 ⇨ 탁지부, 육의전과 상리국 폐지, 회계원과 내장원 설치, (22) 반포(⇨ 한성 사범 학교 등 관립 학교 설립)</td></tr>
<tr><td rowspan="3">1895</td><td colspan="3">시모노세키 조약(1895. 3.) ⇨ 삼국 간섭 ⇨ 을미사변(친러 세력 축출) ⇨ 제4차 김홍집 내각의 개혁 추진</td></tr>
<tr><td rowspan="2">을미개혁</td><td>정치·행정</td><td>'(23)' 연호 사용, 친위대·진위대 설치</td></tr>
<tr><td>사회·교육</td><td>(24) 반포, 우편 제도 실시, 종두법 실시, 소학교령 제정</td></tr>
</table>

정답 1. 고부 2. 전주 3. 톈진 4. 집강소 5. 교정청 6. 경복궁 7. 군국기무처 8. 개국 9. 8아문제 10. 경무청 11. 과거제 12. 탁지아문 13. 은 14. 공주 15. 전봉준 16. 청·일 전쟁 17. 박영효 18. 독립서고문 19. 홍범 14조 20. 23부제 21. 재판소 22. 교육 입국 조서 23. 건양 24. 단발령

개화사상 · 정부의 개화 정책 및 근대화의 추진

0430 □□□

조선 정부는 강화도 조약 체결 이후에 근대 문물을 살펴보고 국정 개혁의 자료를 모으기 위하여 여러 나라에 사절단을 파견하였다. 각 사절단의 파견 순서를 바르게 나열한 것은?

2017. 서울시 사회복지직 9급 / 2016. 서울시 7급 유사

㉠ 1차 수신사절	㉡ 보빙사
㉢ 조사 시찰단	㉣ 영선사
㉤ 2차 수신사절	

① ㉠ – ㉢ – ㉣ – ㉤ – ㉡　② ㉠ – ㉣ – ㉢ – ㉤ – ㉡
③ ㉠ – ㉤ – ㉢ – ㉣ – ㉡　④ ㉠ – ㉤ – ㉣ – ㉢ – ㉡

0431 □□□

(가)~(라)에 들어갈 나라에 대한 설명으로 옳은 것만을 〈보기〉에서 모두 고른 것은?

2013. 지방직 7급

(가)은(는) 우리가 신하로서 섬기는 나라로, 신의를 지켜 속방이 되어 온 지 2백 년이 되었습니다. 이제 무엇을 더 친할 것이 있겠습니까? … (중략) … (나)은(는) 우리에게 매여 있던 나라입니다. 3포왜란이나 임진왜란 때의 숙원이 아직 풀리지 않고 있는데, 만일 그들이 우리가 허술한 것을 알고 공격하면 장차 이를 어떻게 막겠습니까? … (중략) … (다)은(는) 우리가 본래 모르던 나라입니다. 돌연히 타인의 권유로 불러 들였다가 그들이 우리의 허점을 보고 어려운 청을 강요하면 장차 이에 어떻게 대응할 것입니까? … (중략) … (라)은(는) 본래 우리와는 싫어하고 미워할 처지에 있지 않은 나라입니다. 공연히 타인의 말만 믿고 틈이 생기면 우리의 체통이 손상되게 됩니다. 또, 이를 빌미로 저들이 군사로 침략해 온다면 장차 이를 어떻게 막을 것입니까?

이만손 외 만인소, 『일성록』, 1881

보기
㉠ 보빙사는 (가)에서 근대 산업과 문물을 시찰하였다.
㉡ 조사 시찰단은 (나)에서 근대 산업 시설과 공장을 둘러보았다.
㉢ 영선사 김윤식이 이끄는 유학생 일행은 (다)에서 무기 제조법과 근대적 군사 훈련법을 배웠다.
㉣ 영국은 (라)의 남하를 견제한다는 구실로 불법으로 거문도를 점령하였다.

① ㉠, ㉡　② ㉠, ㉢
③ ㉡, ㉣　④ ㉢, ㉣

0430

출제영역 〉 정부의 개화 정책 이해　정답 ▶ ③

정답찾기 ㉠ 1차 수신사(1876, 김기수 등) ⇨ ㉤ 2차 수신사(1880, 김홍집) ⇨ ㉢ 조사 시찰단(1881. 4. 박정양 · 어윤중 · 홍영식 · 유길준 등) ⇨ ㉣ 영선사(1881. 9. 김윤식 등) ⇨ ㉡ 보빙사(1883, 민영익 등)

더⊕알아보기 〉 **해외 사절단 파견**

문물 시찰단 (신사 유람단, 1881)	박정양, 어윤중, 홍영식, 유길준 등을 일본에 파견 cf 유길준: 일본 유학
영선사(1881)	김윤식 등을 청의 톈진에 파견 ⇨ 무기 제조법, 근대적 군사 훈련법 시찰 cf 기기창(1883, 근대적 무기 공장) 설치
보빙사(1883)	민영익 · 홍영식 · 서광범 · 유길준 등을 미국에 파견 ⇨ 신식 우편 제도, 농업 기술 연구 cf 유길준: 미국 유학 cf 홍영식: 우정국 설립

0431

출제영역 〉 정부의 개화 정책 이해　정답 ▶ ③

정답찾기 제시문은 이만손의 영남 만인소(1881) 내용 중 일부로 (가) 청, (나) 일본, (다) 미국, (라) 러시아이다.
㉡ 조사 시찰단(신사 유람단)은 1881년 일본에 파견되었다.
㉣ 영국은 러시아의 남하를 견제한다는 구실로 거문도를 불법 점령하였다(거문도 사건, 1885~1887).

선지분석 ㉠ 보빙사는 1883년 미국에 파견되었다.
㉢ 영선사는 1881년 청에 파견되었다.

더⊕알아보기 〉 **열강의 이권 침탈**

국가	연도	이권 침탈 내용
러시아	1896	경원 · 종성의 광산 채굴권, 울릉도 · 압록강 유역 삼림 채벌권
미국	1896	경인선 철도 부설권(⇨ 일본에 양도, 1897), 운산 금광 채굴권, 서울의 전기 · 수도 시설권
프랑스	1896	경의선 철도 부설권 cf 재정 부족으로 대한 철도 회사에 환수, 이후 궁내부 직영 ⇨ 러 · 일 전쟁 중 일본에 양도 ⇨ 1906년 완성
독일	1897	강원도 당현 금광 채굴권
영국	1900	평안도 은산 금광 채굴권
일본	1897	경인선 철도 부설권 인수(⇦ 미국)
	1898	경부선 철도 부설권
	1900	충청도 직산 금광 채굴권
	1904	경원선 철도 부설권
	1904	경의선 철도 부설권 인수 cf 프랑스 인수 ⇨ 대한 제국(대한 철도 회사)에 환수, 다시 궁내부에서 운영 ⇨ 일본 인수

PART 06

위정척사 사상

0432

이 글 필자의 주장에 동조하는 인물들의 활동으로 보기 어려운 것은?

2009. 국가직 7급 / 2012. 국가직 9급 유사

> 저들 교활한 오랑캐는 자기들의 생각하는 바를 눈 속의 못으로 삼아 갖은 방법을 다하여 구멍과 간격을 뚫어 반드시 우리와 교통을 하고자 바랄 뿐이니 그 밖에 또 다른 이유가 있겠습니까. 만일 교통의 길을 열면 저들의 영위하는 바는 사사건건 뜻대로 이루어져서 점차 막힘이 없어 2~3년이 지나지 않아서 전하의 백성으로서 서양 사람으로 변하지 않는 자가 얼마 되지 않을 것입니다. 전하는 장차 누구와 더불어 임금 노릇을 하시려 하십니까.

① 양이론(攘夷論)을 주장하였다.
② 『조선책략(朝鮮策略)』을 비난하였다.
③ 외양(外攘)을 위한 내수(內修)를 강조하였다.
④ 왜양일체론(倭洋一體論)으로 친청(親淸) 사대당을 결성하였다.

0432

출제영역 〉 위정척사 사상과 인물의 이해 **정답 ▶ ④**

정답찾기 제시문은 위정척사파인 기정진의 상소문이다.
④ 왜양일체론(倭洋一體論)은 위정척사파의 주장이나, 친청(親淸) 사대당의 결성은 온건 개화당에 대한 설명이다.

선지분석 ① 양이론(攘夷論)은 외국을 오랑캐로 낮추어 보고 외세의 배격을 주장한 사상으로, 주로 1860년대 서양의 무력 침략에 대항한 척사주전론(斥邪主戰論)으로 나타났다.
② 1880년대 『조선책략』의 유포에 반발하여 이만손은 영남 만인소(1881)를 일으켜 개화 반대 운동을 전개하였으며, 홍재학은 만언척사소를 올려 정부의 개화 정책을 전면 부정하였다.
③ 내수외양(內修外攘)론은 안으로 나라를 굳건히 다스리고 밖으로 힘을 키워 외세를 물리친다는 뜻으로, 위정척사파의 척사론(개항 불가론)에 해당한다.

0433

다음 내용에 관련된 인물과 그 주장으로 옳은 것은? 2010. 계리직

> 위정척사는 정조 이래로 내려온 조정의 기본 정책으로서 아직도 그 의리가 빛나고 있는데, 고종의 친정 이래로 일본과 서양의 똑같은 해를 모르고 일본과의 통상을 주장해 온 결과 사설(邪說)과 이의(異議)가 횡행하여 조선의 사태가 위급하기 비길 데가 없습니다. 양물(洋物)과 야소(耶蘇)라는 사교의 위세로 공맹(孔孟)의 큰 도는 날로 사라지게 되어 가정에는 윤리가 깨지고 사람에게 예의가 허물어져 그 결과 종묘사직이 무너질 위기에 있습니다. 국왕은 더욱 위정척사의 대의를 밝혀 주화매국(主和賣國)하려는 신료들을 처단해야 합니다.

① 이항로는 양이(攘夷)와 침범이 국가 존망의 위기를 조성한다고 주장하면서 양물을 배척하고 통상을 반대하였다.
② 홍재학은 『조선책략』이 유포되자 정부의 개화 정책을 비판하는 만언소(萬言疏)를 올렸다.
③ 최익현은 일본과의 통상에 반대하여 5불가소(五不可疏)를 올렸다.
④ 기정진은 서양의 경제적 침략에 대한 대비책과 국력 배양을 위한 내수론을 제시하였다.

0433

출제영역 〉 위정척사 사상과 인물의 이해 **정답 ▶ ②**

정답찾기 제시문은 홍재학의 '만언척사소'이다.
② 홍재학은 『조선책략』 유포에 반발하여 만언척사소(萬言斥邪疏)를 올려 정부의 개화 정책을 전면 부정하였다. 그는 주화 매국자를 엄단하고 양물·양서를 소각하며 신설된 통리기무아문을 혁파하고 5위제를 다시 설치할 것을 주장하였다.

0434 □□□

다음 (가)와 (나)의 글을 쓴 필자의 주장에 동조하는 인물들의 활동으로 알맞은 것은? 2014. 기상직 9급 / 수능 근현대사 유사

> (가) 저들 교활한 오랑캐는 자기들의 생각하는 바를 눈 속의 못으로 삼아 갖은 방법을 다하여 구멍과 간격을 뚫어 반드시 우리와 교통을 하고자 바랄 뿐이니 그 밖에 또 다른 이유가 있겠습니까. 만일 교통의 길을 열면 저들의 영위하는 바는 사사건건 뜻대로 이루어져서 점차 막힘이 없어 2~3년이 지나지 않아서 전하의 백성으로서 서양 사람으로 변하지 않는 자가 얼마 되지 않을 것입니다. 전하는 장차 누구와 더불어 임금 노릇을 하시려 하십니까? 기정진 상소문, 『노사집(盧沙集)』 3
>
> (나) 밖으로는 널리 구미 각국과 신하로써 친교하고, 안으로는 정치를 개혁하여 어리석은 인민을 문명의 도(道)로써 가르쳐야 합니다. 또한, 상업을 일으켜서 재정(財政)을 확충하고 군사를 길러야 합니다. 이와 같이 할 수만 있다면 영국은 마침내 거문도에서 철수하게 될 것입니다. 그 밖의 여러 나라도 역시 침략의 뜻을 버리게 될 것입니다.
>
> 국왕 폐하께 대한 탄원(1886. 7. 9.), 김옥균, 『동경매일신문』

보기

㉠ (가)는 양이론을 주장하며 흥선 대원군의 통상 수교 거부 정책을 지지하였다.
㉡ (나)는 평등사상의 소유자들로서 신분의 차별을 없애고 일본의 메이지 유신을 본떠 정치를 쇄신하는 한편, 『조선책략(朝鮮策略)』을 비난하였다.
㉢ (가)는 성리학적 가치관 수호와 외양(外攘)을 위한 내수(內修)를 강조하였다.
㉣ (나)는 왜양일체론으로 친청 사대당을 결성하여 아래로부터의 개혁을 추진하였다.

① ㉠, ㉡　　② ㉠, ㉢
③ ㉡, ㉢　　④ ㉡, ㉣

0435 □□□

다음 (가), (나) 자료와 관련된 〈보기〉의 설명 중 옳은 것을 고르면? 2008. 지방직 7급

> (가) 저들이 비록 왜인이라고 하나 실은 양적(洋賊)이옵니다. …… 강화가 이루어진 뒤에는 저들이 상륙하여 서로 왕래하고 또는 우리 지경 안에서 집을 짓고 살려고 할 것입니다. 우리가 이미 강화하였으므로 거절할 말이 없고 거절할 수 없어서 내버려두면 재물이나 비단과 부녀자들을 빼앗는 일을 마음대로 할 것입니다. 이런 일이 벌어지면 도대체 누가 능히 막겠사옵니까?
>
> (나) 무릇 개화란 인간의 온갖 만물이 가장 아름다운 경지에 이르는 것을 일컫는데 개화에는 인륜 개화, 학술 개화, 정치 개화, 법률 개화, 기계 개화, 물품 개화가 있다. 인륜 개화는 천하만국을 통하여 그 동일한 규모가 천만 년이 지나도 장구함이 변하지 않거니와, 정치 이하의 여러 개화는 시대에 따라서 변개하기도 하고 지방에 따라 다르기도 하다. 그런고로 옛날에는 맞았지만 지금은 맞지 않으며, 저쪽에는 좋지만 이쪽에는 좋지 않은 것도 있어 곧 고금의 형세를 살피고 피차 사정을 비교하여 장점을 취하고 단점을 버리는 것이 개화의 대도(大道)다.

보기

㉠ (가)는 이항로가 쓴 『화서집』의 일부 내용이다.
㉡ (나)의 저자는 한반도가 중립 지대가 되어야 한다는 『중립론』을 썼다.
㉢ (가)의 주장은 위정척사 운동의 전개로 이어졌다.
㉣ (나)의 주장에 근거하여 『조선책략』에 대한 비판이 일어났다.

① ㉠, ㉡　　② ㉠, ㉣
③ ㉡, ㉢　　④ ㉢, ㉣

PART 06

0434

출제영역 〉 개화사상과 위정척사 사상의 이해　　정답 ▶ ②

정답찾기 (가) 위정척사 사상, (나) 개화사상
㉠㉢ 1860년대 위정척사파 이항로, 기정진 등은 척화주전론을 내세워 흥선 대원군의 통상 수교 거부 정책을 뒷받침하였다.

선지분석 ㉡ 『조선책략』을 비난한 것은 위정척사파이다.
㉣ 왜양일체론은 개항 당시 위정척사 사상가 최익현의 주장이며, 친청 사대당은 임오군란 이후 온건 개화파인 민씨 세력에 의해 결성되었다. 또한, 아래로부터의 개혁은 동학 농민 운동에 대한 설명이다.

0435

출제영역 〉 개화사상과 위정척사 사상의 이해　　정답 ▶ ③

정답찾기 (가) 최익현의 왜양일체론, (나) 유길준의 개화사상
㉡ 유길준은 거문도 사건 이후 한반도 중립론을 주장하였다.
㉢ 1870년대 개항 반대 운동과 관련된다.

선지분석 ㉠ (가)는 최익현이 쓴 『면암집』의 일부 내용이다.
㉣ 『조선책략』을 비판한 것은 위정척사 사상과 관련이 있다[예 이만손의 영남 만인소(1881)].

임오군란 · 갑신정변

0436 □□□

다음 자료에 나타난 사건이 원인이 되어 체결된 조약의 내용으로 옳지 않은 것은? 2015. 국가직 7급 / 2018. 교육행정직 9급 유사

> 선혜청 당상관 민겸호의 하인이 선혜청 창고에서 군량을 내줬다. 이때 하인이 쌀을 벼 껍질과 바꾸어 이익을 챙기자 많은 군인이 분노하여 하인을 때려눕혔다. 민겸호는 주동자를 잡아 포도청에 가두고는 곧 죽여 버리겠다고 하니 군인들은 분기하여 포도청과 경기 감영을 습격하였다.

① 개항장에서 일본 화폐의 유통을 허락한다.
② 일본 공사관에서 경비병의 주둔을 허락한다.
③ 양화진에서 청국 상인의 통상을 인정한다.
④ 조선에서 청국 상무위원의 영사 재판권을 인정한다.

0437 □□□

(가)와 (나)를 주장한 인물의 활동으로 옳은 것은? 2016. 국가직 7급

> (가) 서양 종교는 사교이므로 마땅히 음탕한 음악이나 미색처럼 여겨서 멀리해야겠지만, 서양 기계는 이로워서 진실로 백성의 생활을 편리하게 할 수 있다.
> (나) 오늘날 급선무는 인재를 등용하며 국가 재정을 절약하고 사치를 억제하며, 문호를 개방하고 이웃 나라와 친선을 도모하는 데 있다. … (중략) … 일본은 법을 변경한 이후로 모든 것을 바꾸었다[更張]고 한다.

① (가) – 개벽 사상을 담은 동학을 창도하였다.
② (가) – 갑신정변이 일어나자 청국 군대의 개입을 요청하였다.
③ (나) – 만동묘 철폐를 주도하였다.
④ (나) – 보부상단을 통괄하는 혜상공국의 설치를 주장하였다.

0438 □□□

다음에서 서술하는 인물 ㉠에 대한 설명으로 옳지 않은 것은? 2014. 계리직

> ㉠은(는) 영의정 홍순목의 둘째 아들로 1855년 서울에서 출생해 1881년 일본의 역체국(驛遞局)을 방문한 후 우편 제도의 편리함을 절실히 깨달았다. 1883년에는 부사의 자격으로 미국 우정성과 뉴욕 우체국 등을 방문·시찰하고 돌아와 고종에게 우편의 필요성을 진언하였다. 그 후 1884년 4월 22일 우정총국을 설립하였으며, 같은 해 12월 4일 갑신정변을 일으켰다.

① 박정양, 조병식, 이상재, 윤치호 등과 함께 조사 시찰단의 일원으로 몇 개월간 일본에 파견되었다.
② 왕의 명령으로 서울 전동의 전의감(典醫監) 건물을 개수한 후 우정총국 청사 건물로 사용하였다.
③ 학도(學徒)와 공장(工匠) 수십 명을 이끌고 청나라로 가서 군기제, 전신, 전화 등의 기술을 배우도록 하였다.
④ 우정총판에 임명되어 박영효 등에게 사무를 분담하게 하고 일본, 영국, 미국의 공관에 우정국 설립을 통고하였다.

0436

출제영역 임오군란의 이해 **정답 ▶ ①**

정답찾기 제시문은 임오군란(1882)에 대한 내용으로, 임오군란의 결과 제물포 조약(②)과 조·청 상민 수륙 무역 장정(③, ④)이 체결되었다.
① 조·일 수호 조규 부록(1876) 내용이다.

더⊕알아보기 **임오군란(1882)**

배경	구식 군대에 대한 차별 대우 + 도시 빈민층의 불만
전개	구식 군인 봉기 ⇨ 흥선 대원군의 재집권 ⇨ 청군 파병, 흥선 대원군 납치 ⇨ 민씨 일파 재집권
결과	• 청의 내정 간섭 강화[군대 주둔, 고문 파견 – 마젠창(재정)·묄렌도르프(외교)] • 조·청 상민 수륙 무역 장정 체결[1882. 8. 23.(음)·10. 14.(양)]: 조선에 대한 청의 종주권 명시, 치외 법권, 청 상인의 자유로운 상업 활동 허용(내지 통상) • 제물포 조약(일본·조선, 1882), 조·일 수호 조규 (부록) 속약[1882. 7. 17.(음)·8. 30.(양)] 체결

0437

출제영역 개화사상의 두 흐름 이해 **정답 ▶ ②**

정답찾기 (가) 동도서기를 주장한 온건 개화파 김윤식의 주장, (나) 변법자강을 주장한 급진 개화파 김옥균의 주장
② (가) – 온건 개화파의 주장이다.

선지분석 ① 최제우, ③ 흥선 대원군에 대한 설명이다.
④ (나) – 김옥균 등 갑신정변 세력은 혜상공국의 폐지를 주장하였다.

0438

출제영역 개화사상의 이해 **정답 ▶ ③**

정답찾기 ㉠은 홍영식으로, 1881년에 조사 시찰단(신사 유람단)으로 일본에 파견되었다.
③ 청에 파견된 영선사 김윤식에 대한 설명이다.

0439

(가), (나) 조약 체결 사이에 있었던 사실로 옳은 것은? 2021. 경찰 1차

> (가) 제1조 지금으로부터 20일 이내에 조선국은 흉도들을 잡고 그 수괴를 엄히 징계한다.
> 제5조 일본 공사관에 약간의 군사를 두어 경비하게 한다.
> (나) 제1조 조선국은 국서를 일본국에 보내 사의를 표명한다.
> 제4조 일본 공관을 새로운 곳으로 옮겨 신축하는 것은 마땅히 조선국에서 기지와 방옥을 교부해 공관 및 영사관으로 사용할 수 있도록 한다. 수축 증건에는 조선국이 다시 2만 원을 지불해 공사비를 충당한다.

① 통리기무아문이 철폐되었다.
② 묄렌도르프가 고문으로 파견되었다.
③ 청과 일본 사이에 톈진 조약이 체결되었다.
④ 부들러가 조선의 영세 중립 선언을 권고하였다.

0439

출제영역 임오군란과 갑신정변의 이해 정답 ▶ ②

정답찾기 (가) 임오군란(1882)의 결과 체결된 제물포 조약(1882), (나) 갑신정변(1884)의 결과 체결된 한성 조약(1884)
② 임오군란(1882)의 결과 청은 마젠창과 묄렌도르프(독일인)를 고문으로 파견하여 조선의 내정과 외교에 깊이 간여하였다.

선지분석 ① 1882년 6월 임오군란을 계기로 흥선 대원군이 재집권하면서 통리기무아문은 폐지되고 그 기능은 삼군부에 넘겨졌다.
③ 톈진 조약 체결(1885), ④ 부들러의 조선 영세 중립 선언(1885)

0440

다음 자료와 가장 밀접한 역사적 사건은? 2008. 국가직 9급

> 새로 만든 국기를 묵고 있는 누각에 달았다. 기는 흰 바탕으로 네모졌는데 세로는 가로의 5분의 2에 미치지 못하였다. 중앙에는 태극을 그려 청색과 홍색으로 색칠을 하고 네 모서리에는 건(乾)·곤(坤)·감(坎)·이(離)의 4괘(四卦)를 그렸다.

① 김윤식 등이 근대식 무기 제조 기술과 군사 훈련법을 배웠다.
② 김홍집 등이 『조선책략』을 가져와 국제 정세의 이해에 기여하였다.
③ 김옥균 등이 일본에서 차관 교섭을 벌이고 구미 외교 사절과 접촉하였다.
④ 박정양 등이 일본 정부 기관의 사무와 시설을 조사하고 시찰 보고서를 올렸다.

0440

출제영역 특정 사건의 이해 정답 ▶ ③

정답찾기 제시문은 1882년 임오군란이 진압되고 제물포 조약 이행을 위한 특명 전권대신 겸 3차 수신사로 발탁된 박영효가 1882년 8월 14일 일본 고베의 숙소에 처음으로 태극기를 내걸었다는 기록으로, 박영효의 일기인 『사화기략』 중 일부분이다.
③ 1882년 박영효와 함께 김옥균(3차 수신사)이 고문으로 참여하여 일본에서 차관 교섭을 벌이고 구미 외교 사절과 접촉하였다.

선지분석 ① 영선사의 활동(1881), ② 2차 수신사 김홍집의 활동(1880), ④ 조사 시찰단(신사 유람단)의 활동(1881)이다.

0441

다음 내용을 주장한 인물에 대한 설명으로 가장 적절한 것은?

2020. 경찰 1차

> 우리나라가 아시아의 인후에 처해 있는 지리적 위치는 유럽의 벨기에와 같고, 중국에 조공하던 처지는 터키에 조공하던 불가리아와 같다. 그런데 불가리아가 중립 조약을 체결한 것은 유럽 여러 대국들이 러시아를 막으려는 계책에서 나온 것이었고, 벨기에가 중립 조약을 체결한 것은 유럽의 여러 대국들이 자국을 보전하려는 계책에서 나온 것이었다. 대저 우리나라가 아시아의 중립국이 된다면 러시아를 방어하는 큰 기틀이 될 것이고, 또한 아시아의 여러 대국들이 서로 보전하는 정략도 될 것이다. 오직 중립만이 우리나라를 지키는 방책인데, 우리 스스로가 제창할 수도 없으니 중국에 청하여 처리해야 할 것이다. 중국이 맹주가 되어 영국, 프랑스, 일본, 러시아 같은 아시아에 관계 있는 여러 나라들과 화합하고 우리나라를 참석시켜 같이 중립 조약을 체결토록 해야 될 것이다. 이것은 비단 우리나라만을 위한 것이 아니라 중국의 이익도 될 것이고, 여러 나라가 서로 보전하는 계책도 될 것이니 무엇이 괴로워서 하지 않겠는가.

① 1881년에 조사 시찰단으로 일본에 다녀왔고, 1884년에 우정총국이 설립되자 우정국 총판에 임명되었다.
② 1882년 수신사로 일본에 다녀왔고, 일제 강점기에는 일제로부터 후작을 받고 중추원 고문에 임명되었다.
③ 갑신정변 이후 일본을 거쳐 미국에 망명하였고, 1894년에 귀국하여 제2차 김홍집 내각의 법부대신이 되었다.
④ 1894년 제1차 갑오개혁 당시 군국기무처의 회의원으로 참여하였고, 후에 국어 문법서인 『조선문전』을 저술하였다.

0441

출제영역 〉 특정 인물의 이해 　　정답 ▶ ④

정답찾기 〉 제시문은 유길준의 조선 중립화론이다.

선지분석 〉 ① 홍영식, ② 박영효, ③ 서광범에 대한 설명이다.

더+알아보기 〉 **유길준(1856~1914)**

- 1881년 조사 시찰단 단장이던 어윤중 수행원으로 일본 파견 ⇨ 귀국하지 않고 후쿠자와 유키치가 설립한 게이오 의숙에 입학 ⇨ 1882년 임오군란 후 3차 수신사 박영효 일행과 함께 귀국
- 1883년 보빙사 일행에 합류하여 미국에 파견 ⇨ 국비 유학생으로 잔류 ⇨ 1885년 유럽 각국을 시찰하고 귀국 ⇨ 갑신정변 개화당으로 몰려 구금되어 '조선 중립화론' 주장, 이 기간에 『서유견문』 집필(1895)
- 1894년 갑오개혁 때 외무참의 겸 군국기무처 회의원 등을 역임하며 개혁의 이론적 기초 제공
- 1895년 을미사변 이후 내각에서 내부대신이 되었고, 아관 파천 이후 일본 망명 ⇨ 1907년 순종 황제 특사로 귀국, 흥사단 참여 등 교육과 계몽 사업에 헌신
- **주요 저서**: 『서유견문』(1895), 『조선문전』(1897~1902), 『대한문전』(1909)

동학 농민 운동

0442

다음 (가)에서 (나)로 격문의 내용이 바뀌는 계기로 가장 적절한 것은?

수능 근현대사

> (가) 공경 이하 수령에 이르기까지 국가의 위태로움은 생각하지 않고 자신을 살찌우고 가문을 윤택하게 하는 계책만 절실하여 …… 만민이 도탄에 빠졌도다. …… 수많은 백성이 뜻을 모아 이제 의로운 깃발을 들어 보국안민을 생사의 맹세로 삼는다.
> (나) 금년 유월에 개화당이 왜국을 끌어들여 밤을 타 서울로 들어와 임금을 핍박하고 국권을 마음대로 하며 …… 생령이 도탄함에 이제 우리 동도(東徒)가 의병을 일으켜 왜적을 소멸하고 사직을 편히 보전하려 한다.

① 개혁 추진 기구로 교정청이 설치되었다.
② 조선에 들어온 청·일 간에 전쟁이 벌어졌다.
③ 척왜양창의를 내걸고 보은에서 집회가 열렸다.
④ 우금치에서 농민군과 일본군이 격전을 벌였다.
⑤ 박영효가 쫓겨나고 김홍집 내각이 개편되었다.

0442

출제영역 〉 동학 농민 운동의 이해 　　정답 ▶ ②

정답찾기 〉 (가)는 교조 신원 운동 제3기 보은 집회(1893) 내용, (나)는 일본군의 경복궁 점령 이후이자 1차 갑오개혁(1894) 직후 동학군의 격문(2차 농민 봉기)이다. 따라서 (나)의 계기가 되는 사건은 청·일 전쟁의 발발(1894. 6. 23.)이다.

선지분석 〉 ① 교정청 설치(1894. 6. 11.)는 청·일 전쟁 발발 전의 일이다.
③ 3차 교조 신원 운동(보은 집회, 1893)에 대한 설명이다.
④ 2차 봉기 이후 우금치 전투(1894. 11.)에 대한 설명이다.
⑤ 삼국 간섭(1895) 이후 제3차 김홍집 내각에 대한 설명이다.

0443

〈보기 1〉의 밑줄 친 부분에 대한 서술로 옳은 것을 〈보기 2〉에서 모두 고르면?

2019. 서울시 7급 1차 / 2017. 서울시 9급 · 2012. 서울시 교육행정직 9급 · 2005. 국가직 9급 유사

보기 1

심문자: 작년(1894) 3월 고부 등지에서 무슨 사연으로 민중을 크게 모았는가?
전봉준: 그때 고부 군수(조병갑)의 수탈이 심하여 의거하였다.
심문자: 흩어져 돌아간 후에는 무슨 일로 ㉠ 군대를 봉기하였느냐?
전봉준: 고부 민란 조사 책임자 이용태가 내려와 의거 참가자 대다수가 일반 농민이었음에도 모두를 동학도로 통칭하고, 그 집을 불태우며 체포하고 살육을 행했기 때문에 다시 일어났다.
심문자: ㉡ 전주 화약 이후 ㉢ 다시 군대를 일으킨 이유가 무엇이냐?
전봉준: ㉣ 일본이 개화를 구실로 군대를 동원하여 왕궁을 공격하고 임금을 놀라게 했으니, 의병을 일으켜 일본과 싸워 그 책임을 묻고자 함이다. 「전봉준 공초」(발췌요약)

보기 2

ㄱ. ㉠: 반봉건의 기치를 높이 들고 남·북접이 연합하여 봉기하였다.
ㄴ. ㉡: 정부와 정치를 개혁할 것을 합의하였다.
ㄷ. ㉢: 공주 우금치에서 우세한 화력으로 무장한 일본군과 정부군에게 패하고 말았다.
ㄹ. ㉣: 명성 황후를 무참히 살해하는 을미사변을 일으켰다.

① ㄱ, ㄹ ② ㄴ, ㄷ
③ ㄱ, ㄷ, ㄹ ④ ㄱ, ㄴ, ㄷ, ㄹ

0443

출제영역 〉 동학 농민 운동의 이해 정답 ▶ ②

정답찾기 제시문은 '내 백성을 위해서 힘을 다하였는데 사형을 받을 이유가 있는가'라고 큰소리로 부르짖었던 전봉준에 대한 공초(죄인이 범죄 사실을 진술한 것)이다.
ㄴ. 전주성을 점령한 농민군은 토지 개혁 등 자신들의 요구를 담은 폐정 개혁안을 제출하여 관군과 ㉡ 전주 화약을 맺었다.
ㄷ. ㉢은 제2차 농민 봉기(1894. 9.)로, 동학 농민군은 공주 우금치에서 관군과 일본군을 상대로 싸웠으나 일본군에게 패하였고, 이후 전봉준이 순창에서 체포되면서 동학 농민 운동은 실패하였다.

선지분석 ㄱ. ㉠은 제1차 농민 봉기(1894. 3.)에 대한 설명이다. 남접과 북접이 합세한 것은 2차 봉기 때의 일이다.
ㄹ. 제2차 봉기(1894. 9.)는 일본군이 경복궁을 점령하고 친일 정부(1차 김홍집 내각)를 수립한 이후에 1차 갑오개혁을 추진하는 등 내정 간섭을 강화하자 이에 대항하여 농민군이 척왜(斥倭)를 외치면서 봉기한 것이다. 을미사변은 다음 해인 1895년의 일이다.

0444

다음 상황이 일어난 이후의 사실을 〈보기〉에서 모두 고른 것은?

2017. 국가직 7급 / 2019. 국가직 9급 유사

일본군이 경복궁을 습격하자 이에 전봉준은 삼례에 대도소를 설치하여 농민군의 삼례 집결을 도모하였고, 기병을 촉구하는 통문을 돌렸다. 통문에는 "이번 거사에 호응하지 아니하는 자는 불충무도(不忠無道)한 자이다."라는 내용이 담겨 있었다.

보기

㉠ 농민군은 황토현에서 관군을 격파하였다.
㉡ 정부와 농민군은 전주에서 화약을 맺었다.
㉢ 북접군과 남접군이 논산에서 합류하여 집결하였다.
㉣ 농민군은 공주 우금치에서 관군과 일본군 연합 부대를 맞아 격돌하였다.

① ㉠, ㉡ ② ㉠, ㉢
③ ㉡, ㉣ ④ ㉢, ㉣

0444

출제영역 〉 동학 농민 운동의 이해 정답 ▶ ④

정답찾기 제시문은 동학 농민 운동 전개 과정 중 2차 농민 봉기에 대한 내용이다. 일본이 경복궁을 점령(1894. 6.)하고 1차 갑오개혁을 추진하는 등 내정 간섭을 강화하자, 이에 대항하여 농민군은 척왜(斥倭)를 외치면서 삼례에서 재봉기하였다(1894. 9.).
㉢ 남·북접군의 논산 집결(1894. 10.), ㉣ 우금치 전투(1894. 11.)

선지분석 ㉠ 황토현 전투(1894. 4.), ㉡ 전주 화약(1894. 5.)

Tip 『기본편』 568번 〈더 알아보기〉 갑오년(1894)·을미년(1895) 주요 사건 일지 참조

0445 □□□

다음 격문을 발표한 인물들이 추진했던 사실로 적절하지 않은 것은?

2014. 국가직 7급

> 우리는 비록 초야에 묻힌 백성이지만, 임금의 땅에서 나는 곡식을 먹고, 임금의 옷을 입고 사는 사람이라, 어찌 국가의 위망을 앉아서 보겠는가. 팔로(八路)가 마음을 합하고 억조창생(億兆蒼生)이 뜻을 모아 이제 의로운 깃발을 들어, 나라를 보존하고 백성을 편안히 하는 것이다. 호남 창의문

① 사창제 실시와 양전 사업을 주장하였다.
② 봉기군을 이끌고 황토현에서 관군과 교전하였다.
③ 고부읍을 점령하고 백산에서 농민군을 정비하였다.
④ 삼정의 문란을 비판하고 전운사를 혁파하려 하였다.

0445

출제영역 〉 동학 농민 운동의 이해 정답 ▶ ①

정답찾기 제시문은 동학 농민 운동(1894) 당시 백산 집회에서 발표한 격문이다.
① 흥선 대원군의 개혁 내용이다.

선지분석 ②③ 1차 농민 봉기(1894. 3.) 시기의 사실이다.
④ 1876년 개항 이후 일본의 경제적 침략으로 농민의 경제적 상황은 더욱 나빠졌고, 세미(歲米) 운송 책임자인 전운사의 횡포도 심하였다. 이런 절박한 상황 속에서 고부 군수 조병갑과 같은 탐관오리의 수탈은 갈수록 가중되었고, 이러한 복합적 요인의 결과 1894년 동학의 고부 접주인 전봉준을 선두로 동학 농민 운동이 발발하였다.

0446 □□□

밑줄 친 '적'이 요구한 내용으로 옳은 것을 〈보기〉에서 모두 고른 것은?

2015. 서울시 7급 / 2020. 경찰 1차 유사

> <u>적</u>은 모두 천민 노예이므로 양반, 사족을 가장 증오하였다. 길에서 갓을 쓴 자를 만나면 곧바로 꾸짖으며 말하였다. "너도 양반인가?" 갓을 빼앗아 찢어 버리거나 자기가 쓰고 거리를 돌아다니면서 양반을 욕 주었다. 무릇 집안 노비로서 <u>적</u>을 따르는 자는 물론이요, 비록 <u>적</u>을 따르지 않는 자라 할지라도 모두 <u>적</u>을 끌어다 대며 주인을 협박하여 노비 문서를 불사르고 면천해 줄 것을 강요하였다. … (중략) … 때로 양반 가운데 주인과 노비가 함께 <u>적</u>을 따른 경우도 있었다. 이들은 서로를 접장이라 부르면서 <u>적</u>의 법도를 따랐다. 백정이나 재민들도 평민이나 양반과 평등한 예를 하였으므로 사람들은 더욱 치를 떨었다. 『오하기문』

보기
㉠ 무명잡세를 폐지할 것
㉡ 조혼(早婚)을 금지할 것
㉢ 각 도의 환곡을 영구히 폐지할 것
㉣ 관리 채용에는 지벌을 타파하고, 인재를 등용할 것

① ㉠, ㉡ ② ㉠, ㉣
③ ㉡, ㉢ ④ ㉢, ㉣

0446

출제영역 〉 동학 농민 운동의 이해 정답 ▶ ②

정답찾기 밑줄 친 '적'은 동학 농민 운동의 농민군으로, 이들은 폐정 개혁안 12조를 요구하였다. 처음 본 사료이더라도 '접장'이라는 단어를 통해 동학의 교단 조직인 포접제를 유추해야 한다.

선지분석 ㉡ 갑오개혁 때, ㉢ 갑신정변 때의 개혁안이다.

더⊕알아보기 〉 『오하기문』
『오하기문』은 황현이 동학 농민 운동의 발생과 경과를 기록한 책으로, 양반 유생의 입장에서 동학 농민 운동을 부정적으로 서술하였다.

0447 □□□

(가), (나) 시기에 목격될 수 있는 장면으로 옳은 것은? 2011. 법원직

> • 농민군 이끌고 고부 관아 습격 ⇨ 군수 추방, 아전 징벌
> • 정부, 안핵사로 이용태 파견 ⇨ 동학 농민군 탄압
>
> ⬇ (가)
>
> • 6조를 8아문으로 개편
> • 과거제 폐지
> • 은 본위 화폐제 실시
> • 도량형 통일
>
> ⬇ (나)
>
> • 태양력 사용
> • 종두법 시행
> • 소학교 설치
> • '건양'이라는 새 연호 사용

① (가): 농민의 요구를 반영한 개혁을 시도하려는 교정청 관리들
② (가): 일본이 요동반도를 차지하는 것을 포기하라고 권고하는 삼국의 대표들
③ (나): 단발령 공포에 분노하여 항일 의병을 일으키는 유생과 민중들
④ (나): 동아시아의 세력 확장을 위해 거문도를 불법 점령한 영국 군인들

0447

출제영역 〉 1894년~1895년 사건의 이해 정답 ▶ ①

정답찾기 동학 농민 운동(1894) ⇨ (가) ⇨ 1차 갑오개혁(1894) ⇨ (나) ⇨ 을미개혁(1895)
① 동학 농민 운동 이후 온건 개화파들은 국왕의 명을 받아 교정청을 설치하고 농민군의 요구 사항을 바탕으로 자주적 개혁을 추진하려 하였다.

선지분석 ② 삼국 간섭(1895), ③ 을미의병(1895), ④ 거문도 사건(1885)에 대한 설명이다.

0448 □□□

다음 자료와 관련된 단체의 설명으로 옳지 않은 것은?

2017. 지방직 7급

> • 시장에 외국 상인의 출입을 엄금할 것
> • 다른 나라에 철도 부설권을 허용하지 말 것
> • 시급히 방곡령을 실시하고 구민법을 채용할 것
> • 금광의 채굴을 금지하고 인민의 방책을 꾀할 것

① 정치적·경제적 각성을 촉진하고, 단결을 공고히 함을 강령으로 삼아 투쟁하였다.
② 1900년 전후 충청과 경기, 낙동강 동쪽의 경상도 등지에서 활동하였다.
③ '가난한 사람을 살려내는 무리'라는 뜻으로 『홍길동전』에서 이름을 따왔다.
④ 을사늑(조)약 이후에 이들 가운데 일부는 의병 운동에 참여하였다.

0448

출제영역 〉 활빈당의 이해 정답 ▶ ①

정답찾기 제시문은 활빈당의 '대한 사민 논설 13조(1900)' 내용이다. 동학 농민 운동이 실패한 후 농민군은 1895~1896년 의병 운동에 가담하였다가 이후 흩어져 화적(火賊)으로 지냈다. 이들은 독립 협회와 만민 공동회에 희망을 걸었지만 상황이 여의치 않자, 1899년부터 영학당, 남학당, 북대, 남대, 활빈당 등의 이름으로 활약하였다. 그중 활빈당은 『홍길동전』을 사상적 배경으로 삼아 평등의 실현, 빈부 격차의 타파, 국정 혁신을 목표로 1900년 「황성신문」에 '대한 사민 논설 13조'를 발표하였다.
① 신간회(1927)에 대한 설명이다.

갑오개혁과 을미개혁

0449 □□□

다음 칙령에 의해 성립된 내각에서 추진했던 개혁으로 옳은 것은?

2012. 법원직

> 제1호 내가 재가한 공문 식제(式制)를 반포하게 하고 종전의 공문 반포 규례는 오늘부터 폐지하며 승선원, 공사청도 아울러 없애도록 한다.
> 제3호 내가 동지날에 백관들을 거느리고 태묘(太廟)에 나아가 우리나라가 독립하고 모든 제도를 이정(釐正)한 사유를 고하고, 다음 날에는 태사(太社)에 나아가겠다.
> 제4호 박영효를 내무대신으로, 서광범을 법무대신으로 …… 삼도록 하라고 명하였다.
> — 이상은 총리대신 김홍집, 외무대신 김윤식, 탁지대신 어윤중, 학무대신 박정양이 칙령을 받았다.

① 과거 제도를 폐지하였다.
② 전국을 23부로 재편하였다.
③ 재정을 탁지아문으로 일원화시켰다.
④ 서울에 친위대, 지방에 진위대를 설치하였다.

0449

출제영역 〉 2차 갑오개혁의 이해 정답 ▶ ②

정답찾기 ▶ 제시문은 2차 갑오개혁(1894~1895) 당시 고종이 종묘에 가서 바친 '독립서고문'으로, 이때 제2차 김홍집·박영효 연립 내각이 구성되었다. ② 2차 갑오개혁 때 종래의 군현제를 폐지하고 행정 구역을 통폐합하여 전국을 23부로 재편하였다.

선지분석 ▶ ①③ 1차 갑오개혁(1894), ④ 을미개혁(1895)의 내용이다.

Tip 『기본편』 579번 〈더 알아보기〉 2차 갑오개혁(1894. 12.~1895. 7.) 참조

0450 □□□

다음 법령을 만든 개화파 내각의 개혁으로 옳은 것을 〈보기〉에서 모두 고르면?

2014. 국가직 7급

> 제1조 소학교는 아동의 신체 발달에 맞추어 인민 교육의 기초와 생활상 필요한 보통 지식과 기능을 가르치는 것을 목적으로 한다.
> 제2조 소학교는 관립 소학교·공립 소학교·사립 소학교 등의 3종이며, 관립 소학교는 정부 설립, 공립 소학교는 부(府) 혹은 군(郡) 설립, 사립 소학교는 사립 학교 설립과 관계된 것을 말한다.
> 소학교령

보기
㉠ '건양'이라는 연호를 제정하였다.
㉡ 조·일 무역 규칙을 개정하였다.
㉢ 서울에 친위대를, 지방에 진위대를 두었다.
㉣ 단발령을 폐지하고 의정부를 다시 설치하였다.

① ㉠, ㉡ ② ㉠, ㉢
③ ㉡, ㉣ ④ ㉢, ㉣

0450

출제영역 〉 을미개혁의 이해 정답 ▶ ②

정답찾기 ▶ 제시문은 을미개혁 때 발표한 소학교령(1895)이다.
㉠㉢ 을미개혁(1895) 내용이다.

선지분석 ▶ ㉡ 1883년에 개정한 조·일 통상 장정에 대한 내용이다.
㉣ 을미개혁은 제4차 김홍집 내각에 의해 이루어졌으나, 1896년 아관 파천으로 김홍집 내각이 몰락하였고, 이후 이범진을 중심으로 친러파 내각이 구성되면서 단발령을 폐지하고 의정부를 다시 설치하였다.

대한 제국

0451

다음 관제를 발표했던 정부의 정책으로 옳은 것은? 2021. 경찰 1차

> 제1조 중추원은 다음 사항을 심의하고 의정하는 처소로 할 것
> ① 법률과 칙령의 제정, 폐지 혹은 개정에 관한 사항
> ② 의정부에서 토의를 거쳐 임금에게 상주하는 사항
> ③ 칙령에 의하여 의정부에서 문의하는 사항
> ④ 의정부에서 임시 건의에 대해 문의하는 사항
> ⑤ 중추원에서 임시 건의하는 사항
> ⑥ 인민이 건의하는 사항
> 제3조 의장은 대황제 폐하께옵서 문서로 임명하시고, 부의장은 중추원 공천에 의해 임명하시고, 의원 반수는 정부에서 공로가 있는 자로 회의하여 추천하고, 반수는 인민 협회에서 27세 이상의 사람이 정치, 법률, 학식에 통달한 자로 투표 선거할 것

① 경무청을 창설하였다.
② 건양이란 연호를 사용하였다.
③ 지방 재판소와 고등 재판소를 개설하였다.
④ 이민 업무를 담당하는 수민원을 설치하였다.

0452

다음 조칙 이후 정부가 추진한 정책으로 옳지 않은 것은?

2016. 지방직 7급

> 황제께서 조칙을 내리시길 "민은 오직 나라의 근본이라. 근본이 굳어야 나라가 평안한 것이다. 근본을 굳게 하는 방도는 제산안업(制産安業)하여 항심(恒心)이 있게 하는 것이니 누가 그 직책을 맡는 것인가 하면 정부일 뿐이다."라고 하였다.

① 양잠 전습소와 잠업 시험장을 설립하였다.
② 금 본위제를 실시하려고 하였다.
③ 산업 정책을 담당하는 공무아문을 설치하였다.
④ 상공 학교와 광무 학교를 설립하였다.

0453

이 법령과 관련된 사업에 대한 설명으로 옳은 것은? 2009. 국가직 7급

> 제2조 전답·산림·천택·가옥을 매매 양도하는 경우 관계(官契)를 반납한다.
> 제3조 소유주가 관계를 받지 않거나, 저당잡힐 때 관허가 없으면 모두 몰수한다.
> 제4조 대한 제국 인민 외 소유주가 될 권리가 없고, 외국인에게 명의를 빌려 주거나 사사로이 매매·저당·양도할 경우 법에 따라 처벌한다.
> 순창군훈령총등

① 양지아문에서 지권(地券)을 발급하였다.
② 신고주의에 의한 양전(量田)을 추구하였다.
③ 전국의 군현을 대상으로 양전을 완료하였다.
④ 러·일 전쟁으로 인하여 지권 발급을 중단하였다.

0451

출제영역 대한 제국의 개혁 이해 정답 ▶ ④

정답찾기 제시문은 독립 협회가 대한 제국 정부와 협상을 통해 발표한 중추원 관제이다.
④ 수민원은 대한 제국 시기에 외국 여행권을 관장한 관청이다.

선지분석 ① 1차 갑오개혁(1894. 7.), ② 을미개혁(1895. 8.), ③ 2차 갑오개혁(1894. 12.)의 내용이다.

0452

출제영역 대한 제국의 개혁 이해 정답 ▶ ③

정답찾기 제시문은 대한 제국 시기의 조칙이다.
③ 1차 갑오개혁 내용이다.

선지분석 ①②④ 대한 제국 때 광무개혁의 내용이다.

0453

출제영역 대한 제국의 개혁 이해 정답 ▶ ④

정답찾기 제시문은 대한 제국 시기에 시행한 양전 사업(1898~1904) 내용으로, 일부 지역에 근대적 토지 소유권 제도인 전토지계(대한 제국 전답 관계), 일명 지계(地契)를 지계아문(1901)에서 발급하였다.
④ 1904년 2월 러·일 전쟁이 발발하면서 대한 제국의 개혁은 거의 중단되었다.

선지분석 ① 지계아문에서 토지 문권인 지계(地契), 즉 지권(地券)을 발급하였다.
② 신고주의는 1910년대 일제의 토지 조사 사업 내용이다.
③ 양전 사업은 전국적으로 실시되지 못하였다.

0454 □□□

자료에 나타난 정부의 정책에 대한 설명으로 옳지 않은 것은?

2020. 국가직 7급

> 종래의 양전처럼 농지의 비척(肥瘠)이나 가옥의 규모를 조사하는 것에만 그치지 않고, 전국 토지 일체에 대한 조사를 목표로 지질과 산림·천택, 수풀과 해변, 도로에 이르기까지 광범위하게 조사하였다. 나아가 전국 토지의 정확한 규모와 소재를 파악하는 한편 소유권을 확인해 주기 위해 지계(地契)를 발행하는 사업을 함께 전개하였다.

① 양지아문에서 양전 사업을 착수하였다.
② 조사한 토지의 지적도와 토지 대장을 작성하였다.
③ 지계아문에서 지계 발급 사무를 맡았다.
④ 러·일 전쟁 발발 직후 일본의 간섭으로 중단되었다.

0455 □□□

대한 제국의 지계 발급 사업에 대한 설명으로 옳지 않은 것은?

2017. 하반기 국가직 7급

① 지계아문에서 토지 측량과 지계 발급을 담당하였다.
② 개항장에서 외국인의 토지 소유를 인정하지 않았다.
③ 모든 산림, 토지, 전답, 가옥을 발급 대상에 포함하였다.
④ 러·일 전쟁으로 중단되어 전국적으로 확대되지 못하였다.

0456 □□□

다음 대한 제국에 대한 설명으로 옳은 것을 모두 고른 것은?

2017. 서울시 7급

> ㉠ 과거와는 달리 목포, 군산, 원산을 스스로 개항하였다.
> ㉡ '대한국 국제'는 황제에게 육해군 통수권, 입법권, 행정권, 조약 체결권 등 모든 권한을 집중시켰다.
> ㉢ 두 차례에 걸쳐 토지 조사 사업을 실시하였고, 지계 발급 사업을 실시하였다.
> ㉣ 만국 우편 연합에 가입하고, 만국 박람회에 참여하였다.

① ㉠, ㉡　　② ㉠, ㉡, ㉢
③ ㉡, ㉢, ㉣　　④ ㉠, ㉡, ㉢, ㉣

0454

출제영역 〉 대한 제국의 개혁 이해　　정답 ▶ ②

정답찾기 제시문은 대한 제국 시기에 시행한 양전 사업(1898~1904) 내용이다.
② 일제가 토지 조사 사업(1910~1918)을 위해 1912년에 제정한 토지 조사령에 대한 내용이다.

선지분석 ① 대한 제국은 근대적인 토지 소유권 확립을 위해 양지아문(1898)을 설치하고, 두 차례에 걸쳐 토지 조사 사업(양전)을 실시하였다.
③ 대한 제국 시기에 지계아문에서 토지 문권인 지계(地契), 즉 지권(地券)을 발급하였다.
④ 1904년 2월 러·일 전쟁이 발발하면서 일본의 간섭으로 대한 제국의 개혁은 거의 중단되었다.

0455

출제영역 〉 대한 제국의 개혁 이해　　정답 ▶ ②

정답찾기 ② 광무 정권의 양전 사업과 지계의 발행에서 특기할 만한 것은 외국인의 토지 소유에 대한 제한이었다. 개항장에서의 외국인 토지 소유는 인정하였지만, 개항장 이외 지역의 토지에 대해서는 외국인의 토지 소유를 금지하였다. 즉 광무 연간의 양전 사업과 지계의 발행은 근대적 소유권 제도의 법적 확인임과 동시에 외국 자본주의의 한국 농촌 침투에 대한 대응책이기도 하였다.

0456

출제영역 〉 대한 제국의 개혁 이해　　정답 ▶ ③

정답찾기 ㉡ 대한국 국제(1899)는 광무 정권이 제정한 일종의 헌법으로, 대한 제국은 전제 정치 국가이며 황제권이 무한함을 강조하고, 통수권·입법권·행정권·사법권·외교권 등을 모두 황제의 대권으로 규정하여 전제 군주 체제를 더욱 강화하였다.
㉢ 대한 제국 정부의 조세 수입을 늘리고 근대적인 토지 소유권 확립을 위해 양지아문(1898)과 지계아문(1901)을 설치하여, 1898년(광무 2)부터 1904년까지 두 차례의 양전 사업을 실시하였다. 또한 일부 지역에 근대적 토지 소유권 제도라 할 수 있는 전토지계(대한 제국 전답 관계라고도 함), 일명 지계(地契)를 발급하였다.
㉣ 1900년에는 만국 우편 연합에 가입하여 외국과 우편물을 교환하였고, 파리 만국 박람회에 참여하였다.

선지분석 ㉠ 대한 제국은 목포는 1897년에, 군산은 1899년에 개항하였다. 그러나 원산은 강화도 조약 때 일제에 의해 1880년에 개항되었다.

Tip 『기본편』 591번 〈더 알아보기〉 대한 제국의 광무개혁 참조

0457

다음 상황이 나타난 시기에 추진한 정부 정책으로 옳지 않은 것은?

2016. 국가직 9급

> 외국 사람들이 조계지를 지키지 않고 도성의 좋은 곳에 있는 집은 후한 값으로 사고 터를 넓히니 잔폐(殘廢)한 인민의 거주지가 침범을 당한다. 또한 여러 해 동안 도로를 놓고 있기 때문에 집들이 줄어들었다. 탑동(塔洞) 등지에 집을 헐고 공원을 만든다 하니 … (중략) … 결국 집 없는 사람이 태반이 될 것이다. 매일신문

① 경운궁을 정궁으로 삼았다.
② 한성 은행, 대한 천일 은행 등 민족계 은행을 지원하였다.
③ 중추원을 개조하여 우리 옛 법령과 풍속을 연구하였다.
④ 한성 전기 회사를 통하여 서울에 전차 노선을 개통하였다.

0457

출제영역 〉 대한 제국의 개혁 이해 정답 ▶ ③

정답찾기 제시문은 대한 제국(1897~1910) 시기에 대한 내용이다. ③ 중추원을 개조하여 우리 옛 법령과 풍속을 연구한 것은 조선 총독부이다. 대한 제국 때 중추원은 황제 자문 기구였다.

선지분석 ① 경운궁을 정궁으로 삼음. – 1897년
② 한성 은행 설립 – 1897년, 대한 천일 은행 설립 – 1899년
④ 전차 노선 개통 – 1899년

PART 06

0458

(가)~(마)와 관련된 역사적 사실로 옳지 않은 것은?

제7회 한국사능력검정시험 중급

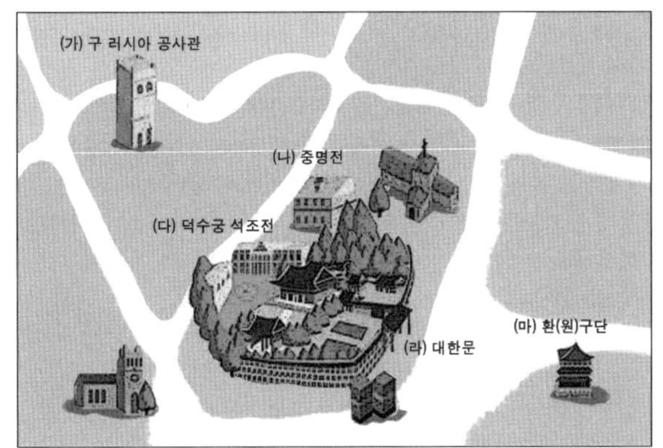

① (가) – 임오군란 때 명성 황후가 피신한 곳이다.
② (나) – 을사조약이 체결된 곳이다.
③ (다) – 미・소 공동 위원회가 열린 곳이다.
④ (라) – 3・1 운동이 일어난 주요 장소의 하나이다.
⑤ (마) – 고종이 황제로 즉위하고 하늘에 제사를 지낸 곳이다.

0458

출제영역 〉 특정 궁궐의 이해 정답 ▶ ①

정답찾기 ① 러시아 공사관과 관련된 사건은 아관 파천이다. 임오군란 때 명성 황후는 충주 민응식의 집으로 피신하였다.

선지분석 ② 덕수궁의 별채인 중명전은 1901년에 지어진 황실 도서관으로 1904년 덕수궁이 불타자 고종의 집무실인 편전이면서 외국 사절의 알현실로 사용되었다. 1905년 을사조약이 체결된 비운의 장소이기도 하다.
③ 대한 제국 시기에 만든 건물 중 가장 규모가 큰 서양식 건물인 덕수궁 석조전에서는 미・소 공동 위원회(1946)가 열렸으며, 6・25 전쟁 이후 1986년까지 국립 중앙 박물관으로 사용되었다.
④ 3・1 운동(1919)은 태화관에서 독립 선언서를 낭독하고 만세를 부른 이후 탑골 공원에서 덕수궁의 정문인 대한문까지 시위행진한 것을 시작으로 전국 각지로 확산되었다.
⑤ 아관 파천 1년만인 1897년에 경운궁으로 환궁한 고종은 국호를 대한 제국이라 고치고 10월에 환(원)구단을 축조하여 황제 즉위식을 거행하였다.

0459

다음은 어느 궁궐의 문에 대한 신문 기사이다. 이 궁궐과 관련된 사실로 옳은 것을 〈보기〉에서 모두 고른 것은?

제2회 한국사능력검정시험 고급

> 6월 초 수리에 들어간 이 궁의 대한문은 일제 침략과 관련해 그 이름에 관한 오해에 시달려 왔다. ○○○교수는 …… 『경운궁중건도감의궤(慶運宮重建都鑑儀軌)』의 기록을 근거로 이 같은 억측들을 일소했다. 의궤의 한 구절이 "황제는 천명(天命)을 받아 유신(維新)을 도모하여 법전인 중화전(中和殿)에 나아가시고, 다시 대한정문(大漢正門)을 세우셨다."라며 대한문의 의미를 밝혀놓았다. 그는 "하늘에 제를 올리는 일은 황제만이 할 수 있다."라며 "대한문은 본디 고종이 황제에 즉위하여 하늘을 향해 제를 올렸던 환(원)구단을 향하고 있었으므로, 큰 하늘을 떠받든다는 뜻으로 이름을 바꾸었다."라고 설명했다. ○○일보, 2004. 6. 22.

보기

㉠ 1860년대 흥선 대원군이 왕실의 권위를 높이려고 중건하였다.
㉡ 1895년에 을미사변으로 명성 황후가 시해되었다.
㉢ 1897년에 고종이 러시아 공사관에서 옮겨와 국정을 처리하였다.
㉣ 1946년에 제1차 미·소 공동 위원회가 열렸다.

① ㉠, ㉡ ② ㉠, ㉣
③ ㉡, ㉢ ④ ㉡, ㉣
⑤ ㉢, ㉣

0459

출제영역 특정 궁궐의 이해 정답 ▶ ⑤

정답찾기 제시문은 덕수궁(경운궁) 대한문에 대한 설명이다. 제시문의 『경운궁중건도감의궤』에서 알 수 있다.
㉢ 아관 파천(1896) 1년 만인 1897년 5월에 고종은 러시아 공사관에서 경운궁(지금의 덕수궁)으로 환궁하고 국호를 대한 제국, 연호를 광무라고 고쳤다.
㉣ 1946년 1차 미·소 공동 위원회가 열린 곳은 덕수궁 석조전이다.

선지분석 ㉠ 흥선 대원군은 경복궁을 중건하였다.
㉡ 명성 황후가 시해된 곳은 경복궁 내 건청궁 옥호루이다.

더 알아보기 **덕수궁**
덕수궁은 처음 월산 대군(성종의 형)의 집터였던 것을 임진왜란 이후 선조의 임시 거처로 사용하여 정릉동 행궁으로 불리다가 광해군 때에 경운궁으로 개칭되었다. 이후 1907년 순종에게 양위한 고종이 이곳에 머무르게 되면서 고종의 장수를 빈다는 의미에서 덕수궁(德壽宮)이라 이름을 다시 바꾸었다.
1897년(광무 1) 고종이 러시아 공사관에서 이곳으로 거처를 옮긴 이후부터 중화전을 비롯하여 정관헌, 석조전 등 많은 건물들이 지속적으로 세워졌다. 이곳은 고종의 재위 말년 약 10년간 정치적 혼란의 주 무대가 되었던 장소로, 궁내에 서양식 건물이 여럿 지어진 것이 주목된다.
건물의 배치는 크게 세 구역으로 나누어지는데, 정전과 침전이 있는 구역, 선원전(璿源殿, 역대 임금과 왕비의 초상화를 모시는 곳)이 있는 구역, 서양식 건물인 중명전(重明殿)이 있는 구역이다.

0460

(가)~(라) 자료에 대한 설명으로 옳지 않은 것은?

수능 근현대사 / 2011. 법원직 유사

> (가) 문벌을 폐지하여 인민 평등권을 제정하고, 능력에 따라 인재를 등용할 것
> (나) • 노비 문서는 불태워 버릴 것
> • 토지는 평균하여 분작하게 할 것
> • 관리 채용은 지벌(地閥)을 타파하고 인재를 등용할 것
> (다) • 공·사(公私)노비법을 혁파하고 인신의 매매를 금할 것
> • 문벌과 양반, 상민 등의 계급을 타파하여 귀천에 구애됨이 없이 인재를 뽑아 쓸 것
> (라) 나는 대한의 가장 천한 사람이고 무지몰각합니다. 그러나 충군애국의 뜻은 대강 알고 있습니다.

① (가) – 개화파가 인민 평등권을 제기하였다.
② (나) – 농민군이 신분 차별 철폐를 요구하였다.
③ (다) – 정부가 법적으로 신분 제도를 폐지하였다.
④ (라) – 백정들이 형평 운동을 전개하였다.
⑤ (가), (나) 주장의 일부가 (다)에 반영되었다.

0460

출제영역 특정 개혁안의 이해 정답 ▶ ④

정답찾기 (가) 갑신정변(1884), (나) 동학 농민 운동(1894), (다) 갑오개혁(1894), (라) 관민 공동회(1898) 당시 백정 박성춘의 연설
④ 백정들의 형평 운동은 1923년 사회주의의 영향으로 이루어졌다.

선지분석 ① 갑신정변(1884) 당시 개화당 정부는 14개조의 개혁 정강에서 문벌의 폐지, 인민 평등권의 확립, 지조법의 개정 등을 주장하였다.
② 동학 농민군은 폐정 개혁 12조에서 봉건적 신분제 폐지를 위해 노비 문서 소각, 7종의 천인 차별 개선 및 백정이 쓰는 평량갓 없애기 등을 주장하였다.
③ 갑오개혁(1894) 당시 양반과 평민의 계급을 타파하고, 공·사노비 제도를 폐지하였으며, 인신매매 행위를 금하였다.
⑤ 갑오개혁(1894)에서는 갑신정변과 동학 농민 운동의 영향을 받아 신분제 폐지와 조세 제도의 개혁이 이루어졌다.

0461

다음 각 자료에 해당하는 시대의 지방 제도에 관한 설명으로 옳은 것은? 2021. 계리직

> ㉠ 사람을 죽인 자는 바로 사형에 처하고, 남에게 상해를 입힌 자는 곡물로 배상하게 한다. 남의 물건을 훔친 자는 재산을 몰수하고 그 집의 노비로 삼는다.
> ㉡ 태조께서 나라를 통일한 후에 외관을 두고자 하였으나 … (중략) … 시행할 겨를이 없었습니다. … (중략) … 청컨대 외관을 두소서.
> ㉢ 골품을 따져 사람을 쓰기 때문에 그 족속이 아니면 비록 뛰어난 재주와 큰 공이 있어도 자기 신분의 한계를 넘지 못한다.
> ㉣ 이들은 집합하자마자 우선 독립 만세를 소리 높여 외쳐 … (중략) … 군중의 사기를 높이고 마침내는 경찰 관서를 습격하여 때때로 파괴적 행동에 빠지려 하였다.

① ㉠: 5부를 설치하고 장관으로 욕살을 두었다.
② ㉡: 12목을 설치하고 장관으로 목사를 두었다.
③ ㉢: 8도를 설치하고 장관으로 관찰사를 두었다.
④ ㉣: 23부를 설치하고 장관으로 관찰사를 두었다.

0461

출제영역 〉 역대 지방 행정 제도의 이해 정답 ▶ ②

정답찾기 ㉠ 고조선, ㉡ 고려, ㉢ 신라, ㉣ 3·1 운동(1919) 당시 조선
② 고려 성종 때 지방에 12목을 설치하고 지방관(목사)을 파견하였다.

선지분석 ① 고구려, ③ 조선, ④ 2차 갑오개혁(1894~1895) 시기의 지방 제도이다.

독도 · 간도

0462

(가)와 (나) 사이에 있었던 사실로 옳은 것을 〈보기〉에서 고른 것은? 2018. 기상직 9급

> (가) 제1조 한국 정부는 경성 – 부산 사이에 철도를 부설 사용하는 건 및 경과하는 곳의 강과 내에 다리를 놓는 권리로 일본의 경부 철도 회사 발인에 허가하고 ……
> (나) 제4조 제3국의 침해나 혹은 내란으로 인하여 대한 제국 황실의 안녕과 영토의 보전에 위험이 있을 경우에는 대일본 제국 정부는 속히 정황에 따라 필요한 조치를 취할 수 있다. 그러나 대한 제국 정부는 위 대일본 제국의 행동을 용이하게 하기 위하여 충분한 편의를 제공한다.

보기
㉠ 간도가 함경도의 행정 구역으로 편입되었다.
㉡ 대한 제국 칙령 제41호를 공표하였다.
㉢ 청과 일본이 간도 협약을 체결하였다.
㉣ 일본 태정관이 독도가 자국의 영토가 아니라는 지시를 내렸다.

① ㉠, ㉡ ② ㉡, ㉢
③ ㉢, ㉣ ④ ㉡, ㉣

0462

출제영역 〉 시기별 주요 사건의 이해 정답 ▶ ①

정답찾기 (가) 일제의 경부선 철도 부설권 획득(1898), (나) 한·일 의정서(1904)
㉠ 간도를 함경도로 편입(1902), ㉡ 대한 제국 칙령 제41호 공포(1900)

선지분석 ㉢ 간도 협약 체결(1909)
㉣ 1877년 일본의 최고 권력 기관인 태정관이 내린 지령에서 '일본 내 죽도 외 한 섬을 판도 외로 정한다.'라고 하여 독도를 조선의 영토로 인정하였다.

0463 □□□

우리나라 국경의 변화에 대한 설명으로 옳은 것은? 2012. 계리직

① 신라는 발해와 대립하면서 국경 지대에 대동강에서 원산만까지 천리장성을 쌓았다.
② 고려는 원나라가 탐라총관부를 설치한 이후 공민왕 때까지 제주도를 영토로 지배하지 못하였다.
③ 조선 태종 때에 압록강과 두만강을 경계로 하는 북방 국경선을 확정하였다.
④ 일본은 푸순 광산 채굴권과 안봉선 부설권의 대가로 간도를 청의 영토로 인정하였다.

0463

출제영역 〉 역대 국경선 변화의 이해 정답 ▶ ④

정답찾기 ④ 1909년 청과 일본은 간도 협약을 맺었고, 이때 일본은 청으로부터 푸순 광산 채굴권과 안봉선 철도 부설권을 얻는 대가로 간도를 청에 넘겨주었다.

선지분석 ① 역사적 사실이 아니다. 우리 역사상 천리장성을 두 번 쌓았는데, 7세기 고구려 연개소문이 당에 대항하여 요동 지방(부여성~비사성)에 설치하였고, 고려 때(덕종~정종) 거란의 3차 침입 이후 거란·여진을 방어하고자 압록강에서 도련포까지 천리장성을 쌓았다.
② 탐라총관부는 충렬왕 때 반환되었다.
③ 조선 세종 때의 사실이다.

0464 □□□

다음과 같이 주장한 인물에 대한 설명으로 옳은 것만을 〈보기〉에서 모두 고르면? 2018. 국가직 7급 / 2020. 국가직 7급 유사

> 오호라. 작년 10월에 저들이 한 행위는 만고에 일찍이 없던 일로서, 한 조각의 종이에 강제로 조인하게 하여 5백 년 전해오던 종묘사직이 마침내 하룻밤 사이에 망했으니 … (중략) … 우리 의병 군사의 올바름을 믿고, 적의 강대함을 두려워하지 말자. 이에 격문을 돌리니 다 함께 일어나라.

보기
㉠ 의병을 이끌고 홍주성을 점령하였다.
㉡ 대마도(쓰시마)로 압송된 후 순국하였다.
㉢ 왜양일체론을 주장하며 개항에 반대하였다.
㉣ 13도 창의군을 이끌고 서울 진공 작전을 지휘하였다.

① ㉠, ㉡ ② ㉠, ㉣
③ ㉡, ㉢ ④ ㉢, ㉣

0464

출제영역 〉 특정 의병장의 활동 이해 정답 ▶ ③

정답찾기 제시문은 을사조약(1905)을 계기로 을사의병을 일으킨 최익현의 격문이다.
㉡ 최익현은 을사의병을 일으킨 이후에 일본군에 의하여 대마도(쓰시마) 섬에 끌려가서 일본인이 주는 음식을 거절하다가 순절하였다.
㉢ 1876년 강화도 조약 당시 최익현은 왜양일체론에 의한 개항 불가론을 주장하며 개항 반대 운동을 전개하였다.

선지분석 ㉠ 을사조약이 발표된 직후에 충청도 홍주성(홍성)에서 의병을 일으킨 인물은 민종식이다.
㉣ 이인영과 허위에 대한 설명이다. 정미의병 당시 전국의 의병 부대가 서울 진공을 위한 연합 전선을 형성하여 서울 근교까지 진격하였으나, 일본군의 반격이 심하여 더 이상 전진하지 못하고 후퇴하였다(1908. 1.).

항일 의병 운동

0465

다음 (가), (나)와 관련하여 나타난 사건에 대한 설명으로 옳지 않은 것은?

2012. 지방직 7급

> (가) 시위대 참령 ○○○이 … (중략) … "내가 몇 해 동안 군사를 거느리고 있었는데, 갑자기 해산을 당하고 말았으니 차마 내 병정들을 대할 면목이 없다."라고 말하고 차고 있던 군도를 빼어 스스로 목을 찔러 죽으니 병정들이 분기를 이기지 못하였다고 한다.
> (나) 용병(用兵)의 요체는 고립을 피하고 일치단결하는 데 있다. 각 도의 군사를 통일하여 둑이 무너질 듯 근기(近畿) 지방으로 밀려들어가면 온 천하를 우리 보물로 하기는 불가능하더라도 한국 문제를 해결하는 데 유리하게 될 것이다.

① (가) – 의병과 연계하여 일본군과 접전을 벌였다.
② (나) – 13도 창의대진소가 설치되고 이인영을 창의대장으로 뽑았다.
③ (가) – 고종이 퇴위하고 정미조약이 강요되는 계기가 되었다.
④ (나) – 허위가 이끄는 선발 부대는 동대문 인근까지 진출하였다.

0465

출제영역 항일 의병 운동의 이해 정답 ▶ ③

정답찾기 (가) 시위대 해산 과정(1907), (나) 서울 진공 작전(1908)
③ 헤이그 특사 파견으로 인한 1907년 고종의 강제 퇴위와 한·일 신협약(정미 7조약)을 통한 군대 해산을 계기로 정미의병이 발생하였다.

0466

〈보기〉의 '그'에 대한 설명으로 가장 옳지 않은 것은?

2018. 서울시 기술직 9급

> 보기
> 그는 평안도 양덕 사람으로 (중략) 체격이 장대하고 지기가 왕성하였는데, 비록 글은 배우지 못하였으나 천성적인 의협심이 있어, 남을 돕는 일을 급무로 삼은 연유로 사람들이 많이 따랐다. 1907년 겨울에 차도선, 송상봉, 허근 등이 여러 사람들과 의병을 일으켜 (중략) 전투를 벌였다.

① 산포수들을 모아 의병을 구성하였다.
② 주요 활동지는 함경도 삼수, 갑산 등지였다.
③ 1920년 청산리 전투에서 일본군을 격파하였다.
④ 13도 창의군을 결성하고 서울 진공 작전을 개시하였다.

0466

출제영역 특정 의병장의 활동 이해 정답 ▶ ④

정답찾기 밑줄 친 '그'는 홍범도이다.
④ 13도 창의군은 이인영과 허위가 주도하였다.

선지분석 ①② 정미의병(1907) 당시 홍범도, 차도선 등이 삼수와 갑산 등지에서 산포수와 광산 노동자들을 규합하여 강력한 의병진을 구성하였다.
③ 청산리 대첩(1920. 10.)에서 김좌진의 북로 군정서군, 홍범도의 대한 독립군, 안무의 국민회 독립군 등 독립군 연합 부대는 일본군의 대부대를 맞아, 6일간 10여 차례의 전투에서 일본군 1,200여 명을 사살하고 2천여 명을 부상시키는 전과를 거두었다.

0467 □□□

다음 글을 남긴 인물에 대한 설명으로 옳지 않은 것은?

제6회 한국사능력검정시험 고급

> 오늘날, 서양 세력이 동양으로 점차 밀려오는 환난을 동양 인종이 일치단결해서 온 힘을 다하여 방어해야 하는 것이 제일 상책임은 어린아이일지라도 익히 아는 바이다. 그런데 무슨 까닭으로 일본은 이러한 순리의 형세를 돌아보지 않고 같은 인종인 이웃 나라를 약탈하고 우의를 끊어, 스스로 도요새가 조개를 쪼려다 부리를 물리는 형세를 만들어 어부에게 둘 다 잡히기를 기다리는 듯하는가?

① 천주교 신부에게 서구의 지식을 배웠다.
② 침략의 원흉인 이토 히로부미를 사살하였다.
③ 국채 보상 운동에 참여하여 관서 지부를 조직하였다.
④ 13도 창의군을 결성하여 서울 진공 작전을 전개하였다.
⑤ 돈의 학교와 삼흥 학교를 세워 구국 영재 양성에 힘썼다.

애국 계몽 운동

0468 □□□

다음의 내용과 관련된 단체에 대한 설명으로 옳지 않은 것은?

2016. 서울시 7급

> 1. 국민에게 민족의식과 독립사상 고취
> 2. 동지를 발견하고 단합하여 국민운동 역량 축적
> 3. 상공업 기관 건설로 국민의 부력(富力) 증진
> 4. 교육 기관 설립으로 청소년 교육 진흥

① 평양에 대성 학교, 정주에 오산 학교를 설립하였다.
② 평양 근교에 자기(磁器) 회사를 설립, 운영하기도 하였다.
③ 평양과 대구에 태극 서관을 설립하여 출판 사업을 벌였다.
④ 통감부가 설치된 직후에 정치 집회가 금지되면서 해산당했다.

0469 □□□

다음 (가), (나)와 관련된 단체에 대한 설명으로 옳은 것을 〈보기〉에서 모두 고르면?

수능 근현대사

> (가) 우리 백성 가운데 독립이란 말의 진정한 취지를 이해하는 사람은 거의 없다. 수많은 무지한 백성들이 그 취지를 알 수 있게 하려면, 협회를 창시하여 날마다 독립이란 글자로써 무수히 광고하고 널리 깨우치게 하는 방법밖에 없다.
> (나) 이들은 조선 본토에서 재력 있는 사람들을 남만주로 집단 이주시켜 토지를 사들이고 촌락을 세워 새 영토로 삼았다. …… 무관 학교를 설립하여 문무를 겸하는 교육을 실시하면서 기회를 엿보아 독립 전쟁을 일으키려고 하였다.

보기
㉠ (가)는 근대적 개혁을 위한 민중 계몽을 강조하였다.
㉡ (나)는 실력 양성과 무장 투쟁을 병행하는 전략을 수립하였다.
㉢ (가)는 (나)로부터 영향을 받아 조직되었다.
㉣ (가)와 (나)는 모두 입헌 군주제를 지향하였다.

① ㉠, ㉡　② ㉠, ㉢
③ ㉡, ㉢　④ ㉡, ㉣
⑤ ㉢, ㉣

0467

출제영역 〉 특정 의병장의 활동 이해　정답 ▶ ④

정답찾기 ▶ 제시문은 안중근의 『동양평화론』 서문이다.
④ 서울 진공 작전은 1908년 이인영, 허위 등에 의해 전개되었다.

Tip 『기본편』 611번 〈더 알아보기〉 안중근(1879~1910) 참조

0468

출제영역 〉 애국 계몽 단체의 이해　정답 ▶ ④

정답찾기 ▶ 제시문은 신민회(1907)의 활동 목표에 해당하는 4대 강령이다.
④ 신민회는 1910년 총독부 설치 이후 105인 사건(1911)으로 해산당했다.

0469

출제영역 〉 애국 계몽 단체의 이해　정답 ▶ ①

정답찾기 ▶ (가)는 독립 협회(1896)의 초대 회장 안경수의 말이고, (나)는 신민회(1907)의 독립운동 기지 건설과 신흥 무관 학교 설립에 대한 내용이다.
㉠ 독립 협회, ㉡ 신민회의 활동이다.

선지분석 ▶ ㉢ 독립 협회는 신민회 등 애국 계몽 운동에 영향을 주었다.
㉣ 독립 협회는 입헌 군주제와 함께 의회제를, 신민회는 공화 정체의 국민 국가를 지향하였다.

PLUS⁺ 선지 OX 근대 사회 발전기의 정치

01 동도서기론을 주장한 온건 개화파는 우등한 사회가 열등한 사회를 지배하는 것이 당연하다고 보았다. 2020. 국가직 9급 O X

02 갑신정변 이후 열강의 대립이 심해지자 조선은 미국에 공사관을 설치하여 자주적 외교를 꾀하였다. 수능 O X

03 동학 농민군의 잔여 세력은 활빈당, 영학당, 남학당 등을 조직해 항일 투쟁을 계속하였다. 2020. 경찰 2차 O X

04 일본의 경복궁 점령 이후 수립된 내각은 궁내부를 신설하고 왕실과 정부 사무를 분리할 것을 내세웠다. 수능 O X

05 2차 갑오개혁 당시 설립된 소학교는 근대적 교육 제도에 따라 설립된 관립 학교로 산수와 국제법 등 근대 학문과 무술을 가르쳤다. 수능 O X

06 대한 제국 시기에 대한 협회는 일제가 헤이그 특사 파견을 구실로 고종의 양위를 강요하자 반대 운동을 주도하였다. 2008. 지방직 7급 O X

07 대한 제국 시기 황무지 개간 요구 반대 투쟁을 벌인 보안회는 협동회로 발전하였다. 2008. 지방직 7급 O X

08 '대한국과 대청국은 영원히 우호를 다지며 양국 상인과 인민이 거류하는 경우 모두 온전히 보호와 우대의 이익을 얻는다.'는 내용이 포함된 조약이 체결되었던 당시에는 광무 연호가 사용되었다. 2021. 경찰 2차 O X

09 서울 진공 작전은 승전에도 불구하고 총대장 이인영의 부친상으로 인해 무위로 돌아갔다. 2017. 경찰간부 O X

10 우리나라의 역대 의병 운동 중 병자호란 때에는 정봉수, 이립 등이 의병을 일으켜 후금군에게 타격을 주었다. 2020. 국가직 7급 O X

PLUS⁺ 선지 OX 해설 근대 사회 발전기의 정치

01 ☒ 온건 개화파는 중체서용을 바탕으로 한 청의 양무운동(전제 군주제)을 모델로 하여, 서구 기술을 도입하고 근대 산업을 육성하려 하였다. 우등한 사회가 열등한 사회를 지배하는 것이 당연하다고 본 것은 사회진화론에 대한 설명이다.

02 ⊡ 갑신정변(1884) 이후에 청의 내정 간섭과 영국(거문도 사건)과 러시아의 한반도 개입 등으로 열강의 대립이 심해지자, 고종은 자주 외교의 일환으로 미국에 공사관을 설치하고 박정양을 주미 공사로 파견하였다(1887).

03 ⊡ 동학 농민 운동 이후에 남아 있던 농민군은 1895~1896년 의병 운동에 가담하였고, 1899년부터는 활빈당, 영학당, 남학당, 북대, 남대 등의 이름으로 활약하였다.

04 ⊡ 1차 갑오개혁(1894)에 대한 내용이다. 1차 갑오개혁 당시 왕실 사무(궁내부)와 정부 사무(의정부)를 분리하고 종래의 6조를 8아문으로 개편하여 의정부의 직속으로 하였다.

05 ☒ 1895년 2월에 반포된 교육 입국 조서에 따라 소학교가 설립되었다. 그러나 산수와 국제법 등 근대 학문과 무술을 가르친 것은 최초의 근대식 학교인 원산 학사(1883)이다.

06 ☒ 대한 협회가 아니라 대한 자강회(1906~1907)가 고종의 양위 반대 운동을 주도하였다.

07 ⊡ 보안회는 을사조약(1905) 이후 이상설을 회장으로 하는 대한 협동회로 이름을 바꾸어 구국 항쟁을 펴고자 하였으나 일제의 탄압으로 해산당하였다.
cf 대한 제국(1897~1910)

08 ⊡ 한·청 통상 조약(1899)의 내용으로, 이 조약은 대한 제국 시기에 체결되었다. 1897년 고종이 국호를 대한, 연호를 광무라 하고 환(원)구단에서 황제 즉위식을 거행하였다.

09 ☒ 서울 진공 작전은 일본군의 반격으로 실패하게 되었다. 서울 진공 작전 거사 전 이인영은 부친상으로 인해 고향으로 돌아갔으나, 이로 인해 서울 진공 작전이 무위로 돌아간 것은 아니다.

10 ☒ 정봉수, 이립 등이 의병을 조직하여 후금군에 대항한 것은 정묘호란(1627, 인조 5년) 때이다.

PART 06

CHAPTER

03 근대 사회 발전기의 경제

최근 5년간 국가직·지방직 출제 비율

국가직 9급

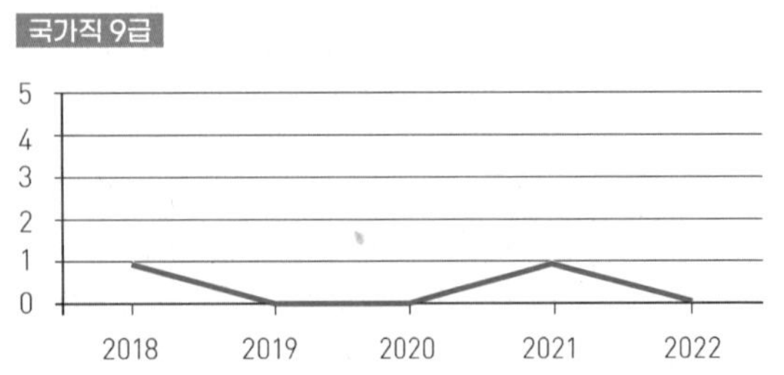

지방직 9급

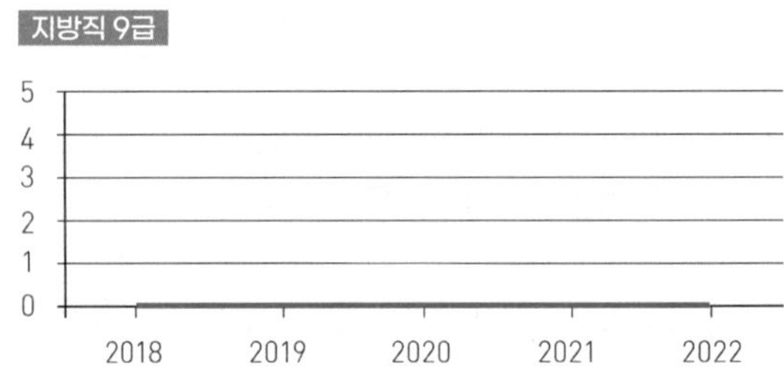

- 최근 5년간 지방직에서는 단 한 문제도 출제되지 않았다.
- 정치사와 통합된 형태의 고난도 문제가 출제된다.

주요 고난도 문제 키워드

#열강의 경제 침탈 #국채 보상 운동 시기 #화폐 정리 사업

고난도 이론 정리 선우쌤 PICK

제국주의 열강의 경제 침탈	
러시아	경원 · 종성 · 경성의 [1] 채굴권, 울릉도 · 압록강 · 두만강 유역의 [2] 채벌권(1896)
[3]	경인 철도 부설권(1896) ⇨ [4] 에 양도, [5] 금광 채굴권(1896), 서울 전기 · 수도 시설권(1896), 서울 전차 부설권(1898)
[6]	경의 철도 부설권(1896) ⇨ 일본에 양도
독일	강원도 당현 금광 채굴권(1897)
[7]	평안도 은산 금광 채굴권(1900)
일본	[8] 철도 부설권(1897, 미국으로부터 인수), 경부 철도 부설권(1898), 충남 직산 금광 채굴권(1900), [9] 철도 부설권(1904, 프랑스 ⇨ 재정 부족으로 대한 철도 회사 환수 ⇨ 러 · 일 전쟁 중 일본에 양도)
금융 지배	재정 고문 [10] 의 화폐 정리 사업(1905) : 일본 제일 은행권이 법정 통화로 채택, [11] 본위제 ⇨ 기존 화폐 교환이 제대로 안됨, 한국 상공업자의 몰락
차관 제공	• 청 · 일 전쟁 이후 : 일본은 조세 징수권과 해관세 수입을 담보 • [12] 이후 : 화폐 정리 사업, 시설 개간의 명목 • 목적 : 대한 제국을 재정적으로 일본에 예속시키기 위함.

정답 1. 광산 2. 산림 3. 미국 4. 일본 5. 운산 6. 프랑스 7. 영국 8. 경인 9. 경의 10. 메가타 11. 금 12. 러 · 일 전쟁

외세의 경제적 침략

0470

다음 조약에 대한 설명으로 옳은 것을 〈보기〉에서 모두 고른 것은?

2013. 국가직 7급

- 조선국은 부산 등 개항장에 일본인이 와서 통상을 하도록 허가한다. … (중략) … 조선국 연해의 도서와 암초를 조사하지 않아 매우 위험하니 일본국 항해자가 자유로이 해안을 측량하도록 허가한다. ○○○○ 조규
- 일본국 인민은 본국에서 현행되는 화폐들로 조선국 인민이 소유하고 있는 물자와 교환할 수 있다. ○○○○ 조규 부록

보기

㉠ 청을 의식하여 조선을 자주국으로 인정하였다.
㉡ 개항장 밖 10리까지 외국인의 왕래를 허가하였다.
㉢ 부산, 인천, 원산에 이어 군산, 마산까지 개항하기로 하였다.
㉣ 초량에 전관거류지를 설치하고 수출입 물품에 5% 관세를 부과하였다.

① ㉠, ㉡ ② ㉠, ㉣
③ ㉡, ㉢ ④ ㉢, ㉣

0471

다음 글의 (가)~(라)에 들어갈 국가에 대하여 옳게 설명한 것을 〈보기〉에서 고른 것은?

제5회 한국사능력검정시험 고급

제2차 수신사 김홍집이 『조선책략』을 가지고 왔습니다. …… (가)는(은) 우리가 신하로서 섬기는 바인데, 이제 무엇을 더 친할 것이 있겠습니까? (나)는(은) 우리에게 매여 있던 나라입니다. 그들이 우리의 허술함을 알고 함부로 쳐들어오면 장차 이를 어떻게 막겠습니까? (다)는(은) 우리가 본래 모르던 나라인데, 공연히 타인의 권유로 불러들였다가 어려운 청을 하거나 하면 장차 이에 어떻게 응할 것입니까? (라)는(은) 본래 우리와 혐의가 없는 나라입니다. 공연히 남의 말만 듣고 틈이 생기게 된다면 우리의 위신이 손상될 뿐 아니라, 이를 구실로 침략해 온다면 장차 이를 어떻게 막을 것입니까?

보기

㉠ (가) – 조선 주재 부영사가 한반도 중립화론을 건의하였다.
㉡ (나) – 경인선 부설권과 강원도 당현 금광 채굴권을 얻었다.
㉢ (다) – 운산 금광 채굴권을 차지하였다.
㉣ (라) – 절영도를 조차하려고 시도하였다.

① ㉠, ㉡ ② ㉠, ㉢
③ ㉡, ㉢ ④ ㉡, ㉣
⑤ ㉢, ㉣

0470

출제영역 외세와의 불평등 경제 조약 이해 정답 ▶ ①

정답찾기 첫 번째 제시문은 조・일 수호 조규(강화도 조약, 1876. 2.)이고, 두 번째 제시문은 조・일 수호 조규 부록(1876. 8.)이다.
㉠ 강화도 조약 1관 내용이다.
㉡ 강화도 조약의 부록(조・일 수호 조규 부록) 내용이다.

선지분석 ㉢ 부산에 이어 원산(1880), 인천(1883)을 개항하기로 하였다. 군산과 마산은 대한 제국 시기인 1899년에 개항되었다.
㉣ 협정 관세는 1883년 개정 조・일 통상 장정에 포함되었다.

0471

출제영역 외세의 경제 침탈 이해 정답 ▶ ⑤

정답찾기 제시문은 이만손의 영남 만인소(1881)로, 남하하는 러시아를 견제하기 위해 친중・결일・연미해야 한다는 황쭌셴의 『조선책략』 유포에 반대하여 유생들이 올린 상소문이다. (가) 청, (나) 일본, (다) 미국, (라) 러시아이다.
㉢ (다) – 미국, ㉣ (라) – 러시아

선지분석 ㉠ 부들러는 독일 부영사이다.
㉡ 경인선 부설권 – 미국 ⇨ 일본, 강원도 당현 금광 채굴권 – 독일

0472 □□□

다음은 근대의 화폐 변천을 정리한 것이다. 밑줄 친 ㉠~㉢에 대한 설명으로 옳지 않은 것은?

수능 근현대사

> ㉠ 당백전은 왕실의 위엄을 회복하려는 목적으로 시행된 각종 사업을 위하여 발행되었다. 주전소에서 발행한 당오전은 일본에 대한 배상금 등을 충당하기 위해 임시방편으로 사용되기도 하였으나 곧 발행이 중단되었다. ㉡ 전환국에서 발행한 백동화는 정부가 재정난 해소를 위해 남발하여 악전(惡錢)* 으로 전락하였다. 이후 ㉢ 화폐 정리 사업을 통해 백동화는 사라졌고 조선인 상인들이 피해를 입었다.
>
> *악전: 가치가 현저히 떨어져 문제를 일으킨 화폐를 뜻함.

① ㉠의 남발로 물가가 급등하였다.
② ㉠은 경복궁 중건 비용으로 충당되었다.
③ ㉡은 갑오개혁의 일환으로 설치되었다.
④ ㉢은 일본인 재정 고문이 주도하였다.
⑤ ㉢으로 제일 은행권이 본위 화폐가 되었다.

0472

출제영역 〉 일본의 화폐 정리 사업 이해 정답 ▶ ③

정답찾기 ③ 전환국은 1883년(고종 20)에 설치된 상설 조폐 기관이다.

더⊕알아보기 〉 **헷갈리는 개화기의 화폐 개혁**

전환국 설치 (1883)	은화를 본위화로, 동화를 보조화로 채택한 화폐 제도 시도
(1차) 신식 화폐 조례 발표 (1892)	5냥 은화, 1냥 은화, 2전 5푼 백동화, 5푼 적동화, 1푼 황동화를 발행 ⇨ 실패
(2차) 신식 화폐 발행 장정 발표(1894)	일본의 화폐 제도를 본떠 은 본위제를 채택 ⇨ 백동화 인플레이션 발생, 실패
(3차) 신식 화폐 조례 발표 (칙령 4호, 1901)	금 본위제 채택 ⇨ 미실시
(4차) 메가타의 화폐 개혁 (1905)	1901년의 금 본위제 개정 화폐 조례 답습

더⊕알아보기 〉 **조선 말기, 대한 제국기의 화폐 정책**

1894년 갑오개혁 추진 과정에서 상평통보의 발행을 중단시키고 신식 화폐 발행 장정을 공포, 우리 역사상 최초로 근대 은 본위 제도를 실시하였다. 이로써 본위 화폐로 5냥 은화, 보조 화폐로 1냥 은화, 2전(錢) 5푼(分) 백동화, 5푼 적동화, 1푼 황동화 등 모두 5종류의 근대 화폐를 주조하여 기존에 통용되고 있던 다른 화폐와 병용하였다. 그러나 신식 화폐 발행 장정에는 일본 화폐의 국내 통용이 규정되었기 때문에 국가 화폐권의 독립성이 훼손되었다. 또한, 은 본위 제도가 실시된 후 본위 은화는 극소량이 주조되고, 보조 백동화만 남발되어 화폐 제도의 문란과 제반 사회의 경제적 혼란이 일어났다.

0473 □□□

통감부 지배 시기에 시행된 정책으로 옳지 않은 것은?

2020. 국가직 7급

① 백동화 및 엽전을 신화폐로 교환하는 화폐 정리 사업을 개시하였다.
② 내장원이 가졌던 홍삼 전매와 역둔토 수입을 국고로 귀속시켰다.
③ 일본 농민의 이주와 토지 수탈을 지원하고자 동양 척식 주식회사를 설립하였다.
④ 「토지가옥증명규칙」을 제정하여 매매·저당 등의 법적 기초를 마련하였다.

0473

출제영역 〉 일본의 화폐 정리 사업 이해 정답 ▶ ①

정답찾기 통감부(1906)는 제2차 한·일 협약[을사조(늑)약, 1905]의 결과 설치되어, 1910년 한·일 병합 조약(경술국치) 이후 총독부가 설치될 때까지 존속하였다.

① 메가타의 화폐 정리 사업(1905)

선지분석 ② 1907년 한·일 신협약(정미 7조약) 체결 이후 통감부는 황실이 관리하던 궁장토(宮庄土), 역둔토 및 광산·홍삼 전매권 등을 정부로 이관하였다.

③ 동양 척식 주식회사 건립(1908), ④ 토지가옥증명규칙 제정(1906)

0474 □□□

밑줄 친 '철도'에 대한 설명으로 옳지 않은 것은? 2020. 국가직 7급

> 그 종점이 되는 초량 등은 혹시 그럴 수도 있으므로 괴이할 것이 없으나 중간 장시나 향촌의 참(站)에는 화물이 풍부하지 않고 탑승객이 많지 않은데 어찌 그 부지로 20만 평이나 쓰는가. 이는 일본인의 식민 계략이니, … (중략) … 또한 본 철도 선로가 완성되면 물산 제조와 정치상 사업이 진보하여 얼마간 확장되는 면이 있겠으나 일본의 식민 욕심은 이 때문에 더욱 절실해질 것이다.
>
> 『황성신문』, 1901년 10월 7일

① 군용 철도 명목으로 개통되었다.
② 부설을 위하여 한성 전기 회사가 설립되었다.
③ 부설 과정에서 한국인의 토지와 가옥이 강압적으로 수용되었다.
④ 일본은 부설에 따른 각종 이권을 획득하고자 군사적 위협을 가하였다.

0474

출제영역 외세의 경제 침탈 이해 정답 ▶ ②

정답찾기 밑줄 친 '철도'는 경부선이다. 경부선은 러・일 전쟁 중에 일본의 군사적 목적에 의해 개통되었다(1905).
② 1899년 서대문과 청량리 간에 개통된 전차에 대한 설명이다.

0475 □□□

〈보기〉의 (가), (나)와 관련된 설명으로 옳지 않은 것은?

2019. 서울시 7급 1차

> 보기
> (가) 메가타 다네타로(目賀田 種太郎), 스티븐스(Stevens)
> (나) 경인 철도, 경부 철도, 경의 철도

① (가)는 대한 제국 정부에 고용된 관료였으나, 일본의 이익을 위해 활동했다.
② (나)의 3개의 철도 모두 최종적으로 일본이 건설했다.
③ (가)는 '을사조약' 체결 이후 각각 대한 제국의 재정과 외교를 감독했다.
④ (나)의 철도 건설에 토지・노동력을 강제 징발당한 한국인의 분노와 저항이 일어났다.

0475

출제영역 외세의 경제 침탈 이해 정답 ▶ ③

정답찾기 ③ 일본인 메가타와 미국인 스티븐스를 고문으로 임명한 것은 제1차 한・일 협약(1904. 8.) 체결 이후이다.

우리의 경제적 저항

0476 □□□

다음은 대한 제국 시기에 설립된 어느 회사에 관한 내용이다. 밑줄 친 '이 회사'에 대한 설명으로 옳은 것은? 2018. 국가직 9급

> • 이 회사의 고금(股金, 주권)은 액면 50원씩이고, 총 1천만 원을 발행하고, 주당 불입금은 5년간 총 10회 5원씩 나눠서 낸다.
> • 이 회사는 국내 진황지 개간, 관개 사무와 산림천택(山林川澤), 식양채벌(殖養採伐) 등의 사무 이외에 금·은·동·철·석유 등의 각종 채굴 사무에 종사한다.

① 종로의 백목전 상인이 주도가 된 직조 회사였다.
② 역둔토나 국유 미간지를 약탈하려는 국책 회사였다.
③ 황무지 개간권 요구에 대응하여 설립된 특허 회사였다.
④ 외국 상인과의 상권 경쟁을 위해 시전 상인이 만든 척식 회사였다.

0476

출제영역 〉 우리의 경제적 저항 이해 정답 ▶ ③

정답찾기 밑줄 친 '이 회사'는 농광 회사(1904)이다.
③ 농광 회사는 일본의 황무지 개간 요구에 대응해서 설립된 근대적 농업 회사이다.

선지분석 ① 종로 직조사(1900), ② 동양 척식 주식회사(1908), ④ 황국 중앙 총상회(1898)에 대한 설명이다.

0477 □□□

다음 자료의 사건보다 늦게 일어난 사실만을 〈보기〉에서 모두 고른 것은? 2014. 지방직 7급 / 2016. 계리직 · 2016. 사회복지직 9급 · 2014. 경찰간부 유사

> 국채 1,300만 원은 우리 대한의 존망에 관계가 있는 것이다. 갚아 버리면 나라가 존재하고 갚지 못하면 나라가 망하는 것은 대세가 반드시 그렇게 이르는 것이다. 현재 국고에서는 이 국채를 갚아 버리기 어려운즉, 장차 삼천리강토는 우리나라와 백성의 것이 아닌 것으로 될 위험이 있다. 토지를 한번 잃어버리면 다시 회복하기 어려운 것이다.

보기
㉠ 일본의 경원선 부설권 강탈
㉡ 토지 조사령 반포
㉢ 을사조약 체결
㉣ 산미 증식 계획 시행

① ㉠, ㉡ ② ㉠, ㉢
③ ㉡, ㉢ ④ ㉡, ㉣

0477

출제영역 〉 우리의 경제적 저항 이해 정답 ▶ ④

정답찾기 제시문은 국채 보상 운동(1907)의 취지문이다.
㉡ 토지 조사령 반포(1912), ㉣ 산미 증식 계획 시행(1920~1935)

선지분석 ㉠ 일본의 경원선 부설권 강탈(1904), ㉢ 을사조약 체결(1905)

PLUS⁺ 선지 OX 근대 사회 발전기의 경제

01 개항 초기 일본 상인들은 개항장에서 일본 화폐를 유통시킬 수 있었다. 2017. 경찰간부 ○ ×

02 1883년 체결된 조·일 통상 장정에서 방곡(防穀)을 금지하였다. 2009. 국가직 7급 ○ ×

03 강화도 조약과 조·청 상민 수륙 무역 장정의 체결로 개항장 객주가 몰락하게 되었다. 수능 ○ ×

04 개항 이후 국내 상인들은 정부에 대한 조달권을 독점하여 그것을 바탕으로 근대적 상인으로 변모할 수 있었다. 2005. 입법고시 ○ ×

05 '일본인은 일본 화폐로 조선국 인민이 가진 물건과 교환할 수 있고, 조선인은 일본국 화폐를 가지고 일본에서 생산된 물건을 살 수 있다.'는 내용이 담긴 조약에서 일본인의 개항장 밖 출입 제한 규정을 없앴다. 수능 ○ ×

06 일본은 러·일 전쟁을 계기로 철도 부지와 군용지를 확보한다는 구실을 앞세워 대규모의 토지를 강탈하였다. 2017. 경찰간부 ○ ×

07 철도는 광무개혁 때 경인선이, 러·일 전쟁 때 경부선이, 간도 협약으로 경의선이 모두 일본에 의해 개통되었다. 2021. 계리직 ○ ×

08 경의선의 부설권을 획득했던 프랑스는 러·일 전쟁 중 일본에 권리를 양도하였다. 한능검 ○ ×

09 일본인 재정 고문에 의해 화폐 정리 사업이 추진되고, 일본 제일 조선 은행이 중앙 은행 역할을 담당하게 되자, 이에 대항하기 위해 고종의 적극적인 지원하에 대한 천일 은행이 설립되었다. 2018. 서울시 7급 ○ ×

10 화폐 정리 사업의 결과 한국인의 화폐 자산이 줄어들면서 국내 물가가 폭등하였다. 수능 ○ ×

PLUS⁺ 선지 OX 해설 근대 사회 발전기의 경제

01 ○ 1876년 체결된 조·일 수호 조규 부록에서 부산·원산·인천의 개항장에서 일본 화폐 사용을 허용하였다.

02 × 개정 조·일 통상 장정(1883)에서는 방곡령, 즉 방곡(防穀)을 허락하는 조항(쌀 수출 금지를 허락하는 조항)이 들어갔다.

03 × 개항장 객주의 몰락은 조·청 상민 수륙 무역 장정(1882)으로 거류지 무역이 깨지면서부터이다. 강화도 조약의 부속 조약인 조·일 수호 조규 부록(1876)에서 개항장 10리 이내 외국 상인의 무역을 허용하면서 객주·여각을 매개로 거류지 무역이 이루어지게 되었다.

04 × 개항 이후 일본 상인들의 증기선에 밀려 조선 상인들은 세곡 운반 등 정부 조달권을 상실하게 되었다. 타격을 입은 경강 상인들은 증기선을 구입해 일본 상인에 대항하려 하였으나 실패하였다.

05 × 개항장에서 일본 화폐 사용을 허락한 것은 조·일 수호 조규 부록(1876)이다. 조·일 수호 조규 부록에서는 개항장 10리 이내로 활동을 제한하였다.

06 ○ 일본인에 의한 대규모의 토지 약탈은 러·일 전쟁을 계기로 본격화되어, 철도 부지와 군용지의 확보를 구실로 토지 약탈을 자행하였다.

07 × 광무개혁(1897~1910) 때 경인선 개통(1899), 러·일 전쟁(1904~1905) 때 경부선 개통(1905)은 맞으나, 간도 협약은 1909년에 체결되었고, 경의선은 1906년에 개통되었다.

08 × 프랑스가 획득했던 경의선 부설권은 재정 부족으로 대한 철도 회사에 환수되었다가 러·일 전쟁 중에 일본에 양도되었다.

09 × 개항 직후 일본의 금융 기관이 침투하고 일본 상인들의 고리 대금업이 성행함에 따라 우리 자본으로 은행들을 설립하기 시작했는데, 그 중 하나가 1899년에 설립된 대한 천일 은행이다. 일본 재정 고문 메가타의 화폐 정리 사업은 1905년에 실시되었다.

10 × 화폐 정리 사업으로 기존의 화폐인 백동화의 가치를 제대로 인정해 주지 않아 국내 상인들이 몰락하게 되었으나, 물가가 폭등하지는 않았다.

PART 06

CHAPTER

근대 사회 발전기의 사회

최근 5년간 국가직·지방직 출제 비율

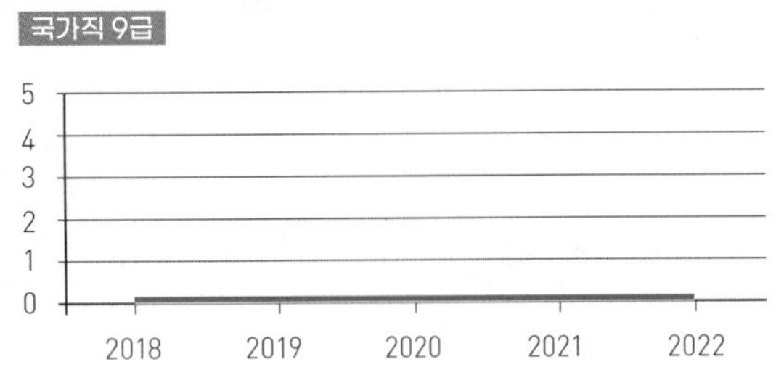

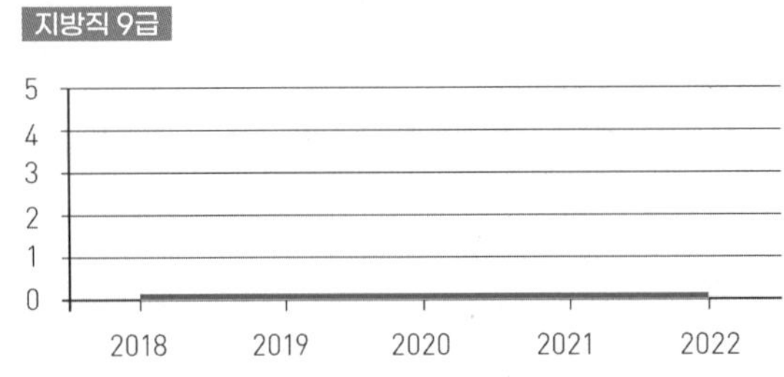

- 최근 5년간 국가직과 지방직에서 단 한 문제도 출제되지 않았다.
- 가끔씩 전(全) 시대를 통합한 형태의 고난도 문제가 출제되었다.

주요 고난도 문제 키워드

#시대별 신분 제도 #개화기 경제 사건

고난도 이론 정리 선우쌤 PICK

<table>
<tr><th colspan="3">신분 제도와 관련된 주요 개혁안</th></tr>
<tr><td>[1] ______
(1884)</td><td colspan="2">문벌을 폐지하여 인민 평등의 권리를 세워, 능력에 따라 관리를 임명한다.</td></tr>
<tr><td>동학 농민 운동
(1894)</td><td>• [2] ______ 문서를 소각한다
• 7종의 천인 차별을 개선하고, [3] ______ 이 쓰는 평량갓은 없앤다.
• 청상과부의 개가를 허용한다.</td><td rowspan="2">〈백정의 시대별 변화〉
1. 고려 : 직역이 없는 일반 농민
2. 조선 : 도살업자(천민)
3. 동학 농민 운동(1894) : 백정의 차별 폐지 주장
4. 갑오개혁(1894) : 백정 및 모든 신분제 폐지
5. [5] ______(1898) : 백정 박성춘의 연설 ⇨ 민권 의식 성장
6. 형평 운동(1923) : 사회주의 이념 영향, 백정 이학찬이 진주에서 조선 형평사 조직, 백정 차별 철폐 및 민족 해방 주장</td></tr>
<tr><td>[4] ______
(1894)</td><td>• 공사 노비법 타파
• 연좌법 폐지
• 조혼 금지
• 과부 재가 허용
• 문벌을 가리지 않고 인재 등용의 길을 넓힌다.</td></tr>
<tr><td>독립 협회
(1896~1898)</td><td colspan="2">• 국민의 기본권 확보 운동
• 국민 참정 운동 전개</td></tr>
</table>

정답 1. 갑신정변 2. 노비 3. 백정 4. 갑오개혁 5. 관민 공동회

사회적 변화

0478

다음 중 각 시대의 신분 제도와 관련된 설명으로 옳은 것을 모두 고르면? 2008. 선관위 9급

㉠ 신라 서원경 일대의 촌락 문서에 의하면 전 주민 중 노비의 비율은 10%도 되지 않았다.
㉡ 고려 시대의 백정(白丁)은 천민(賤民)이었다.
㉢ 조선 초에 외거 노비가 주인에게서 받아 경작하는 토지 중 수확물을 자신이 갖는 것을 작개지(作介地)라 하였다.
㉣ 1801년에는 내수사 노비를 비롯한 관노비를 해방함으로써 관노비 제도가 혁파되었다.

① ㉠　② ㉠, ㉢
③ ㉡, ㉢　④ ㉡, ㉢, ㉣

0479

다음은 조선 후기 이후의 사회적·민족적 모순을 설명한 글이다. 이와 관련된 설명으로 옳은 것은? 2008. 지방직 7급

조선 후기의 사회 모순은 두 가지 대립이 기본이 되고 있다. 하나는 ㉠ 토지와 지대를 중심으로 한 지주와 소작인의 대립이고, 다른 하나는 ㉡ 조세 수취를 중심으로 하여 국가와 농민층이 대립하는 문제였다. 여기에 더하여 ㉢ 개항 이후에는 열강의 경제적 침투에 따른 민족적 모순이 겹쳐지게 되었다.

① 임오군란은 ㉡으로 인해 야기된 사건이다.
② 홍경래의 난은 ㉢으로 인해 일어났다.
③ ㉠과 ㉡으로 인해 일어난 사건이 임술 농민 봉기이다.
④ 광무개혁으로 ㉡과 ㉢이 해결되었다.

0478

출제영역 〉 역대 신분 제도의 이해　정답 ▶ ①

선지분석 ㉡ 고려의 백정은 일반 농민이다.
㉢ 작개지(作介地)는 주인의 토지를 경작하고 수확량을 모두 주인에게 바치는 토지이다. 외거 노비가 수확량을 가지는 토지는 사경지(私耕地)이다.
㉣ 공·사노비 제도가 완전히 폐지된 것은 갑오개혁(1894) 때이다.

0479

출제영역 〉 개화기 사회적·경제적 사건의 이해　정답 ▶ ③

선지분석 ① 임오군란(1882)은 정부의 개화 정책에 대한 구식 군대의 불만에서 야기되었다.
② 홍경래의 난(1811)은 1876년 개항 이전의 민란으로서 ㉠과 ㉡에 의해 일어났다.
④ 광무개혁에서는 ㉡과 ㉢이 해결되지 않았다. 특히 광무개혁의 지계 발급은 국가의 조세 수입을 확보하기 위한 것이었다.

CHAPTER

05 근대 사회 발전기의 문화

최근 5년간 국가직·지방직 출제 비율

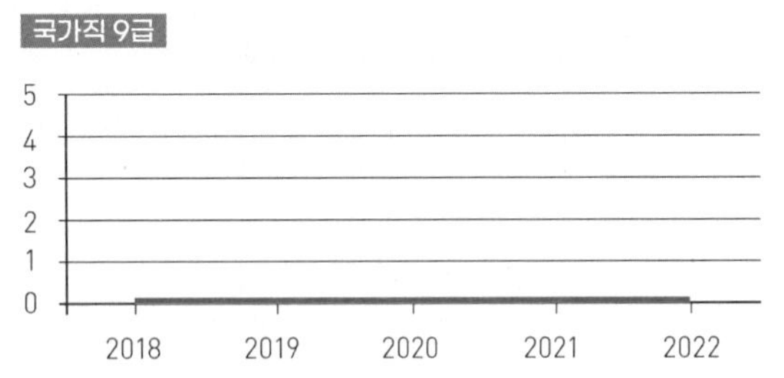

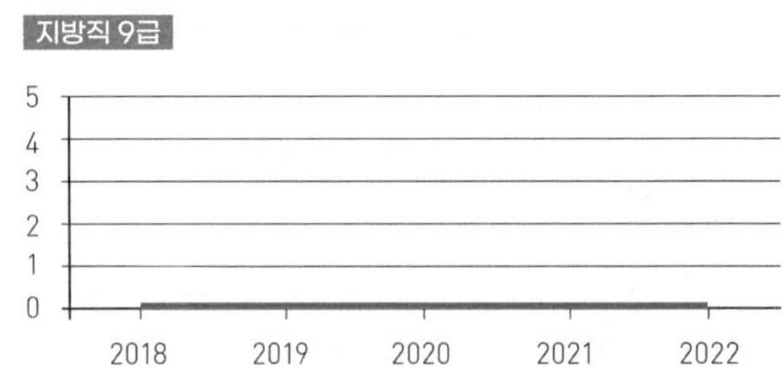

- 최근 5년간 국가직과 지방직에서 단 한 문제도 출제되지 않았다.
- 지방직과 서울시 시험이 통합되기 이전의 서울시 시험에서는 근대 문물의 설치 시기 및 개화기 언론과 교육 기관에 대한 문제가 주로 출제되었다.

주요 고난도 문제 키워드

#근대 시설의 설치 시기 #교육 기관 #종교 #외국인의 활동

고난도 이론 정리 선우쌤 PICK

근대 시설의 수용	
근대 시설	1 ______(1883, 인쇄소, 최초의 신문 2 ______ 발행), 3 ______(1883, 무기 제조), 전환국(1883, 화폐 제조)
통신	• 전신 : 부산~일본(1884), 서울~인천 · 서울~의주(1885) • 전화 : 덕수궁 내 처음 가설(1898), 서울~인천 간 시외선 가설, 1902년 서울 시내 민간 가설 • 우편 : 4 ______ 설립(1884) ⇨ 5 ______으로 중단 ⇨ 을미개혁 이후 다시 운영, 만국 우편 연합 가입(1900)
교통	• 철도 : 최초의 철도 경인선 완공(1899, 부설권 : 미국 ⇨ 일본), 6 ______ 전쟁 중 경의선 · 경부선 개통 • 전차 : 7 ______ 설립(황실과 미국인 콜브란 합작), 서대문~청량리 간 최초의 전차 운행(8 ______년 개통식)
의료	• 9 ______(1885) : 우리나라 최초의 근대식 국립 의료 기관, 10 ______ 건의(⇨ 이후 제중원으로 이름 바뀜) • 11 ______(1900) : 국립 병원, 종두법 보급(지석영)

근대 교육 기관	
근대 교육	• 12 ______(1883) : 최초의 근대적 사립 학교, 근대적 학문과 무술 교육 • 13 ______(1883) : 정부가 세운 영어 강습 기관 • 14 ______(1886) : 정부가 세운 근대적 학교, 상류층 자제 대상 • 교육 입국 조서 반포(1895) : 한성 사범 학교, 소학교, 관립 학교 건립
학교	오산 학교(이승훈), 15 ______(안창호), 보성 학교, 양정 학교, 진명 여학교, 숙명 여학교 등 사립 학교 설립
교육 단체	서북 학회, 호남 학회, 기호 흥학회, 교남 교육회, 관동 학회 등 설립

근대 종교			
천주교	고아원 설치, 교육과 언론을 통한 애국 계몽 운동	유교	• 박은식의 대동사상 주창, 대동교 창설 • 박은식의 「유교구신론」(1909)
개신교	선교사에 의한 서양 의술 보급 및 학교 설립	불교	한용운의 불교 자주성 회복과 근대화 운동 추구
천도교	• 손병희에 의해 동학에서 천도교로 개칭(1905) • 기관지 16 ______(1906) 간행	17 ______	단군 신앙을 기반으로 창시(나철, 오기호 등)

정답 1. 박문국 2. 「한성순보」 3. 기기창 4. 우정국 5. 갑신정변 6. 러 · 일 7. 한성 전기 회사 8. 1899 9. 광혜원 10. 알렌 11. 광제원 12. 원산 학사 13. 동문학 14. 육영 공원 15. 대성 학교 16. 「만세보」 17. 대종교

근대 문물의 수용 · 교육

0480 □□□

근대 문물이 들어오면서 조선 사회가 경험한 새로운 변화와 관련하여 옳은 것을 모두 고른 것은? 2021. 계리직

> ㉠ 근대식 우편 제도와 전신 시설은 모두 1884년에 시작하여 원거리 통신의 새로운 시대를 열었다.
> ㉡ 근대식 의료는 갑오개혁 이후 더욱 확산하여 1895년 정부에 위생국을 설치하고 전염병 예방 규칙도 제정하였다.
> ㉢ 전등은 1887년 고종과 미국인의 합작으로 설립한 한성 전기 회사가 경복궁에 처음 설치하여 운영하였다.
> ㉣ 철도는 광무개혁 때 경인선을, 러 · 일 전쟁 때 경부선을, 간도 협약으로 경의선을 모두 일본이 개통하였다.

① ㉠, ㉡ ② ㉡, ㉢
③ ㉢, ㉣ ④ ㉠, ㉣

0480

출제영역〉 개화기 근대 문물의 이해 정답 ▶ ①

정답찾기 ㉠ 근대식 우편 제도인 우정국이 설치된 것은 1884년이다. 전신 시설은 부산–일본 나가사키는 1884년, 인천–서울은 1885년에 설치되었다. 그런데 일반적으로 전신 시설은 인천–서울(1885)을 정식으로 보기 때문에 논란의 여지가 있다.
㉡ 문맥상 보면 문제가 없으나 연도를 따지면 위생국 설치 연도 역시 논란거리이다. 의정부 내무아문 안에 위생국을 설치한 것은 1894년이다.

선지분석 ㉢ 경복궁 전등 설치(1887), 한성 전기 회사 설립(1898)
㉣ 광무개혁(1897~) – 경인선 개통(1899), 러 · 일 전쟁(1904~1905) – 경부선 개통(1905), 간도 협약(1909) – 경의선 개통(1906)

0481 □□□

거문도 사건이 전개된 동안, 당시 사람들이 볼 수 있었던 모습은? 2017. 서울시 9급

① 당오전을 발행하는 기사
② 한성순보를 배포하는 공무원
③ 서유견문을 출간한 유길준
④ 일본과의 무관세 무역을 항의하는 동래부민

0481

출제영역〉 특정 사건 시기의 근대 문물 이해 정답 ▶ ①

정답찾기 거문도 사건(1885~1887)은 러시아의 남하를 견제하기 위해 영국의 동양 함대가 전라남도 거문도를 불법 점령한 사건이다.
① 당오전 발행(1883~1894)

선지분석 ② 「한성순보」(1883~1884), ③ 유길준의 『서유견문』(1895), ④ 조 · 일 통상 장정(1876)에서 무관세, 무항세, 양곡의 무제한 유출이 명시되었다. 1883년 개정 조 · 일 통상 장정에서 수출입 상품에 대한 관세(10%) 및 최혜국 대우 규정과 방곡령 조항이 제시되었다.

0482 □□□

아관 파천 기간에 사람들이 볼 수 있었던 사실로 적절한 것은? 2016. 지방직 7급

① 청량리행 전차를 운행하는 기사
② 한성순보를 배부하는 관리
③ 대한 천일 은행에서 근무하는 은행원
④ 백동화를 주조하는 주전관

0482

출제영역〉 특정 사건 시기의 근대 문물 이해 정답 ▶ ④

정답찾기 아관 파천 기간은 1896~1897년이다.
④ 백동화는 1892~1904년까지 주조되었다.

선지분석 ① 전차 개통식(1899), ② 「한성순보」(1883~1884), ③ 대한 천일 은행 설립(1899)

0483 □□□

다음 기사가 보도된 당시에 볼 수 있는 사회 모습으로 가장 적절한 것은? 2016. 법원직

> 경인 철도 회사에서 어저께 개업식을 거행하는데, 인천에서 화륜거가 떠나 삼개 건너 영등포로 와서 내외국 빈객들을 수레에 영접하여 앉히고 오전 9시에 떠나 인천으로 향하는데, 화륜거 구르는 소리는 우레 같아 천지가 진동하고 기관거의 굴뚝 연기는 반공에 솟아오르더라. 독립신문(1×××. 9. 19.)

① 진단 학회 창립을 준비하는 학자
② 한용운의 '님의 침묵'을 읽는 학생
③ 명동 성당에서 예배를 보는 천주교 신자
④ 국문 연구소에서 국문법을 연구하는 학자

0483

출제영역 〉 특정 사건 시기의 근대 문물 이해 정답 ▶ ③

정답찾기 제시문은 1899년 9월 경인선 철도 개통식 관련 신문 기사 내용이다.
③ 명동 성당은 1898년에 건축되었다.

선지분석 ① 진단 학회(1934), ② '님의 침묵'(1926), ④ 국문 연구소(1907)

0484 □□□

다음 각 문화재에 대한 설명으로 옳지 않은 것은? 2018. 지방직 9급

① 화엄사 각황전은 다층식 외형을 지녔다.
② 수덕사 대웅전은 주심포 양식의 건물이다.
③ 부석사 무량수전은 배흘림기둥을 갖고 있다.
④ 덕수궁 석조전은 서양 고딕 양식의 건물이다.

0484

출제영역 〉 역대 문화재의 특징 이해 정답 ▶ ④

정답찾기 ④ 덕수궁 석조전(1910)은 대한 제국 시기에 만든 건물 중 가장 규모가 큰 서양식 건물로, 중세 르네상스 양식(기둥 윗부분은 이오니아식, 실내는 로코코 풍)이다. 명동 성당(1897)은 우리나라 최초의 서양 고딕 양식의 건물이다.

선지분석 ① 화엄사 각황전은 17세기에 만들어진 다층 건물로, 내부는 하나로 통하는 구조를 가지고 있다.
② 수덕사 대웅전(1308, 충렬왕 10년)은 주심포 양식과 맞배지붕 양식을 하고 있다.
③ 부석사 무량수전(1376, 우왕 2년)은 배흘림기둥과 주심포 양식, 팔작지붕 양식을 하고 있다.

0485 □□□

다음 해외 견문 기록을 시기순으로 바르게 나열한 것은? 2018. 국가직 9급

㉠ 『표해록』	㉡ 『열하일기』
㉢ 『서유견문』	㉣ 『해동제국기』

① ㉠ - ㉡ - ㉣ - ㉢　② ㉠ - ㉣ - ㉢ - ㉡
③ ㉣ - ㉠ - ㉡ - ㉢　④ ㉣ - ㉢ - ㉠ - ㉡

0485

출제영역 〉 역대 해외 견문록 시기순 이해 정답 ▶ ③

정답찾기 ㉣ 『해동제국기』(신숙주, 1471, 성종 2년) ⇨ ㉠ 『표해록』(최부, 1488, 성종 19년) ⇨ ㉡ 『열하일기』(박지원, 1780, 정조 4년) ⇨ ㉢ 『서유견문』(유길준, 1895, 고종 32년)

0486 □□□

다음 자료의 교육 기관에 대한 설명으로 가장 옳은 것은?

2017. 법원직

> 문·무관, 유생 중에 어리고 총명한 자 40명을 뽑아 입학시키고 벙커와 길모어 등을 교사로 초빙하여 서양 문자를 가르쳤다. 문관으로는 김승규와 신대균 등 여러 명이 있고, 유사로는 이만재와 서상훈 등 여러 명이 있었다. 사색 당파를 골고루 배정하여 당대 명문 집안에서 선발하였다. 『매천야록』

① 관민이 합심하여 설립하였다.
② 경성 제국 대학으로 계승되었다.
③ 좌원과 우원의 두 반으로 편성되었다.
④ 근대식 사관 양성을 목적으로 하였다.

0487 □□□

다음 밑줄 친 '이곳'에 대한 설명 중 옳은 것을 〈보기〉에서 모두 고르면?

2009. 법원직

> 덕원(원산) 부사 정현석이 장계를 올립니다. 신이 다스리는 이곳 읍은 해안의 요충지에 있고 아울러 개항지가 되어 소중함이 다른 곳에 비할 바가 못 됩니다. 개항지를 빈틈없이 운영해 나가는 방도는 인재를 선발하여 쓰는 데 달려 있고, 인재 선발의 요체는 교육에 있습니다. 그러므로 학교를 설립하여 연소하고 총명한 자를 뽑아 교육하고자 합니다. 『덕원부계록』

보기
- ㉠ 1876년 강화도 조약을 맺어 개항하였다.
- ㉡ 1883년 정부에서 근대 교육 기관을 설립하여 상류층 자제에게 영어 교육을 하였다.
- ㉢ 1904년 미국에 의하여 경원선이 부설되었다.
- ㉣ 1929년 노동자들이 총파업을 실행하였다.

① ㉠, ㉡
② ㉠, ㉣
③ ㉠, ㉡, ㉣
④ ㉠, ㉡, ㉢, ㉣

0488 □□□

시대별 교육 기관에 대한 설명으로 옳지 않은 것은? 2021. 계리직

① 삼국 가운데 백제와 신라는 모두 국학이라는 최고 교육 기관을 설립하였다.
② 고려에서는 국자감과 향교 외에도 9재라는 사립 교육 형태가 나타났다.
③ 조선에서는 선현을 모시는 서원이 고등 교육 기능도 함께 담당하였다.
④ 갑오개혁 시기에 신교육을 전담할 정부 부처로 학무아문을 설치하였다.

0486

출제영역〉 근대 교육 기관의 이해 정답 ▶ ③

정답찾기 제시문의 교육 기관은 육영 공원(1886)이다. 정부는 육영 공원을 세우고, 헐버트 등 외국인 교사를 초빙하여 현직 관료와 고관의 자제들을 뽑아 영어를 비롯한 수학, 지리학, 정치학 등의 각종 근대 학문을 교육하였다.
③ 육영 공원은 현직 관료 가운데 젊은 사람을 선발하여 좌원반(左院班)을 만들고, 양반 자제 가운데 총명한 자를 선발하여 우원반(右院班)으로 하여 두 학급 35명을 두었다.

선지분석 ① 원산 학사(1883)에 대한 내용이다.
② 경성 제국 대학(1924)은 일제에 의해 설립되었다.
④ 연무 공원(1888)에 대한 내용이다.

0487

출제영역〉 특정 지역의 역사 이해 정답 ▶ ②

정답찾기 밑줄 친 '이곳'은 원산이다.
㉠ 강화도 조약으로 부산(1876), 원산(1880), 인천(1883)이 개항되었다.
㉣ 원산 노동자 총파업(1929)

선지분석 ㉡ 동문학(1883)은 서울에 있었다.
㉢ 1899년 한국 정부는 서울~원산·경흥 간의 철도 부설권을 국내 철도 용달 회사에 주었으나, 자금 관계로 착공을 못하던 중 1905년 러·일 전쟁 중에 군사상 필요성을 느낀 일본이 경의 철도, 마산포 철도, 경원 군용 철도 부설권을 요구하여 승인을 받아 1914년에 개통되었다.

0488

출제영역〉 역대 교육 기관의 이해 정답 ▶ ①

정답찾기 ① 국학은 (통일) 신라 신문왕 때 설치되었다.

PART 06

국학 · 신문 · 종교 · 기타

0489

밑줄 친 '그'에 대한 설명으로 옳은 것은? 2018. 국가직 7급

> 독립신문 발간에 관여했던 그는 독립신문사 안에 '국문 동식회(國文同式會)'를 조직했으며, 1897년 4월에 '국문론'이라는 글을 발표하기도 했다. 그는 당시의 문장들이 한문에 토를 다는 형식에 그치고 있다면서 실제로 말하는 대로 글을 쓰는 '언문일치'가 필요하다고 주장했다.

① 우리말 큰사전의 편찬을 주도하였다.
② 문법 서적인 『국어문법』을 저술하였다.
③ 조선어 연구회를 주도적으로 조직하였다.
④ 한글 맞춤법 통일안을 만들어 발표하였다.

0490

다음 중 신문에 대한 설명으로 옳지 않은 것은? 2015. 지방직 7급

① 황성신문은 1898년 남궁억 등이 창간하였으며, 을사늑약의 체결 과정을 설명한 '오건조약청체전말'이라는 기사를 실었다.
② 제국신문은 1898년 이종일 등이 순한글로 간행하였으며, 일반 대중을 위한 사회 계몽 기사를 많이 실었다.
③ 만세보는 1906년 손병희, 오세창 등 천도교 측에서 발행한 순한글 신문으로 일진회 등의 매국 행위를 주로 비판하였다.
④ 대한매일신보는 양기탁이 영국인 베델을 발행인으로 초빙하여 1904년에 창간하였으며, 고종이 을사늑약의 불법성을 폭로하는 친서를 발표하였다.

0491

다음 신문 창간 이전의 사실로 옳은 것은? 2020. 지방직 7급

> 박문국을 설치하고 관리를 두어 외국의 기사를 폭넓게 번역하고 아울러 국내의 일까지 기재하여 국중(國中)에 알리는 동시에 열국에까지 널리 알리기로 하고 … (중략) … 견문을 넓히고, 여러 가지 의문점을 풀어주고, 장사의 이익에도 도움을 주고자 하였으니 … (하략) …
> 『순보서(旬報序)』

① 세계정세를 전하는 『해국도지』가 소개되었다.
② 베트남 역사에 관련한 『월남망국사』가 번역되었다.
③ 식산흥업을 강조한 『대한자강회월보』가 간행되었다.
④ 국내외 정보를 제공한 『독립신문』이 서재필에 의해 발간되었다.

0489

출제영역 〉 한말 국어학자의 이해 정답 ▶ ②

정답찾기 〉 밑줄 친 '그'는 주시경이다.
② 주시경은 대표적인 저서인 『국어문법』을 통해 우리말을 이론적으로 체계화하고 국어에서의 독특한 음운학적 본질을 찾아내는 업적을 남겼다.

선지분석 〉 ①④ 조선어 학회(1931~1942)에 대한 설명이다.
③ 조선어 연구회는 3·1 운동 이후에 이윤재, 최현배 등이 국문 연구소(1907, 주시경)의 전통을 이어 조직하였다.

0490

출제영역 〉 개화기 신문의 이해 정답 ▶ ③

정답찾기 〉 ③ 천도교 계통 기관지인 만세보는 국한문 혼용 신문으로, 한자를 모르는 독자들을 위해 한자 옆에 한글로 음을 달기도 하였다.

더⊕알아보기 〉 주요 언론 기관

신문	발행인	기간	활동 및 성격
한성순보	박문국	1883~1884	• 우리나라 최초의 신문(관보) ⇨ 순한문 • 갑신정변의 실패로 폐간 ⇨ 한성주보로 부활(1886)
한성주보	박문국	1886~1888	• 최초의 국한문 혼용(주간 신문) • 최초 상업 광고 게재
독립신문	독립 협회	1896~1899	• 최초의 근대적 민간지 • 한글판과 영문판
황성신문	남궁억, 장지연	1898~1910	• 국한문 혼용 신문 ⇨ 개신 유학자 등 지식인 대상 • 장지연의 '시일야방성대곡' – 애국적 논설로 유명
제국신문	이종일	1898~1910	• 중류 이하의 대중과 부녀자 대상 • 순한글판 일간지
대한매일신보	양기탁, 베델(영)	1904~1910	• 국한문 혼용 ⇨ 1907년 순한글, 국한문, 영문 등 3종류로 발행 • 을사조약 이후 항일 운동의 선봉 • 황성신문, 제국신문 등과 함께 국채 보상 운동에 적극적 활동, 을사조약의 부당성을 폭로한 고종 친서 발표 • 입구에 '일본인 출입 금지[日人不可入]'라고 표시

0491

출제영역 〉 특정 신문과 주요 출판물의 시기 이해 정답 ▶ ①

정답찾기 〉 제시문 중 '박문국', '순보'를 통해 한성순보(1883)임을 유추할 수 있다.
① 『해국도지』는 청의 학자 위원(魏源)이 1844년에 세계 각국의 역사·지리·과학·기술에 대하여 설명한 책으로, 오경석에 의해 19세기에 우리나라에 소개되었다.

선지분석 〉 ② 현채의 『월남망국사』 번역(1906), ③ 『대한자강회월보』 간행(1906), ④ 『독립신문』 간행(1896)

0492

근대의 구국 계몽 운동에 대한 설명으로 가장 옳은 것은?

2016. 서울시 9급

① 송수만, 심상진은 대한 자강회를 조직하고 일본의 황무지 개척에 반발하는 운동을 전개하여 이를 철회시켰다.
② 이종일은 순한글로 간행한 황성신문을 발간하여 정치 논설보다 일반 대중을 위한 사회 계몽 기사를 많이 실었다.
③ 최남선은 을지문덕, 강감찬, 최영, 이순신 등의 애국 명장에 관한 전기를 써서 애국심을 고취하였다.
④ 고종은 을사늑약의 불법성을 폭로하는 친서를 양기탁과 영국인 베델의 대한매일신보를 통하여 발표하였다.

0492

출제영역 〉 근대 계몽 운동의 이해 정답 ▶ ④

선지분석 ▶ ① 보안회, ② 「제국신문」, ③ 신채호에 대한 설명이다.

0493

20세기 초 종교계의 민족 운동에 대한 설명으로 옳지 않은 것은?

2011. 국가직 9급

① 한용운은 일본 불교계의 침투에 대항하면서 민족 불교의 자주성을 지키기 위해 노력하였다.
② 손병희는 일진회가 동학 조직을 흡수하려 하자, 천도교를 창설하고 정통성을 지키려 하였다.
③ 박은식은 「유교구신론」을 지어 유교가 민주적이고 평등한 종교로 거듭나야 한다고 주장했다.
④ 김택영은 전국의 유림들과 더불어 대동 학회를 결성한 후 유교를 통한 애국 계몽 운동을 펼쳐나갔다.

0493

출제영역 〉 20세기 초 민족적 종교의 이해 정답 ▶ ④

정답찾기 ▶ ④ 대동 학회는 한말의 대표적인 친일 유교 단체이다.

선지분석 ▶ ① 한용운은 『조선불교유신론』을 통해 불교의 자주성 회복과 근대화 운동을 추진하였다.
② 동학 3대 교주 손병희는 동학을 천도교로 개칭하고 동학의 전통을 계승하였다.
③ 박은식은 「유교구신론」을 통해 유교의 개혁을 주장하였고 대동사상을 주창하였으며 이를 바탕으로 대동교를 창설하였다.

0494

다음 글을 쓴 인물에 대한 설명으로 옳은 것은? 2021. 경찰 2차

> 우리 민족은 맨손으로 분기하고 붉은 피로써 독립을 구하여 세계 혁명사에 있어 한 신기원을 이룩했다. …… 갑진(甲辰)의 정서 6조와 을사조약 체결 이래 독립운동이 하루라도 그친 적이 없었으니, 독립을 위해 순사(殉死)한 우리의 의병이 수십만이요, 독립을 위해 순사한 우리의 열사가 천백이며, 우리의 지사단(志士團) 중 아직 죽지 않고 국내외로 바삐 뛰어다녀, 독립을 부르짖으면서 국혼(國魂)을 불러일으키는 자 또한 수없이 많다.

① 조선학 운동을 주도하였다.
② '연합성 신민주주의'를 제창하였다.
③ 『을지문덕전』, 『최도통전』 등을 저술하였다.
④ 친일적 대동 학회에 대항하여 대동교를 창시하였다.

0494

출제영역 〉 특정 인물의 활동 이해 정답 ▶ ④

정답찾기 ▶ 제시문은 박은식의 『한국독립운동지혈사』(1920)이다.
④ 박은식은 「유교구신론」을 통해 유교의 개혁을 주장하였고 대동사상을 주창하였으며 이를 바탕으로 대동교를 창설하였다.

선지분석 ▶ ① 정인보, 안재홍 등, ② 백남운, ③ 신채호에 대한 설명이다.

0495 □□□

다음을 일어난 순서대로 나열한 것은? 2018. 기상직 9급

(가) 화폐 정리 사업 실시	(나) 만국 우편 연합 가입
(다) 대종교 창시	(라) 만세보 창간

① (라) – (나) – (가) – (다) ② (나) – (가) – (라) – (다)
③ (나) – (라) – (가) – (다) ④ (나) – (가) – (다) – (라)

0495

출제영역〉 개화기 주요 사건의 시기순 이해 정답 ▶ ②

정답찾기 (나) 만국 우편 연합 가입(1900) ⇨ (가) 화폐 정리 사업(1905) ⇨ (라) 만세보 창간(1906) ⇨ (다) 대종교 창시(1909)

0496 □□□

다음 인물의 활동으로 옳은 것은? 2015. 법원직

> 1886년 우리나라에 왔다. 을사늑약 사건 후 고종의 밀서를 휴대하고 미국에 가서 국무장관과 대통령을 면담하려 했으나 실현하지 못하였다. 1906년 다시 내한하였으며, 고종에게 헤이그에서 열리는 제2차 만국 평화 회의에 밀사를 보내도록 건의하였다. 그는 이상설 등 헤이그 특사보다 먼저 도착하여 '회의시보'에 한국 대표단의 호소문을 싣게 하는 등 한국의 국권 회복을 위해 노력하였다.

① 대한매일신보의 발행인이었다.
② 육영 공원의 교사로 초빙되었다.
③ 광혜원의 설립에 깊이 관여하였다.
④ 우리나라 최초의 서양인 고문이었다.

0496

출제영역〉 특정 외국인의 활동 이해 정답 ▶ ②

정답찾기 제시문의 인물은 헐버트(미국)이다.
② 헐버트는 고종의 초청으로 1886년에 내한하여 육영 공원에서 외국어를 가르쳤다.

선지분석 ① 베델(영국), ③ 알렌(미국), ④ 임오군란 당시 외교 고문 묄렌도르프(독일)에 대한 설명이다.

0497 □□□

다음은 우리나라 사람들과 접촉한 인물들이다. 그 접촉의 순서를 옳게 나열한 것은? 2016. 경찰간부 / 2010. 계리직 유사

㉠ 묄렌도르프	㉡ 하멜
㉢ 오페르트	㉣ 벨테브레(박연)

① ㉡ – ㉣ – ㉢ – ㉠ ② ㉡ – ㉣ – ㉠ – ㉢
③ ㉣ – ㉡ – ㉠ – ㉢ ④ ㉣ – ㉡ – ㉢ – ㉠

0497

출제영역〉 역대 주요 외국인의 시기순 이해 정답 ▶ ④

정답찾기 ㉣ 벨테브레(박연): 인조 때 제주도에 표류하여 귀화하였고, 효종 때 훈련도감에서 신식 무기를 제작하였다. 1656년(효종) 하멜 일행이 표류했을 때 통역을 맡았다. ⇨ ㉡ 하멜: 효종 때(1656) 표류하였고 일행이 가져온 조총 기술을 훈련도감에 도입하였다. ⇨ ㉢ 오페르트: 독일 상인 오페르트는 1868년 흥선 대원군의 아버지 남연군 무덤을 도굴하려다 실패하였다. ⇨ ㉠ 묄렌도르프: 임오군란(1882) 이후 외교 고문으로 파견되었다.

PLUS⁺ 선지 OX 근대 사회 발전기의 문화

01 1898년에 최초의 고딕식 벽돌 건축물인 명동 성당이 완공되었다. 2021. 국회직 9급 O X

02 「한성순보」 창간 이전에 세계 정세를 전하는 『해국도지』가 국내에 소개되었다. 2020. 지방직 7급 O X

03 근대 교육 기관 중 경신 학교는 고종의 교육 입국 조서에 따라 설립된 관립 학교이다. 2018. 서울시 9급 O X

04 근대 교육 기관 중 배재 학당은 선교사 아펜젤러가 서울에 설립한 사립 학교이다. 2018. 서울시 9급 O X

05 베델은 세계 각국의 산천・풍토 등을 한글로 소개한 『사민필지』를 저술하였다. 2018. 경찰간부 O X

06 1896년에 설립된 국문 동식회는 최초의 국문 연구회이다. 2019. 경찰간부 O X

07 일본군의 경복궁 점령으로 동학 농민군이 재봉기한 해에 인천에서 기차를 타고 서울로 가는 상인의 모습을 볼 수 있었다. 2017. 교육행정직 9급 O X

08 원산 학사의 설립과 경인선 개통 사이 시기에 전신선을 가설하는 인부의 모습을 볼 수 있다. 한능검 O X

09 양기탁과 베델이 창간한 「대한매일신보」는 최초로 상업 광고를 실었다. 한능검 O X

10 서양 의학이 보급되면서 근대 의료 시설인 광혜원을 설립하여 지석영에게 책임을 맡겼다. 2014. 경찰 2차 O X

PLUS⁺ 선지 OX 해설 근대 사회 발전기의 문화

01 ☒ 우리나라 최초의 고딕식 벽돌 건축물은 1892년에 건립된 서울 약현 성당이다.

02 ⓞ 「한성순보」는 1883년에 창간되었다. 『해국도지』는 청나라 사람 위원이 1844년에 쓴 세계 지리서로, 중인 오경석에 의해 19세기 중반 헌종 때 우리나라에 소개되었다.

03 ☒ 경신 학교는 1886년에 선교사 언더우드가 설립한 사립 학교이다. 교육 입국 조서(1895)에 따라 정부는 한성 사범 학교(1895)를 세우고 소학교, 중학교, 사범 학교, 외국어 학교 등 각종 관립 학교를 세웠다.

04 ⓞ 배재 학당은 1885년 아펜젤러가 세운 근대식 사립 학교이다.

05 ☒ 세계 각국의 산천, 풍토, 학술 등을 한글로 소개한 한국 최초의 세계 지리 교과서인 『사민필지』를 저술한 인물은 헐버트이다.

06 ⓞ 국문 동식회는 주시경 등이 국문 철자법의 통일을 목적으로 1896년 독립신문사 안에 설치했던, 최초의 국문 연구회이다.

07 ☒ 동학 농민군이 일본군의 경복궁 점령으로 재봉기한 해는 1894년이다. 경인선은 1899년에 개통되었다.

08 ⓞ 원산 학사 설립은 1883년이고, 경인선 개통은 1899년이다. 전신은 일본에 의해 1884년 부산과 일본(나가사키) 사이에, 청에 의해 1885년 서울과 인천 사이에 가설되었다.

09 ☒ 최초로 상업 광고를 실은 신문은 「한성주보」로, 세창양행 광고를 게재하였다.

10 ☒ 광혜원(1885)은 최초의 근대식 병원으로, 미국인 선교사 알렌이 운영하였다. 지석영은 1900년에 설립된 국립 병원 광제원에서 종두법을 보급하여 국민 보건에 공헌하였다.

선우한국사
기출족보 1500제

기출문제가
예상문제이다!

07 편

민족의 독립운동기 (일제 강점기)

제1장 민족의 수난
제2장 항일 독립운동의 전개
제3장 민족 독립운동기의 경제
제4장 민족 독립운동기의 사회
제5장 민족 독립운동기의 문화

민족의 수난

최근 5년간 국가직·지방직 출제 비율

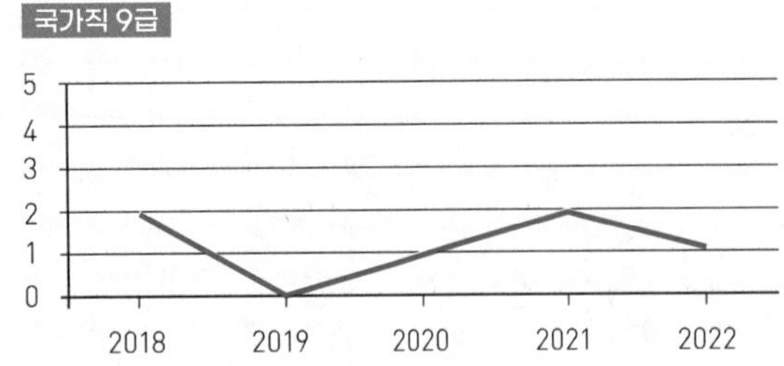

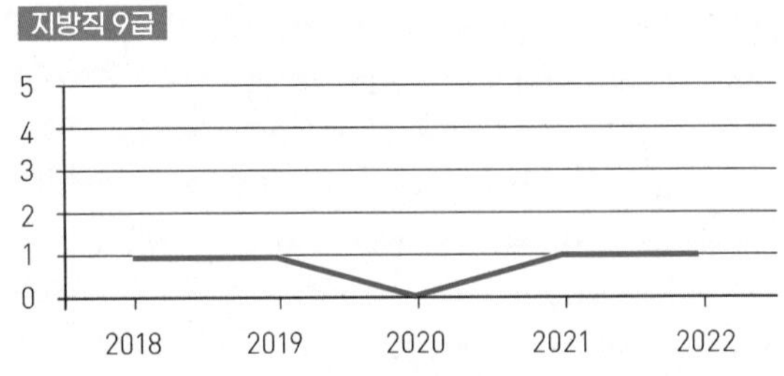

- 매 시험마다 최소 한 문제 이상은 출제되는 단원이다.
- 최근 5년간 국가직과 지방직에서는 시기별 일제의 식민 통치 내용을 묻는 문제가 주로 출제되었다.

주요 고난도 문제 키워드

#국권 피탈 과정 #일제의 단계별 식민 통치 #특정 제도나 법률 운용 시기 사회 모습

고난도 이론 정리 선우쌤 PICK

일제의 식민 통치	
1단계 무단 통치 (1910~1919)	• [1] 경찰제, 즉결 처분권, 조선 총독부 설치, [2] 제정(1912, 조선인만 대상) • [3] [1910~1918, 토지 조사령(1912) 공포] – 방법 : 기한부 신고제, 토지 소유권 · 가격, 지형 및 용도 조사, 정부 · 황실 소유지와 미신고 토지 및 소유 관계가 불분명한 토지는 강탈 – 결과 : 40% 미신고 토지는 조선 총독부 차지, 농민의 관습적 경작권 부정(지주 권리만 인정) ⇨ 소작농 증가 • [4] (1910, 허가제) : 회사 설립 시 총독의 허가를 받도록 함. 한국인의 기업 활동 억제 • 1차 조선 교육령(1911, 보통학교 4년), 서당 규칙 제정(1918) • 언론 · 출판 · 집회 · 결사의 자유 박탈, 모든 정치 결사 해산
2단계 [5] 통치 (1919~1931)	• [6] 을 계기로 통치 방식 변화 • [7] but 기만적 유화 정책(친일파 양성책), 문관 총독 임명 허용(but, 단 한 명도 임명 안됨), [8] (1925) 공포 • 산미 증식 계획(1920~1935) 실시, 회사령 개정(1920, 신고제), 관세령 폐지(1923) • 2차 조선 교육령(1922) : 보통학교(6년), 3면 1교, 대학 설립 허용 • 신문 발행 허가 : 조선일보, 동아일보 간행(1920) but 검열 · 삭제 · 압수 등 탄압
3단계 민족 말살 통치 (1931~1945)	• 중 · 일 전쟁을 계기로 [9] (1938) 발표 • 내선 일체, 일선 동조론, 황국 신민 서사 암송, 궁성 요배, 신사 참배, 일본식 성명 강요, 국어 · 국사 교육 금지 • [10] 정책 : 징병제(1943), 징용제(1939), 애국반, 군 위안부(정신대) 등 인적 · 물적 수탈 • 남면북양 정책, [11] (조선 농지령, 1934), 주요 산업 통제법(1937), 산미 증식 계획 재실시(1939) • 3차 조선 교육령(1938) : 보통학교 ⇨ 심상소학교(1938) ⇨ 국민학교 개칭(1941), 1면 1교주의, 조선어 수의(선택) 과목으로 채택 • 4차 조선 교육령(1943) : 군부에 의한 교육 통제

정답 1. 헌병 2. 태형령 3. 토지 조사 사업 4. 회사령 5. 문화 6. 3·1 운동 7. 보통 경찰제 8. 치안 유지법 9. 국가 총동원령 10. 병참 기지화 11. 농촌 진흥 운동

국권의 피탈 과정

0498 □□□

대한 제국과 일본이 체결한 각 조약의 내용에 대한 설명으로 옳지 않은 것은? 2011. 법원직

> (가) 제1조 대한 제국 정부는 대일본 제국 정부가 추천한 일본인 1명을 재정 고문에 초빙하여 재무에 관한 사항은 모두 그의 의견을 들어 시행할 것
> (나) 제4조 제3국의 침해 또는 내란으로 대한 제국 황실의 안녕과 영토의 보전에 위험이 있을 경우에는 대일본 제국 정부는 곧 필요한 조치를 취할 것이며, …… 대일본 제국 정부는 전항의 목적을 달성하기 위하여 전략상 필요한 지점을 수시로 사용할 수 있다.
> (다) 각서 제3-1. 육군 1대대를 존치하여 황궁 수위를 담당하게 하고 기타 부대는 해체한다.
> 제5. 중앙 정부 및 지방청에 일본인을 한국 관리로 임명함.

① (가): 러・일 전쟁의 전세가 유리하게 전개됨에 따라 한국을 식민지로 만들기 위한 내정 간섭을 강화한 것이다.
② (나): 대한 제국의 국외 중립 선언을 무시하고 강제로 체결한 것이다.
③ (다): 고종의 강제 퇴위 후 체결된 한・일 신협약의 결과이다.
④ (가), (나), (다)의 순서로 체결된 후 한・일 병합 조약이 체결되었다.

0498

출제영역 국권 피탈 관련 조약의 이해 정답 ▶ ④

정답찾기 (가) 1차 한・일 협약(1904. 8.), (나) 한・일 의정서(1904. 2.), (다) 정미 7조약의 비밀 각서(1907)
④ (나) ⇨ (가) ⇨ (다)의 순서로 체결되었다.

Tip 『기본편』 644번 〈더 알아보기〉 국권 피탈 과정 참조

0499 □□□

다음 조약에 의해 고용된 외국인에 관한 탐구 활동으로 적절한 것을 〈보기〉에서 모두 고르면? 수능 근현대사

> 제1조 대한 제국 정부는 일본 제국 정부가 추천한 일본인 1명을 재정 고문에 초빙하여 재무에 관한 사항은 모두 그의 의견을 들어 시행할 것
> 제2조 대한 제국 정부는 일본 제국 정부가 추천한 외국인 1명을 외교 고문으로 외부에 초빙하여 외교에 관한 중요한 업무는 모두 그의 의견을 들어 시행할 것

보기
ㄱ 장인환과 전명운의 의거를 알아본다.
ㄴ 고종이 미국에 특사로 파견한 인물을 찾아본다.
ㄷ 일본 제일 은행권이 본위 화폐가 된 과정을 살펴본다.
ㄹ 대한매일신보를 발행한 인물의 언론 활동을 조사한다.

① ㄱ, ㄴ
② ㄱ, ㄷ
③ ㄴ, ㄷ
④ ㄴ, ㄹ
⑤ ㄷ, ㄹ

0499

출제영역 국권 피탈 관련 조약의 이해 정답 ▶ ②

정답찾기 제시된 조약은 제1차 한・일 협약으로, 이를 통해 고문 정치가 이루어지면서 재정 고문으로 일본인 메가타가, 외교 고문으로 미국인 스티븐스가 부임하였다.
ㄱ 장인환과 전명운은 일본의 한국 침략을 옹호한 스티븐스를 미국에서 저격하였다.
ㄷ 재정 고문 메가타는 1905년 화폐 정리 사업을 실시하였다.

선지분석 ㄴ 러・일 전쟁 중에 고종이 미국에 특사로 파견한 인물은 미국인 헐버트이다.
ㄹ 대한매일신보(1904~1910)를 발행한 인물은 영국인 베델이다.

0500 □□□

(가)와 (나) 사이에 전개된 구국 운동을 〈보기〉에서 모두 고른 것은?

2009. 법원직

> (가) 한국 정부는 일본 정부가 추천하는 일본인 1명을 재정 고문으로 하여 한국 정부에 용빙하고, 재무에 관한 사항은 일체 그 의견을 물어 시행할 것 제1차 한·일 협약
> (나) 한국 황제 폐하는 한국 전체에 관한 통치권을 완전 또는 영구히 일본 황제 폐하에게 양여한다. 한·일 병합 조약

보기
- ㉠ 신채호는 대한매일신보에 「독사신론」을 연재하였다.
- ㉡ 평양에서 경제 자립을 위한 물산 장려 운동이 일어났다.
- ㉢ 식민지 현실을 고발하는 카프(KAPF) 문학 단체가 결성되었다.
- ㉣ 독립 협회는 외국의 이권 침탈을 저지하는 활동을 벌였다.

① ㉠ ② ㉠, ㉡
③ ㉠, ㉡, ㉢ ④ ㉠, ㉡, ㉣

0500

출제영역 〉 국권 피탈 과정과 주요 사건의 이해 정답 ▶ ①

정답찾기 (가) 1차 한·일 협약(1904. 8.), (나) 한·일 (강제) 병합 조약(경술국치, 1910. 8.)
㉠ 「독사신론」(1908)

선지분석 ㉡ 물산 장려 운동(1922~), ㉢ 카프(KAPF) 결성(1925), ㉣ 독립 협회 활동(1896~1898)

0501 □□□

(가)~(마) 조약의 강압적 체결에 대한 저항을 옳게 짝지은 것은?

제5회 한국사능력검정시험 중급

> (가) 대일본 제국 정부는 도쿄에 있는 외무성을 경유하여 이후에 대한 제국이 외국에 가지는 관계 및 사무를 감리, 지휘할 것이며 ……
> (나) 한국 황제 폐하는 한국 정부에 관한 모든 통치권을 완전 또는 영구히 일본 황제 폐하에게 양여한다.
> (다) 대한 제국 정부는 대일본 제국 정부가 초청한 일본인 1명을 재정 고문에 초빙하여 재무에 관한 사항은 모두 그의 의견을 들어 시행할 것
> (라) 일본 제국 정부는 필요할 경우에 전략상 필요한 지점을 수시로 수용한다.
> (마) 한국 정부는 통감이 추천하는 일본인을 한국 관리에 임용할 것

① (가) – 장지연은 황성신문에 '시일야방성대곡'을 발표하였다.
② (나) – 신한 청년당은 파리 강화 회의에 대표를 파견하였다.
③ (다) – 보안회는 황무지 개척권 요구에 반대하였다.
④ (라) – 유인석, 이소응 등이 의병 항쟁을 전개하였다.
⑤ (마) – 고종은 헤이그에 특사를 파견하였다.

0501

출제영역 〉 국권 피탈 관련 조약과 우리의 저항 이해 정답 ▶ ①

정답찾기 (가) 2차 한·일 협약[을사조(늑)약, 1905. 11.], (나) 한·일 (강제) 병합 조약(경술국치, 1910. 8.), (다) 1차 한·일 협약(1904. 8.), (라) 한·일 의정서(1904. 2.), (마) 한·일 신협약(1907. 7.)
① 을사조약에 대한 반발로 장지연은 「황성신문」에 '시일야방성대곡'을 발표하여 을사조약의 전말을 폭로하였다.

선지분석 ② 신한 청년당은 1919년 파리 강화 회의에 대표를 파견하였다.
③ 보안회(1904)는 1차 한·일 협약인 (다)에 저항한 것이 아니라, 일본의 황무지 개간 요구에 대하여 저항하였다.
④ 유인석, 이소응 등은 을미의병(1895)을 일으켰다.
⑤ 을사조약에 대한 반발로 1907년에 고종은 헤이그에 특사를 파견하였고, 그 결과 일본은 고종을 강제 퇴위시키고 순종으로 하여금 한·일 신협약을 맺게 하였다.

일제의 단계별 침략 내용

0502 □□□

1910년대 일제의 지배 정책으로 옳지 않은 것은?

2017. 하반기 국가직 7급

① 일본인 업자에 특혜를 준 연초 전매령을 공포하였다.
② 총독의 자문 기관인 중추원 관제를 공포하였다.
③ 계몽 운동을 주도한 황성신문을 폐간하였다.
④ 농공 은행을 조선 식산 은행으로 개편하였다.

0503 □□□

다음과 같은 식민 통치가 실시된 시기에 일어난 일로 옳지 않은 것은?

2018. 기상직 9급

> 총독은 문무관 어느 쪽이라도 임용될 수 있는 길을 열고, 나아가 헌병에 의한 경찰 제도를 바꿔 경찰에 의한 경찰 제도를 채택할 것이다. 그리고 복제를 개정하여 일반 관리, 교원이 제복을 입고 칼을 차던 것을 폐지하고, ……

① 백산 상회가 설립되었다.
② 2차 조선 교육령이 공포되었다.
③ 암태도 소작 쟁의가 일어났다.
④ 조선 소년 연합회가 결성되었다.

0504 □□□

다음 법령이 실시된 기간에 있었던 사실로 옳은 것은?

2020. 국가직 9급 / 2018. 서울시 기술직 9급 유사

> 제1조 국체를 변혁 또는 사유 재산제를 부인할 목적으로 결사를 조직하거나 그 정을 알고 이에 가입하는 자는 10년 이하의 징역 또는 금고에 처함.
> 제2조 전조의 제1항의 목적으로 그 목적한 사항의 실행에 관하여 협의한 자는 7년 이하의 징역 또는 금고에 처함.

① 「조선 태형령」이 공포되었다.
② 경성 제국 대학이 설립되었다.
③ 물산 장려 운동이 시작되었다.
④ 학도 지원병 제도가 실시되었다.

0502

출제영역 〉 일제 침략 1단계 시기의 이해 정답 ▶ ①

정답찾기 ① 연초 전매령은 1921년에 제정·공포되었다.

선지분석 ② 일제는 1910년 중추원 관제를 공포하여 중추원을 총독부의 자문 기관으로 만들었다.
③ 「황성신문」은 1910년에 폐간되었다.
④ 조선 식산 은행은 1918년에 한성 농공 은행 등 농공 은행 6개를 합병하여 설립되었다.

0503

출제영역 〉 일제 침략 2단계의 정책 이해 정답 ▶ ①

정답찾기 제시문은 3·1 운동(1919)을 계기로 실시된 문화 통치(1919~1931)의 내용이다.
① 백산 상회 설립(1914)

선지분석 ② 2차 조선 교육령(1922), ③ 암태도 소작 쟁의(1923), ④ 조선 소년 연합회(1927)

0504

출제영역 〉 치안 유지법 및 실시 시기 이해 정답 ▶ ④

정답찾기 제시문은 치안 유지법(1925)이다. 치안 유지법은 일본이 2차 세계 대전에서 패망한 후 연합군 총사령부의 명령에 의하여 1945년 10월 15일 폐지되었다.
④ 학도 지원병 제도(1943)

선지분석 ① 「조선 태형령」 공포(1912), ② 경성 제국 대학 설립(1924), ③ 물산 장려 운동 시작(1922)

PART 07

0505 □□□

다음의 법률에 근거하여 실시된 식민지 정책으로 옳지 않은 것은?

2018. 국가직 9급 / 2016. 계리직 · 2015. 지방직 9급 유사

> 제4조 정부는 전시에 국가 총동원상 필요하다고 인정될 때에는 칙령이 정하는 바에 따라서 제국 신민을 징용하여 총동원 업무에 종사하도록 할 수 있다.
> 제7조 정부는 칙령이 정하는 바에 따라 노동 쟁의의 예방 혹은 해결에 관한 명령, 작업소 폐쇄, 작업 혹은 노무의 중지 … (중략) … 등을 명할 수 있다.

① 물자 통제령을 공포하여 배급제를 확대하였다.
② 육군 특별 지원병령을 제정하여 지원병을 선발하였다.
③ 금속류 회수령을 제정하여 주요 군사 물자를 공출하였다.
④ 국민 징용령을 공포하여 강제적인 노무 동원을 실시하였다.

0506 □□□

다음의 내용과 가장 관련이 깊은 일제의 정책은? 2012. 지방직 7급

> 조선 총독부는 옷감을 절약하고 노동력을 쉽게 동원하기 위하여 여성들에게 '몸뻬'라는 이름의 바지를 입게 하였다. 이 옷은 일본의 농촌 여성들이 주로 입던 작업복으로, 긴 윗옷을 집어넣을 수 있도록 허리와 허벅지까지 통이 넓고 바지 아랫단은 좁았다.

① 산미 증식을 위하여 보국대를 동원하였다.
② 헌병 경찰과 보조원을 전국에 배치하였다.
③ 문화 통치를 표방하고 한글 신문을 발간하였다.
④ 호남선 철도를 개통하여 농산물 반출을 확대하였다.

0507 □□□

밑줄 친 ㉠, ㉡과 관련된 설명으로 옳은 것은? 2016. 사회복지직 9급

> • 일제는 한민족을 일본인으로 동화시켜 '충성스럽고 선량한 황국 신민'으로 만들기 위하여 ㉠ 황국 신민화 정책을 본격적으로 추진하였다.
> • 일제는 한국의 엄청난 자원을 약탈하고, ㉡ 한국인을 침략 전쟁에 동원하기 위해 끌고 가 강제 수용하고 노예처럼 혹사시켰다.

① ㉠ – '황국 신민 서사'를 아동은 물론 성인에게도 암송하도록 강요하였다.
② ㉠ – '궁성 요배'라 하여 서울의 남산을 비롯하여 전국 각지의 중요한 장소에 신사를 세우고 예배하도록 하였다.
③ ㉡ – 군 인력 보충을 위해 처음에 '징병 제도'를 실시했으나 이후에는 '지원병 제도'로 바꾸었다.
④ ㉡ – '만보산 사건'을 일으키기 직전에 국가 총동원법을 제정·공포하였다.

0505

출제영역〉 일제 침략 3단계의 정책 이해 **정답 ▶ ②**

정답찾기 제시문은 국가 총동원법(1938. 4. 발표, 5. 시행)이다.
② 육군 특별 지원병령은 1938년 2월에 공포되었다.

선지분석 ① 일제는 생활필수품의 생산과 소비 억제를 위해 물자 통제령(1941. 12.)을 발표하여 전쟁 물자에서 생활필수품에 이르기까지 배급 제도를 확대하였다.
③ 일제는 금속류 회수령(1941)을 공포하여 모든 금속제 그릇을 강제로 공출하였다.
④ 일제는 국민 징용령(1939)을 발표하여 1944년까지 징용 형식으로 1백만 명 이상의 노동자를 일본 본토, 북해도, 사할린, 남양 군도 등의 지역으로 끌고 갔다.

0506

출제영역〉 일제 침략 3단계의 정책 이해 **정답 ▶ ①**

정답찾기 제시문은 일제 침략 3단계(1931~1945) 상황으로, 특히 1940년대 전시 체제가 되면서 여자들은 몸뻬(왜바지)라는 바지를 입어야 했다.
① 일본은 군량 확보를 위해 산미 증식 계획을 재실시하였으며(1939), 1941년에는 국민 근로 보국령을 발표하여 조선인을 강제로 노동 현장에 끌고 가 보국대를 조직하였다.

선지분석 ② 일제 침략 1단계(1910~1919), ③ 일제 침략 2단계(1919~1931), ④ 일제 침략 1단계(1914)의 정책이다.

0507

출제영역〉 일제 침략 3단계의 정책 이해 **정답 ▶ ①**

정답찾기 제시문은 일제 침략 3단계인 민족 말살 통치기(1931~1945)의 정책들이다.
① 황국 신민 서사는 아동과 성인에게 모두 암송하도록 강요하였고, 일본 국왕에 대한 충성의 표시로 국왕의 궁성을 향해 절하는 궁성 요배를 강요하였다.

선지분석 ② 신사 참배에 대한 설명이다.
③ 지원병 제도는 1938년부터 시행되었고 징병 제도는 1943년에 시행되었다.
④ 만보산 사건은 1931년에 일어났고, 국가 총동원법은 1938년에 시행되었다.

경제 약탈

0508

일제하 총독부 관리였던 와다 이치로[和田一郎]는 『조선 토지 · 지세 제도 조사 보고서(朝鮮土地 · 地稅制度調査報告書)』라는 책의 저술을 통해 조선의 토지 제도사를 체계적으로 정리하였다. 이 책의 내용과 관련된 설명으로 옳지 않은 것은? 2009. 지방직 7급

① 와다 이치로[和田一郎]는 토지 조사 사업의 담당 관리로, 토지 국유론의 입장에서 보고서를 저술하였다.
② 고려 전시과의 과전은 수조권을 지급한 것이었으며, 지급을 받은 자가 사망하면 국가에 반환된다고 보았다.
③ 토지 조사 사업은 전국의 토지를 측정하여 수조권, 가격 그리고 지적(地籍)을 정확히 확정한다는 명분으로 실시되었다.
④ 신라의 관료에게 지급한 토지는 수조권의 지급이며, 농민에게 지급한 정전(丁田)은 경작권에 불과하다고 보았다.

0508

출제영역 일제의 토지 조사 사업 이해 정답 ▶ ③

정답찾기 ③ 토지 조사 사업에서는 수조권이 아니라 소유권 등을 조사하였다. 즉, 토지 조사 사업은 토지 소유권, 토지 가격, 지형 · 지도의 조사를 내용으로 한 기한부 신고제였다.

더+알아보기 **토지 조사 사업**(1910~1918)

목적		토지 약탈, 지주층 회유
방법	조사 방법	토지 조사국 설치(1910), 토지 조사령(1912) 발표 ⇨ 토지 소유권 · 토지 가격 · 지형과 지목 등 조사
	신고 방식	기한부 신고제, 증거주의 ⇨ 절차 복잡
결과		• 전 농토의 40% 탈취: 미신고 토지, 공공기관 소유 토지, 소유권자가 불분명한 토지 ⇨ 조선 총독부에 귀속 ⇨ 동양 척식 주식회사(1908) 담당, 일본인에게 싼값에 불하 • 농민 몰락: 토지 소유권 및 경작권 · 도지권 · 입회권 등 상실 ⇨ 기한부 계약 소작농으로 전락, 화전민화, 만주 · 연해주로 이주

0509

(가) 기구가 존속한 시기의 사람들이 볼 수 있었던 사실로 적절한 것은? 2018. 국가직 9급 / 2016. 교육행정직 9급 유사

> 지주는 조선 총독이 정하는 기간 내에 (가) 혹은 그것의 출장소 직원에게 신고해야 한다. 만약 제출을 태만히 하거나 신고서를 제출하지 않을 시에는 당국에서 해당 토지에 대해 소유권의 유무 등을 조사하다가 소유자를 알지 못하는 경우에 지주가 없는 것으로 간주하여 국유지로 편입할 수 있다.

① 조선 청년 연합회에 출입하는 일본인 고문
② 신문에 연재 중인 소설 무정을 읽는 학생
③ 연초 전매 제도에 따라 조합에 수매되는 담배
④ 의열단에 가입하는 신흥 무관 학교 출신 청년

0509

출제영역 토지 조사 사업 실시 시기의 주요 사건 이해 정답 ▶ ②

정답찾기 (가)는 토지 조사국이다. 일제는 토지 조사국을 설치하고(1910) 토지 조사령(1912)을 발표하여 1918년까지 전국의 토지 조사를 단행하였다. ② 이광수의 무정은 1917년 「매일신보」에 발표한 소설이다.

선지분석 ① 조선 청년 연합회(1920), ③ 연초 전매령 제정(1921), ④ 의열단 조직(1919)

0510

(가)와 (나) 사이의 농업 상황에 대한 설명으로 가장 적절한 것은?

2013. 국가직 7급

〈민족별 토지 소유 현황〉

(단위: 명)

구분	(가) 1921년		(나) 1936년	
	한국인	일본인	한국인	일본인
200정보 이상	66	169	49	181
100~200정보	360	321	336	380
50~100정보	1,650	519	1,571	749
20~50정보	14,438	1,420	12,701	2,958
10~20정보	29,646	1,544	30,332	3,504
1정보 이상 소계	1,125,604	18,060	1,073,177	41,986

① 전체 지주의 감소는 주로 일본인 지주가 감소한 결과였다.
② 미곡 배급 제도의 시행으로 10~20정보 구간 한국인 지주가 증가하였다.
③ 20정보 이상 일본인 지주의 증가는 상품 작물 개발과 밭농사 중심 경영 때문이었다.
④ 미곡의 수출 여건 악화와 일본인 위주 농정의 영향으로 1정보 이상 한국인 지주가 감소하였다.

0510

출제영역 일제의 산미 증식 계획의 이해 정답 ▶ ④

정답찾기 (가)와 (나) 사이에 산미 증식 계획(1920~1935)이 전개되었다.

선지분석 ① 역사적 사실이 아니다. 이 시기에는 일본인 지주가 증가하였다.
② 10~20정보 구간 한국인 지주의 증가는 미곡 배급제와는 전혀 관계가 없다. 미곡 배급제는 1937년 중·일 전쟁 이후 실시되었다.
③ 산미 증식 계획에 따르면 오로지 쌀만 생산해야 했다.

더⊕알아보기 **산미 증식 계획**(1920~1935)

배경	일본의 공업화 정책으로 일본 내 식량 부족 사태 ⇨ 부족한 쌀을 한국에서 수탈
방법	토지 개간 사업, 수리 시설 확충, 벼 품종 개량, 농사 개량 등
경과	1929년 세계 대공황 발생 ⇨ 1930년대 초 일본 농민 보호(농업 공황)를 위해 중단
결과	• 쌀 증식 – 목표 도달 실패, 일본으로의 수탈(수입) – 목표대로 수행 • 농업 구조의 불균형: 쌀 중심의 단작형 농업화 • 조선의 식량 사정 악화 ⇨ 만주산 잡곡으로 연명 • 증산 비용(수리 조합비, 비료 대금 등)의 조선 농민 부담 ⇨ 소작료 상승(소작 쟁의 유발)

0511

밑줄 친 (가) 정책이 진행되던 시기에 일어난 사건으로 옳은 것은?

2016. 기상직 7급

> <u>(가)</u>은/는 소비 절약과 가계부 적기 등의 자력갱생 운동을 중심으로 전개되었다. 일제는 특히 농가 갱생 계획을 강조하였는데, 이는 춘궁 농가의 식량 문제를 해결하고 농가 부채를 근절하려는 것이었다. 그러나 중·일 전쟁 이후 <u>(가)</u>의 중점이 전시 농산물 확보로 옮겨 가면서 농가 갱생 계획은 흐지부지되었다.

① 손기정이 베를린 올림픽에서 금메달을 획득하였다.
② 윤동주의 『하늘과 바람과 별과 시』 시집이 출간되었다.
③ 나운규가 민족의 비애를 담은 영화 '아리랑'을 발표하였다.
④ 방정환을 비롯한 색동회가 어린이날을 처음으로 제정하였다.

0511

출제영역 일제 침략 3단계의 경제 정책 이해 정답 ▶ ①

정답찾기 밑줄 친 '(가)' 정책은 농촌 진흥 운동(1932~1940)이다.
① 1936년의 사건이다.

선지분석 ② 윤동주의 『하늘과 바람과 별과 시』 출간 – 1948년
③ 나운규의 영화 '아리랑' 발표 – 1926년
④ 어린이날 제정 – 1922년

PLUS⁺ 선지 OX 민족의 수난

01 러・일 전쟁 기간에 대한 제국 정부는 국외 중립을 선언하였다. 2019. 계리직 O X

02 통감부 지배 시기에 내장원이 가졌던 홍삼 전매와 역둔토 수입을 국고로 귀속시켰다. 2020. 국가직 7급 O X

03 1920년대 조선 여성 동우회는 계몽 운동을 전개하였다. 2017. 국회직 9급 O X

04 조선 총독부는 1920년대에 국민 징용령, 임금 통제령 등을 시행하여 조선인 노동력을 통제하고자 하였다. 2018. 국회직 O X

05 조선 총독부는 1920년대에 한정된 물자를 군수 공업에 집중시키기 위해 생활필수품 통제령을 실시하였다. 2018. 국회직 O X

06 일제는 만주 사변 도발과 함께 국가 총동원법을 제정하여 전시 동원 체제를 확립하고 조선에도 이를 적용하였다. 2014. 지방직 7급 O X

07 흥남의 대규모 질소 비료 공장은 친일파 세력에 의해 설립되었다. 2008. 선관위 9급 O X

08 산미 증식 계획의 결과 황실의 땅 등 모든 국유지는 물론 황무지나 소유 관계가 불분명한 땅들도 모두 조선 총독부로 귀속되었다. 2018. 서울시 7급 2차 O X

09 일제는 산미 증산 계획을 이루기 위해 지주제를 철폐하였다. 2009. 지방직 9급 O X

10 중・일 전쟁 이후 일제는 부전강과 허천강에 발전소를 건설하였다. 2021. 국회직 9급 O X

PLUS⁺ 선지 OX 해설 민족의 수난

01 X 러・일 전쟁은 1904년 2월부터 1905년 9월까지 발발하였다. 대한 제국의 국외 중립 선언(1904. 1. 21.)은 러・일 전쟁 발발 직전에 이루어졌다.

02 O 통감부 시기(1906~1910)에 체결된 한・일 신협약(1907) 체결 이후 통감부는 대한 제국 황실이 관리하던 궁장토(宮庄土), 역둔토 및 광산, 홍삼 전매권 등을 국고로 귀속시켰다.

03 O 조선 여성 동우회는 1924년 서울에서 조직되었던 사회주의 여성 단체이다. 그들은 무산 계급 의식을 고취하는 강연회를 개최하는 등 활발한 활동을 전개하였다.

04 X 조선 총독부는 1939년 국민 징용령을 실시하여 100만 명 이상의 노동자를 일본 본토, 북해도, 사할린, 남양 군도 등의 지역으로 끌고 갔으며, 임금 통제령(1939)을 실시하여 노동자들의 임금을 착취하였다.

05 X 1937년 중・일 전쟁을 일으킨 일제는 전시 체제 시기의 한정된 물자를 군수 공업에 집중시키기 위해 생활필수품 통제령(1941)을 발표하여 일상생활까지 통제하였다.

06 X 만주 사변(1931)이 아니라 중・일 전쟁(1937)의 도발과 함께 국가 총동원법(1938)을 제정하였다.

07 X 흥남의 대규모 질소 비료 공장 설립(1927)은 친일파가 아니라, 일본인의 투자에 의해 이루어졌다.

08 X 국유지 등의 땅들이 조선 총독부에 귀속된 것은 산미 증식 계획이 아니라 토지 조사 사업의 결과이다.

09 X 일제는 지주제를 철폐한 적이 없다. 일제의 토지 조사 사업과 산미 증식 계획은 모두 지주에게 유리한 정책이었다.

10 X 중・일 전쟁은 1937년에 발발하였으나, 함경도 부전강 수력 발전소는 1926년에, 허천강 수력 발전소는 1936년에 착공되었다.

CHAPTER

02 항일 독립운동의 전개

최근 5년간 국가직·지방직 출제 비율

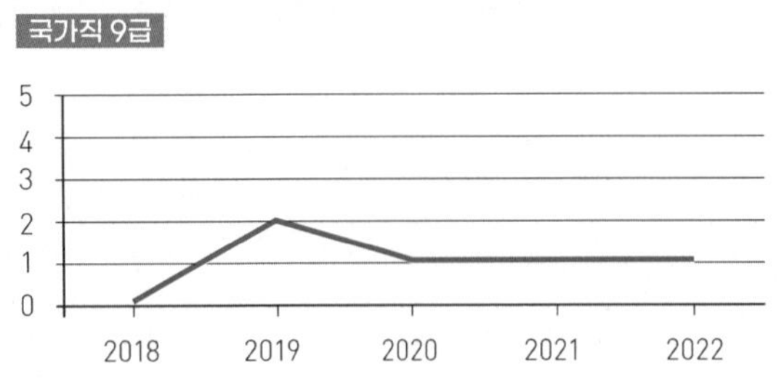

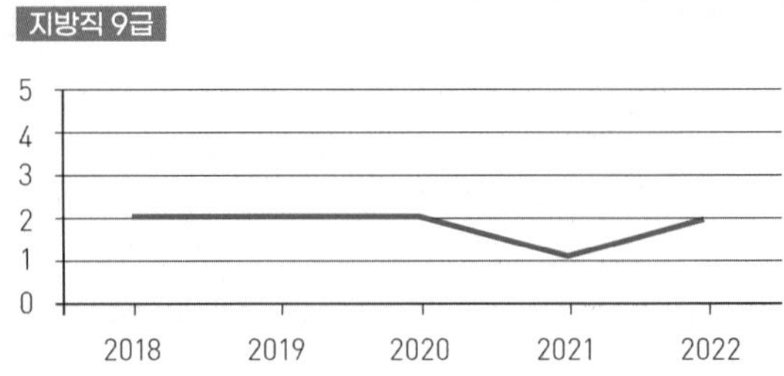

- 공무원 시험에서 최소 한 문제 이상은 반드시 출제되는 아주 중요한 단원이다.
- 최근 5년간 국가직과 지방직에서는 임시 정부의 활동 및 의열단과 주요 애국지사의 활동을 묻는 문제가 집중 출제되었다.

주요 고난도 문제 키워드

#대한민국 임시 정부 #조소앙 #삼균주의 #무장 항일 운동 #의열단

고난도 이론 정리 선우쌤 PICK

1920~1940년대 민족 운동		
국외 무장 독립 전쟁	• [1]______ (1920. 6.) : 대한 독립군(홍범도) + 국민회군(안무) 등 연합 ⇨ 이후 일제의 훈춘 사건(1920. 8.) 발발 • [2]______ (1920. 10.) : 북로 군정서군(김좌진) + 대한 독립군(홍범도) 등 연합 ⇨ 이후 일제의 간도 참변 발발 • 대한 독립군단 조직(서일, 1920. 12.) : 간도 참변 이후 밀산부에서 집결하여 소련으로 이동 ⇨ 자유시 참변(1921) 발발 • 자유시 참변(1921) 이후 독립군 재정비(3부 성립) : 육군 주만 참의부(1923, 임시 정부 직할) + [3]______ (1924, 남만주) + [4]______ (1925, 북만주) • [5]______ (1925) : 한국 독립군 탄압을 위해 일제 총독부 경무국장 미쓰야와 만주 군벌 장쭤린이 체결한 협정	
1930년대 한·중 연합 작전	• [6]______ (지청천) : 중국 [7]______ 과 연합 ⇨ 쌍성보 전투([8]______), 사도하자 전투(1933), 대전자령 전투(1933), 동경성 전투(1933) 등 • 조선 혁명군([9]______) : 중국 [10]______ 과 연합 ⇨ 영릉가 전투(1932), 흥경성 전투(1933) 등	⇨ 1930년대 중반 대부분 중국 본토로 이동
[11]______ (1938)	조선 민족 혁명당의 조선 민족 전선 연맹(1937) 산하 조직(김원봉), 중국 국민당 지원하에 창설된 중국 관내 최초의 한인 무장 부대 ⇨ 1942년 한국 광복군에 통합	
[12]______ (1940)	한국 국민당(1935) ⇨ 한국 독립당(1940)·한국 광복군 구성(1940) ⇨ 대일(1941)·대독(1942) 선전 포고 ⇨ 인도·미얀마 전선 참가(1943) ⇨ 국내 진입 작전 계획(1945. 9.) but 실패	
[13]______	• 1919년 [14]______ 등이 만주 길림성에서 조직, 신채호의 '[15]______'(의열단 선언서, 1923) • 박재혁의 부산 경찰서 투탄 의거(1920), 최수봉의 밀양 경찰서 폭탄 투척(1920), [16]______ 의 총독부 투탄 의거(1921), [17]______ 의 종로 경찰서 폭탄 투척(1923), [18]______ 의 일본 궁성 투탄 의거(1923), [19]______ 의 조선 식산 은행·동양 척식 회사에 폭탄 투척(1926) 등 • 1935년 중국 내 독립 단체를 통합하여 [20]______ 조직	
한인 애국단	• 1931년 상하이에서 [21]______ 가 조직 • [22]______ 의 일본 국왕 폭살 기도(1932) • [23]______ 의 상하이 훙커우 공원 투탄 의거(1932) ⇨ 중국 국민당의 임시 정부 지원 강화 계기	

정답 1. 봉오동 전투 2. 청산리 전투(대첩) 3. 정의부 4. 신민부 5. 미쓰야 협정 6. 한국 독립군 7. 호로군 8. 1932 9. 양세봉 10. 의용군 11. 조선 의용대 12. 한국 광복군 13. 의열단 14. 김원봉 15. 조선 혁명 선언 16. 김익상 17. 김상옥 18. 김지섭 19. 나석주 20. 민족 혁명당 21. 김구 22. 이봉창 23. 윤봉길

1910년대의 비밀 결사 조직

0512 □□□

다음 자료는 어떤 단체의 활동이다. ㉠에 들어갈 단체로 옳은 것은?

2012. 경찰 3차 / 2018. 경찰 2차 유사

> ㉠은(는) 경주에서 대구로 향하던 일제의 수송 차량을 습격하여 거액의 현금을 빼앗은 뒤 이 자금으로 무기를 구입하였고, 각 지방 부호들의 재산 상태를 조사한 후 그 재산에 비례하여 독립운동 자금을 납부하도록 배당하였다. 이 과정에서 ㉠은(는) 독립운동에 비협조적이거나 자금 제공을 거부하는 자, 또는 일제에 밀고하는 친일파를 처단하여 광복의 의지를 온 세상에 밝혔다. 그 대표적인 사건이 전 관찰사 장승원과 도고 면장 박용하 사살 사건이었다.

① 조선 국권 회복단　　② 의열단
③ 국민군단　　④ 대한 광복회

0513 □□□

다음과 관련 있는 단체에 대한 설명으로 옳은 것은? 2017. 기상직 7급

> 오인은 대한 독립 광복을 위하여 오인의 생명을 희생에 이바지함은 물론 오인이 일생의 목적을 달성치 못할 시는 자자손손이 계승하여 수적(讐敵) 일본을 온전 구축하고 국권을 광복하기까지 절대 불변하고 일심육력(一心戮力)할 것을 천지신명에게 맹서해 고함.

① 서일을 단장으로 만주에서 조직된 항일 무장 단체이다.
② 하와이에서 조직된 대조선 국민군단의 국내 조직이었다.
③ 임병찬이 고종의 밀지를 받고 의병장과 유생을 모아 조직한 단체이다.
④ 의병 계열과 애국 계몽 운동 계열의 인사들이 통합하여 만든 단체이다.

0514 □□□

다음의 정치적 이념과 가장 거리가 먼 독립운동 단체는?

2016. 경찰간부

> 융희 황제가 삼보(三寶)를 포기한 8월 29일은 즉 우리 동지가 이를 계승한 8월 29일이니 그간에 순간도 숨을 멈춘 적이 없음이라. …… 구한국 마지막 날은 즉 신한국 최초의 날이니 무슨 까닭인가. 우리 대한은 무시 이래로 한인의 한(韓)이오 비한인(非韓人)의 한이 아니라 한인 사이의 주권을 주고받는 것은 역사상 불문법의 국헌(國憲)이오 비한인에게 주권 양여는 근본적 무효요 한국 민성(民性)의 절대 불허하는 바이라. 고로 경술년 융희 황제의 주권 포기는 즉 우리 국민 동지에 대한 묵시적 양위니 우리 동지는 당연히 삼보를 계승하여 통치할 특권이 있고 또 대통을 상속할 의무가 있도다.

① 신민회　　② 대한 독립 의군부
③ 대한 광복회　　④ 조선 국민회

0512

출제영역 〉 1910년대 독립운동 단체의 이해　　정답 ▶ ④

정답찾기 ㉠은 대구에서 조직되어 전국적으로 활동하였던 대한 광복회(1915~1918)이다. 대한 광복회는 독립운동에 비협조적이거나 자금 제공을 거부하는 자, 또는 일제에 밀고하는 친일파를 공격하였다.

선지분석 ① 조선 국권 회복단(1915~1918)은 경북 유림들이 조직한 비밀 결사 단체로, 대종교적 민족주의를 표방하였다.
② 의열단(1919)은 만주 길림에서 김원봉이 조직한 결사대이다.
③ 국민군단(1914)은 박용만 주도하에 하와이에서 조직한 항일 군사 단체이다.

더⊕알아보기 〉 **대한 광복회 강령**

- 부호의 의연 및 일본인이 불법 징수하는 세금을 압수하여 무장을 준비한다.
- 남북 만주에 사관 학교를 설치하여 독립 전사를 양성한다.
- 종래의 의병 및 만주 이주민을 소집하여 훈련한다.
- 중국과 러시아에 의뢰하여 무기를 구입한다.
- 일인(日人) 고관 및 한인 반역자를 수시·수처에서 처단하는 행형부를 둔다.

0513

출제영역 〉 1910년대 독립운동 단체의 이해　　정답 ▶ ④

정답찾기 제시문은 대한 광복회(1915~1918)의 비밀 서약문이다. 대한 광복회는 박상진, 김좌진 등이 중심이 되어 공화정 수립을 목표로 1910년대에 국내에서 활동했던 비밀 결사 단체이다.

선지분석 ① 대한 독립군단(1920), ② 조선 국민회(1917), ③ 독립 의군부(1912)에 대한 설명이다.

0514

출제영역 〉 특정 정치 이념(공화주의)의 이해　　정답 ▶ ②

정답찾기 제시문은 대동단결 선언서(1917)이다. 이는 상하이에서 신규식, 박은식, 신채호, 조소앙 등 14명이 발기하여 작성한 선언문으로, 공화주의를 표방한 임시 정부 수립을 제시하였다.
② 대한 독립 의군부는 위정척사적 복벽주의를 표방한 항일 단체이다.

선지분석 ①③④ 공화주의를 표방한 단체이다.

PART 07

0515 □□□

다음 자료가 발표된 시기를 연표에서 옳게 고른 것은?

2019. 기상직 9급

> 궐기하라 독립군! 독립군은 일제히 천지를 휩쓸라! 한번 죽음은 인간의 면할 수 없는 바이니 개, 돼지와 같은 일생을 누가 구차히 도모하겠는가? …… 황천(皇天)의 명령을 받들고 일체의 못된 굴레에서 해탈하는 건국임을 확신하여 육탄 혈전으로 독립을 완성하라.

	(가)	(나)	(다)	(라)	
대종교 창시	대한 광복군 정부 수립	한인 애국단 조직	한국 광복군 창설	건국 동맹 조직	

① (가)　② (나)
③ (다)　④ (라)

0515

출제영역〉 특정 독립 선언서(무오 독립 선언서)의 시기 이해 **정답 ▶ ②**

정답찾기 대종교 창시(1909) ⇨ 대한 광복군 정부 수립(1914) ⇨ 한인 애국단 조직(1931) ⇨ 한국 광복군 창설(1940) ⇨ 건국 동맹 조직(1944)
② 제시문은 조소앙이 작성한 무오 독립 선언서(대한 독립 선언서, 1918 or 1919)이다.

3·1 운동

0516 □□□

1919년 3·1 운동 전후의 국내외 정세에 대한 설명으로 옳지 않은 것은?

2009. 국가직 9급

① 일본은 시베리아에 출병하여 러시아 영토의 일부를 점령하고 있었다.
② 러시아에서는 볼셰비키가 권력을 장악하여 사회주의 정권을 수립하였다.
③ 미국의 윌슨 대통령이 민족 자결주의를 내세워 전후 질서를 세우려 하였다.
④ 산둥성의 구 독일 이권에 대한 일본의 계승 요구는 5·4 운동으로 인해 파리 강화 회의에서 승인받지 못하였다.

0516

출제영역〉 3·1 운동 당시 국내외 정세 이해 **정답 ▶ ④**

정답찾기 ④ 1차 세계 대전이 끝나고 파리 강화 회의가 열리자, 중국은 독일이 가지고 있던 산둥성의 이권이 회수되고 일본 정부가 제출한 21개조 요구가 폐지되리라 기대하였다. 그러나 영국·프랑스·이탈리아·소련은 독일의 이권을 일본에 넘긴다는 협약을 맺었다. 이로 인해 1919년 5월 4일 베이징 대학생들이 중심이 되어 일본의 21개조 요구 철폐와 친일 관리의 파면을 요구하는 대대적인 시위가 시작되었으며, 곧 전국에 퍼져 각계각층의 중국인이 호응하였다. 이후 파리 강화 회의(베르사유 조약)에서 미해결된 부분들이 다시 워싱턴 회의(1921~1922)에서 논의되면서 영·일 동맹은 폐지되고 일본은 중국에 산둥성을 이양하였다.

0517 □□□

(　　)의 운동 과정에서 발생한 사건은?

2009. 국가직 7급

> 상쾌한 아침의 나라라는 뜻을 지닌 조선은 일본의 총칼 아래 민족정신을 무참하게 유린당했다. 일본은 처음 얼마 동안 근대적인 개혁을 실시했으나, 곧이어 마각을 드러냈고 조선 민족은 독립 항쟁을 줄기차게 계속하였다. 그 중에서도 중요한 것은 (　　) 운동이었다. 조선의 청년들은 맨주먹으로 적에 항거하여 용감히 투쟁하였다. 조선에서 학생의 신분으로 곧장 대학을 나온 젊은 여성과 소녀가 투쟁에 중요한 역할을 했다는 것을 듣는다면 너도 틀림없이 깊은 감동을 받을 것이다.
>
> 『세계사편력』

① 수양 동우회 해산
② 송죽회(松竹會) 결성
③ 조선 학생 과학 연구회 발족
④ 경성 철도 노동자 및 총독부 인쇄공 파업

0517

출제영역〉 3·1 운동 과정에 발생한 주요 사건 이해 **정답 ▶ ④**

정답찾기 제시문은 인도의 독립운동 중 아홉 차례나 투옥된 네루가 딸 인디라 간디에게 쓴 편지를 모아 엮은 『세계사편력』 중 3·1 운동에 대한 내용이다.
④ 3·1 운동은 민족 대표에 의하여 주요 도시에서 시위가 시작된 1단계(점화기)를 거쳐 2단계(도시 확산기)로 들어가면서 교사, 도시 상인 및 노동자들이 참여하게 되었다. 특히 이 시기에 노동자들이 적극 참여한 이유는 일제 지배하에 장시간의 노동과 착취, 낮은 임금, 민족적 차별 등에 시달려 왔기 때문이다.

선지분석 ① 수양 동우회(1926~1937), 수양 동우회 사건(1937)으로 해산, ② 송죽회(1913), ③ 조선 학생 과학 연구회(1925)

대한민국 임시 정부의 수립과 활동

0518

대한민국 임시 정부와 관련된 내용으로 옳지 않은 것은?

2015. 기상직 7급

① 1943년 광복군은 영국과 군사 협정을 맺고 일부 병력이 인도와 버마 전선에 참전하였다.
② 상하이 임시 정부 시기 4차 개헌을 통해 국무 위원제에서 주석제로 바뀌어 김구가 주석을 맡았다.
③ 1940년 충칭에서 광복군을 창립했는데, 김원봉이 이끄는 조선 의용대가 1942년 5월 광복군에 편입되었다.
④ 1940년 5월 대한민국 임시 정부는 기초 정당을 한국 국민당에서 한국 독립당으로 확대·개편하였다.

0519

㉠ 정당에 대한 설명으로 옳은 것은? 2015. 국가직 9급 / 2019. 지방직 7급 유사

> 우리는 한국 국민당, 조선 혁명당, 한국 독립당 등 3당의 과거 조직을 공동으로 해산하고 통일적인 ㉠을(를) 창립하며 창립의 의의를 국내외에 알린다. … (중략) … 중국의 용감한 항일 전쟁은 이미 4년째에 접어들었다. 외적의 붕괴와 중국의 대승리는 이미 기정사실로 공인되고 있다. 이런 천재일우의 시기에 맞춰 함께 왜적을 몰아내고 조국을 광복하는 것이 우리의 중대한 사명이다.

① 조선 혁명 선언을 활동 지침으로 삼았다.
② 대한민국 임시 정부의 여당 역할을 하였다.
③ 조선 민족 전선 연맹의 창설을 주도하였다.
④ 한국 광복 운동 단체 연합회를 결성하였다.

0520

㉠에 대한 설명으로 옳은 것은?

2019. 국가직 7급

> 민국 23년에 채택한 ㉠ 에는 언론과 종교의 자유를 보장하며, 무상 교육을 시행하겠다는 내용이 담겨 있다. … (중략) … 현재 우리의 급무는 연합군과 같이 일본을 패배시키고 다른 추축국을 물리치는 데에 있다. 우리는 독립과 우리가 원하는 정부, 국가를 원한다. 이를 위해 ㉠ 의 정신을 바탕으로 독립된 나라를 건설해 나가야 한다.
>
> 『신한민보』

① 보통 선거 실시를 주장하였다.
② 조선 건국 동맹에서 발표하였다.
③ 파괴와 폭동 등에 의한 민중의 직접 혁명을 강조하였다.
④ 남북 제정당 사회단체 대표자 회의의 소집을 요구하였다.

0518

출제영역 충칭 시대 대한민국 임시 정부의 활동 이해 **정답 ▶ ②**

정답찾기 ② 상하이 시기가 아니라 충칭 시기에 4차 개헌(주석 지도 체제)이 이루어졌다.

0519

출제영역 충칭 시대 대한민국 임시 정부의 활동 이해 **정답 ▶ ②**

정답찾기 ㉠은 대한민국 임시 정부의 기초 정당인 한국 독립당(1940)이다.
② 1940년 충칭으로 이동한 대한민국 임시 정부는 임시 정부의 기초 정당으로 한국 독립당을 창당하였다.

선지분석 ① 의열단(1919)에 대한 설명이다.
③ 조선 민족 혁명당(1937)이 조선 민족 전선 연맹(1937)을 결성하였다.
④ 한국 광복 운동 단체 연합회(1937)는 김구의 한국 국민당을 비롯한 여러 민족주의계 단체들이 연합하여 결성한 단체이다.

0520

출제영역 충칭 시대 대한민국 임시 정부의 활동 이해 **정답 ▶ ①**

정답찾기 ㉠은 조소앙의 삼균주의를 바탕으로 작성한 대한민국 임시 정부의 건국 강령(1941)이다.
① 대한민국 건국 강령에서는 '보통 선거를 통한 민주 공화국의 수립 및 정치·경제·교육의 균등' 등을 주창하였다.

선지분석 ② 조선 건국 동맹이 아니라 대한민국 임시 정부가 충칭 시기에 발표하였다.
③ 신채호가 의열단 선언서로 작성한 '조선 혁명 선언'(1923)에 대한 설명이다.
④ 남북 제정당 사회단체 대표자 회의는 남북 협상(1948) 당시 김구와 김규식이 북한에 지도자 회의를 제안하자 북한이 평양에서 남북 제정당 사회단체 대표자 연석회의를 개최하자고 다시 제의를 해옴으로써 성사되었다.

0521 □□□

다음 자료에 나타난 사상을 정립한 인물에 대한 설명으로 옳지 않은 것은? 2017. 지방직 9급

> 우리나라의 건국 정신은 삼균 제도(三均制度)의 역사적 근거를 두었으니 선조들이 분명히 명한 바 「수미균평위(首尾均平位)하야 흥방보태평(興邦保泰平)하리라」 하였다. 이는 사회 각층 각급의 지력과 권력과 부력의 향유를 균평하게 하야 국가를 진흥하며 태평을 보유(保維)하려 함이니 홍익인간(弘益人間)과 이화세계(理化世界)하자는 우리 민족의 지킬 바 최고 공리(公理)임.

① 정치·경제·교육의 균등을 주장하였다.
② 제헌 국회 의원에 당선되었다.
③ 임시 정부의 국무 위원이었다.
④ 한국 독립당을 창당하였다.

0521

출제영역〉 조소앙의 활동 이해 정답 ▶ ②

정답찾기 제시문은 조소앙의 삼균주의이다.
② 조소앙은 1948년 2월 유엔에 의해 남한만의 선거가 결정된 단독 정부에 반대하여 3월 김구·김규식과 함께 총선거에 불참하는 공동성명을 발표하였다. 그 후 1950년 5월 30일 제2회 총선거에서 서울 성북구에 출마하여 전국 최다 득표(34,035표)로 당선되어 제2대 국회에 진출하였으나, 6·25 전쟁 때 서울에서 강제 납북되었다.

선지분석 ① 조소앙은 독립운동 내부의 좌·우익 사상의 대립을 지양·종합하고, 이를 독립운동의 기본 방략 및 미래 조국 건설의 지침으로 삼기 위해 삼균주의를 체계화하였다. 그는 개인과 개인, 민족과 민족, 국가와 국가 간의 균등 생활이라는 완전 균등을 대전제로 하면서, 이의 실현을 위해 정치·경제·교육의 균등을 주장하였다.
③ 조소앙은 임시 정부 국무 위원 외무장과 내무장을 모두 역임하였다.
④ 조소앙은 1930년 한국 독립당을 창당하였으며, 1937년 한국 광복 진선 결성에 한국 독립당 대표로 참가하기도 하였다.

Tip 『기본편』 696번 〈더 알아보기〉 삼균주의 창시자 조소앙(1887~1958) 참조

항일 독립 전쟁

0522 □□□

1910년대 항일 운동에 대한 설명으로 옳지 않은 것은? 2013. 경찰간부

① 미주 지역에서는 동포 사회를 중심으로 대한인 국민회가 조직되었다.
② 서간도 지역에서는 이회영이 중심이 되어 삼원보에 경학사를 조직하였다.
③ 1912년 유생들이 중심이 되어 대한 광복회를 조직하고 복벽주의 운동을 전개하였다.
④ 연해주의 블라디보스토크에서는 이상설과 이동휘 등이 대한 광복군 정부를 조직하였다.

0522

출제영역〉 해외 독립운동의 이해 정답 ▶ ③

정답찾기 ③ 대한 광복회는 공화주의를 주장하였다. 복벽주의는 (대한) 독립 의군부와 관련있다.

더⊕알아보기〉 **국외 주요 독립운동 기지**

지역	내용
중국 간도	• 간도 삼원보, 밀산부 한흥동(⇨ 신민회 최초) • 경학사(⇨ 부민단), 신흥 강습소(⇨ 신흥 무관 학교), 서전서숙, 명동 학교 등
중국 본토	신한 청년단(당) 조직(1918) ⇨ 김규식 – 파리 강화 회의 파견(1919)
러시아 연해주	대한 광복군 정부(1914, 이상설), 대한 국민 의회(1919)
미국	대한인 국민회(1910, 이승만), 흥사단(1913, 안창호), 대조선 국민군단(1914, 박용만)
일본	조선 청년 독립단(1918, 유학생 중심)

0523 □□□

다음의 비문과 관련된 지역과 관계가 먼 것은? 2008. 지방직 7급

> 청나라 오라총관 목극등(穆克登)이 성지(聖旨)를 받들고 변경을 답사하여 이곳에 와서 살펴보니 서쪽은 압록이 되고 동쪽은 토문(土門)이 되므로 분수령 위의 돌에 새겨 기록한다.

① 훈춘 사건 ② 대한 광복군 정부
③ 이범윤 ④ 삼원보

0523

출제영역〉 해외 독립운동의 이해 정답 ▶ ②

정답찾기 비문은 백두산정계비의 내용으로, 이 비문과 관련된 지역은 간도이다.
② 대한 광복군 정부는 1914년에 연해주 블라디보스토크에서 만들어진 최초의 임시 정부이다.

선지분석 ① 훈춘 사건(1920)은 일본군이 간도 훈춘의 한인 교포와 독립운동가를 대량 학살한 사건이다.
③ 1902년 정부는 이범윤을 간도 시찰사로 파견하였고, 1903년 간도 관리사로 임명하였다.
④ 삼원보는 서간도(남만주) 지역에 설치한 독립운동 기지이다.

0524

그래프는 어느 지역의 한인 인구 변동을 나타낸 것이다. 이 지역 한인의 모습으로 옳은 것은? 수능 근현대사

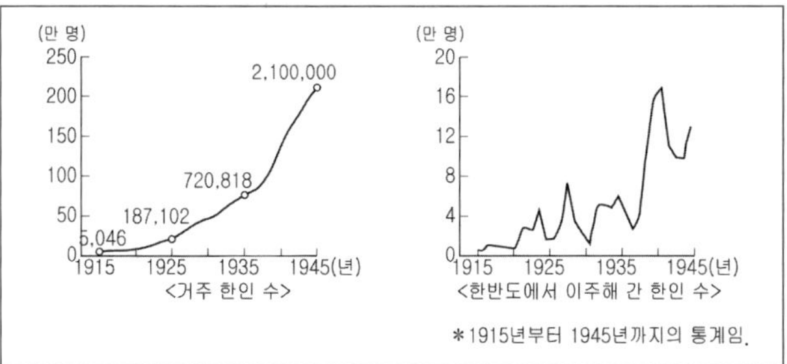

<거주 한인 수> <한반도에서 이주해 간 한인 수>

*1915년부터 1945년까지의 통계임.

① 사탕수수 농장 노동자로 이주가 시작되었다.
② 권업회를 결성하여 자치 활동을 전개하였다.
③ 소련에 의해 강제 이주되어 황무지를 개간하였다.
④ 독립군을 지원하다 간도 참변의 피해를 당하였다.
⑤ 초기에는 유학생, 이후 노동자의 이주가 증가하였다.

0525

다음 자료에 대한 설명으로 옳은 것은? 2013. 서울시 7급

> 강도 일본의 구축을 주장하는 가운데 또 다음과 같은 논자들이 있으니, 첫째는 (㉠)이니 최근 3·1 운동에 일반 인사의 '평화 회의, 국제 연맹'에 대한 과신의 선전이 이천만 민중의 힘 있는 전진의 기운을 없애 버리는 계기가 될 뿐이었도다. 둘째는 (㉡)이니, 을사조약 당시에 여러 나라 공관에 빗발치듯 하던 종이쪽지로 넘어가는 국권을 잡지 못하며, 정미년의 헤이그 특사도 독립 회복의 복음을 안고 오지 못하매, 차차 전쟁 아니면 안 되겠다는 판단이 생겼다. …… 각 지사들이 국내외 각지에 출몰하여 십여 년 안팎을 준비를 불렀지만 그 소득이 몇 개 불완전한 학교와 실력 없는 단체뿐이었다. …… 이상의 이유에 의하여 우리는 (㉠), (㉡) 등의 미몽을 버리고 민중 직접 혁명의 수단을 취함을 선언하노라.

① 이 글의 저자는 『한국독립운동지혈사』도 저술했다.
② ㉠의 입장을 가진 사람들은 무정부주의자들이었다.
③ ㉡의 주장에 따라 의열단이 조직되었다.
④ ㉠을 주장한 대표적 인물은 이승만이다.
⑤ ㉡은 충칭 임시 정부 시기에 독립 방략으로 채택되었다.

0526

다음 선언문을 강령으로 했던 단체의 활동으로 옳지 않은 것은?

2016. 국가직 9급 / 2019. 지방직 9급 유사

> 우리는 일본 강도 정치, 즉 이족 통치가 우리 조선 민족 생존의 적임을 선언하는 동시에, 우리는 혁명 수단으로 우리 생존의 적인 강도 일본을 살벌함이 곧 우리의 정당한 수단임을 선언하노라.

① 민족 혁명당 창당에 가담하였다.
② 경성 부민관에 폭탄을 투척하였다.
③ 일본 제국 의회와 황궁을 공격할 계획을 세웠다.
④ 임시 정부 요인과 제휴한 투탄 계획을 추진하였다.

0524

출제영역 해외 독립운동의 이해 정답 ▶ ⑤

정답찾기 제시된 그래프는 일본의 한인 인구 변동을 나타낸 것이다. ⑤ 1920년대에는 유학생, 노동자의 이주가 많았고, 1930년대 후반 이후에는 강제 징용자가 일본으로 많이 이주하였다.

선지분석 ① 미국, ② 연해주 블라디보스토크 신한촌, ③ 연해주, ④ 만주에 해당한다.

0525

출제영역 항일 무력 독립 단체의 이해 정답 ▶ ④

정답찾기 제시문은 의열단 선언문인 신채호의 '조선 혁명 선언(1923)'으로, ㉠은 외교론, ㉡은 준비론이다.

선지분석 ① 박은식의 활동이다.
② 외교론자들은 무정부주의를 주장하지 않았다. 신채호가 임시 정부에서 탈퇴한 후 무정부주의를 주장하였다.
③ 의열단은 민중에 의한 직접 투쟁론에 입각하여 조직되었다.
⑤ 충칭 임시 정부 시기의 대한민국 임시 정부는 투쟁을 통한 독립을 지향하였다.

0526

출제영역 항일 무력 독립 단체의 이해 정답 ▶ ②

정답찾기 제시문은 의열단 선언문인 신채호의 '조선 혁명 선언'(1923)이다. ② 경성 부민관 폭파 사건은 1945년 7월 친일파 거두인 대의당의 박춘금 일당이 주최하는 아세아 민족 분격 대회가 경성 부민관에서 열린다는 보도가 나오자 조문기, 유만수 등 당시 20세 안팎의 열혈 청년들이 부민관 내에 폭탄을 설치하고 분격 대회 연설 도중 폭탄을 터트린 사건이다.

선지분석 ① 김원봉·조소앙 등이 민족 운동 단체들의 대동단결을 모색하면서 중국 난징에서 5개의 단체(의열단·조선 혁명당·한국 독립당·신한 독립당·대한 독립당)를 연합하였다. 이로써 1932년에 한국 대일 전선 통일 동맹이 결성되었고 1935년 민족 혁명당으로 발전하였다.
③ 의열단은 창단 직후 '공약 10조'와 뒤에 '5파괴', '7가살(可殺)'이라는 행동 목표를 독립운동의 지침으로 채택하고, 파괴 대상으로는 조선 총독부·동양 척식 주식회사·매일신보사·각 경찰서·기타 왜적의 중요 기관을 선정하여 이 시설에 대한 폭파를 시도하였다. 한편, 암살 대상으로는 조선 총독 이하 고관·군부 수뇌·타이완 총독·매국노·친일파 거두·적탐(밀정)·반민족적 토호열신(土豪劣紳)을 선정하고 이를 위해 폭탄 제조법을 배우기도 하였다.
④ 의열단원 김상옥은 김구 등 임시 정부 요인과 제휴한 투탄 계획을 추진하였다.

PART 07

0527 □□□

(가), (나)의 주장을 펼친 사람에 대한 설명으로 옳은 것을 〈보기〉에서 모두 고른 것은? 2013. 국가직 7급

> (가) 강도 일본이 우리의 생명을 초개(草芥)로 보아 을사 이후 13도의 의병이 있던 각 지방에서 일본 군대가 행한 폭행도 이루 다 적을 수 없거니와 … (중략) … 우리는 일본의 강도 정치 곧 이족(異族) 통제가 우리 조선 민족 생존의 적임을 선언하는 동시에 우리는 혁명 수단으로 우리의 적인 강도 일본을 살벌(殺伐)함이 곧 우리의 정당한 수단임을 선언하노라.
> (나) 슬프다! 나라와 민족의 치욕이 이 지경에 이르렀으니 우리 인민은 장차 생존 경쟁 속에서 다 죽게 되었구나. 구차하게 살고자 하는 자는 반드시 죽고, 죽기를 각오한 자는 도리어 살게 되나니 … (중략) … 죽음으로 임금의 은혜를 갚고 이천만 동포 형제에게 사죄하노라.

보기
- ㉠ (가) – 노령에서 항일 활동을 하였고 하얼빈에서 이토 히로부미를 암살하였다.
- ㉡ (가) – 의열단의 요청으로 '조선 혁명 선언'을 집필하였고 뤼순 감옥에서 순국하였다.
- ㉢ (나) – 을사조약을 체결하자 이에 저항하여 자결하였다.
- ㉣ (나) – 상하이 홍커우 공원에서 폭탄을 던져 일본군 고관을 죽였다.

① ㉠, ㉢　② ㉠, ㉣
③ ㉡, ㉢　④ ㉡, ㉣

0528 □□□

밑줄 친 '선생'의 활동으로 옳은 것은? 2020. 국가직 7급

> 그 길로 함께 안공근의 집에 가서 선서식을 하고 폭탄 두 개와 300원을 주면서 "선생은 마지막 가시는 길이니 이 돈을 아끼지 말고 동경(東京) 가시기까지 다 쓰시오. 동경에 도착하여 전보를 치면 다시 돈을 보내드리리다."라고 말했다. 그리고 기념사진을 찍기 위해 사진관으로 갔는데, 사진을 찍을 때 내 얼굴에 자연 슬픈 기색이 있었던지 그가 나를 위로하면서 "저는 영원한 쾌락을 누리고자 이 길을 떠나는 것이니 서로 기쁜 얼굴로 사진을 찍으십시다."라고 하였다. 나 역시 미소를 띠고 사진을 찍었다.

① 홍커우 공원에서 폭탄을 던졌다.
② 만주에서 의열단을 결성하였다.
③ 하얼빈에서 이토 히로부미를 사살하였다.
④ 상하이에서 한인 애국단에 참가하였다.

0529 □□□

〈보기〉 활동과 관련하여 학생들이 설정한 탐구 주제와 선정한 인물이 가장 잘못 연결된 것은? 2019. 법원직

보기
- 탐구 목표: 인물을 통해 우리나라의 역사를 이해한다.
- 탐구 절차: 탐구 주제 설정 ⇨ 대상 인물 선정 ⇨ 관련 자료 수집 ⇨ 보고서 작성·발표

	탐구 주제	인물
①	종로 경찰서에 폭탄을 투척하다!	김익상
②	하얼빈에서 순국한 여성 독립운동가!	남자현
③	조선 의용대, 중국 국민당과 연합하다!	김원봉
④	통일 정부 수립을 위해 좌우 합작 운동을 펼치다!	여운형

0527

출제영역 〉 특정 인물의 이해　정답 ▶ ③

정답찾기 (가) 신채호의 '조선 혁명 선언'(1923), (나) 민영환의 유서(1905) ㉡ 신채호, ㉢ 민영환의 주요 활동이다.

선지분석 ㉠ 안중근(1909), ㉣ 윤봉길(1932)의 활동이다.

0528

출제영역 〉 대한민국 임시 정부의 무력 독립운동 이해　정답 ▶ ④

정답찾기 밑줄 친 '선생'은 이봉창이다.
④ 한인 애국단 소속 이봉창은 도쿄에서 일본 국왕에게 폭탄을 투척하였다(1932).

선지분석 ① 윤봉길, ② 김원봉, 윤세주 등, ③ 안중근에 대한 설명이다.

0529

출제영역 〉 애국지사의 독립운동 이해　정답 ▶ ①

정답찾기 ① 김익상은 조선 총독부에 폭탄을 투척하였다. 종로 경찰서에 폭탄을 투척한 것은 김상옥이다.

0530 □□□

다음의 독립 투쟁을 일으킨 인물과 당시 소속 단체가 일치하지 않는 것은? 2012. 국가직 7급

㉠ 조선 총독부에 폭탄을 던진 다음 수십 겹의 포위망을 뚫고 중국으로 탈출하여, 이듬해 중국 상하이에서 일본 육군 대장을 저격하였다.
㉡ 조선 총독의 마차를 겨냥하고 영국제 수류탄을 던져 총독부 요인과 관리들에게 큰 부상을 입혔다.
㉢ 동양 척식 주식회사에 들어가 폭탄을 투척하였으나, 터지지 않자 권총으로 일본 간부를 사살하고 경찰과 시가전을 벌였다.
㉣ 도쿄에서 황궁으로 들어가는 이중교에 폭탄을 던져 일제에게 두려움을 안겨 주었다.

① ㉠: 김익상 – 의열단　② ㉡: 강우규 – 노인(동맹)단
③ ㉢: 나석주 – 의열단　④ ㉣: 이봉창 – 한인 애국단

0530

출제영역 애국지사의 독립운동 이해 정답 ▶ ④

정답찾기 ④ 황궁 앞에서 이중교에 폭탄을 던진 것은 김지섭(의열단)이다. 한인 애국단원 이봉창은 일본 국왕 행차 앞에 직접 폭탄을 던졌다.

0531 □□□

다음 인물의 활동으로 옳은 것은? 2018. 지방직 7급

1878 평남 강서군 출생
1898 독립 협회 활동
1899 점진 학교 설립
1907 신민회 조직
1923 국민 대표 회의 참여
1938 투옥 끝에 사망

① 흥사단을 조직하였다.
② 한인 애국단을 창단하였다.
③ 헤이그 특사로 파견되었다.
④ 대한매일신보에 '독사신론'을 연재하였다.

0531

출제영역 애국지사의 독립운동 이해 정답 ▶ ①

정답찾기 제시문은 안창호의 활동이다.
① 흥사단은 1913년 안창호가 신민회의 후신으로 미국 로스앤젤레스(L.A.)에서 조직(샌프란시스코로 보는 입장도 있음.)한 것이다.

선지분석 ② 김구, ③ 이준·이상설·이위종, ④ 신채호에 대한 설명이다.

더⊕알아보기 **안창호**(1878~1938)

- 1897년 독립 협회 가입, 1899년 점진 학교 설립
- 미국으로 건너가 1905년 대한인 공립 협회 설립, 1907년 양기탁·신채호 등과 신민회 조직, 1912년 샌프란시스코에서 대한인 국민회 중앙 총회 조직, 105인 사건으로 신민회가 해체되자 1913년 흥사단 조직
- 1919년 3·1 운동 이후 상하이로 가 임시 정부 조직에 참가, 1923년 국민 대표 회의가 실패하자 1924년 미국에서 흥사단 조직 강화, 1926년 상하이로 가서 독립운동 단체 통합을 위해 노력, 1932년 윤봉길 의거로 체포, 복역 후 가출옥되어 휴양 중 1937년 수양 동우회 사건으로 재투옥, 병으로 보석된 후 1938년 사망

0532 □□□

일제의 식민 통치에 대항하여 전개된 다음의 민족 운동 가운데 그 시기가 가장 늦은 것은? 2018. 서울시 7급 1차

① 임시 정부는 헌법을 개정해 국무령을 채택하였다.
② 경성 고무 공장 여성 노동자들이 '아사 동맹'을 맺으며 파업하였다.
③ 신채호가 「조선 혁명 선언」을 저술하였다.
④ 이봉창이 동경에서 일왕의 행차에 폭탄을 던졌다.

0532

출제영역 항일 독립운동의 시기 이해 정답 ▶ ④

정답찾기 ④ 이봉창의 일왕 저격 – 1932년

선지분석 ① 대한민국 임시 정부 제2차 개헌 – 1925년
② 경성 고무 공장 여성 노동자들의 '아사 동맹' – 1923년
③ 「조선 혁명 선언」 작성 – 1923년

0533

밑줄 친 '그'의 활동으로 옳지 않은 것은?

2012. 국가직 9급

> 그는 함경도 단천 출신으로 한성으로 올라와 무관 학교에 입학하였고, 졸업 후 시위대 장교로 군인 생활을 시작하였다. 강화도 진위대 대장 시절에는 공금을 횡령한 강화 부윤이 자신을 모함하자, 군직을 사임하기도 하였다. 그는 군인이면서도 계몽 운동을 중요하게 생각하여 강화읍에 보창 학교를 세워 근대적 교육을 시작하였다. 그러나 고종 황제의 강제 퇴위와 군대 해산을 전후하여 무력 항쟁과 친일파 대신 암살 등을 계획하였으며, 강화 진위대가 군대 해산에 항의하여 봉기하자 이에 연루되어 체포되기도 하였다.

① 비밀 결사 조직인 신민회에 참여하였다.
② 하바로프스크에서 한인 사회당을 결성하기도 하였다.
③ 대동 보국단을 조직하고 『진단』이라는 잡지를 발간하기도 하였다.
④ 블라디보스토크에 대한 광복군 정부라는 임시 정부를 수립하였다.

0534

다음 독립운동가와 그 활동이 바르게 연결되지 않은 것은?

2015. 기상직 7급

① 박차정: 김원봉의 부인으로 1938년 조선 의용대 부녀 복무단장으로서 무장 투쟁을 전개하였다.
② 박자혜: 1919년 2·8 독립운동에 가담하였으며, 대한민국 애국부인회, 근화회 등에서 활동하였다.
③ 윤희순: '안사람 의병가', '병정의 노래' 등의 의병가를 지어 의병의 사기를 진작시키고 직접·간접으로 춘천 의병 활동을 적극 후원하였다.
④ 남자현: 1932년 국제 연맹 리튼 조사단이 하얼빈에 오자, 흰 수건에 '한국독립원(韓國獨立願)'이라는 혈서를 써서 조사단에 보내 우리의 독립을 호소하였다.

0535

연표의 (가)~(마) 시기의 독립운동에 대한 설명으로 옳은 것은?

제8회 한국사능력검정시험 고급

1919	1920	1925	1931	1937	1945(년)
(가)	(나)	(다)	(라)	(마)	
3·1 운동	간도 참변	미쓰야 협정	만주 사변	중·일 전쟁	8·15 광복

① (가) – 대한 광복회는 만주에 무관 학교를 설립하기 위해 군자금을 모았다.
② (나) – 조선 의용대는 중국군과 함께 정보 수집, 포로 심문, 후방 교란 등의 활동을 벌였다.
③ (다) – 한국 광복군은 국내 진공 작전을 위한 군사 훈련을 실시하였다.
④ (라) – 한국 독립군은 중국군과 연합하여 항일전에서 큰 전과를 거두었다.
⑤ (마) – 만주 지역의 여러 독립군 부대는 북로 군정서군의 승리로 주력을 보존할 수 있었다.

0533

출제영역 애국지사의 독립운동 이해 정답 ▶ ③

정답찾기 밑줄 친 '그'는 이동휘이다.
③ 대종교의 신규식은 중국에서 1912년 동제사를 조직하고 1915년에는 박은식과 대동 보국단을 조직하였다.

더알아보기 **이동휘**(1873~1935)
- 독립운동가
- 1899년 육군 무관 학교 졸업, 1907년 안창호 등과 신민회 조직, 1911년 105인 사건에 연루되어 유배, 1912년 탈출하여 북간도로 망명, 1914년 이상설 등과 대한 광복군 정부를 수립하고 부통령에 임명됨.
- 1919년 임시 정부에 참여하여 군무총장, 국무총리를 지냄. 이때 공산당으로 전향하여 1921년 한인 사회당을 고려 공산당으로 개칭, 레닌으로부터 받은 독립 자금 중 40만 루블을 고려 공산당 조직 기금으로 유용한 것이 드러나 사임함.

0534

출제영역 애국지사의 독립운동 이해 정답 ▶ ②

정답찾기 ② 김마리아에 대한 설명이다. 박자혜(1895~1943)는 조선의 궁녀였으나 일제의 국권 침탈 이후 간호사가 되어 간호사 독립 단체인 간우회를 조직하고 동맹 파업과 만세 시위를 벌였다. 이후 중국으로 망명해 단재 신채호와 결혼한 후, 나석주의 동양 척식 주식회사 폭파 의거 등 애국지사의 독립운동을 도왔다.

0535

출제영역 무장 독립운동의 시기순 이해 정답 ▶ ④

정답찾기 ④ 만주 사변(1931) 이후 한국 독립군은 중국 호로군과 연합하여 쌍성보·대전자령·사도하자·동경성 전투에서 승리하였다.

선지분석 ① (가) 이전 – 대한 광복회(1915~1918)
② (마) – 조선 의용대(1938)
③ (마) – 한국 광복군(1940)
⑤ (가) – 청산리 대첩(1920)

0536

다음의 지도는 항일 민족 운동이 전개되었던 지역들이다. 이들 지역에 관한 〈보기〉의 탐구 활동 내용 중 옳지 않은 것은?

2012. 경북 교육행정직 9급

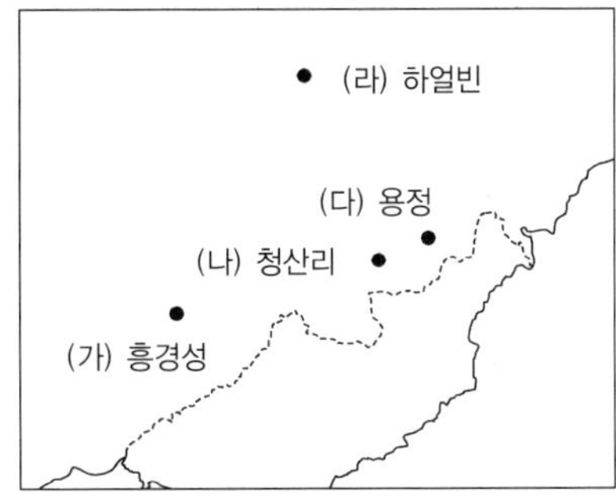

보기
(가) – 영릉가 전투와 더불어 한국 독립군이 승전한 곳이다.
(나) – 독립군 연합 부대의 승전 이후 많은 동포들이 학살되었다.
(다) – 성명회와 권업회 등의 단체가 조직되어 항일 운동을 전개하였다.
(라) – 을사조약을 강요한 이토 히로부미를 안중근이 사살하였다.

① (가), (나) ② (가), (다)
③ (나), (다) ④ (나), (라)
⑤ (다), (라)

0536

출제영역 특정 지역의 항일 무장 독립운동 이해 정답 ▶ ②

정답찾기 (가) 영릉가·흥경성 전투는 조선 혁명군이 승전한 곳이다.
(다) 성명회·권업회는 러시아 연해주에서 조직되었다.

선지분석 (나) 청산리 대첩 승전 이후 간도 지역의 많은 동포들이 학살된 간도 참변(1920)이 일어났다.
(라) 안중근이 초대 통감인 이토 히로부미를 만주 하얼빈에서 사살하였다(1909).

PART 07

0537

다음은 일제 강점기 독립운동 단체에 대한 설명이다. (가)~(다)에 각각 들어갈 가장 알맞은 단어를 순서대로 바르게 나열한 것은?

2017. 서울시 7급

1920년대 자유시 참변 이후 만주 독립군의 활동은 3부를 중심으로 전개되었다. 3부 중 대체로 (가)는 북만주 지역 조선인 사회의 자치를 담당하였다. 1920년대 말 3부는 통합 운동을 벌인 결과 남북 만주에서 양대 세력으로 재편되었는데, 남만주에서는 (나)가 수립되었고, 정당의 성격을 띤 조선 혁명당과 군사 성격을 띤 조선 혁명군이 결성되었다. 일제가 만주를 점령한 다음 중국 내의 독립운동 단체들 사이에서는 통합 운동이 제기되었다. 1937년 중·일 전쟁이 일어나자 민족 혁명당은 통합에 찬성하는 단체들과 연합하여 (다)을 결성하였다.

① 신민부 – 국민부 – 조선 민족 전선 연맹
② 신민부 – 혁신 의회 – 조선 독립 동맹
③ 정의부 – 국민부 – 조선 민족 전선 연맹
④ 정의부 – 혁신 의회 – 조선 독립 동맹

0537

출제영역 1920년대 만주 지역의 항일 독립운동 이해 정답 ▶ ①

정답찾기
- 신민부(1925): 북만주 일대에 소련 영토에서 되돌아온 독립군을 중심으로 조직
- 국민부(1929): 남만주 지역에서 정의부가 중심이 되어 조직한 협의회가 발전
- 조선 민족 전선 연맹(1937): 조선 민족 혁명당은 통합에 찬성하는 단체들과 연합하여 결성, 1938년 우한(한커우)에서 군사 조직인 조선 의용대를 만들어 일본과의 전쟁을 준비함.

선지분석
- 정의부(1924): 길림과 봉천을 중심으로 한 남만주 일대에서 결성
- 혁신 의회(1928): 신민부가 중심이 되어 조직한 촉성회가 김좌진이 주도하는 혁신 의회로 발전
- 조선 독립 동맹(1942, 김두봉): 화북 조선 청년 연합회(1941)와 화북으로 온 조선 의용대가 연합, 군사 조직으로 조선 의용군을 결성

0538 □□□

다음 (가)의 활동에 대한 설명으로 옳은 것은?

2021. 계리직 / 2018. 법원직 유사

> 1920년대 후반 민족 유일당 운동의 결과, 만주 지역 민족 해방 운동의 중심 단체이던 정의·신민·참의 3부가 국민부와 혁신 의회로 재편되었다. 이후 1930년대 국민부 계통은 (가)을/를 조직하여 남만주 일대를 중심으로 활약했다.

① 영릉가 전투와 흥경성 전투에서 일본군을 격파하였다.
② 혜산진 보천보를 습격하여 일제의 경찰주재소와 면사무소를 파괴하였다.
③ 쌍성보 전투, 대전자령 전투 등에서 일본군을 상대로 대승을 거두었다.
④ 일본군과 6일 동안 10여 회의 전투를 벌여 대승을 거둔 청산리 대첩을 이끌었다.

0538

출제영역 〉 1930년대 만주 지역의 항일 독립운동 이해 **정답 ▶ ①**

정답찾기 (가)는 조선 혁명군(1929)이다.
① 조선 혁명군은 중국 의용군과 연합하여 영릉가 전투, 흥경성 전투를 승리로 이끌었다.

선지분석 ② 동북 항일 연군에 대한 설명이다.
③ 한국 독립군에 대한 설명이다.
④ 김좌진의 북로 군정서군, 홍범도의 대한 독립군, 안무의 국민회 독립군 등 독립군 연합 부대의 활동이다.

0539 □□□

다음 자료와 관련 있는 항일 무장 단체에 대한 설명으로 옳은 것을 〈보기〉에서 고른 것은?

2018. 기상직 9급 / 2014. 경찰간부 유사

> 1. 한·중 양군은 최악의 상황이 오는 경우에도 장기간 항전할 것을 맹세한다.
> 2. 중동 철도를 경계선으로 서부 전선은 중국이 맡고, 동부 전선은 한국이 맡는다.
> 3. 전시의 후방 전투 훈련은 한국 장교가 맡고, 한국군에 필요한 군수품은 중국군이 공급한다.

보기
㉠ 남만주 지역에서 양세봉이 이끌었다.
㉡ 쌍성보 전투와 동경성 전투 등에서 큰 전과를 올렸다.
㉢ 영릉가 전투와 흥경성 전투 등에서 일본군을 격퇴하였다.
㉣ 임시 정부의 요청으로 지도부 대부분이 중국 관내로 이동하였다.

① ㉠, ㉡　　② ㉠, ㉢
③ ㉡, ㉣　　④ ㉢, ㉣

0539

출제영역 〉 1930년대 만주 지역의 항일 독립운동 이해 **정답 ▶ ③**

정답찾기 제시문은 한·중 연합 작전 중 한국 독립군과 중국 호로군의 합의 내용(1931)이다.
㉡ 북만주에서는 1931년 지청천이 인솔하는 한국 독립군(혁신 의회 소속)이 중국 호로군과 한·중 연합군을 편성하여 쌍성보 전투, 대전자령 전투, 사도하자 전투, 동경성 전투에서 일본·만주 연합 부대를 크게 격파하였다.
㉣ 중·일 전쟁(1937) 이후, 임시 정부가 직할 군단의 편성을 위하여 만주에 있는 독립군의 이동을 요청하자, 대부분의 독립군이 중국 본토로 이동하여 한국 광복군 창설(1940)에 참여하였다.

선지분석 ㉠㉢ 조선 혁명군에 대한 설명이다.

0540

다음에서 서술하고 있는 역사적 사건은? 2007. 경기도 9급

> 1937년 6월 동북 항일 연군 대원에 의해 발생하였다. 일제의 행정 관청을 태우고 국내 조직의 도움을 받아 압록강을 건너다 추격하는 일본군에 상당한 피해를 입혔다. 이 사건으로 일제는 조선 광복회의 국내 조직 색출과 만주 지역의 독립군에 공세를 펼쳤다.

① 청산리 전투 ② 봉오동 전투
③ 보천보 전투 ④ 자유시 참변

0541

1930년 이후 전개된 해외 독립운동으로 옳지 않은 것은? 2016. 국가직 7급

① 태항산 지역에서 조선 의용군이 팔로군과 협동 작전을 벌였다.
② 홍진, 이청천 등이 만주에서 한국 독립당을 발족하였다.
③ 임시 정부가 국무 위원 중심제를 채택하고자 개헌하였다.
④ 조선 혁명군이 영릉가 전투에서 일본군을 물리쳤다.

0542

밑줄 친 '이 단체'에 대한 설명으로 옳은 것은? 2018. 국가직 7급

> 1930년대 일제의 중국 침략이 본격화되자, 중국 본토에서 활동하던 독립운동 단체들은 좌우의 대립을 지양하고 민족 연합 전선을 형성하기 위해 상하이에서 '한국 대일 전선 통일 동맹'을 결성하고 민족 유일당 건설을 제창하였다. 이에 여러 단체의 인사들이 난징에서 회의를 열고 <u>이 단체</u>를 창건하였다. 이는 단순한 여러 단체의 동맹이 아니라 단일 정당을 형성한 것이다.

① 한국 독립당, 한국 국민당, 조선 혁명당 3당의 통합으로 만들어졌다.
② 지청천, 조소앙의 독주로 김원봉이 탈퇴하였다.
③ 동북 항일 연군을 산하의 군사 조직으로 두었다.
④ 창설 당시 김구는 참여하지 않았다.

0540

출제영역 1930년대 만주 지역의 항일 독립운동 이해 정답 ▶ ③

정답찾기 제시문은 동북 항일 연군의 보천보 전투(1937)에 대한 설명이다.

0541

출제영역 1930년대 만주 지역의 항일 독립운동 이해 정답 ▶ ③

정답찾기 ③ 1927년 대한민국 임시 정부의 3차 개헌 내용이다.

선지분석 ① 조선 의용군(1942)은 중국 공산당 팔로군과 함께 무장 투쟁을 벌여 1941년 12월 호가장 전투, 1942년 반소탕전 등에서 전과를 올렸다.
② 북만주 지역에서 신민부가 중심이 되어 조직한 촉성회는 김좌진이 주도하는 혁신 의회(1928)로 발전하였다가, 김좌진이 암살된 후 지청천을 중심으로 한국 독립당(1930)을 조직하고 산하 부대로 한국 독립군을 두었다.
④ 남만주에서는 양세봉이 지휘하는 조선 혁명군이 중국 의용군과 연합하여 영릉가 전투(1932), 흥경성 전투(1933)에서 일본군과 격전을 벌여 대승을 거두었다.

0542

출제영역 1930년대 만주 지역의 항일 독립운동 이해 정답 ▶ ④

정답찾기 밑줄 친 '이 단체'는 민족 혁명당(1935)이다.
④ 민족 혁명당 창설 당시 임시 정부의 해체를 요구하자, 김구・이동녕 등은 불참하고 한국 국민당(1935)을 결성하였다.

선지분석 ① 김원봉・조소앙 등이 민족 운동 단체들의 대동단결을 모색하면서 중국 난징에서 5개의 단체(의열단・조선 혁명당・한국 독립당・신한 독립당・대한 독립당)를 연합하였다. 이후 1932년에 한국 대일 전선 통일 동맹을 결성하였고 1935년 민족 혁명당으로 발전하였다.
② 조소앙(한국 독립당)과 지청천(민족 혁명당의 일부 세력)이 민족 혁명당에서 탈퇴하였으며, 1937년에 좌파 중심의 조선 민족 혁명당으로 재정비되었다.
③ 민족 혁명당은 1937년 좌파 중심의 조선 민족 혁명당을 구성하고 산하 군사 조직으로 조선 의용대(1938)를 두었다. 동북 항일 연군(1936)은 중국 공산당의 군사 조직이었다.

PART 07

0543

다음은 1930년대 후반 중국에서 발표된 어느 단체의 창립 선언문이다. 이 단체에 대한 옳은 설명을 〈보기〉에서 고른 것은?

제7회 한국사능력검정시험 고급

> 조선 민족의 유일한 활로는 단결된 전 민족의 역량에 의해 일본 제국주의를 타도하고 조선 민족의 자주독립을 완성하는 데 있다. 그러므로 조선 혁명은 민족 혁명이며, 우리의 전선은 민족 전선이다. 계급 전선도 아니고, 프랑스·스페인 등의 국민 전선과도 엄격히 구별된다.

보기

㉠ 대한민국 임시 정부의 주도로 조직되었다.
㉡ 이 단체의 산하에 조선 의용대가 조직되었다.
㉢ 좌우 합작의 성과로 창립 선언문을 발표하였다.
㉣ 독립운동 단체들의 통합 움직임 속에서 창립되었다.

① ㉠, ㉡ ② ㉠, ㉢
③ ㉡, ㉢ ④ ㉡, ㉣
⑤ ㉢, ㉣

0543

출제영역 1930년대 만주 지역의 항일 독립운동 이해 정답 ▶ ④

정답찾기 제시문은 조선 민족 전선 연맹의 창립 선언문(1937)이다.
㉡㉣ 중·일 전쟁 이후 중국 관내의 항일 단체는 조선 민족 혁명당의 조선 민족 전선 연맹과 한국 국민당 중심의 한국 광복 운동 단체 연합회로 양분되었다. 조선 민족 혁명당은 기존의 모든 정당이나 단체들을 해체하고 통합된 단일 조직을 구성할 것을 주장하였으며, 이에 찬성하는 단체들과 연합하여 조선 민족 전선 연맹을 결성하고 군사 조직인 조선 의용대를 만들었다. 반면 우파 계열의 김구·조소앙 등은 조선 민족 혁명당의 제안을 거부하고 1935년 한국 국민당을 조직하였다. 이들은 중·일 전쟁이 일어나자 한국 독립당의 일부 세력 및 조선 민족 혁명당에서 탈당한 조선 혁명당과 연합하여 1937년 한국 광복 운동 단체 연합회를 결성하였다.

0544

㉠~㉤과 관련된 설명으로 옳지 않은 것은? 제5회 한국사능력검정시험 고급

> 광복군을 창설할 수 있었던 데는 중국 관내에서 양성되고 있던 군사 간부들과 만주에서 이동해 온 독립군 세력이 주요한 배경이 되었다. 중국 관내에서는 1910년대 이래 운남 강무당, 귀주 강무당, ㉠ 황포 군관 학교, 중국 중앙 군관 학교를 비롯한 중국의 각종 군관 학교에서, 그리고 1930년대에는 ㉡ 김구와 ㉢ 김원봉이 낙양 군관 학교와 조선 혁명 간부 학교를 직접 설립, 운영하면서 군사 인재들을 양성하고 있었다. 또, 1930년대 중반에는 만주에서 활동하던 ㉣ 한국 독립군, ㉤ 조선 혁명군 등 만주 독립군 세력들이 중국 관내로 이동해 왔다.

① ㉠ – 조선 의열단 단원들이 입학하여 군사 교육 및 간부 훈련을 받았다.
② ㉡ – 윤봉길과 이봉창 의거를 일으킨 한인 애국단을 이끌었다.
③ ㉢ – 민족 유일당 건설을 목표로 민족 혁명당을 건설하였다.
④ ㉣ – 김좌진, 김동삼 등이 중심이 된 혁신 의회를 개편하여 결성한 군사 조직이었다.
⑤ ㉤ – 지청천의 지휘하에 중국군과 연합하여 쌍성보 전투를 승리로 이끌었다.

0544

출제영역 중국 관내에서의 항일 독립운동 이해 정답 ▶ ⑤

정답찾기 ⑤ 조선 혁명군은 양세봉의 지휘하에 중국 의용군과 연합하여 흥경성·영릉가 전투를 승리로 이끌었다.

PLUS⁺ 선지 OX 항일 독립운동의 전개

01 1차 세계 대전 이후 연해주의 신한촌에서는 의병과 계몽 운동가들이 힘을 모아 권업회를 조직하였다. 2011. 국가직 9급 ○ ×

02 『한국독립운동지혈사』에 의하면 3·1 운동의 만세 시위에 최다 인원이 참가한 곳은 평안도였다. 2008. 군무원 ○ ×

03 대한민국 임시 정부는 국외 거주 동포에게 독립 공채를 발행하였다. 2017. 서울시 9급 ○ ×

04 대한민국 임시 정부 수립 직후 임시 의정원을 구성하였다. 2017. 서울시 9급 ○ ×

05 조소앙의 삼균주의를 건국 강령으로 발표한 이 조직은, 4차 개헌에서 주석·부주석제를 채택하여 강력한 지도 체제를 갖추었다. 2017. 경찰간부 ○ ×

06 안중근은 만주 하얼빈 역에서 이토 히로부미를 저격하였고 이후 뤼순 감옥에서 『동양평화론』을 완성하였다. 2019. 경찰간부 ○ ×

07 의열단원이 1919년 경성역에 도착한 사이토 총독에게 폭탄을 던졌다. 2022. 간호직 8급 ○ ×

08 남자현은 한국 광복군의 기관지 『광복』을 발행하였다. 한능검 ○ ×

09 1942년 광복군에 합류한 조선 의용대는 광복군 제3지대로 편성되었다. 2021. 국회직 ○ ×

10 1942년 설립된 조선 의용군의 일부는 화북으로 이동하고 남은 병력은 한국 광복군에 합류하였다. 2020. 경찰 2차 ○ ×

PLUS⁺ 선지 OX 해설 항일 독립운동의 전개

01 × 제1차 세계 대전은 1914년에 발발하여 1918년에 종결되었다. 권업회는 1911년에 블라디보스토크 신한촌에서 조직되었다.

02 × 3·1 운동의 만세 시위에 최다 인원이 참가한 곳은 경기도였고, 그 다음이 평안도였다.

03 ○ 독립 공채는 대한민국 임시 정부에서 독립운동을 효과적이고 능률적으로 수행하며 조국 광복을 달성하기 위해 국외 동포에게 발행한 군자금 모집의 공채이다.

04 × 1919년 4월 상하이에서 한인 대표자 29명이 모여 임시 의정원을 구성한 다음, 대한민국이라고 국호를 정하고 민주 공화정을 채택하였다.

05 × 조소앙의 삼균주의에 입각하여 건국 강령(1941)을 발표한 것은 대한민국 임시 정부이다. 대한민국 임시 정부는 5차 개헌 때 주석·부주석제를 채택하였다.

06 × 1909년 만주 하얼빈에서 이토 히로부미를 처단한 후 일제에 의해 사형 선고를 받고 감옥 안에서 집필하기 시작한 안중근의 『동양평화론』은 1910년 3월 26일 사형 집행으로 완성하지 못하였다.

07 × 1919년 3대 총독으로 경성역에 도착한 사이토 총독에게 폭탄을 던진 것은 대한 (국민) 노인(동맹)단 소속의 강우규이다.

08 × 남자현은 1932년 만주국 수립으로 국제 연맹 리튼 조사단이 하얼빈에 오자, 흰 수건에 '한국독립원'이라는 혈서를 써서 조사단에 보내 우리의 독립을 호소한 인물이다. 한국 광복군의 기관지 『광복』 발행에 참여한 것은 지복영이다.

09 × 1942년 김원봉의 조선 의용대가 광복군에 편입되어 광복군 제1지대로 편제되면서, 기존의 4개 지대였던 광복군은 2개 지대로 개편되었다.

10 × 1938년 조직된 조선 의용대 중 일부는 화북으로 이동하여 조선 의용군(1942)을 조직하였다. 김원봉은 남은 조선 의용대를 이끌고 1942년에 한국 광복군에 합류하였다.

CHAPTER

03 민족 독립운동기의 경제

최근 5년간 국가직·지방직 출제 비율

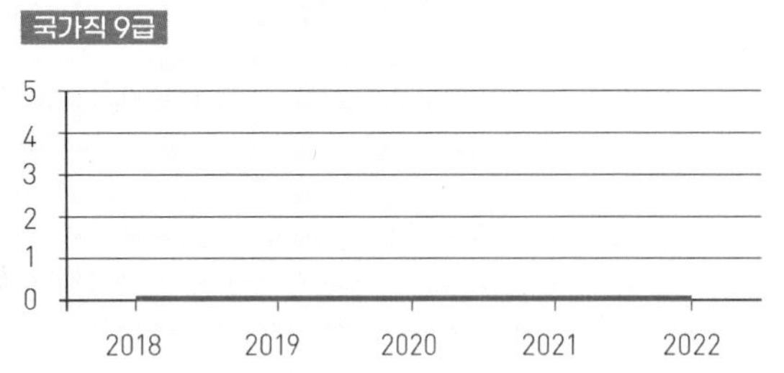

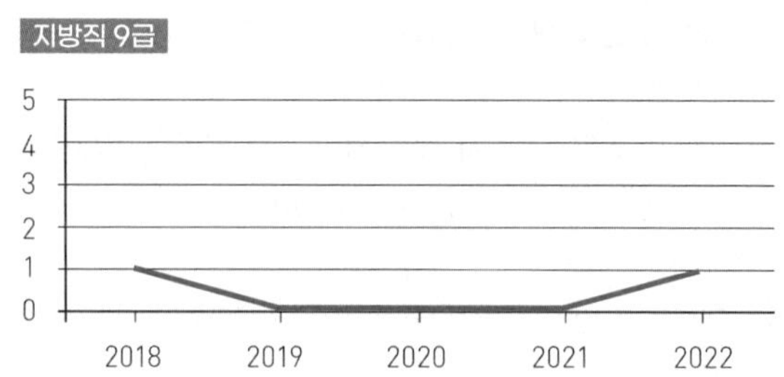

• 최근 5년간 국가직에서는 단 한 문제도 출제되지 않았다.
• 2018년과 2022년에 지방직에서 한 문제씩 출제되었는데 '물산 장려 운동'에 대한 문제였다.

주요 고난도 문제 키워드

#물산 장려 운동 발생 시기 독립운동 # 특정 지역의 독립운동

고난도 이론 정리 선우쌤 PICK

경제적 저항 운동		
민족 주의계	민족 기업	지주·서민 출신 민족 기업 설립, 민족 금융업 성장 ⇨ 일제의 탄압으로 위축
	[1]	• 1920년대 초 [2] 에서 [3] 등을 중심으로 시작 ⇨ 서울에서 [4] (1923) 조직 ⇨ 전국 확산 • '[5]'라는 구호 아래 민족 산업을 육성함으로써 민족 경제의 자립을 기하려는 민족 운동 • [6] 애용, 근검절약, 생활 개선, 자급자족 주장
사회 주의계	농민 운동	• 배경 : 토지 조사 사업, 산미 증식 계획 등 일본의 경제 수탈 정책 • 성격 : 초기 – [7] 투쟁 ⇨ 후기 – 항일 투쟁으로 변화 • 전개 : 1919년 시작 ⇨ 조선 농민 총동맹 결성(1927), 전국 각지에 농민 조합 결성 ⇨ 1930년대 초 절정 • 전남 [8] 소작 쟁의(1923), 황해도 재령의 동양 척식 주식회사 농장 소작 쟁의
	노동 운동	• 배경 : 식민지 공업화에 따른 가혹한 노동 조건 • 성격 : 초기 – 생존권 투쟁 ⇨ 후기 – 항일 투쟁으로 변화 • 전개 : 1920년 조선 노동 공제회 조직, 조선 노동 총동맹 결성(1927), 대부분 일본인 경영장에서 투쟁 [예 [9] 노동자 총파업(1929)] ⇨ 1930년대 초 절정, but 일제의 가혹한 탄압으로 1930년대 후반 감소

정답 1. 물산 장려 운동 2. 평양 3. 조만식 4. 조선 물산 장려회 5. 내 살림 내 것으로 6. 국산품 7. 생존권 8. 암태도 9. 원산

경제적 민족 운동

0545

평양 지역과 관련된 역사적 사건으로 옳지 않은 것은?

2011. 국가직 7급 / 수능 근현대사 유사

① 고려는 거란과의 전쟁 후에 나성을 축조하였다.
② 조위총이 무신 정권에 반발하여 반란을 일으켰다.
③ 1866년 미국 상선 제너럴셔먼호가 격침되었다.
④ 1920년대 초에 물산 장려 운동이 시작되었다.

0546

다음 밑줄 친 '이곳'에 대한 탐구 활동으로 가장 적절한 것은?

2017. 법원직

- 장수왕은 수도를 이곳으로 옮겨 왕권을 강화하고 남진 정책을 추진하였다.
- 묘청은 이곳으로 천도하여 칭제건원과 금을 정벌할 것을 주장하였다.

① 강화도 조약에 따른 개항장을 조사한다.
② 물산 장려 운동이 시작된 지역을 찾아본다.
③ 의열단이 근거지로 삼았던 지역을 살펴본다.
④ 백정들이 조직한 조선 형평사의 활동을 알아본다.

0547

지도의 (가)~(라) 지역과 관련된 역사적 사실로 가장 옳지 않은 것은?

2016. 법원직

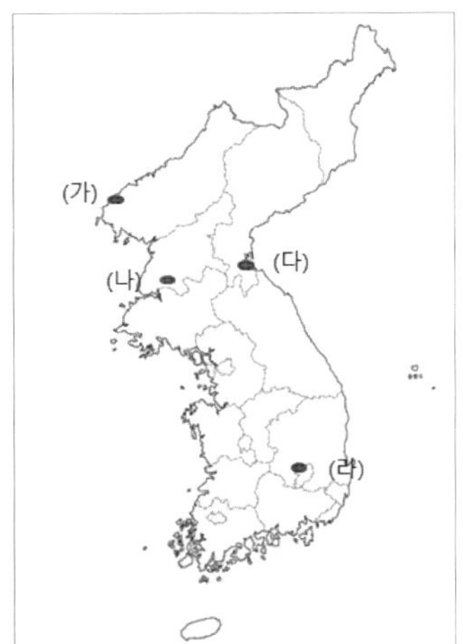

① (가) – 임진왜란 때 선조가 피난하였다.
② (나) – 남북 정상 회담(2000년, 2007년)이 개최되었다.
③ (다) – 강화도 조약 체결에 따라 개항이 이루어졌다.
④ (라) – 물산 장려 운동이 처음 시작되었다.

0548

다음의 발기문이 발표된 시기와 가장 가까운 시기에 전개된 독립 운동에 대한 설명으로 옳은 것은?

2016. 서울시 7급

> 입어라, 조선 사람이 짠 것을
> 먹어라, 조선 사람이 만든 것을
> 써라, 조선 사람이 지은 것을
> 조선 사람, 조선 것

① 안중근이 하얼빈 역에서 이토 히로부미를 사살하였다.
② 기회주의를 배격하고 민족 단일당을 지향한 신간회가 결성되었다.
③ 대한민국 임시 정부는 충칭에서 한국 광복군을 창설하였다.
④ 윤봉길이 홍커우 공원에서 폭탄을 투척하였다.

0545

출제영역 특정 지역의 역사 이해 정답 ▶ ①

정답찾기 ① 고려 때 거란의 침입을 물리친 후 강감찬의 주장으로 개경에 나성(도시를 둘러싼 외성)을 쌓았다.

선지분석 ② 서경 유수 조위총(무신)이 무신 정권에서 소외되자 서북 지방민을 이용하여 난을 일으켰다(조위총의 난, 1174).
③ 제너럴셔먼호 사건(1866)은 평양에서 발생하였다.
④ 1922년 평양에서 조만식을 중심으로 조선 물산 장려회가 발족되었다.

0546

출제영역 특정 지역의 역사 이해 정답 ▶ ②

정답찾기 밑줄 친 '이곳'은 평양이다.
② 조만식 등은 서북 지방의 사회계·종교계·교육계 인사 등을 규합하여 평양에서 조선 물산 장려회를 발족시켰다.

선지분석 ① 부산, 원산, 인천, ③ 만주 길림, ④ 경남 진주 지역이다.

0547

출제영역 특정 지역의 역사 이해 정답 ▶ ④

정답찾기 (가) 의주, (나) 평양, (다) 원산, (라) 대구
④ 물산 장려 운동은 평양에서 처음 시작되었다. 대구에서는 국채 보상 운동이 전개되었다.

선지분석 ③ 강화도 조약의 체결로 부산, 원산, 인천이 개항되었다.

0548

출제영역 특정 항일 경제 운동과 시기 이해 정답 ▶ ②

정답찾기 제시문은 조선 물산 장려 운동의 궐기문(1923)이다.
② 1927년에 신간회가 결성되었다.

선지분석 ① 안중근의 거사 – 1909년
③ 한국 광복군 창설 – 1940년
④ 윤봉길 의거 – 1932년

CHAPTER

04 민족 독립운동기의 사회

최근 5년간 국가직·지방직 출제 비율

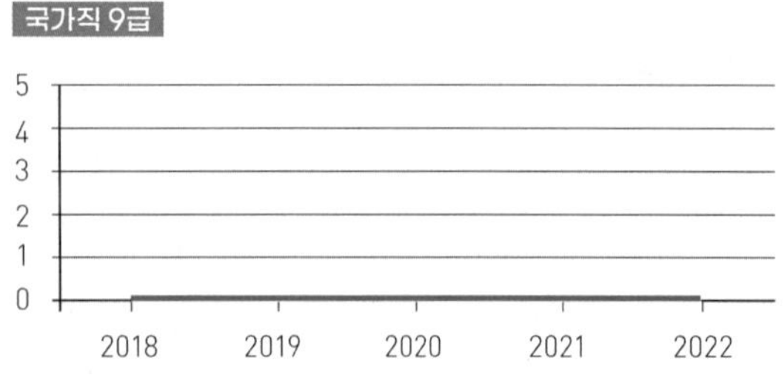

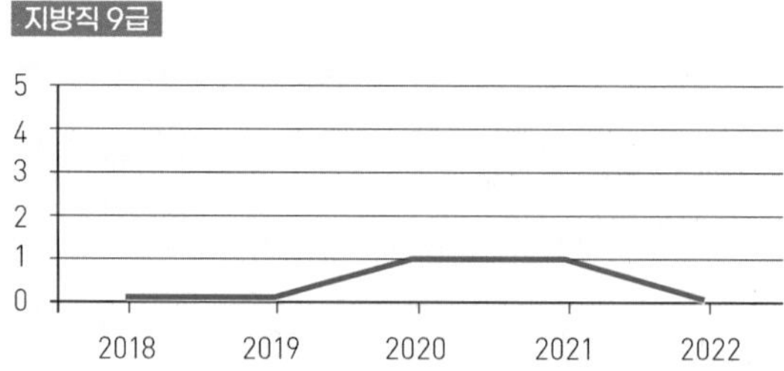

- 최근 5년간 국가직에서는 단 한 문제도 출제되지 않았다.
- 2020년과 2021년에 지방직에서 각각 한 문제가 출제되었다.

주요 고난도 문제 키워드

#광주 학생 항일 운동 #신간회

고난도 이론 정리 선우쌤 PICK

사회 운동	
청년 운동	• 지식 개발, 품성 도야, 산업 진흥 주장, 실력 양성, 민족 역량 강화 • 강연회·토론회 개최, 강습소와 야학 운영 • 1924년 [1] ______ 결성
소년 운동	• 천도교 계열의 [2] ______ 이 '어린이날' 제정(1922. 5. 1.) ⇨ 1923년 어린이날 공포 • 조선 소년 운동 협회(1923) 조직 • 중·일 전쟁 이후 일제의 탄압으로 중단
여성 운동	• [3] ______ 사상의 영향으로 의식 변화, 여성 해방 및 여성 의식 계몽, 여성 단결과 지위 향상 등 강조 • 1927년 신간회 여성 자매단체로 [4] ______ 조직
형평 운동	1923년 백정 [5] ______ 과 진주 백정들이 [6] ______ 설립, 백정 차별 반대 및 민족 해방

민족 유일당 운동과 신간회(1927~1931)		
민족주의 계열 분열	타협적 민족주의	1920년대 중반 민족 개량주의자([7] ______, 최린 등)의 일제가 허용하는 범위 안에서 자치권을 얻자는 운동[[8] ______ 운동, 「동아일보」에 이광수의 '민족적 경륜'(1924) 발표]
	비타협적 민족주의	타협적 민족주의를 비판하고 [9] ______ 세력과의 연대 모색(이상재, 안재홍)
[10] ______	배경	• 이광수의 자치론 대두, 중국의 국·공 합작(1924), [11] ______ 운동(1926) • 비타협적 민족주의 계열(조선 민흥회) + 사회주의 계열[[12] ______ 선언(1926)] 주도
	특징	• 합법 단체, 개인 본위 조직 • 기본 강령: 민족의 [13] ______, 정치·경제적 각성, [14] ______ 배격
	활동	조선인 본위의 교육 주장, 민족 계몽 활동, 농민·노동 운동 지원, [15] ______ 운동(1929) 후원 등
	해소	일제의 탄압과 내부의 이념 대립, 코민테른의 지시

정답 1. 조선 청년 총동맹 2. 방정환 3. 사회주의 4. 근우회 5. 이학찬 6. 조선 형평사 7. 이광수 8. 자치 9. 사회주의 10. 신간회 11. 6·10 만세 12. 정우회 13. 대동단결 14. 기회주의자 15. 광주 학생 항일

사회적 민족 운동

0549 □□□

다음은 어느 해 6월의 가상 일기이다. 이날 일기에 쓸 수 있는 적절한 내용을 〈보기〉에서 고른 것은? 수능 근현대사

> 6월 ○일
> 순종 황제의 장례식은 끝났지만, 많은 사람들이 잡혀 가서 시내 분위기가 어수선했다. 책방에 들러 『개벽』을 샀다. 집에 와서 읽어 보니 이상화의 '빼앗긴 들에도 봄은 오는가'가 눈에 들어왔다. 우리가 처한 현실이 너무나 가슴 아파 눈물이 났다.

보기
- ㉠ 잡지 『어린이』 구입
- ㉡ 신경향파 작가와 만남
- ㉢ 진단 학회 창립식 참석
- ㉣ 원각사에서 신극 관람

① ㉠, ㉡　② ㉠, ㉢
③ ㉡, ㉢　④ ㉡, ㉣
⑤ ㉢, ㉣

0549

출제영역 〉 항일 민족 운동의 이해 **정답 ▶ ①**

정답찾기 제시문은 1926년 6·10 만세 운동에 대한 내용이다.
㉠ 잡지 『어린이』는 1923년 3월에 창간되어 1934년 7월에 통권 122호로 폐간되었다.
㉡ 신경향파라고 불리던 작가들은 1925년에 카프(KAPF)라는 단체를 결성하여 1935년까지 활동하였다.

선지분석 ㉢ 진단 학회는 1934년에 설립되었다.
㉣ 근대식 극장 원각사는 1908년에 설립되어 '은세계', '홍보가', '적벽가' 등을 공연하였으나, 1909년에 폐관되었다.

0550 □□□

다음 신문 기사와 관련된 사건에 대한 설명으로 옳지 않은 것은? 2015. 기상직 7급

光州高普、中學生衝突事件
全南警察總動員
徹夜하며 嚴重警戒
雙方氣勢依然險惡

① 이 사건을 기념하기 위해 1973년 대한민국 국회는 11월 3일을 학생의 날로 정하였다.
② 3·1 운동 이후 가장 규모가 큰 저항 운동이었으며, 이 운동으로 퇴학 582명, 무기정학 2,330명에 이르렀다.
③ 이 운동은 전국적으로 퍼져서 1930년 3월까지 계속되었는데, 참가한 학교가 194개 교, 참가 학생 수는 5만 4천여 명에 이르렀다.
④ 단순한 동맹 휴학에 그치지 않고 적극적인 가두시위 형태로 전개되었으며, 식민지 교육 제도의 철폐와 조선인 본위의 교육 제도 확립을 주장하였다.

0550

출제영역 〉 항일 민족 운동의 이해 **정답 ▶ ①**

정답찾기 제시된 기사는 광주 학생 항일 운동(1929)에 대한 내용이다.
① 학생의 날은 1929년 11월 3일 광주 학생 운동을 기념하고 항일 학생 운동의 정신을 기리는 의미에서 1953년 10월 20일 국회의 의결을 거쳐 정부 기념일로 제정되었다. 하지만 1970년대 유신 체제 이후 반정부 운동이 확산되면서 학생 운동이 거세지자 1973년 3월 30일 '각종 기념일 등에 관한 규정'(대통령령 제6615호)을 공포하여 학생의 날을 폐지하였다.

더⊕알아보기 〉 1920년대 국내 민족 운동

구분	내용
6·10 만세 운동 (1926)	• 배경: 식민지 교육에 대한 반발과 학생 의식의 성장 • 전개: 사회주의 계열의 시위 계획 발각 ⇨ 순종의 인산일에 대규모 만세 시위 전개, 학생 단체 주도 + 대중들의 호응 • 의의: 민족 유일당 운동이 나오게 되는 계기, 학생 운동 고양
광주 학생 항일 운동 (1929)	• 배경: 학생 운동의 조직화, 식민지 교육에 대한 반발 • 전개: 광주에서 한·일 학생 간 충돌 ⇨ 광주 지역 학생들의 대규모 시위 ⇨ 신간회 등 여러 사회단체들의 지지, 전국 확산 • 의의: 3·1 운동 이후 최대 규모의 민족 운동

PART 07

0551 □□□

다음의 ( ) 안에 들어갈 말을 바르게 나열한 것은?

2017. 서울시 사회복지직 9급

> 일제의 민족 분열 정책과 자치 운동론의 등장에 대응하여, 민족 해방 운동의 단결과 통일적 대응을 모색하던 사회주의 진영과 비타협적 민족주의 진영은 1926년 (㉠) 선언을 계기로, 1927년 1월 (㉡)를 발기하였다. 이어서 서울 청년회계 사회주의자와 물산 장려 운동 계열이 연합한 (㉢)와도 합동할 것을 결의, 마침내 2월 15일 YMCA 회관에서 (㉡) 창립 대회를 가졌다.

	㉠	㉡	㉢
①	북풍회	정우회	고려 공산 청년회
②	정우회	신간회	조선 민흥회
③	정우회	근우회	고려 공산 청년회
④	북풍회	신간회	조선 민흥회

0552 □□□

다음 강령을 채택한 단체의 활동으로 옳지 않은 것은?

2014. 국가직 7급

> • 우리는 조선 민족의 정치적·경제적 해방의 실현을 도모한다.
> • 우리는 전 민족의 총역량을 집중하여 민족적 대표 기관이 되기를 기한다.
> • 우리는 일제의 개량주의 운동을 배척하여 전 민족의 현실적인 공동 이익을 위하여 투쟁한다.

① 동양 척식 주식회사를 폐지하자고 하였다.
② 의무 교육제와 고등 교육 기관 설립을 주장하였다.
③ 노동 운동과 연계하여 최저 임금제를 요구하였다.
④ 여성의 법률상 및 사회적 차별을 없애자고 하였다.

0551

출제영역 〉 항일 민족 운동의 이해 **정답 ▶ ②**

정답찾기 ㉠ 정우회, ㉡ 신간회, ㉢ 조선 민흥회
사회주의 사상 단체인 정우회가 1926년에 '비타협적 민족주의 세력과의 협동 전선 구축'을 선언한 것이 결정적인 계기가 되어 1927년 신간회가 조직되었다. 한편 민족주의 진영에서는 비타협적 민족주의자들이 조선 민흥회(1926)를 조직하여 타협적 민족주의를 배격하고 사회주의 세력과의 연대를 모색하였다.

선지분석
• 북풍회(1924): 재일 한국인 사회주의 단체인 북성회의 국내 지부이다.
• 고려 공산 청년회(1925): 박헌영, 권오설 등이 서울에서 조직한 공산주의 청년 조직이다.
• 근우회(1927): '여자의 단결과 지위 향상'이라는 강령으로 구성된 여성 유일당 단체이다. 여성 지위 향상을 위해 사회적·법률적 일체 차별 철폐, 봉건적 인습과 미신 타파, 조혼 폐지 및 결혼의 자유, 부인 노동의 임금 차별 철폐 등 사회구조적 문제와 경제적 차별에 문제를 제기하였다. 1931년 신간회 해소론은 근우회 해소에도 영향을 주었다.

0552

출제영역 〉 항일 민족 운동의 이해 **정답 ▶ ②**

정답찾기 제시문은 신간회(1927~1931)의 강령이다.
② 고등 교육 기관 설립을 주장한 것은 민립 대학 설립 운동으로, 이상재 등의 조선 교육회를 중심으로 이루어졌다.

선지분석 ①③④ 신간회는 한국인 본위 교육 실시, 착취 기관 철폐 등을 주장하였고, 여성에 대한 법률적·사회적 차별 폐지, 수재민 구호 운동, 재만 동포 옹호 운동 등을 전개하였으며, 농민·노동 운동과 광주 학생 항일 운동을 지원하였다.

더⊕알아보기 〉 **신간회**(1927~1931)

배경	자치론 대두, 중국의 국·공 합작, 6·10 만세 운동(1926)
창립	비타협적 민족주의 계열(조선 민흥회) + 사회주의 계열[정우회 선언(1926)]
특징	• 합법 단체, 좌우 합작 단체 • 기본 강령: 민족의 대동단결, 정치·경제적 각성, 기회주의의 배격
활동	민족 계몽 활동, 농민·노동 운동 지원, 광주 학생 항일 운동(1929) 후원 등
해소	일제의 탄압과 내부의 이념 대립, 코민테른의 지시

0553 □□□

다음 글과 관련이 있는 단체에 대한 설명으로 옳은 것을 〈보기〉에 서 모두 고르면?

2012. 계리직

> 단결은 힘이다. 약자의 힘은 단결이다. 모든 역량을 집중하여 단결을 공고히 하자. … (중략) … 조선인의 대중적 운동의 목표는 정면의 일정한 세력을 향하여 집중되어야 할 것이니 이에서 민족 운동과 계급 운동은 동지적 협동으로 병립 병진하여야 할 것이요, … (중략) … 해소는 확대 강화의 전경만 바라보고 실로 분산 와해의 허전한 광야에 헤매게만 한 것이다. … (중략) … 계급 진영의 강고한 수립은 필요할 것이다. 그러나 계급 철폐의 민족 단일당의 과오나 마찬가지로 계급 단일의 민족 진영 철폐도 중대한 과오이다.

보기
- ㉠ 정우회 선언이 단체의 창립에 영향을 끼쳤다.
- ㉡ 단체가 아닌 개인만이 회원으로 가입할 수 있었다.
- ㉢ 비합법 단체로서 노동 쟁의와 소작 쟁의를 지원하였다.
- ㉣ 광주 학생 운동에 자극받아 서울에서 민중 대회를 개최하였다.

① ㉠, ㉡ ② ㉡, ㉢
③ ㉢, ㉣ ④ ㉠, ㉣

0553

출제영역〉 항일 민족 운동의 이해 정답 ▶ ①

정답찾기 제시문은 민족 유일당 운동인 신간회(1927)에 대한 내용이다.
㉠ 정우회가 1926년 '비타협적 민족주의 세력과의 협동 전선 구축'을 선언한 것이 신간회 조직의 결정적 계기가 되었다.
㉡ 신간회는 단체가 아닌 개인 본위 조직이었다.

선지분석 ㉢ 신간회는 합법적 단체이다.
㉣ 광주 학생 운동이 발발하자 신간회 광주 지회는 조사단을 파견하고 대규모 민중 대회를 열어 대대적인 반일 시위운동을 전개하려고 하였으나 실패하였다.

0554 □□□

〈보기〉의 단체가 존속한 기간에 발생한 사건이 아닌 것은?

2018. 서울시 기술직 9급

보기
- 사회주의 계열과 비타협적 민족주의 계열의 합작으로 구성되었다.
- 설립 당시 회장은 이상재, 부회장은 홍명희가 맡았다.
- 전국에 140여 개소의 지회를 두고, 약 4만 명의 회원을 확보하였다.

① 광주 학생 독립운동
② 원산 총파업
③ 단천 산림 조합 시행령 반대 운동
④ 암태도 소작 쟁의

0554

출제영역〉 항일 민족 운동의 이해 정답 ▶ ④

정답찾기 제시문에서 설명하고 있는 단체는 신간회(1927~1931)이다.
④ 암태도 소작 쟁의(1923)

선지분석 ① 광주 학생 독립운동(1929)
② 원산 노동자 총파업(1929)
③ 단천 산림 조합 시행령 반대 운동(1930)

0555 □□□

다음 자료를 계기로 성립된 단체에 대한 설명으로 옳지 않은 것은?

2018. 기상직 9급

> 우리가 승리를 향해 구체적으로 전진하기 위해서는 현실적으로 가능한 모든 조건을 충분히 이용하지 않으면 아니 될 것이다. 따라서 민족주의적 세력에 대해서는 그 부르주아 민주주의적 성질을 분명히 인식함과 동시에 또 과정적 동맹자적 성질도 충분히 승인하여 그것이 타락하는 형태로 출현되지 아니하는 것에 한하여는 적극적으로 제휴하여 ……

① 사회주의자들이 해소론을 주장하였다.
② 중국 1차 국・공 합작의 영향을 받았다.
③ 중국, 소련, 프랑스 노동자들이 격려 전문을 보냈다.
④ 농민・노동 운동 지원, 수재민 구호 등의 활동을 전개하였다.

0556 □□□

백정(白丁)과 관련된 역사적 사실에 대한 설명으로 옳지 않은 것은?

2011. 지방직 7급

① 동학 농민군은 폐정 개혁안에서 백정이 쓰는 평량갓을 없애자고 주장하였다.
② 갑오개혁 때 신분 제도가 폐지됨에 따라 백정도 평등한 지위를 얻었다.
③ 대한 제국 시기에 백정들은 형평사를 창립하고 형평 운동을 펼쳐 나갔다.
④ 총독부는 백정 출신을 호적에 '도한'으로 써넣거나 붉은 점을 찍어 차별하였다.

0557 □□□

일제 강점기 형평 운동을 주도한 신분에 대한 설명으로 옳은 것을 모두 고르면?

2014. 계리직

> ㉠ 자신들만의 마을을 이루어 거주하였으며, 상투를 틀거나 두루마기를 입을 수 없었다.
> ㉡ 도살 및 고기 파는 일, 가죽신을 만드는 일, 유기그릇 따위를 만드는 일에 종사하였다.
> ㉢ 광무개혁으로 법률상 신분의 구분이 없어졌으며, 그 후 사회적 편견과 차별도 점차 축소되어 갔다.
> ㉣ 1910년대 자신들에 대한 신분 차별과 멸시를 타파하려고 진주에서 조선 형평사를 조직하였다.

① ㉠, ㉡　　② ㉡, ㉢
③ ㉢, ㉣　　④ ㉠, ㉣

0555

출제영역 〉 항일 민족 운동의 이해 　정답 ▶ ③

정답찾기 ▶ 제시문은 사회주의 단체인 정우회가 발표한 '정우회 선언'(1926)으로, 이를 계기로 신간회(1927)가 성립되었다.
③ 원산 노동자 총파업(1929)에 대한 설명이다.

선지분석 ▶ ① 사회주의 사상이 우세한 신간회의 군 단위 지회들은 신간회 해소를 주장하였다.
② 코민테른은 중국의 국・공 합작이 무산되자 민족주의자와의 연합을 그만두고 노동자의 계급 투쟁을 강조하는 쪽으로 지도 노선을 변화하면서 신간회 해소를 주장하였다.
④ 신간회는 원산 노동자 총파업(1929)의 지원, 갑산 화전민 학살 사건(1929)에 대한 진상 규명 운동을 전개하였으며, 여성의 법률적・사회적 차별 폐지, 수재민 구호 운동, 재만 동포 옹호 운동 등 사회 운동을 전개하였다.

0556

출제영역 〉 백정에 대한 시기별 변화 이해 　정답 ▶ ③

정답찾기 ▶ ③ 형평사는 대한 제국 시기(1897~1910)가 아니라 1923년에 백정 이학찬이 진주에서 조직하였다.

선지분석 ▶ ④ 일제도 백정에 대한 차별 인식을 그대로 수용하여 호적에 '도한(屠漢)'으로 써넣거나 붉은 점을 찍어 차별하였다.

더⊕알아보기 〉 **백정의 시대별 변화**

- 고려: 직역이 없는 일반 농민
- 조선: 도살업자(천민)
- 동학 농민 운동(1894): 백정의 차별 폐지 주장
- 갑오개혁(1894): 백정 및 모든 신분제 폐지 실현
- 관민 공동회(1898): 백정 박성춘의 연설 ⇨ 민권 의식 성장
- 형평 운동(1923): 조선 형평사 조직 – 백정 차별 반대 및 민족 해방 주장(⇦ 사회주의 영향)

0557

출제영역 〉 백정에 대한 시기별 변화 이해 　정답 ▶ ①

정답찾기 ▶ 형평 운동은 사회주의의 영향하에 1923년부터 백정들이 신분 해방과 민족 해방을 부르짖으며 일으킨 운동이다. 1923년 4월에 백정 이학찬이 (조선)형평사를 설립하고 백정의 차별 철폐 운동을 전개하였으나 성공하지 못하였다.

선지분석 ▶ ㉢ 광무개혁이 아니라, 갑오개혁 때 법률상 신분의 차별이 사라졌다.
㉣ 조선 형평사는 1923년에 조직되었다.

PLUS⁺ 선지 OX 민족 독립운동기의 사회

01 신간회는 1927년 민족 협동 전선이라는 기치 아래 홍명희를 회장으로 선출하였다. 2018. 서울시 기술직 9급 O X

02 '우리는 정치·경제적 각성을 촉진함, 우리는 단결을 공고히 함, 우리는 기회주의를 일체 부인함.'의 강령을 채택한 단체는 조선 소년 연합회를 창설하였다. 2019. 국회직 O X

03 신간회는 갑산 화전민 학살 사건 진상 규명 운동과 단천 산림 조합 사건 지원 운동을 하였다. 2019. 경찰간부 O X

04 신간회는 단체가 아닌 개인만이 회원으로 가입할 수 있었다. 2012. 계리직 O X

05 우리나라 최초의 근대적 여권 선언인 '여권통문'은 우리나라 최초의 근대식 여학교가 세워지는 배경이 되었다. 2020. 경찰간부 O X

06 근우회의 창립 선언문 발표 이전에 서양 선교사들에 의해 여성 교육 기관이 설립되기 시작하였다. 2013. 서울시 기술직 9급 O X

07 방정환과 조철호를 중심으로 어린이 운동이 전개되면서 처음으로 5월 5일을 어린이날로 정하였다. 2020. 경찰 2차 O X

08 어린이를 재래의 윤리적 압박으로부터 해방시키고자 했던 천도교의 소년 운동은 서당 규칙이 제정되는 계기가 되었다. 수능 O X

09 형평 운동은 경남 진해에서 가장 먼저 시작되었으며, 신분 제도가 법적으로 폐지되는 계기가 되었다. 2013. 서울시 7급 O X

10 형평 운동을 추진한 사회 계층은 갑오개혁 때 그 신분이 철폐되었으나, 일제 강점기에는 호적에 붉은 점이 찍혀 사회적 차별을 받았다. 수능 O X

PLUS⁺ 선지 OX 해설 민족 독립운동기의 사회

01 ☒ 신간회는 회장에는 우익 측의 이상재를, 부회장에는 좌익 측의 홍명희를 선출하고 서울에서 발족되었다.

02 ☒ 신간회(1927~1931) 창립 당시의 강령이다. 그러나 조선 소년 연합회는 신간회가 만든 단체가 아니다. 전국 100개 이상의 소년 단체를 모체로 만든 단체로 위원장에 방정환을 선출하였다.

03 ⊡ 신간회는 원산 노동자 총파업(1929)을 지원하고, 갑산 화전민 학살 사건(1929)에 대한 진상 규명 운동 및 단천 산림 조합 사건(1930) 지원 운동을 전개하였다.

04 ⊡ 신간회는 개인만이 회원으로 가입할 수 있어서 단체 가입을 주장하는 사회주의 계열에 큰 불만을 샀다.

05 ☒ '여권통문'은 1898년 9월 1일 서울 북촌 양반 부인들이 찬양회를 조직하여 발표한 우리나라 최초의 여성 인권 선언문으로, 이후 1899년 최초의 사립 학교인 순성 여학교가 건립되었다. 최초의 근대식 여학교는 이화 학당(1886)으로, 여권통문과 무관하다.

06 ⊡ 서양 선교사들에 의해 이화 학당이 1886년 처음 세워진 이후 정신 여학교(1887), 배화 여학교(1898), 숭의 여학교(1903), 호수돈 여학교(1904), 보성 여학교(1906), 기전 여학교(1907) 등이 세워졌다. 그리고 근우회는 1927년에 창립되었다.

07 ☒ 방정환과 조철호를 중심으로 한 천도교 소년회는 1922년 5월 1일을 어린이날로 선포하였다. 해방 이후 어린이날은 5월 5일로 변경되었다.

08 ☒ 개량 서당을 통해 민족 교육이 확산되자 일제는 1918년 서당 설립을 허가제로 하는 서당 규칙을 제정하여 탄압하였다.

09 ☒ 형평 운동은 진해가 아닌 경남 진주에서 시작되었다. 또한 1894년 갑오개혁 때 이미 신분 제도가 폐지되었다.

10 ⊡ 1차 갑오개혁으로 백정 등 모든 신분제가 폐지되었다. 그러나 일제 강점기 총독부는 새 호적을 만들면서 백정 출신을 호적에 '도한'으로 써넣거나 붉은 점을 찍어 차별하였다.

PART 07

민족 독립운동기의 문화

최근 5년간 국가직·지방직 출제 비율

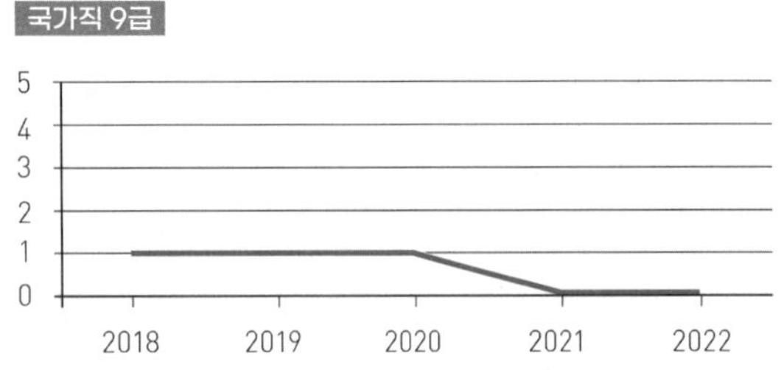

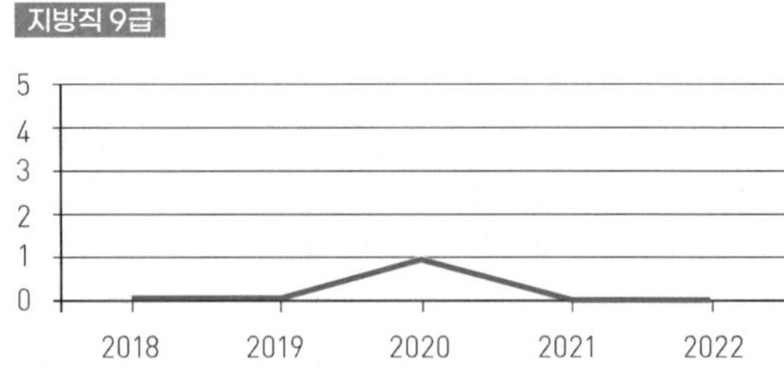

- 최근 2년간 국가직과 지방직에서 출제되지는 않았다.
- 국가직과 지방직에서 가장 많이 출제된 민족주의 사학자는 '박은식'이었다.

주요 고난도 문제 키워드

#박은식 #신채호 #조선학 운동 #손진태 #일제 강점기 사회

고난도 이론 정리 선우쌤 PICK

한국사 연구	
박은식 (1859~1925)	• 민족 사학자, 독립운동가, 「황성신문」·「대한매일신보」·「서북학회보」(신민회)의 주필, 대한 자강회·신민회 가입 • 1909년 [1] ______ 발표 : 주자 중심의 유학을 비판, 양명학의 지행합일과 사회진화론의 진보 원리를 조화시킨 대동사상과 대동교 주창 • 1912년 상하이에서 신규식 등과 동제사 조직, 박달학원 운영, 1915년 이상설·신규식 등과 신한 혁명당 조직, 신규식과 대동 보국단 조직, 1919년 대한 국민 노인 동맹단 결성 • 『한국통사』 서문 : "나라는 형(形)이요, 역사는 신(神)이다. 신이 멸망하지 않으면 형도 되살아날 수 있다." ⇨ 민족 [2] ______ 강조 • [3] ______(1920) : 일제 침략에 대항하여 투쟁한 한민족의 독립운동 서술 • 1925년 임시 정부 2대 대통령에 취임 • 기타 저서 : 『천개소문전』, 『안중근전』 등
[4] ______ (1880~1936)	• 독립 협회 활동, 「황성신문」 기자, 「대한매일신보」 주필, 신민회 활동, 국채 보상 운동 참여 • 국권 피탈 후 중국 망명, 러시아 연해주에서 발간된 「해조신문」 발행 참여, 1911년 권업회를 조직하고 권업회 기관지 「권업신문」 창간, 1913년 중국에서 박달학원 건립 • 대한민국 임시 정부 국민 대표 회의(1923)에서 새로운 곳에서 새로운 정부 건설 주장('창조파') ⇨ 탈퇴 • 한국 고대사 연구에 주력하여 단군 – 부여 – 고구려 중심으로 고대사 체계화 • 의열단의 '[5] ______'(1923) 작성 : 민중에 의한 직접 무장 투쟁 강조 • 1928년 무정부주의 동방 연맹 대회 창설 ⇨ 대만에서 위조지폐 사건에 연루·체포되어 뤼순 감옥에서 복역 중 1936년 뇌일혈로 순국 • 『조선상고사』 : "역사는 아(我)와 비아(非我)의 투쟁", 고대사의 체계를 단군 ⇨ 부여 ⇨ 고구려로 연결하여 민족주의 사학의 기반을 확립 • 기타 저서 : [6] ______ [[7] ______ 사상(화랑 정신) 강조, 묘청의 서경 천도 운동 = 조선 역사 일천년래의 제일대 사건으로 서술], 「독사신론」(1908), 『이순신전』, 『을지문덕전』
기타	• 조선학 운동 : [8] ______('얼' 사상 주장), [9] ______[조선 심(心) 주장], [10] ______(신민족주의와 신민주주의 주장) • [11] ______ 사학 : 사적 유물론에 입각하여 한국사의 세계사적 보편성 강조(일제의 [12] ______ 비판), [13] ______·이청원 등 • 실증주의 사학 : 한국사를 실증적 연구, [14] ______ 조직(1934), 이병도, 손진태 등

정답 1. 『유교구신론』 2. 혼 3. 『한국독립운동지혈사』 4. 신채호 5. 조선 혁명 선언 6. 『조선사 연구초』 7. 낭가 8. 정인보 9. 문일평 10. 안재홍 11. 사회 경제 12. 정체성론 13. 백남운 14. 진단 학회

일제의 교육 정책

0558

(가)~(라) 시기 일제의 교육 정책이 옳게 연결된 것을 〈보기〉에서 고른 것은?

제5회 한국사능력검정시험 고급

1910	1919	1937	1941	1945(년)
(가)	(나)	(다)	(라)	
국권 피탈	3·1 운동	중·일 전쟁	진주만 공습	일본 패망

보기

㉠ (가) – 국민학교는 대륙 침략에 이용하는 병사 준비와 관련해서 의무 교육제의 준비를 실시하도록 하였다.
㉡ (나) – 종래 4년이던 보통학교의 수업 연한을 6년으로 연장하고, '경성 제국 대학 설치에 관한 법률'을 반포하였다.
㉢ (다) – 국체명징, 내선일체, 인고단련 등 3대 교육 방침을 내세우고, 학교 명칭을 처음으로 일본인 학교와 같게 하였다.
㉣ (라) – 조선인을 가르치는 모든 사립 학교는 …… 교사 임용, 교과용 도서 채택 등에 있어 총독부의 인가를 받아야 했다.

① ㉠, ㉡　② ㉠, ㉢
③ ㉡, ㉢　④ ㉡, ㉣
⑤ ㉢, ㉣

민족 문화의 수호

0559

다음은 1910년 전후의 저술 일부이다. 이에 대한 설명으로 옳은 것만을 〈보기〉에서 모두 고른 것은?

2014. 지방직 7급

(가) 고대의 불완전한 역사라도 이를 상세히 살피면, 동국주족(東國主族) 단군 후예의 발달한 실제 자취가 뚜렷하거늘 무슨 까닭으로 우리 선조들을 헐뜯음이 이에 이르렀는가.
(나) 옛 사람들이 말하기를 나라는 멸할 수 있으나 역사는 가히 멸할 수가 없다고 하였으니, 대개 나라는 형체이고 역사는 정신이기 때문이다. … (중략) … 오늘날 우리 민족 모두가 우리 조상의 피로써 골육을 삼고 우리 조상의 혼으로 영혼을 삼고 있으니 우리 조상은 신성한 교화가 있고 신성한 정법이 있고, 신성한 문사(文事)와 무공이 있으니, 우리 민족이 그 다른 것에서 구함이 옳다고 하겠는가. 무릇 우리 형제는 늘 잊지 말며 형체와 정신을 전멸시키지 말 것을 구구히 바란다.

보기

㉠ (가)의 저자는 유물 사관에 입각하여 역사를 연구하였다.
㉡ (가)의 저자는 민족정신을 '낭가사상'으로 설명하였다.
㉢ (나)의 저자는 양기탁의 추천으로 제국신문의 주필을 지냈다.
㉣ (나)의 저자는 1925년 대한민국 임시 정부 대통령에 취임하였다.

① ㉠, ㉣　② ㉡, ㉣
③ ㉠, ㉡, ㉢　④ ㉡, ㉢, ㉣

0558

출제영역 〉 일제의 교육 정책과 시기 이해　정답 ▶ ③

정답찾기 ㉡ (나) 제2차 조선 교육령, ㉢ (다) 황국 신민화 시기(1936~1945)의 3대 교육 방침

선지분석 ㉠ (라), ㉣ (가) 시기의 내용이다.

더⊕알아보기 〉 **일제의 조선 교육령**

1차 (1911)	• 사립 학교 등 억제 • 보통·실업·전문 기술 교육으로 한정 • 일본어 학습 강요
2차 (1922)	• 교육 시설을 3면 1교로 확대 • 사범 학교 설치, 대학 교육 허용 • 조선인과 일본인의 공학 원칙(보통학교 수업 연한 6년, 고등보통학교 수업 연한 5년)
3차 (1938)	• 보통학교 시설 확장(1면 1교) • 황국 신민 서사 제정 • 조선어 수의(선택) 과목 규정 • 학교 명칭을 일본과 동일하게 수정[보통학교 ⇨ 심상소학교(1938), 고등학교 ⇨ 중학교, 여자 고등 보통학교 ⇨ 고등 여학교 보통학교로 수정] • 심상소학교 ⇨ 국민학교(1941)로 수정
4차 (1943)	• 민족 교육 기관 탄압 • 군부에 의한 교육 통제 • 조선어 과목 폐지 • 수업 연한의 단축 • 사범 학교 교육의 확장(황국 신민 양성 목적)

0559

출제영역 〉 항일 역사 운동의 이해　정답 ▶ ②

정답찾기 (가) 신채호의 「독사신론」(1908), (나) 박은식의 『한국통사』(1915)
㉡ 신채호는 민족이 지켜야 할 정신으로 낭가사상(화랑 정신)을 강조하였다.
㉣ 박은식은 국민 대표 회의 이후 상하이 임시 정부 제2대 대통령에 취임하였다.

선지분석 ㉠ 신채호는 사회 경제 사학(유물 사관)자가 아니라, 민족주의 사학자이다. 대표적인 사회 경제 사학자는 백남운, 이청원이다.
㉢ 이승만에 대한 내용이다.

0560 □□□

(가), (나) 사론에 대한 설명으로 옳지 않은 것은?

2011. 국가직 7급 / 2008. 국가직 9급 유사

> (가) 역사란 무엇이뇨. 인류 사회의 아(我)와 비아(非我)의 투쟁이 시간에서 발전하여 공간까지 확대하는 심적 활동의 기록이니, 세계사라 하면 세계 인류의 그리되어 온 상태의 기록이며, 조선사라 하면 조선 민족이 그리되어 온 상태의 기록이니라.
> (나) 한국사는 역사적 발전 단계를 거치지 못하여 근대로의 이행에 필수적인 봉건 사회를 거치지 못하고 전근대 단계에 머물러 있어 사회 경제적으로 낙후한 상태다.

① (가)와 같은 입장에서 쓰인 대표적인 사서로 박은식의 『한국독립운동지혈사』가 있다.
② (가)의 저자는 묘청의 난을 '조선 역사상 일천년래 제일대사건'이라고 칭하였다.
③ (나) 사론의 주창자들은 식민주의 사관의 정체성 이론을 반박하였다.
④ (나)의 사관에 입각해서 조선사 편수회의 『조선사』가 집필되었다.

0561 □□□

다음 글을 쓴 인물에 대한 설명으로 옳은 것은?

2019. 기상직 9급 / 2020. 소방직 유사

> 대개 국교(國敎)·국학·국어·국문·국사는 혼(魂)에 속하는 것이요, 전곡·군대·성지(城地)·함선·기계 등은 백에 속하는 것으로 혼의 됨됨은 백(魄)에 따라 죽고 사는 것이 아니다. 그러므로 국교와 국사가 망하지 않으면 그 나라도 망하지 않는 것이다. 오호라 한국의 백은 이미 죽었으나, 이른바 혼은 살아있는가, 없는가.

① 대한 국민 노인 동맹단을 조직하여 활동하였다.
② 진단 학회에 참여하여 『진단 학보』 발간에 기여하였다.
③ 「동국고대선교고」, 「꿈하늘」, 『조선사론』 등을 저술하였다.
④ 『조선사회경제사』에서 식민주의 사학의 정체성 이론을 반박하였다.

0562 □□□

다음 자료와 관련된 역사가의 역사관을 옳게 설명한 것을 〈보기〉에서 고른 것은?

제3회 한국사능력검정시험 고급

> 조선이 4,300여 년의 역사를 가진 군자의 나라로서 일본에 문화를 파급시켰으며, 일본의 음식, 의복, 궁실과 종교, 학술이 모두 한국에서 간 것으로 일본이 일찍이 스승의 나라로 섬겼으나 현재는 종으로 삼았다.
>
> 『한국통사』 서문

보기

> ㉠ 부여족이 우리나라 역사를 이끌었다고 주장하며 한국 고대사 발전 과정을 단군 조선 – 부여 – 고구려 계통으로 파악하였다.
> ㉡ 아와 비아의 투쟁 속에서 역사가 전개된다고 설명하여 항일 독립운동의 이론적 근거를 제공했다.
> ㉢ 역사의 원동력을 '얼'로 파악하여 역사 연구의 최대 목표를 '얼'과 같은 민족정신의 유지에 두었다.
> ㉣ 과거 만주 지역에 거주했던 여진족 등 여러 북방 민족을 모두 단군의 후예로 보아 북방 민족의 역사를 우리 역사에 포함시켰다.
> ㉤ 국가의 구성 요소를 국혼과 국백으로 나누어 역사를 민족정신인 국혼의 전개 과정으로 파악하였다.

① ㉠, ㉡　② ㉠, ㉢
③ ㉡, ㉤　④ ㉢, ㉣
⑤ ㉣, ㉤

0560

출제영역 〉 항일 역사 운동의 이해　정답 ▶ ③

정답찾기 ▶ (가) 신채호의 민족주의 사학, (나) 식민지 사관 중 정체성 이론
③ 일제의 정체성 이론을 반박한 것은 사회 경제 사학(백남운)이다.

0561

출제영역 〉 항일 역사 운동의 이해　정답 ▶ ①

정답찾기 ▶ 제시문은 박은식의 『한국통사』(1915)이다.
① 대한 국민 노인 동맹단은 박은식, 김치보, 박희평 등을 중심으로 1919년 러시아 블라디보스토크에서 조직된 독립 단체이다.

선지분석 ▶ ② 이병도, 손진태 등, ③ 신채호, ④ 백남운에 대한 설명이다.

0562

출제영역 〉 항일 역사 운동의 이해　정답 ▶ ⑤

정답찾기 ▶ 제시문은 '조선 혼'을 강조한 박은식의 민족주의 사학에 대한 내용이다.
㉣ 박은식은 『대동고대사론』에서 조선족과 만주족이 모두 단군의 자손이라고 강조하였다.

선지분석 ▶ ㉠㉡ 신채호, ㉢ 정인보에 대한 설명이다.

0563 □□□

다음 자료에 대한 설명으로 옳지 않은 것은?

2008. 지방직 7급 / 2015. 경찰 2차 · 2007. 국가직 7급 유사

> 이 사건에 대하여 역사가들은 단지 왕사(王師)가 반란한 적을 친 것으로 알았을 뿐인데 이는 근시안적인 관찰이다. 그 실상은 낭가와 불교 양가 대 유교의 싸움이며, 국풍파 대 한학파의 싸움이며, (가) 독립당 대 사대당의 싸움이며, 진취 사상 대 보수 사상의 싸움이니 …… 이것이 어찌 일천년래 제일대사건이라 하지 아니하랴.

① (가) 세력은 고구려 계승 의식을 표방하였다.
② (가) 세력은 대위국을 세우고 그 군대를 천견충의군이라고 불렀다.
③ 위 글의 저자는 북경에서 대한 독립 청년단을 조직하였다.
④ 위 글의 저자는 『대동고대사론』을 집필하였다.

0564 □□□

다음 민족 운동의 추진 결과 나타난 성과로 옳은 것은?

제6회 한국사능력검정시험 고급

> • 정인보, 안재홍, 문일평 등이 중심이 되어 추진하였다.
> • 어느 실학자의 서거 100주기 행사와 관련되어 이루어졌다.
> • 1930년대 중반에 민족 문화 수호 운동의 일환으로 진행되었다.
> • 민족을 중시하고 우리 문화의 고유성과 세계성을 찾으려 하였다.

① 조선 광문회에서 실학자들의 저술을 간행하였다.
② 박지원이 저술한 『열하일기』와 『과농소초』를 편찬하였다.
③ 북학파 실학과 개화사상과의 연관성을 새롭게 밝혔다.
④ 정약용의 저서들을 정리하여 『여유당전서』를 편찬하였다.
⑤ 일종의 한국학 백과사전인 『증보문헌비고』를 간행하였다.

0565 □□□

다음 ㉠의 인물에 대한 설명으로 옳은 것은? 2015. 서울시 9급

> ㉠은 조선 시대에 민중을 위해서 노력한 정치가들과 혁명가들을 드러내고, 세종과 실학자들의 민족 지향, 민중 지향, 실용 지향을 높이 평가하는 사론을 발표하여 일반 국민의 역사의식을 계발하는 데 기여하였다. 또한, 국제 관계에서 실리적 감각이 필요함을 절감하고, 이러한 시각에서 『대미 관계 50년사』라는 저서를 내기도 하였다.

① 1930년대에 조선학 운동을 주도하였다.
② 진단 학회를 창립하여 한국사의 실증적 연구에 힘썼다.
③ 한국사가 세계사의 보편적 법칙에 입각하여 발전하였음을 강조하였다.
④ 우리의 민족정신을 혼으로 파악하고, 혼이 담겨 있는 민족사의 중요성을 강조하였다.

0563

출제영역 항일 역사 운동의 이해 **정답 ▶ ④**

정답찾기 제시문은 신채호의 『조선사연구초』(1925) 내용 중 묘청의 난에 대한 글이며, (가)는 묘청에 대한 설명이다. 서경 천도 운동을 추진한 묘청 세력은 고구려 계승 의식을 표방하였다.
④ 『대동고대사론』(1911)은 박은식의 저서이다.

0564

출제영역 1930년대 항일 역사 운동의 이해 **정답 ▶ ④**

정답찾기 제시문은 조선학 운동(1934)에 대한 내용이다.
④ 조선학 운동에서는 다산 정약용에 대한 연구를 중심으로 조선 후기 실학에 주목하였고, 그 결과 정약용의 문집 『여유당전서』를 간행하였다.

선지분석 ① 조선 광문회(1910), ⑤ 『증보문헌비고』 – 정조 때 간행, 고종 때 다시 간행

더⊕알아보기 조선학 운동

개념	다산 정약용 서거 100주년을 기념하기 위해 1934년에 시작된 조선학 운동은 안재홍, 정인보, 문일평 등이 주도하여 과거 민족주의 역사학이 지나치게 국수적·낭만적이었음을 반성하고, 민족과 민중을 모두 중요시하면서 우리 문화의 고유성과 세계성을 동시에 찾고자 하였다.
안재홍	• 신채호의 고대사 연구를 계승·발전시켜 고대 국가의 사회 발전 단계를 해명하는 다수의 논문 발표 • 해방 후 '신민족주의와 신민주주의'라는 독창적 이론을 제시, 만민공생(萬民共生)의 통합된 민족 국가의 건설 지향
정인보	• 광개토 대왕비문을 연구하여 일본의 잘못된 고대사 연구를 수정 • 조선 시대 양명학과 우리나라의 5천 년간의 얼을 바로 세워 민족 정기를 정립하기 위해 노력
문일평	조선 시대 민중을 위해서 노력한 정치가들과 혁명가들을 드러내고, 세종과 실학자들의 민족 지향·민중 지향·실용 지향을 높이 평가

0565

출제영역 1930년대 항일 역사 운동의 이해 **정답 ▶ ①**

정답찾기 ㉠은 신민족주의 사학자 문일평으로, 1934년 안재홍, 정인보와 함께 조선학 운동을 주도하였다.

선지분석 ② 이병도, 손진태 등, ③ 백남운, ④ 박은식에 대한 설명이다.

PART 07

0566 □□□

다음 주장을 한 인물에 대한 설명으로 옳은 것은? 2017. 국가직 9급

> 계급 투쟁은 민족의 내부 분열을 초래할 것이며, 민족의 내쟁은 필연적으로 민족의 약화에 따르는 다른 민족으로부터의 수모를 초래할 것이다. 계급 투쟁의 길은 우리가 반드시 취해야 할 필요는 없고, 민족 균등이 실현되는 날 그것은 자연 해소되는 문제다. … (중략) … 이 세계적 기운과 민족적 요청에서 민족 사관은 출발하는 것이며, 민족사는 그 향로와 방법을 명백하게 과학적으로 지시하여야 할 것이다. 『조선민족사개론』

① 『조선상고사』와 『조선사연구초』를 저술하였다.
② 대동사상을 수용한 유교구신론을 주장하였다.
③ 『진단 학보』를 발간한 진단 학회의 발기인으로 활동하였다.
④ 「5천년간 조선의 얼」이라는 글을 동아일보에 연재하였다.

0566

출제영역 〉 1930년대 항일 역사 운동의 이해 정답 ▶ ③

정답찾기 ▶ 제시문은 손진태의 『조선민족사개론』이다.
③ 독보적인 민속학자였던 손진태는 1934년 진단 학회의 창설에 참여하였고, 신민족주의 사관에 입각해서 『조선민족사개론』과 『국사대요』를 저술하였다.

선지분석 ▶ ① 신채호, ② 박은식, ④ 정인보에 대한 설명이다.

더⊕알아보기 〉 **신민족주의 사학**

특징	대내적으로 민족주의를 실시, 민족 구성원인 사회 계층 간의 대립을 해소하고, 대외적으로 민족 간의 자주와 평등을 주장
대표 학자	• 안재홍 : 『조선상고사감』 ⇨ 계급보다는 민족 주체의 성장 과정이나 발전 과정을 중시 • 손진태 : 『조선민족사개론』, 『국사대요』, 『조선 민족 문화의 연구』, 『한국 민속 설화의 연구』 등 저술, 계급보다는 민족 우위의 입장

0567 □□□

다음의 인물에 대한 설명으로 옳은 것만을 모두 고른 것은? 2015. 사회복지직 9급

> 1930년대 『조선사회경제사』, 『조선봉건사회경제사』 등을 저술하여 유물 사관의 입장에서 한국사를 체계적으로 이해하고자 하였다.

보기

㉠ 진단 학회의 결성과 진단 학보의 발행을 주도하였다.
㉡ 국민당 창당을 주도하고 미군정에서 민정 장관을 역임하였다.
㉢ 「조선민족의 진로」라는 글에서 '연합성 신민주주의'를 제창하였다.
㉣ 한국사가 정체적이며 타율적이라 주장하는 식민 사학을 비판하였다.

① ㉠, ㉡ ② ㉡, ㉢
③ ㉢, ㉣ ④ ㉠, ㉣

0567

출제영역 〉 1930년대 항일 역사 운동의 이해 정답 ▶ ③

정답찾기 ▶ 제시문은 백남운의 사회 경제 사학(유물 사관)에 대한 내용이다.

선지분석 ▶ ㉠ 실증주의 사학자 이병도에 대한 내용이다.
㉡ 신민족주의 사학자 안재홍에 대한 내용이다. 해방 이후 안재홍은 김규식 등 중도 우파 세력과 국민당을 결성하였고, 미군정이 남조선 과도 정부(1947. 6.)를 구성하였을 때 민정 장관에 임명되었다.

더⊕알아보기 〉 **실증주의 사학**

진단 학회 (1934)	• 청구 학회를 중심으로 한 일본 어용학자들의 왜곡된 한국학 연구에 반발하여 이윤재, 이병도, 손진태, 신석호 등이 조직 • 실증 사관 표방, 『진단 학보』 발간 • 1942년 진단 학회 사건으로 해산
특징	문헌 고증을 통해서 있었던 사실 그대로를 밝혀내는 것에 목적을 두고 있으며, 이는 대체로 정규 교육을 받은 진단 학회 회원들에 의해 정립

0568 □□□

(가)~(마)에 들어갈 내용으로 적절하지 않은 것은? 수능 근현대사

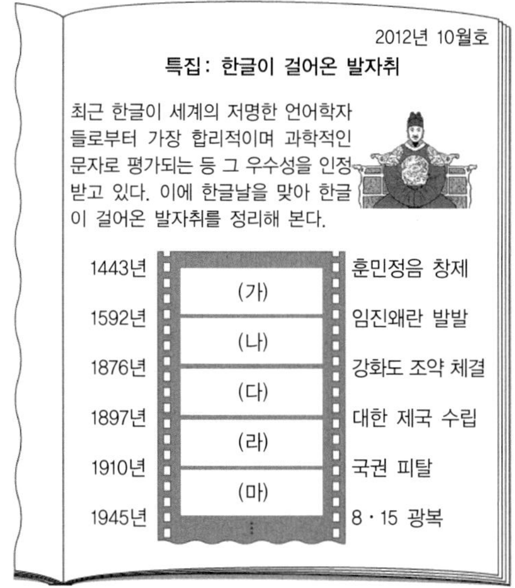

① (가) - 간경도감에서 불교 경전을 한글로 번역하다.
② (나) - 신경준이 『훈민정음운해』를 짓다.
③ (다) - 서재필이 한글 신문인 독립신문을 창간하다.
④ (라) - 조선어 연구회에서 '가갸날'을 제정하다.
⑤ (마) - 조선어 학회에서 한글 맞춤법 통일안을 만들다.

0568

출제영역 국학 운동의 시기별 이해 정답 ▶ ④

정답찾기 ④ 조선어 연구회의 '가갸날' 제정은 1926년의 일이다.

선지분석 ① 세조 때는 간경도감을 두고 불경을 한글로 번역·간행하기도 하였다.
② 신경준은 『훈민정음운해』(1750, 영조)에서 훈민정음을 초성, 중성, 종성으로 나누어 설명하면서 훈민정음이야말로 세상에서 가장 우수한 문자라고 주장하였다.
③ 서재필이 창간한 「독립신문」(1896~1899)은 최초의 근대적 민간지로 한글판과 영문판으로 발간되었다.
⑤ 조선어 학회(1931~1942)는 한글 교육에 힘쓰고자 한글 맞춤법 통일안과 표준어를 제정하였다.

0569 □□□

다음 〈보기〉의 내용과 같은 분위기가 유행한 시대에 대한 설명으로 가장 옳지 않은 것은? 2017. 서울시 7급

> 보기
>
> 혈색 좋은 흰 피부가 드러날 만큼 반짝거리는 엷은 양말에, 금방 발목이나 삐지 않을까 보기에도 조마조마한 구두 뒤로 몸을 고이고, 스커트 자락이 비칠 듯 말 듯한 정강이를 지나는 외투에 단발 혹은 미미가쿠시(당시 유행하던 머리모양)에다가 모자를 푹 눌러쓴 모양 … 분길 같은 손에 경복궁 기둥 같은 단장을 휘두르면서 두툼한 각테 안경, 펑퍼짐한 모자, 코 높은 구두를 신고 …
>
> 『별건곤』 모년 12월호

① 『신여성』, 『삼천리』 등의 잡지는 새로운 패션이나 화장법을 소개하여 유행하였다.
② 대한 천일 은행, 한성 은행, 조선 은행 등이 설립되어 경성 상인에게 자본을 빌려주어 유행을 뒷받침하였다.
③ 조선 총독부는 기존의 우측통행 방침을 바꾸어 좌측통행을 일반화하였다.
④ 사회주의 운동의 영향으로 식민지 현실의 계급 모순을 비판하는 프로 문학이 등장하였다.

0569

출제영역 일제 강점기 문예 활동의 이해 정답 ▶ ②

정답찾기 제시문은 1920년대의 분위기를 묘사하고 있다. 1920년대에 이른바 '모던 걸'과 '모던 보이'가 등장하고, 신여성의 상징으로 단발이 유행하였다.
② (대한) 천일 은행(1899), 한성 은행(1897), 조선 은행(1896)은 개화기에 설립되었다.

선지분석 ① 『신여성』은 1923년 9월에, 『삼천리』는 1929년 6월에 창간되었다.
③ 조선 총독부의 도로 규칙 개정으로 1921년부터 좌측통행을 실시하였다.
④ 1920년대 중반 신경향파 문학 이후 프로 문학(프롤레타리아 문학)이 등장하여 극단적인 계급 노선을 추구하였기 때문에 민중과의 연대성이 약화되기도 하였다.

PART 07

0570 □□□

일제 강점기 사회·문화의 변화로 가장 적절하지 않은 것은?

2020. 경찰 2차

① 현관과 화장실을 갖춘 개량 한옥이 보급되었고 복도와 응접실, 침실 등 개인의 독립된 공간이 있는 문화 주택이 등장하였다.
② 농민 운동이 활성화되면서 전국적인 농민 운동 단체인 조선 농민 총동맹이 결성되어 보다 조직적으로 농민 운동을 이끌었다.
③ 방정환과 조철호를 중심으로 어린이 운동이 전개되면서 처음으로 5월 5일을 어린이날로 정하였다.
④ 도쿄 유학생들을 중심으로 토월회가 결성되어 남녀평등, 봉건적 인습 비판 등을 주제로 작품을 만들어 순회공연을 열었다.

0570

출제영역〉 일제 강점기 사회·문화의 이해 정답 ▶ ③

정답찾기 ③ 방정환과 조철호를 중심으로 한 천도교 소년회는 1922년 5월 1일을 어린이날로 선포하였다. 해방 이후 어린이날은 5월 5일로 변경되었다.

0571 □□□

다음 글에 근거하여 일제에 의해 훼손된 문화재로 가장 적절한 것은?

2014. 서울시 7급

> 조선 총독부는 1943년에 각 도 경찰부장에게 지시 명령한 '유림(儒林)의 숙정 및 반시국적 고비(古碑)의 철거'를 결정하고, 항일 민족 사상과 투쟁 의식을 유발시키고 있는 민족적 사적비들을 모조리 파괴하려 했다.

① 황산 대첩비 ② 조선왕조실록
③ 광개토 대왕릉비 ④ 황룡사 9층 목탑
⑤ 부인사 초조대장경

0571

출제영역〉 일제의 항일 문화유산 훼손 이해 정답 ▶ ①

정답찾기 일제가 '유림(儒林)의 숙정 및 반시국적 고비(古碑)의 철거'를 결정한 비는 남원 운봉의 황산 대첩비, 합천 해인사의 사명대사 석장비, 해남의 통제사 충무이공 명량 대첩비 등이다.

PLUS⁺ 선지 OX 민족 독립운동기의 문화

01 신채호는 1910년대에 대종교도가 되어 환인 지방에 있는 동창학교에 참여하였다. 2003. 입법고시 O X

02 신채호는 부여족을 중심으로 하는 한국사 체계는 독립운동 기지 건설과 관련이 있다고 주장하였다. 2003. 입법고시 O X

03 신채호의 고대사 연구를 계승 발전시키고, 『조선상고사감』을 저술한 역사학자는 조선 건국 준비 위원회의 결성에 참여하였다. 2021. 경찰 1차 O X

04 백남운은 유물 사관에 입각한 역사학을 표방하면서 계급과 민족을 같은 비중으로 인식하였다. 2008. 지방직 7급 O X

05 한국 근대 역사학의 성립 과정에서 정인보, 안재홍 등의 조선학 운동은 최남선의 역사학을 계승한 것이었다. 2008. 지방직 7급 O X

06 한국 근대 역사학의 성립 과정에서 일제의 관학파 역사학은 한국 근대 역사학 성립에 큰 공헌을 하였다. 2008. 지방직 7급 O X

07 1930년대 민족주의 역사가들의 '조선학 운동' 과정에서 문일평은 광개토 대왕비문을 연구하여 일본인의 잘못된 고대사 연구를 바로잡는데 기여하였다. 2003. 입법고시 O X

08 1930년대 정지용과 김영랑은 『시문학』 동인으로 순수 문학의 발전에 이바지하였으며, 계몽적 성격의 창가인 '경부철도가'가 만들어졌다. 2020. 경찰간부 O X

09 일제 강점기 상류층이 한식 주택을 2층으로 개량한 영단 주택에 모여 살았다. 2018. 국가직 9급 O X

10 도쿄 유학생들을 중심으로 토월회가 결성되어 남녀평등, 봉건적 인습 비판 등을 주제로 작품을 만들어 순회공연을 열었다. 2020. 경찰 2차 O X

PLUS⁺ 선지 OX 해설 민족 독립운동기의 문화

01 O 신채호와 박은식은 1911년 만주에 설립되어 민족의식을 고취한 민족계 학교인 동창학교에 교사로서 참여하였다.

02 O 신채호는 「독사신론」에서 4천 년간의 민족사는 부여족 소장성쇠의 역사라 하여 부여족을 중심으로 인식하여, 부여족이 살았던 만주를 우리나라 영토로 강조하였다.

03 O 안재홍에 대한 옳은 설명이다. 해방과 동시에 안재홍과 여운형 등은 친일 세력을 배제한 각계각층을 총망라하여 좌우 연합의 조선 건국 준비 위원회를 조직하고 국내 정국을 주도하였다.

04 X 계급과 민족을 같은 비중으로 인식한 것은 1930년대 신민족주의 역사학이다. 백남운은 민족보다 계급을 우선시하였다.

05 X 정인보, 안재홍 등의 조선학 운동(1934)은 신채호의 민족주의 역사학을 계승·발전시킨 것이다.

06 X 일제의 관학파 역사학은 식민주의 사학으로 우리 역사를 왜곡하였다. 한국 근대 역사학 성립에 큰 공헌을 한 것은 진단학회를 중심으로 한 실증주의 사학이다.

07 X 광개토 대왕비문을 연구한 것은 정인보이다.

08 X 『시문학』은 1930년에 김영랑과 정지용을 중심으로 창간되었던 시중심의 문예 동인지로, 카프(KAPF) 문학의 목적 의식·조직성에 반대하여 순수 문학을 옹호하였다. 그러나 '경부철도가'는 1908년 최남선이 지은 창가이다.

09 X 영단 주택은 서민의 주택난을 해결하기 위해 지은 일종의 국민 연립 주택이다. 상류층의 주택은 문화 주택이다.

10 O 1923년에 박승희·김기진·이서구 등이 조직한 토월회는 계몽과 예술을 목표로 사실적인 신극 활동을 전개하여 민중의 각성에 이바지하였다.

PART 07

선우한국사
기출족보 1500제

기출문제가
예상문제이다!

08편

현대 사회의 발전

제1장 현대 사회의 성립
제2장 대한민국의 수립
제3장 민주주의의 시련과 발전
제4장 현대의 경제·사회·문화

현대 사회의 성립

최근 5년간 국가직·지방직 출제 비율

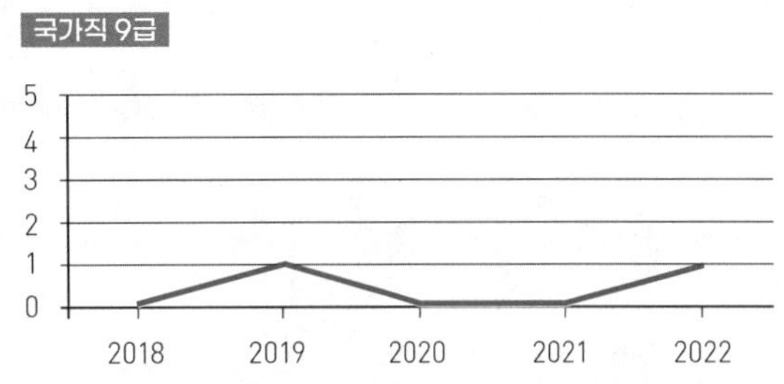

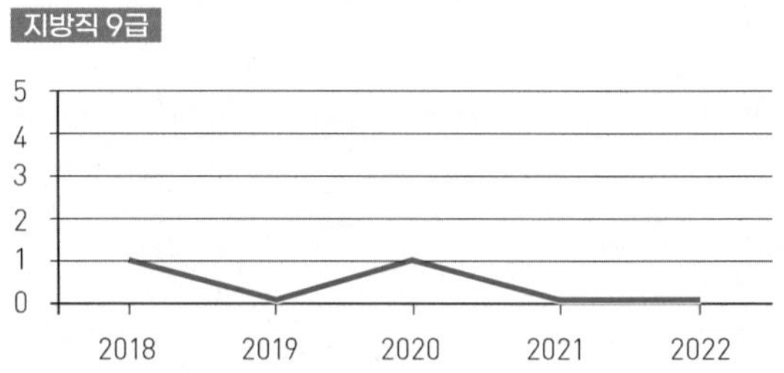

- 최근 5년간 국가직과 지방직에서 한 문제 정도 출제되었다.
- 국가직과 지방직에서 가장 많이 출제된 문제는 '해방 공간 사건 순서'와 '김구'였다.

주요 고난도 문제 키워드

#국제 회담 #조선 건국 준비 위원회 #좌우 합작 운동 #좌우 합작 위원회 #미군정 #김구 #조소앙

고난도 이론 정리 선우쌤 PICK

광복 직전의 건국 준비 활동	
광복 이전의 국제 정세	• [1] ______ 선언(1943. 11.) : 미·영·중 3국 수뇌 ⇨ 한국의 독립 최초 약속 • [2] ______ 회담(1945. 2.) : 미·영·소 3국 수뇌 ⇨ 소련의 대일전 참가 결정 • [3] ______ 선언(1945. 7.) : 미·영·중 + 소 ⇨ 카이로 회담의 내용 재확인 cf 소련은 이후 서명
건국 준비 단체	• 공동 목표 : [4] ______ 수립 • 대한민국 임시 정부 : 민족주의 계열의 독립운동 단체들을 [5] ______ (1940)으로 통합, 대한민국 건국 강령(1941) 제정·공포([6] ______ 의 삼균주의 채택) • 사회주의 계열 : [7] ______ (김두봉·김무정, 중국 화북 지역) • 국내 : [8] ______ (여운형, 안재홍)
광복 직후 한반도 정세와 모스크바 3국 외상 회의	
[9] ______ (1945. 8. 15.)	• 중심인물 : [10] ______ (중도 좌파), 안재홍(중도 우파) cf 송진우, 김성수 불참 • 강령 : 완전한 자주독립 국가 건설, 민주주의 정권 수립, 국내 질서의 자주적 유지 등 • 활동 : [11] ______ 설치, 북한 지역 포함 145개 지부 조직 • [12] ______ 수립(1945. 9.) : 박헌영 등 [13] ______ 계열이 실권 장악하자 안재홍 등 탈퇴
미군정 실시	우익 세력 지원, [14] ______ 설립, 충칭 임시 정부와 조선 인민 공화국 전면 부정, 조선 총독부 체제 및 관리를 그대로 유지
[15] ______ (1945. 12.)	• 미국·영국·소련의 외상 회의 • 내용 : 임시 정부 수립, [16] ______ 설치, 최고 5년간 미·영·중·소의 신탁 통치 실시 • 우리의 대응 : [17] ______ (반탁), [18] ______ (반탁 but 이후 찬탁 운동으로 선회) ⇨ 좌우 세력 대립
[19] ______	1차 미·소 공동 위원회 개최(1946. 3.) ⇨ 결렬 ⇨ 이승만의 '[20] ______ '(남한만 단독 정부 수립 주장) ⇨ 2차 미·소 공동 위원회 개최(1947. 5.) ⇨ 미·소 간 입장 차이로 결렬(소련 : [21] ______ 단체로만 정부 구성 주장) ⇨ 미국, 우리 문제를 UN에 상정

정답 1. 카이로 2. 얄타 3. 포츠담 4. 민주 공화국 5. 한국 독립당 6. 조소앙 7. 조선 독립 동맹 8. 조선 건국 동맹 9. 조선 건국 준비 위원회 10. 여운형 11. 치안대 12. 조선 인민 공화국 13. 조선 공산당 14. 신한 공사 15. 모스크바 3국 외상 회의 16. 미·소 공동 위원회 17. 우익 18. 좌익 19. 미·소 공동 위원회 20. 정읍 발언 21. 찬탁

건국 활동

0572 □□□

다음의 강령과 관련된 단체의 군사 조직에 대한 설명으로 옳은 것은?

2015. 기상직 9급

> 1. 본 동맹은 조선에 대한 일본 제국주의의 지배를 전복하고 독립 자유의 조선 민주주의 공화국을 수립할 목적으로 다음 임무를 실현하기 위해 싸운다.
>   (1) 전 국민의 보통 선거에 의한 민주 정권의 수립
>   (6) 조선에 있는 일본 제국주의자의 일체 자산 및 토지를 몰수하고, 일본 제국주의와 밀접한 관계에 있는 대기업을 국영으로 귀속하며, 토지 분배를 실행한다.
>   (9) 국민 의무 교육 제도를 실시하고, 이에 필요한 경비는 국가가 부담한다.

① 중국 공산당의 팔로군과 함께 활동하였다.
② 중국 국민당 정부의 지원을 받아 창설되었다.
③ 미국 전략 정보처와 함께 국내 진공 작전을 계획하였다.
④ 중국 의용군과 함께 영릉가와 흥경성 등지에서 일본군을 물리쳤다.

0572

출제영역 〉 1940년대 건국 활동의 이해 정답 ▶ ①

정답찾기 제시문은 중국 화북 지역에서 활동한 조선 독립 동맹(1942)의 건국 강령이다.
① 조선 독립 동맹이 조직한 조선 의용군은 중국 공산당의 팔로군과 함께 활동하였다.

선지분석 ② 조선 의용대(1938)와 한국 광복군(1940), ③ 한국 광복군(1940), ④ 조선 혁명군(1929)에 대한 내용이다.

더+알아보기 〉 **건국 준비 단체**

- **충칭의 대한민국 임시 정부**: 민족주의 계열의 독립운동 단체들을 한국 독립당으로 통합(1940), 대한민국 건국 강령(1941) 제정·공포(조소앙의 삼균주의 채택)
- **화북의 조선 독립 동맹**: 김두봉·김무정 등 사회주의 계열
- **국내의 조선 건국 동맹**: 중도 좌파 여운형, 중도 우파 안재홍

∴ **목표(공통점)**: 민주 공화국 수립

0573 □□□

밑줄 친 '본 위원회'에 대한 설명으로 옳은 것은? 2021. 경찰 2차

> 조선 전(全) 민족의 총의를 대표하며 이익을 보호할 만한 완전한 새 정권이 나와야 하며, 이러한 새 정권이 확립되기까지의 일시적 과도기에 있어서 <u>본 위원회</u>는 조선의 치안을 자주적으로 유지하며 한 걸음 더 나아가 조선의 완전한 독립 국가 조직을 실현하기 위하여 새 정권을 수립하는 한 개의 잠정적 임무를 다하려고 한다.

① 미군정 선포 직후 결성되었다.
② '기회주의 일체 부인'을 강령으로 내세웠다.
③ 김규식과 여운형이 교대로 위원장을 맡았다.
④ 이승만을 주석으로 하는 정부 수립을 선포하였다.

0573

출제영역 〉 해방 공간 주요 단체의 이해 정답 ▶ ④

정답찾기 밑줄 친 '본 위원회'는 조선 건국 준비 위원회이다.
④ 조선 건국 준비 위원회는 미군과의 협상에서 유리한 조건을 차지하기 위해, 중앙 조직을 실질적인 정부 형태로 개편하여 조선 인민 공화국을 조직·선포하고, 이승만을 주석으로, 여운형을 부주석으로 임명하였다.

선지분석 ① 조선 건국 준비 위원회(1945. 8.)는 미군정 선포(1945. 9.) 이전에 조직되었다.
② 신간회(1927), ③ 좌우 합작 위원회(1946)에 대한 설명이다.

Tip 『기본편』 763번 〈더 알아보기〉 조선 건국 준비 위원회(1945. 8.) 참조

우리 문제가 거론된 국제 회담, 신탁 통치 문제, 좌우 합작 운동

0574

모스크바 3국 외상 회의에서 결정한 한국 정부 수립 방안을 순서대로 바르게 나열한 것은? 2017. 서울시 사회복지직 9급

> ㉠ 미・소 공동 위원회 개최
> ㉡ 미・소 공동 위원회와 임시 민주 정부 협의하에 미, 영, 중, 소에 의한 신탁 통치 방안 결정
> ㉢ 미・소 공동 위원회와 한국의 정당 및 사회단체의 협의
> ㉣ 임시 민주 정부 수립

① ㉠ – ㉢ – ㉡ – ㉣　② ㉠ – ㉢ – ㉣ – ㉡
③ ㉢ – ㉠ – ㉣ – ㉡　④ ㉢ – ㉣ – ㉠ – ㉡

0574

출제영역 〉 모스크바 3국 회의의 한국 정부 수립 방안 이해 **정답 ▶ ②**

정답찾기 모스크바 3국 외상 회의에서 결정된 한국 정부 수립 방안 과정은 ㉠ 미・소 공동 위원회 개최 ⇨ ㉢ 미・소 공동 위원회와 한국의 정당 및 사회단체와의 협의 ⇨ ㉣ 임시 민주 정부 수립 ⇨ ㉡ 미・소 공동 위원회와 임시 민주 정부 협의하에 4개국의 신탁 통치로 가는 순서였다. 그러나 한국 내 신탁 통치 반대 입장과 미국과 소련의 대립이 작용하면서 미・소 공동 위원회를 통한 통일 임시 정부 수립이라는 3상 회의의 결정 사항은 실현되지 못하였다.

더알아보기 〉 **모스크바 3국 외상 회의(1945. 12.)의 한국 관련 내용**

1. 민주주의 원칙 아래 독립 국가를 건설하기 위해 임시 정부를 수립할 것
2. 임시 정부 수립을 원조하기 위해 미・소 공동 위원회를 설치할 것
3. 미・영・소・중은 한국을 최고 5년 동안 신탁 통치할 것
4. 미・소 공동 위원회는 임시 정부 수립을 준비하기 위해 민주적 정당・사회단체와 협의할 것

0575

다음 주장을 한 조직에 대한 설명으로 옳은 것을 〈보기〉에서 고른 것은? 2012. 사회복지직 9급 / 수능 근현대사・2013. 국가직 7급 유사

> 카이로, 포츠담 선언과 국제 헌장으로 세계에 공약한 한국의 독립 여부는 금번 모스크바에서 개최한 3국 외상 회의의 신탁 관리 결의로 수포로 돌아갔으니, 다시 우리 3천만은 영예로운 피로써 자주독립을 획득하지 아니하면 아니될 단계에 들어섰다. 동포여! 8・15 이전과 이후, 피차의 과오와 마찰을 청산하고서 우리 정부 밑에 뭉치자. 그리하여 그 지도하에 3천만의 총역량을 발휘하여 신탁 관리제를 배격하는 국민운동을 전개하여 자주독립을 완전히 획득하기까지 3천만 전 민족의 최후의 피 한 방울까지라도 흘려서 싸우는 항쟁 개시를 선언한다.

보기

> ㉠ 좌우 합작 위원회를 주도하였다.
> ㉡ 신탁 통치 반대 운동을 하였다.
> ㉢ 대한민국 임시 정부의 승인을 요구하였다.
> ㉣ 한반도 문제의 처리를 유엔으로 넘기자고 주장하였다.

① ㉠, ㉡　② ㉡, ㉢
③ ㉢, ㉣　④ ㉠, ㉣

0575

출제영역 〉 해방 공간의 주요 사건 이해 **정답 ▶ ②**

정답찾기 제시문은 신탁 통치 반대 국민 총동원 위원회의 반탁 시위 선언문이다.

선지분석 ㉠ 1차 미・소 공동 위원회(1946. 3.) 결렬 이후 여운형, 안재홍이 좌우 합작 위원회를 주도하였다.
㉣ 2차 미・소 공동 위원회(1947. 5.) 결렬 이후 미국이 한국의 독립 문제를 유엔 총회에 상정하였다.

0576 □□□

밑줄 친 '입법 기구'에 대한 설명으로 옳지 않은 것은? 2017. 지방직 7급

> 1. 조선의 민주독립을 보장한 3상 회의 결정에 의하여 남북을 통한 좌우 합작으로 민주주의 임시 정부를 수립할 것
> 2. 미·소 공동 위원회 속개를 요청하는 공동성명을 발(發)할 것
> 3. 토지 개혁에 있어 몰수, 유조건 몰수, 체감 매상 등으로 토지를 농민에게 …
> 4. … 본 합작 위원회에서 입법 기구에 제안하여 입법 기구로 하여금 심리 결정케 하여 실시케 할 것 … (후략)

① 「민족 반역자·부일 협력자·간상배에 대한 특별법」을 제정하였다.
② 관선과 민선 두 종류의 의원이 있었다.
③ 초대 의장으로 여운형이 선임되었다.
④ 「입법 의원 의원 선거법」을 제정하였다.

0576

출제영역 〉 해방 공간의 주요 단체의 이해 정답 ▶ ③

정답찾기 제시문은 '좌우 합작 7원칙'으로, 밑줄 친 '입법 기구'는 남조선 과도 입법 의원(1946. 12.)이다.
③ 남조선 과도 입법 의원은 김규식을 의장으로 선임하였다.

선지분석 ①④ 입법 의원에서 통과시킨 중요 제정 법령은 「민족 반역자·부일 협력자·간상배에 대한 특별법」이다. 기타 「남조선 과도 입법 의원법」, 「국립서울대학교설립에 관한 제102호 법령」의 제7조 개정, 「하곡수집법」, 「미성년자노동보호법」, 「입법의원선거법」, 「조선임시약헌(朝鮮臨時約憲)」, 「사찰령 폐지에 관한 법령」, 「공창제도 등 폐지령」, 「미곡수집령」 등이 있었다.
② 남조선 과도 입법 의원은 미군 사령관 하지가 임명한 관선 의원(45명)과 간접 선거로 선출한 민선 의원(45명)을 선발하였으며, 관선 의원에는 좌우 합작 위원회를 비롯한 중도계 인사들이 임명되었고, 민선 의원은 대부분 이승만계와 한국 민주당계가 당선되었다.

더⊕알아보기 〉 **남조선 과도 입법 의원**

1946년 5월 미·소 공동 위원회가 무기 휴회로 들어가자 미군정 당국은 김규식·여운형 등 중도파 지도자들의 좌우 합작 운동을 지지하는 한편, 이들을 중심으로 1946년 12월 과도 입법 의원을 구성하고 의장에 김규식, 민정 장관에 안재홍 등을 선출하였다. 그러나 입법 의원은 미군정 장관의 동의를 얻어야 했으므로 정상적인 국회는 아니었다.

0577 □□□

8·15 광복 이후 여러 정치 세력의 동향에 대한 설명으로 옳지 않은 것은? 2009. 지방직 7급

① 여운형은 건국 동맹을 기반으로 하여 조선 건국 준비 위원회를 만들어 각 지역의 치안을 담당하였다.
② 송진우, 김성수 등의 민족주의 우파 계열은 대한민국 임시 정부를 지지하고, 조선 인민 공화국에 반대하였다.
③ 좌익의 여운형과 우익의 김규식은 좌우 합작을 추진하기 위해서 좌우 합작 위원회를 결성하고 좌우 합작 7원칙을 내놓았다.
④ 이승만이 조직한 한국 민주당은 미군정과 긴밀한 관계를 유지하면서 점차 우익 진영의 대표 정당으로 성장하였다.

0577

출제영역 〉 주요 정치인의 정치 활동 이해 정답 ▶ ④

정답찾기 ④ 한국 민주당(1945. 9.)은 송진우, 김성수 등이 중심이 되어 조직하였다. 이들은 조선 인민 공화국에 대항하여 임시 정부 지지를 표방하면서도 미군정과 긴밀하게 연결되었다.

0578 □□□

광복 후 ㉠과 ㉡의 주장을 한 사람을 옳게 연결한 것은?

2015. 서울시 7급

> ㉠ 신민족주의와 신민주주의
> ㉡ 연합성 신민주주의

	㉠	㉡
①	안재홍	백남운
②	김규식	여운형
③	안재홍	여운형
④	김규식	백남운

0578

출제영역 〉 주요 정치인의 정치 활동 이해 정답 ▶ ①

정답찾기 ㉠ 중도 우파 세력인 안재홍은 국민당을 결성하고 각 계급의 단결을 강조하는 '신민족주의와 신민주주의'라는 독창적인 이론을 제시하였다.
㉡ 사회 경제 사학자인 백남운은 해방 이후 조선 공산당에 합류하지 않고, 중산층 이상의 공산주의 지식인들이 조직한 남조선 신민당에 들어가 양심적인 우익과의 연합이 중요하다는 '연합성 신민주주의'를 주장하였다.

선지분석 김규식과 여운형은 좌우 합작 운동을 추진하였다.

0579 □□□

다음 연설을 했던 사람의 활동과 관계가 깊은 것은?

제2회 한국사능력검정시험 고급

> …… 이 입법 의원은 명실상부한 과도 입법 의원인데도 초보적 과도 입법 의원인 것을 본원의 현재 의원으로서는 명확히 인식하여야 할 것이다. 왜 그러냐 하면, 이 초보적 입법 의원의 사명은 최속(最速)한 기간 내에 남북이 통일한 총선거식으로 피선된 확대된 입법 의원을 산출하는 제1계단으로 들어가야 할 것이고, 그 확대 입법 의원은 미·소 공동 위원회의 계속 개회가 되면 더욱 좋거니와, 혹 어떠한 변환으로 급히 속개되지 아니하더라도 최소한 기간 내에 우리의 손으로 우리를 위한 우리의 임시 정부를 산출하여, 안으로는 완전 자주독립의 국가를 건설해야 하며, 우리의 주인인 한국 3천만 민중의 복리를 도모할 것이며, 밖으로는 국제적 지위를 획득하여 동아 및 전 세계 평화와 행복을 위하여 모든 민주주의 연합국과 협력, 매진할 것이다.
>
> 남조선 과도 입법 의원 의장의 개회사(1946. 12.)

① 1946년 6월에 정읍 발언을 통해 단독 정부 수립을 주장하였다.
② 1946년 비상 국민 회의를 조직하여 임시 정부의 정통성을 주장하였다.
③ 8·15 광복 직후에 조선 건국 준비 위원회를 결성하고 건국 준비에 힘썼다.
④ 민족 자주 연맹을 결성하고, 통일 정부 수립을 위한 남북 협상을 추진하였다.
⑤ 1947년 2월에 미군정의 민정 장관에 임명되어 남조선 과도 정부를 이끌었다.

0579

출제영역 〉 주요 정치인의 정치 활동 이해 정답 ▶ ④

정답찾기 제시문은 미군정기에 남조선 과도 입법 의원 의장을 역임한 김규식의 입법 의원 개회사이다.

선지분석 ① 이승만, ② 김구, ③ 여운형, ⑤ 안재홍에 대한 설명이다.

더⊕알아보기 〉 **김규식**(1881~1950)
- 1918년 신한 청년단 창립 참가, 1919년 임시 정부의 외교총장을 맡아 파리 강화 회의에 전권대사로 참석, 1935년 김원봉 등과 민족 혁명당 조직, 1944년 임시 정부 부주석이 되어 김구와 함께 광복군 양성에 노력
- 광복 후 우익 지도자로 신탁 통치 반대 운동, 1946년 중도 우파로 좌우 합작 준비 작업, 입법 의원 의장, 민족 자주 연맹 위원장으로 활동, 1948년 남한 단독 총선거에 반대하고 김구 등과 북한에 가서 남북 협상 시도, 실패 후 은퇴, 6·25 전쟁 때 납북됨.

0580 □□□

(가)~(라)에 들어갈 내용으로 적절하지 않은 것은? 2015. 법원직

〈도서 출판 계획〉

• 제목 : 역사의 라이벌
• 목차별 내용

목차	대상 인물	선정 이유
1	묘청과 김부식	(가)
2	김상헌과 최명길	(나)
3	김홍집과 김옥균	(다)
4	이승만과 김구	(라)

① (가) – 서경 천도를 둘러싸고 대결하였다.
② (나) – 청에 대한 외교 노선을 두고 논쟁을 벌였다.
③ (다) – 개화의 속도와 범위 문제에 대해 의견을 달리하였다.
④ (라) – 모스크바 3국 외상 회의의 결정 지지 여부를 놓고 대립하였다.

0581 □□□

다음 중 미군정이 실시한 정책이 아닌 것은? 2014. 경찰간부

① 해방 직후 좌익계 인사들이 급조한 조선 인민 공화국을 인정하지 않았다.
② 소작료가 총 수확물의 1/3을 넘을 수 없도록 하는 법령을 공포하였다.
③ 무상 몰수 · 무상 분배의 방식으로 지주의 땅을 농민들에게 분배하였다.
④ 신한 공사로 하여금 동양 척식 주식회사에서 넘겨받은 토지를 관리하게 하였다.

0580

출제영역 역대 주요 인물의 활동 이해 정답 ▶ ④

정답찾기 ④ 이승만과 김구는 모두 모스크바 3국 외상 회담에 대하여 반대하였다.

선지분석 ① 묘청은 금국 정벌론을 주장하면서 서경 천도를 주장한 반면, 김부식은 정치적 안정을 추구하는 동시에 송에 이용당할 것을 우려하면서 금에 대한 사대를 주장하며 서경 천도를 반대하였다.
② 병자호란 직전 청이 조선에게 사대를 요구하자 김상헌은 주전론을, 최명길은 주화론을 주장하였다.
③ 1880년대 김홍집은 청을 모델로 점진적 개혁을 주장한 온건 개화파이고, 김옥균은 일본을 모델로 변법자강을 주장한 급진 개화파였다.

0581

출제영역 미군정기의 정책 이해 정답 ▶ ③

정답찾기 ③ 북한의 토지 개혁 내용이다.

선지분석 ① 미군정은 조선 건국 준비 위원회와 조선 인민 공화국 수립을 부정하고, 충칭의 대한민국 임시 정부마저 인정하지 않은 상태에서 패망 후에도 남한에서 통치권을 행사하고 있었던 총독부의 기구와 관리를 그대로 인수하여 군정을 실시하였다.
②④ 미군정은 동양 척식 주식회사와 일본인이 가지고 있던 많은 토지를 인수하여 신한 공사를 설립하였다. 신한 공사는 소유한 토지를 농민에게 소작을 주고 소작료를 징수하였는데, 소작료를 3분의 1로 낮추고, 지주가 일방적으로 소작 계약을 깨뜨리지 못하게 하는 등 부분적으로 농민의 요구를 받아들였다. 그러나 토지 개혁, 소작료의 추가 인하, 금납제를 요구하는 농민들과의 갈등은 커져갔다.

0582

미군정기에 일어난 일이 아닌 것은? 2015. 경찰간부

① 남조선 국방 경비대가 창설되었다.
② 친일 반민족 행위자 처벌을 위해 만들어졌던 반민 특위가 와해·해체되었다.
③ 여운형이 암살되면서 좌우 합작은 유명무실하게 되었다.
④ 이승만의 정치적 기반 확대는 주로 '독립 촉성 국민회'를 통해 이루어졌다.

0582

출제영역 미군정기의 정책 이해 정답 ▶ ②

정답찾기 미군정기는 1945~1948년이다.
② 대한민국 정부 수립(1948. 8. 15.) 이후 반민족 행위 처벌법이 제정(1948. 9.)되었고, 이후 반민 특위는 1949년에 해체되었다.

선지분석 ① 남조선 국방 경비대(1946), ③ 여운형 암살(1947), ④ 독립 촉성 국민회(1946)

0583

다음 그래프에 표시된 시기에 일어난 사회 현상으로 옳지 않은 것은?

2020. 국가직 9급

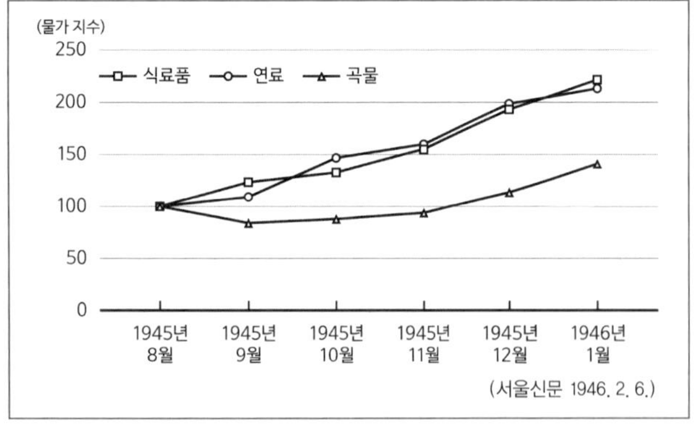

(서울신문 1946. 2. 6.)

① 해외로부터 귀환인이 급증하여 식량이 부족했다.
② 38도선 분할 점령 이후 식료품 부문의 생산이 크게 위축되었다.
③ 미군정이 재정 적자를 메우기 위해 화폐를 과도하게 발행했다.
④ 미곡 수집제 폐지, 토지 개혁 실시를 주장하는 대규모 시위가 일어났다.

0583

출제영역 미군정기의 정책 이해 정답 ▶ ④

정답찾기 제시된 자료는 해방 직후 미군정기(1945~1948) 중 특정 시기(1945. 8.~1946. 1.)의 물가 지수를 보여 주고 있다.
④ 주어진 도표 시기에 해당 되지 않는 사건이다. 1946년 9월 철도 노동자들의 총파업을 기점으로 10월 1일 대구에서 시작된 파업이 전국으로 확대되면서 쌀 공출(미곡 수집) 폐지, 토지 개혁 실시, 식민지 교육 철폐, 미군정 퇴진 등을 요구하였다.

PLUS+ 선지 OX 현대 사회의 성립

01 여운형은 단독 정부 수립 운동에 반대하며 분단을 막고 통일 정부 수립을 위하여 북한에 남북 지도자 연석 회의를 제안하였다. 2016. 서울시 7급 O X

02 포츠담 선언에서 38도선을 경계로 하는 분할 점령을 결정하였다. 수능 O X

03 모스크바 3국 외상 회의와 제1차 미·소 공동 위원회가 열린 사이 시기에, 주한 미국 육군 사령부는 국내 치안을 명분으로 남조선 국방 경비대를 창설하였다. 2020. 국회직 9급 O X

04 1945년 모스크바 3국 외상 회의에서 3국은 임시 민주 정부 수립에 참여할 단체의 범위를 둘러싸고 대립하였다. 2019. 경찰간부 O X

05 좌우 합작 7원칙은 토지 문제와 친일파 처리 문제 등을 중도적 입장에서 조정한 것이다. 2017. 서울시 7급 O X

06 좌우 합작 운동에 조선 공산당이 참여하여 적극적으로 활동하였다. 2012. 계리직 O X

07 1946년에 중도 좌파와 중도 우파가 중심이 되어 조직된 좌우 합작 위원회는 미군정의 지원이 철회되면서 활동에 어려움을 겪었다. 한능검 O X

08 미군정 출범 이후에 조선 건국 동맹이 결성되었으며, 좌우 합작 7원칙이 발표되었다. 한능검 O X

09 미군정은 일본인과 동양 척식 주식회사가 소유한 토지를 접수한 후, '농지 개혁법'을 제정하여 신한 공사를 통하여 지주와 소작인에게 분배하였다. 2010. 경찰 1차 O X

10 김규식은 미군정의 민정 장관에 임명되어 남조선 과도 정부를 이끌었다. 한능검 O X

PLUS+ 선지 OX 해설 현대 사회의 성립

01 ☒ 통일 정부 수립을 위하여 북한에 남북 지도자 연석 회의를 제안한 것은 김구이다.
cf 여운형 암살(1947)

02 ☒ 38도선 분할 점령안은 포츠담 선언에서가 아니라 해방 직후 미국의 제안으로 결정되었다.

03 ⓞ 모스크바 3국 외상 회의(1945. 12.) ⇨ 남조선 국방 경비대 창설(1946. 1.) ⇨ 1차 미·소 공동 위원회(1946. 3.)

04 ☒ 임시 정부 수립에 참여할 단체의 범위를 둘러싸고 대립한 것은 1차 미·소 공동 위원회(1946. 3.)이다. 미·소 공동 위원회 당시 소련은 신탁 통치 결정을 지지하는 정치 단체만 미·소 공동 위원회와의 협의 대상으로 참여시키자고 주장하였고, 미국은 모든 정치 단체의 참여를 주장하였다.

05 ⓞ 좌우 합작 위원회는 우익과 좌익 간에 이견이 심했던 토지 문제와 친일파 처리 문제 등을 중도적 입장에서 조정하여 좌우 합작 7원칙을 발표하였다.

06 ☒ 조선 공산당(박헌영)과 한국 민주당(송진우, 김성수)은 좌우 합작 운동에 반대하였다. 이에 반해 김구의 한국 독립당은 찬성하였으나, 이승만은 애매한 입장을 취하였다.

07 ⓞ 미국은 1947년 3월에 트루먼 독트린과 마셜 플랜을 발표하면서 소련에 대한 봉쇄 정책을 실시하였고 이로써 동서 냉전이 시작되었다. 이로 인해 좌우 합작 운동이 난관에 봉착하게 되었다.

08 ☒ 미군정은 1945년 9월 출범하였고, 그 이후에 좌우 합작 7원칙이 발표되었다(1946. 10.). 그러나 조선 건국 동맹은 1944년에 결성되었다.

09 ☒ 미군정이 설치한 신한 공사(1946. 3.~1948. 3.)는 일본인 소유의 농지를 관리하면서 농민에게 소작을 주고 소작료를 1/3로 낮추었다. 농지 개혁법(1949)은 대한민국 수립 이후 제정되었다.

10 ☒ 미군정의 민정 장관에 임명된 것은 안재홍이다. 김규식은 남조선 과도 입법 의원 의장에 선출되었다.

CHAPTER

대한민국의 수립

최근 5년간 국가직·지방직 출제 비율

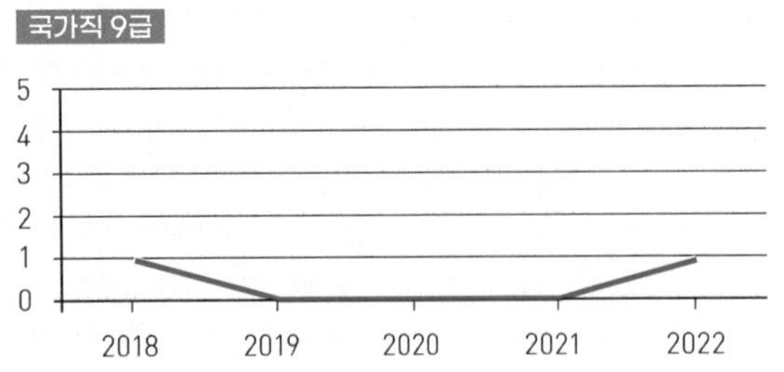

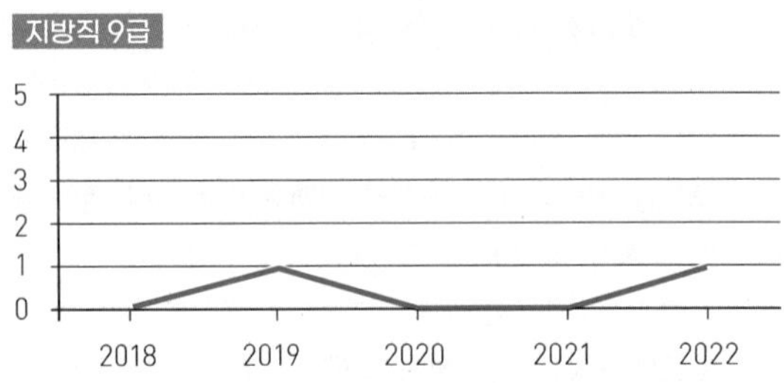

- 최근 5년간 국가직과 지방직에서 한 문제 정도 출제되었다.
- 국가직과 지방직에서 가장 많이 출제된 문제는 '제헌 국회'와 '제헌 국회에서 제정한 법률'이다.

주요 고난도 문제 키워드

#제헌 국회 #제헌 헌법 #5·10 총선거 #반민족 행위 처벌법 #북한 정권 수립 과정 #휴전 협정

고난도 이론 정리 선우쌤 PICK

6·25 전쟁(1950~1953)		
배경	미국의 극동 방위선에서 한반도를 제외한다고 발표(1 ______ , 1950. 1.)	
경과	전쟁 발발(1950. 6. 25.) ⇨ 북한군의 서울 점령, 한강 인도교 폭파(6. 28.) ⇨ 유엔 지상군 부산 상륙(7. 1.) ⇨ 한국 작전 지휘권, 유엔군 총사령관(맥아더)에 위임(7. 16.) ⇨ 다부동 전투(8. 13.) ⇨ 낙동강 저지선까지 후퇴 ⇨ 유엔군, 2 ______ 감행(9. 15.) ⇨ 서울 수복(9. 28.) ⇨ 국군, 38도선 돌파(10. 1.) ⇨ 국군, 평양 탈환(10. 19.), 압록강 진격 ⇨ 중국군 개입(10. 25.) ⇨ 3 ______ (12. 15.) ⇨ 서울 재함락(1951. 1. 4.) ⇨ 거창 양민 학살 사건(2. 11.) ⇨ 유엔군 사령관, 북한 측에 정전 회담 제의(6. 30.) ⇨ 휴전 회담 본회의 시작(개성, 7. 10.) ⇨ 포로 교환 협정 조인(1953. 6. 8.) ⇨ 이승만 정부, 거제도 반공 포로 2만 5천 명 석방(6. 18.) ⇨ 판문점에서 휴전 협정 조인(7. 27.) ⇨ 4 ______ 체결(1953. 10.)	〈제헌 국회 주요 제정 법령〉 • 반민족 행위 처벌법 (1948. 9.) • 국가 보안법(1948. 12.) • 농지 개혁법(1949) • 귀속 재산 처리법(1949)
휴전 회담	• 개성(1951. 7. 10.) ⇨ 5 ______ (1951. 10. 23.~1953. 7. 27.) • 휴전 방식, 군사 분계선, 포로 송환 문제로 난항 • 조인 : 유엔 측 대표, 북한 측 대표 • 서명 : 유엔 측 대표(미국), 공산 측 대표(북한, 중국)	
6 ______ (1954. 4.)	• 휴전 협정에 의하여 유엔 참전 16개국과 중국·소련·북한 등 공산 측 3개국이 제네바에 모여 한국 통일 문제를 토의한 최초의 회담 • 남한 : 북한으로부터 중공군 철수, 유엔 감시하 북한만의 자유 선거 실시 주장 • 북한 : 유엔을 포함한 모든 외세를 배제한 자유 선거 실시, 전 조선 위원회 구성, 6개월 이내 전 외국군 철수 주장	

정답 1. 애치슨 라인 2. 인천 상륙 작전 3. 흥남 철수 4. 한·미 상호 방위 조약 5. 판문점 6. 제네바 회담

대한민국의 수립

0584

밑줄 친 '이것'이 수행한 내용으로 옳은 것은? 2016. 국가직 7급

> 당면한 한반도 문제를 심의하는 데 선거로 뽑힌 한반도 국민의 대표가 참여할 것을 결의한다. … (중략) … 참여할 한반도 대표가 한반도의 군정 당국에 의하여 지명된 자가 아니라 한반도 주민에 의하여 정당히 선거된 자임을 감시하기 위하여 조속히 이것을 설치하여 한반도에 보내고자 한다. 그리고 이것에 한반도 전체에서 여행, 감시, 협의할 수 있는 권한을 주기로 결의한다.

① 남한을 한반도에서 유일한 합법 정부로 승인하였다.
② 소련의 방해로 남한 지역에서만 총선거를 감시하였다.
③ 북한을 침략자로 규정하고 유엔군 파견을 결정하였다.
④ 한국 경제의 재건과 복구를 지원하였다.

0585

다음 두 법령에 대한 설명으로 옳은 것을 〈보기〉에서 모두 고르면?

2018. 국회직 / 2018. 지방직 7급 유사

> (가) 일본 정부와 공모하여 한・일 합방에 적극 협력한 자, 한국의 주권을 침해하는 조약 또는 문서에 조인한 자와 모의한 자는 사형 또는 무기 징역에 처하고 그 재산과 유산의 전부 혹은 2분의 1을 몰수한다.
> (나) 농가가 아닌 자의 농지, 자경하지 않는 자의 농지, 3정보를 초과하는 부분의 농지, 과수원 등 3정보 이상 자영하는 자의 소유인 다년성 식물 재배 이외의 농지는 정부가 매수한다.

보기

㉠ (가) – 미군정기에 발표되었다.
㉡ (가) – 법의 집행을 위해 반민족 행위 특별 조사 위원회가 설치되었다.
㉢ (나) – 6・25 전쟁 이후에 공포되었다.
㉣ (나) – 제헌 헌법에 의거하여 특별법의 형태로 제정되었다.

① ㉠, ㉡　② ㉠, ㉣
③ ㉡, ㉢　④ ㉡, ㉣
⑤ ㉢, ㉣

0584

출제영역 〉 대한민국 정부 수립 과정의 이해　정답 ▶ ②

정답찾기 밑줄 친 '이것'은 유엔 한국 임시 위원단(1947)이다.
② 2차 미・소 공동 위원회 결렬 이후, 미국이 한국 독립 문제를 1947년 9월 제2회 유엔 총회에 상정하면서 유엔 한국 임시 위원단이 구성되었다. 유엔 한국 임시 위원단이 유엔 감시하에 인구 비례에 따른 한반도 총선거를 실시하자고 주장하자, 소련은 유엔의 제안을 반대하였고 유엔 한국 임시 위원단이 북한에 들어오는 것조차 거부하였다. 그 결과 남한 지역에서만 총선거를 실시하게 되었다.

선지분석 ① 유엔 총회(1948. 12. 12.), ③ 유엔 긴급 안전 보장 이사회(1950. 6. 26.), ④ 유엔 한국 재건단 발족(1950)과 관련된다.

0585

출제영역 〉 정부 수립 이후 주요 법령의 이해　정답 ▶ ④

정답찾기 (가) 반민족 행위 처벌법(1948. 9.), (나) 농지 개혁법(1949. 6.)
㉡ 제헌 국회에서는 민족정기를 바로잡고 친일파를 처벌하기 위해서 반민족 행위 처벌법을 제정하였는데, 이 법을 집행하기 위해서 국회 의원 10명으로 구성된 반민족 행위 특별 조사 위원회와 특별 재판부를 설치하였고, 친일 혐의를 받았던 주요 인사들의 명단을 작성해서 조사하였다.
㉣ 이승만 정부는 제헌 헌법에 의거하여 경자유전(耕者有田: 농사 짓는 사람이 농지를 소유함.) 원칙의 농지 규정과 헌법 부칙을 통해 농지 개혁법 특별법 제정을 제헌 국회에 위임하였다.

선지분석 ㉠ 반민족 행위 처벌법은 1948년 9월에 제정된 것이다. 미군정 시기는 1945년 일본의 항복으로 한반도 북위 38°선 이남 지역에 미군이 진주한 9월 8일부터 1948년 8월 15일 남한 단독 정부가 수립되기까지 3년 동안 실시한 군사 통치 시기를 말한다.
㉢ 농지 개혁법은 6・25 전쟁(1950) 이전인 1949년 6월에 발표되었다.

0586 □□□

(가), (나) 사건 사이에 있었던 사실로 옳은 것은? 2020. 국가직 7급

> (가) UN 한국 위원단이 총선거 감시와 협의를 할 수 있었던 그 지역에서 효과적으로 통제 및 사법권을 보유한 합법 정부가 수립되었으며, … (중략) … 한국 위원단은 지난번 한국 인민의 자유로 표현된 의사에 기초하여 장차의 대의정부 발전에 유용한 감시와 협의를 수행할 것이다.
> (나) 안전 보장 이사회는 … (중략) … 북한군의 대한민국에 대한 무력공격이 평화 파괴를 조성한다고 단정하였다. 이 지역에서 그 무력공격을 격퇴하고 국제적 평화와 안전을 회복시키기 위하여 필요한 원조를 대한민국에 제공하도록 국제연합 제 회원국에게 권고하였다.

① 제헌 헌법이 공포되었다.
② 남조선 과도 입법 의원이 구성되었다.
③ 귀속 재산 처리를 위한 「귀속 재산 처리법」이 제정되었다.
④ 일본인 토지의 분배를 위해 중앙 토지 행정처가 발족되었다.

0587 □□□

1948년 7월 공포된 '제헌 헌법'에 명시된 내용이 아닌 것은?

2018. 경찰 2차

① 농지는 농민에게 분배하며 그 분배의 방법, 소유의 한도, 소유권의 내용과 한계는 법률로써 정한다.
② 이 헌법을 제정한 국회는 단기 4278년 8월 15일 이전의 악질적인 반민족 행위를 처벌하는 특별법을 제정할 수 있다.
③ 대통령과 부통령은 국민의 보통·평등·직접·비밀 선거에 의하여 각각 선출한다.
④ 이 헌법을 제정한 국회는 이 헌법에 의한 국회로서의 권한을 행하며 그 의원의 임기는 국회 개회일로부터 2년으로 한다.

0588 □□□

다음은 1948년 초 어느 회의에 참가한 두 정치인의 발언이다. (가), (나) 인물에 대한 설명으로 옳지 않은 것은? 수능 근현대사

> (가) 지금 나의 유일한 염원은 3천만 동포와 손을 잡고 통일된 조국의 달성을 위하여 공동 분투하는 것뿐이다. 나는 통일된 조국을 건설하려다 38도선을 베고 쓰러질지언정 일신에 구차한 안일을 취하여 단독 정부를 세우는 데는 협력하지 아니하겠다.
> (나) 나는 항상 조선 문제는 조선 사람 자신이 해결해야 한다는 입장을 취해 왔다. 남북 연석회의는 잘 진행되었다. …… 지난 세월 나는 미국의 장단에 맞춰 춤을 추었지만, 지금부터는 조선의 장단에 맞춰 춤을 추겠다.

① (가)는 즉각적인 독립 정부의 수립을 위해 신탁 통치 반대 운동에 나섰다.
② (나)는 신한 청년당의 대표로 파리 강화 회의에 파견되었다.
③ (가), (나)는 충칭의 대한민국 임시 정부에서 함께 활동하였다.
④ (가), (나)는 5·10 총선거와 대한민국 정부 수립에 참여하지 않았다.
⑤ (가), (나)는 좌우 합작 위원회를 조직하고 좌우 합작 7원칙을 발표하였다.

0586

출제영역 정부 수립 이후 주요 사건의 이해 정답 ▶ ③

정답찾기 (가) 제3차 유엔 총회 결의문(1948. 12), (나) 유엔 긴급 안전 보장 이사회(1950. 6. 26.)
③ 귀속 재산 처리법 제정(1949. 12.)

선지분석 ① 제헌 헌법 공포(1948. 7.), ② 남조선 과도 입법 의원 구성(1946. 12.), ④ 중앙 토지 행정처 발족(1948. 3.)

0587

출제영역 제헌 헌법의 내용 이해 정답 ▶ ③

정답찾기 ③ 제헌 헌법 하에서는 대통령과 부통령을 국회에서 무기명 투표로 각각 선거한다고 규정되었다. 대통령과 부통령을 보통·평등·직접·비밀 투표에 의하여 각각 선거한다는 것은 1차 개헌(발췌 개헌, 1952)에 의해 규정되었다.

선지분석 ① 제헌 헌법 제86조에 대한 내용으로, 이후 1949년에 농지개혁법이 제정되어 1950년에 일부 수정되어 시행되었다.
② 제헌 헌법 제101조의 내용으로, 제헌 국회에서는 민족정기를 바로잡고 친일파를 처벌하기 위하여 반민족 행위 처벌법을 제정하였다(1948. 9.).
④ 5·10 총선거(1948)를 통해 선출된 제헌 국회 의원의 임기는 2년이다.

0588

출제영역 주요 정치인의 정치 활동 이해 정답 ▶ ⑤

정답찾기 (가) 김구, (나) 김규식
⑤ 좌우 합작 위원회(1946. 7.)는 김규식과 여운형을 중심으로 이루어졌다. 좌우 합작 운동을 김구는 공식적으로 지지하였다.

0589 □□□

다음 자료와 관련된 설명으로 옳지 않은 것은? 2010. 국가직 9급

> 제1조 일본 정부와 통모하여 한·일 합병에 적극 협조한 자, 한국의 주권을 침해하는 조약 또는 문서에 조인한 자와 모의한 자는 사형 또는 무기 징역에 처하고 그 재산과 유산의 전부 혹은 2분지 1 이상을 몰수한다.
> 제3조 일본 치하 독립운동자나 그 가족을 악의로 살상 박해한 자 또는 이를 지휘한 자는 사형, 무기 또는 5년 이상의 징역에 처하고 그 재산의 전부 혹은 일부를 몰수한다.

① 독립을 방해할 목적으로 단체를 조직했다면 10년 이하의 징역과 재산의 몰수 등이 가능했다.
② 기술관을 포함하여 고등관 3등급 이상의 관공리는 공소시효 경과 전에는 공무원 임용이 불허되었다.
③ 반민족 행위를 조사하기 위하여 특별 조사 위원회를 설치하였다.
④ 일본 정부로부터 작위를 받은 자는 무기 또는 5년 이상의 징역과 재산·유산의 몰수 등이 가능했다.

북한 정권의 수립과 6·25 전쟁

0590 □□□

다음 6·25 전쟁 이전에 북한에서 일어난 사건들을 연대순으로 바르게 나열한 것은? 2009. 국가직 9급

> ㉠ 북조선 5도 행정국 설치
> ㉡ 토지 개혁 단행
> ㉢ 북조선 노동당 창당
> ㉣ 조선 공산당 북조선 분국 조직

① ㉠ - ㉡ - ㉢ - ㉣　② ㉠ - ㉡ - ㉣ - ㉢
③ ㉡ - ㉠ - ㉣ - ㉢　④ ㉣ - ㉠ - ㉡ - ㉢

0591 □□□

<보기>의 북한 정권 수립 과정을 시간순으로 나열한 것은? 2018. 서울시 기술직 9급

> 보기
> ㉠ 북조선 임시 인민 위원회 성립
> ㉡ 조선 인민군 창설
> ㉢ 토지 개혁 실시
> ㉣ 최고 인민 회의 대의원 선거 실시
> ㉤ 북조선 노동당 결성
> ㉥ 조선 민주주의 인민 공화국 성립

① ㉠ - ㉡ - ㉢ - ㉣ - ㉤ - ㉥
② ㉠ - ㉢ - ㉤ - ㉡ - ㉣ - ㉥
③ ㉠ - ㉤ - ㉢ - ㉣ - ㉡ - ㉥
④ ㉠ - ㉤ - ㉡ - ㉢ - ㉣ - ㉥

0589

출제영역 정부 수립 직후 주요 법령의 이해 **정답 ▶ ②**

정답찾기 제시문은 반민족 행위 처벌법의 내용이다.
② 고등관 3등급 이상의 관공리는 공소시효 경과 전에는 공무원 임용이 불허되었다. 단, 기술관은 제외이다(반민족 행위 처벌법 5조항).

더⊕알아보기 **반민족 행위 처벌법 규정 제4조**

제4조 다음 각 호 중 하나에 해당하는 자는 10년 이하의 징역에 처하거나 15년 이하의 공민권을 정지하고, 그 재산의 전부 혹은 일부를 몰수할 수 있다.
1. 습작한 자
2. 중추원 부의장, 고문 또는 참의되었던 자
3. 칙임관 이상의 관리되었던 자
4. 밀정 행위로 독립운동을 방해한 자
11. 종교·사회·문화·경제 기타 각 부분에 있어서 민족적인 정신과 신념을 배반하고 일본 침략주의와 그 시책을 수행하는데 협력하기 위하여 악질적인 반민족적 언론, 저작 및 기타 방법으로써 지도한 자

0590

출제영역 북한 정권 수립 과정의 이해 **정답 ▶ ④**

정답찾기 ㉣ 조선 공산당 북조선 분국 조직(1945. 10.) ⇨ ㉠ 북조선 5도 행정국 설치(1945. 11.) ⇨ ㉡ 토지 개혁 단행(1946. 3.) ⇨ ㉢ 북조선 노동당 창당(1946. 8.)

0591

출제영역 북한 정권 수립 과정의 이해 **정답 ▶ ②**

정답찾기 ㉠ 북조선 임시 인민 위원회 성립(1946. 2.) ⇨ ㉢ 토지 개혁 실시(1946. 3.) ⇨ ㉤ 북조선 노동당 결성(1946. 8.) ⇨ ㉡ 조선 인민군 창설(1948. 2.) ⇨ ㉣ 최고 인민 회의 대의원 선거 실시(1948. 6.) ⇨ ㉥ 조선 민주주의 인민 공화국 성립(1948. 9.)

0592

다음 회담과 관련한 내용으로 옳지 않은 것은? 2015. 국가직 7급

> 제2의제 : 전투 행위를 정지한다는 전제 아래 양측 군대 사이에 비무장 지대를 설치하고자 군사 분계선을 정하는 일
> … (중략) …
> 제5의제 : 외국 군대의 철수와 한반도 문제의 평화적 해결에 관해서 쌍방 관련 국가의 정부에 권고하는 일

① 개성과 판문점 등지에서 회담이 진행되었다.
② 공산군 측은 38도선을 경계로 휴전할 것을 요구하였다.
③ 유엔군 측은 제네바 협정에 따른 포로의 자동 송환을 주장하였다.
④ 쌍방은 소련을 제외한 4개국 중립국 감시 위원회의 구성에 합의하였다.

0593

6·25 전쟁 중의 휴전 회담과 휴전 협정에 관련된 내용으로 옳지 않은 것은? 2008. 지방직 7급

① 휴전 협정에 서명한 나라는 미국, 북한, 중국, 소련이다.
② 소련이 유엔을 통해 휴전 회담을 제의하였다.
③ 유엔군 측은 포로의 자유 송환을, 공산군 측은 강제 송환을 주장했다.
④ 휴전 협정으로 군사 정전 위원회와 중립국 감시 위원단이 설치되었다.

0592

출제영역 〉 휴전 회담의 이해 정답 ▶ ③

정답찾기 제시문은 휴전 협정(1953. 7.) 내용이다.
③ 포로의 자동 송환은 북한군의 주장이다. 유엔 측은 포로의 개별 자유 송환을 주장하였다.

선지분석 ① 개성에서 휴전 회담이 시작된 이후, 판문점으로 이동하여 휴전이 성립(1953. 7. 27.)되기까지 총 765회의 회담이 진행되었다.

더⊕알아보기 〉 **휴전 회담의 주요 쟁점**

쟁점 \ 구분	유엔군	공산군
휴전 방식	선휴전 후협상	선협상 후휴전
군사 분계선	38선 북방의 어느 선	38선 기준
포로 송환	개별 자유 송환	전원 강제 송환(자동 송환)

0593

출제영역 〉 휴전 회담의 이해 정답 ▶ ①

정답찾기 ① 휴전 협정에 서명한 나라는 북한, 중국, 미국이다. 소련은 공식적으로 6·25 전쟁에 참전한 나라가 아니어서 휴전 협정을 맺을 때 참가하지 않았고, 한국 정부도 서명하지 않았다.

선지분석 ② 6·25 전쟁은 소련의 제의로 유엔군과 북한군 및 중국군 사이에서 휴전 회담을 진행하였다(1951. 6.).
③ 휴전 회담 과정에서 유엔 측은 전쟁 포로를 개별 자유 송환할 것을 주장한 반면, 북한 측은 전쟁 포로를 제네바 협정에 따라 전원 강제 송환할 것을 주장하였다. 결국 '송환을 원치 않는 포로는 중립국 포로 송환 위원회에 넘겨 처리한다.'고 타결되었다.
④ 휴전 협정의 체결 과정에서 휴전 협정의 실시를 감독하고 모든 위반 사건을 협의·처리하기 위해 군사 정전 위원회를 설치하였다. 또한 휴전 협정의 준수 여부를 감독·조사하기 위해 스웨덴, 스위스, 폴란드, 체코슬로바키아의 4개 중립국으로 구성된 중립국 감시 위원단이 구성되었다.

PLUS⁺ 선지 OX 대한민국의 수립

01 정치·경제·교육의 균등화를 주장한 인물은 단독 정부 수립에 반대하여 남북 지도자 회의에 참여하였다. 한능검 O X

02 제주도 군인들이 반란을 일으킨 사건 이후, 경교장에서 백범 김구가 육군 소위 안두희에게 암살되었다. 2018. 서울시 7급 1차 O X

03 제헌 국회 의원 선거에서 국회 의원 당선자 가운데에는 한국 민주당 소속이 가장 많았다. 2022. 경찰간부 O X

04 1948년 5·10 총선거에서는 만 19세 이상이면 모든 국민이 투표권을 가졌다. 2015. 서울시 7급 O X

05 6·25 전쟁 중에 반민족 행위 특별 조사 위원회가 해체되었다. 한능검 O X

06 반민족 행위 처벌법에 의하면 기술관을 포함하여 고등관 3등급 이상의 관공리는 공소 시효 경과 전에는 공무원 임용이 허용되지 않았다. 2020. 해경 2차 O X

07 이승만 정부의 친일파 처벌에 대한 소극적 태도로 인해 400여 명이 반민족 행위 처벌법으로 체포되었으나 그 중 7명만 최종적으로 사형시켰다. 2004. 행정고시 O X

08 1945년 8월 15일부터 6·25 전쟁 발발 이전까지 북한은 북조선 임시 인민 위원회를 구성하고 위원장에 김일성, 부위원장에 조만식을 선출하였다. 2018. 경찰간부 O X

09 유엔 한국 임시 위원단을 설치할 것을 결의한 이후에 북한 지역에서는 북조선 임시 인민 위원회가 북조선 인민 위원회로 개칭되었다. 2022. 경찰간부 O X

10 1953년 휴전 협정 체결에 이승만 정부는 적극 찬성하었나. 2003. 법원 행정고시 O X

PLUS⁺ 선지 OX 해설 대한민국의 수립

01 O 삼균주의를 주장한 조소앙은 1948년 4월 남북 지도자 연석 회의에 김구, 김규식, 김원봉 등과 함께 참석하였다.

02 O 제주도 파병과 정부에 반대하는 군인들이 반란을 일으킨 사건은 여수·순천 10·19 사건(1948. 10.)이다. 김구가 암살당한 것은 1949년이다.

03 X 1948년 5·10 총선거 결과 당선된 국회 의원 가운데 무소속이 가장 많았고, 그 다음은 이승만의 대한 독립 촉성 국민회 소속이었다.

04 X 1948년 5·10 총선거에서는 만 21세 이상의 모든 국민에게 투표권을 주었다.

05 X 6·25 전쟁(1950~1953), 반민족 행위 특별 조사 위원회 해체(1949)
cf 국회 프락치 사건(1949)이 조작되면서 반민 특위 소속 국회 의원 중 일부가 구속되자, 일부 국회 의원들이 1950년 6월 20일로 규정된 반민법의 시효 기간을 1949년 8월 31일로 단축한 법안을 국회에 제출하였고, 이 개정안이 가결되면서 반민 특위는 해체되었다.

06 X 반민족 행위 처벌법 제5조에 따르면 일본 치하에 고등관 3등급 이상, 훈 5등급 이상을 받은 관공리 또는 헌병, 헌병보, 고등 경찰의 직에 있던 자는 본 법의 공소 시효 경과 전에는 공무원에 임명될 수 없다고 적혀있다. 그러나 기술관은 제외되었다.

07 X 반민족 행위 처벌법으로 처벌을 받은 반민법 해당자는 불과 7명이었고, 그들 역시 곧 석방되었다. 결국 이승만 정부의 소극적 태도로 친일파 처단은 실패하였다.

08 X 소련은 북한에 공산주의 정권을 수립하기 위해서 1946년 2월 북조선 임시 인민 위원회를 구성했으며, 위원장에 김일성을, 부위원장에 김두봉을 선임하였다.

09 X 유엔 한국 임시 위원단 설치 결의(1947. 11.), 북조선 인민 위원회 개칭(1947. 2.)

10 X 이승만 대통령은 한·미 상호 방위 조약 체결 전에는 휴전할 수 없다며 북진 통일을 주장하였고, 휴전 회담에 격렬하게 반대하였다.

PART 08

CHAPTER

03 민주주의의 시련과 발전

최근 5년간 국가직·지방직 출제 비율

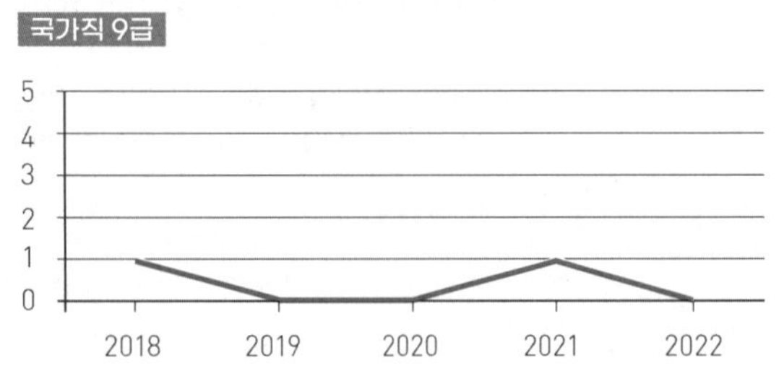

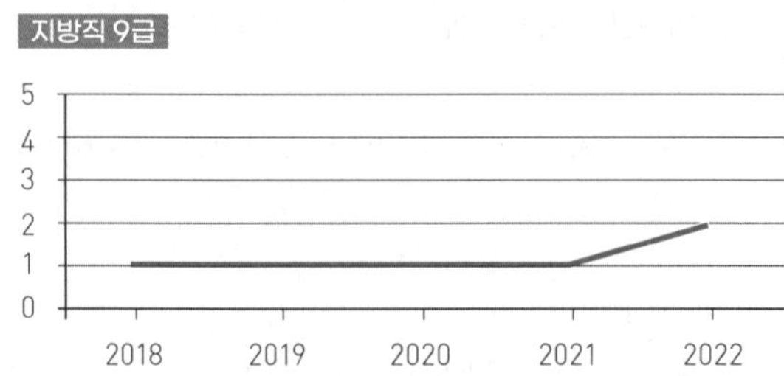

- 최근 5년간 지방직에서는 매년 한 문제 이상 출제되었다.
- 헌법 개정 내용과 당시 정부의 활동을 물어보는 문제, 개헌 순서를 물어보는 문제가 주로 출제되었다.

주요 고난도 문제 키워드

#특정 시기 상황 #장면 내각 #유신 정부 #헌법 개헌 #북한 체제 성립 과정

고난도 이론 정리 선우쌤 PICK

대한민국 헌법 개헌 과정			
구분		내용	비고
	제헌 헌법(1948. 7. 17.)	• 대통령 중심제(4년), 대통령 [1] ______ (국회 선출) • 국회 단원제	제헌 의원 임기 [2] ____ 년
이승만 정권	1차(1952. 7.)	대통령 [3] ______, 국회 양원제	[4] ______ 개헌(이승만의 재선 가능)
	2차(1954. 11.)	• 초대 대통령에 대한 중임 제한 철폐 • 국무 총리제 폐지	[5] ______ 개헌(이승만의 장기 집권)
허정 과도 정부	3차(1960. 6.)	의원 내각제, 양원제, 대통령 간선제(국회 선출)	[6] ______ 의 영향
장면 내각	4차(1960. 11.)	3·15 부정 선거 관련자 처벌	소급 특별법 제정
5·16 군정	5차(1962. 12.)	대통령 [7] ______, 국회 단원제	• 5·16 군사 정변의 영향 • 국민 투표를 거친 최초의 개헌
박정희 정권	6차(1969. 10.)	대통령 [8] ____ 선 허용	박정희의 장기 집권 가능
유신 체제	7차(1972. 12.)	• 대통령 권한 강화(긴급 조치, 국회 해산권) • 대통령 [9] ______ (통일 주체 국민 회의 선출) • 통일 주체 국민 회의 신설	종신 집권 가능
전두환 정권	8차(1980. 10.)	7년 단임의 대통령 [10] ______ (대통령 선거인단 선출)	통일 주체 국민 회의에서 선출된 전두환이 추진
노태우 정부	9차(1987. 10.)	5년 단임의 대통령 [11] ______	[12] ______ 의 영향

정답 1. 간선제 2. 2 3. 직선제 4. 발췌 5. 사사오입 6. 4·19 혁명 7. 직선제 8. 3 9. 간선제 10. 간선제 11. 직선제 12. 6월 민주 항쟁

이승만 정부, 4 · 19 혁명 · 장면 내각

0594

1950년대 시대적 상황에 대한 설명으로 가장 적절하지 않은 것은?

2020. 경찰 2차 / 2016. 서울시 9급 유사

① 자유당은 「국가 보안법」 개정안에 반대하기 위해 반공 투쟁 위원회를 구성하였다.
② '대통령의 명예를 훼손하는 자는 10년 이하의 징역에 처한다'는 내용을 담은 「국가 보안법」 개정안이 국회에서 통과되었다.
③ 초대 대통령에 한하여 중임 제한 조항을 적용하지 않는다는 내용의 개헌안이 국회에 제출되었다.
④ 자유당은 대통령 선거를 간선제에서 직선제로, 국회를 단원제에서 양원제로 하는 발췌 개헌안을 제출하여 통과시켰다.

0595

헌법이 다음과 같이 개정된 시기에 볼 수 있는 사회 모습으로 가장 적절한 것은?

2016. 법원직

> 개헌안에 대한 국회 표결 결과, 재적 의원 203명, 재석 의원 202명, 찬성 135표, 반대 60표, 기권 7표였다. 이것은 헌법 개정에 필요한 의결 정족수(재적 의원의 3분의 2 이상)인 136표에 1표가 부족한 135표 찬성이므로 부결된 것이었다. 그러나 자유당 간부회는 제적 의원 203명의 3분의 2는 135.333…이므로 이를 사사오입하면 135명이 개헌 정족수가 된다고 주장하였다. 이들은 이 주장을 자유당 의원 총회에서 채택하고, 국회에서 야당 의원들이 퇴장한 가운데 '번복 가결 동의안'을 상정하여 통과시켰다.

① 소설 '자유부인'을 읽고 있는 사람들
② 경부 고속 도로 개통 소식을 전해 듣는 시민
③ 혼 · 분식 장려 정책으로 도시락 검사를 받는 학생들
④ 반민족 행위 처벌법이 통과되었다는 뉴스를 듣는 시민

0594

출제영역 이승만 정부의 주요 사건 이해 정답 ▶ ①

정답찾기 ① 자유당은 「국가 보안법」 개정안에 반대하는 세력을 통제하기 위하여 반공 투쟁 위원회를 구성하였다.

선지분석 ② 국가 보안법 개정안 발표(1958. 12.), ③ 2차 개헌(사사오입 개헌, 1954), ④ 1차 개헌(발췌 개헌, 1952)

0595

출제영역 이승만 정부의 주요 사건 이해 정답 ▶ ①

정답찾기 제시문은 이승만 정부의 사사오입 개헌(1954)에 대한 내용이다. ① 소설 '자유부인'은 1954년 정비석이 지은 장편 소설이다.

선지분석 ② 1970년, ③ 1960년대, ④ 1948년의 사실이다.

0596 □□□

다음은 1956년 정·부통령 선거에서 나온 각 정당의 구호이다. (가)~(다) 정당에 대한 설명으로 옳지 않은 것은?

제6회 한국사능력검정시험 고급 / 2019. 서울시 7급 2차·2015. 서울시 7급 유사

① (가) 정당 대통령 후보는 선거 직전 갑작스럽게 사망하였다.
② (나) 정당 대통령 후보는 '사사오입 개헌'으로 출마할 수 있었다.
③ (다) 정당 대통령 후보는 평화 통일을 주장하며 약 30%를 득표하였다.
④ (다) 정당 대통령 후보는 선거 이후 '진보당 사건'에 연루되어 사형당하였다.
⑤ (나) 정당과 (다) 정당은 본래 같은 당이었으나 입장 차이로 인해 분당되었다.

0596

출제영역〉 이승만 정부의 주요 사건 이해 정답 ▶ ⑤

정답찾기 (가) 민주당(신익희), (나) 자유당(이승만), (다) 진보당(조봉암)
⑤ (나) 이승만(자유당)과 갈라진 보수 정치인들은 (가) 민주당을 창당(1955)하여 자유당과 대립하였다.

선지분석 ① 민주당의 대통령 후보였던 신익희는 '못살겠다. 갈아보자!'라는 구호로 기대를 모았지만 선거 전 갑작스러운 죽음을 맞게 되었다.
② 이승만은 장기 집권을 위해 초대 대통령의 중임 제한(3선 금지 조항) 철폐를 골자로 한 헌법 개정안을 제출하였는데, 표결 결과 1표가 부족하여 부결되었으나, 사사오입(四捨五入, 반올림)을 내세워 개헌안의 통과를 선언하여 대통령에 출마할 수 있었다.
③ 혁신계를 대표하는 조봉암(진보당)은 대통령 선거에서 유효 득표의 30%(2위)를 차지하는 돌풍을 일으켜 변화를 바라는 당시 국민의 열망을 대변하였다.
④ 진보당 사건(1958. 1.)은 조봉암을 비롯한 진보당의 간부들이 북한의 간첩과 내통하고 북한의 통일 방안을 주장했다는 혐의로 구속·기소된 사건이다.

0597 □□□

다음은 같은 인물이 발표한 성명서이다. (가)를 발표한 때부터 (나)를 발표한 때까지 있었던 사실로 옳은 것은? 2017. 하반기 국가직 7급

> (가) 이제 정전이 조인되었음에 정전의 결과에 대한 나의 그동안의 판단이 옳지 않았던 것이 되기를 바란다.
> (나) 나는 국회의 결의를 존중하여 대통령직을 사임하고 물러앉아 국민의 한 사람으로서 나의 여생을 국가와 민족을 위하여 바치고자 하는 바이다.

① 제4대 대통령 선거가 실시되었다.
② 국민학교 의무 교육이 개시되었다.
③ 임시 수도 부산에서 자유당을 창당하였다.
④ 점령지 구호(GARIOA) 원조가 전개되었다.

0597

출제영역〉 이승만 정부의 주요 사건 이해 정답 ▶ ①

정답찾기 (가) 휴전 협정(1953), (나) 이승만 하야 발표문(1960. 4.)
① 제4대 대통령 선거 – 1960년 3월 15일

선지분석 ② 국민학교 의무 교육 – 1950년
③ 자유당 창당 – 1951년
④ 점령지 구호(GARIOA) 원조 – 1945~1948년(미군정기)

0598 □□□

(가), (나) 발표 시기 사이에 있었던 사실로 옳은 것은? 2021. 경찰 2차

> (가) 우리 진보당은 오늘 국민 대중의 절대적 기대와 촉망을 받으면서 우렁찬 고고(呱呱)의 소리를 울렸습니다. 우리 진보당은 광범한 근로 민중의 이익 실현을 위하여 노력하고 투쟁하는 근로 대중 자신의 민주적 혁신적 정당입니다.
> (나) 상아의 진리탑을 박차고 거리에 나선 우리는 질풍과 같은 역사의 조류에 자신을 참여시킴으로써, 지성과 진리, 그리고 자유의 대학 정신을 현실의 참담한 박토에 뿌리려 하는 바이다.

① 6·3 시위가 전개되었다.
② 사사오입 개헌이 이루어졌다.
③ 신국가 보안법이 국회에서 통과되었다.
④ 민주당이 분화되어 신민당이 창당되었다.

0598

출제영역 이승만 정부의 주요 사건 이해 정답 ▶ ③

정답찾기 (가) 진보당 창당(1956), (나) 4·19 혁명(1960)
③ 신국가 보안법 통과(1958)

선지분석 ① 6·3 시위(1964), ② 사사오입 개헌(1954), ④ 신민당 창당(1967. 2.)

0599 □□□

다음 시정 연설을 했던 정부 시기에 있었던 사실로 옳은 것은? 2021. 경찰 1차

> 셋째로, 부정 선거의 원흉들과 발포 책임자에 대해서는 이미 공소가 제기되어 있으므로 사법부에서 법과 혁명 정신에 의하여 엄정한 판결을 내릴 것으로 믿고 ……
> 여섯째로, 경제 건설과의 균형상 국방비의 과중한 부담을 경감시키기 위하여 점차적 감군을 주장하여 온 우리 당의 정책을 실현하고자 국제 연합군 사령부와 협의하여 신년도부터 약간 감군할 것을 계획 중에 있으며, 동시에 새로운 장비를 도입하기 위한 계획도 이미 수립되어 있음을 양해하시기를 바란다.

① 화폐 개혁이 단행되었다.
② 잡지 『사상계』가 창간되었다.
③ 주민등록증 발급이 시작되었다.
④ 경제 개발 5개년 계획이 수립되었다.

0599

출제영역 장면 내각의 이해 정답 ▶ ④

정답찾기 제시문은 장면 내각의 시정 방침(1960. 8.)이다.
④ 장면 내각 당시 장기적인 경제 개발 계획을 세우고 다음 해에 실행하기 위하여 재원 마련에 나섰다.

선지분석 ① 5·16 군사 정부, ② 이승만 정부 때 장준하가 창간(1953), ③ 박정희 정부 시기의 일이다.

0600 □□□

(가) 정권 시기에 있었던 사실로 옳은 것은? 2019. 기상직 9급

> (가) 정권과 그 호위 세력들은 소위 '반공 임시 특별법' 및 '국가 보안법' 보강 등 인류 역사상 그 유례를 찾아볼 수 없는 반민주·반민족 악법을 공공연히 획책하고 있다. …… 현행법만으로는 공산 간첩을 잡지 못한다는 억지보다 더한 억지가 또한 어디에 있는가. 이런 전 논리적 대중 우롱을 받아들일 만큼 이 민족은 무지하지 않다.

① 향토 예비군 제도가 창설되었다.
② 와우아파트 붕괴 사건이 발생하였다.
③ 반민주 행위자 공민권 제한법이 제정되었다.
④ 진보당이 해체되고 조봉암이 사형을 당하였다.

0600

출제영역 장면 내각의 이해 정답 ▶ ③

정답찾기 (가) 정권은 장면 내각(1960~1961)이다. 제시문은 반공을 강조하는 장면 내각에서 '반공 임시 특별법'과 '데모 규제법'이라는 2개의 법안을 제정하려고 하자 혁신계는 물론이고 보수 성향의 정치인과 신문들까지도 이 두 법에 대한 비판적인 시각을 제시한 글이다. 장면 내각은 1961년 국가 보안법의 미비점을 보완하기 위해 「반공 임시 특별법」을 발표하였다.
③ 반민주 행위자 공민권 제한법 제정(1960)

선지분석 ① 향토 예비군 창설(1968. 4.), ② 와우아파트 붕괴(1970. 4.), ④ 진보당 사건(1958)

5·16 군사 정변·박정희·유신 정부, 민주화 운동

0601

□□□

(가)와 (나) 사이 시기의 사실로 옳은 것은? 2022. 계리직

(가) 김종필과 오히라 일본 외상의 밀실 회담 이후 한·일 회담은 급격히 진전되었다. 이에 대해서 전 사회적인 한·일 회담 반대 투쟁이 일어나 서울의 주요 대학 학생들을 중심으로 격렬한 거리 시위가 전개되었다.
(나) 한·일 양국은 일본 도쿄에서 한·일 기본 조약 조인식을 강행하였다. 하지만 막상 이 과정에서 한일 과거사에 대한 일본의 사죄는 명시되지 않았다.

① 정부는 계엄령을 선포하고 인민 혁명당 사건을 조작, 발표하였다.
② 베트남 전쟁에 대한 전투 부대 파병 동의안이 국회에서 통과되었다.
③ 반공법과 데모규제법 제정을 추진하여 거센 반대 운동을 불러왔다.
④ 대통령이 각종 법의 효력을 정지시킬 수 있는 긴급 조치가 발동되었다.

0601

출제영역 〉 박정희 정부의 주요 사건 이해 정답 ▶ ①

정답찾기 (가) 6·3 시위(1964), (나) 한·일 기본 조약(1965)
① 1차 인민 혁명당 사건(1964)

선지분석 ② 베트남 전투 부대 파병 동의안 국회 통과(1965) cf 베트남 파병(1964)
③ 반공법 및 데모 규제법 제정 반대 운동(1961)
④ 긴급 조치 발동(1974, 유신 정부)

0602

□□□

(가)와 (나)는 외국과 맺은 각서이다. 두 각서 사이에 있었던 사실로 옳은 것은? 2018. 국가직 9급

(가) 일본 측은 한국 측에 무상 원조 3억 달러, 유상 원조(해외 경제 협력 기금) 2억 달러, 그리고 수출입은행 차관 1억 달러 이상을 제공한다.
(나) 미국 정부가 한국과 약속했던 1억 5천만 달러 규모의 차관 공여와 더불어 … (중략) … 한국의 경제 발전을 돕기 위한 추가 AID 차관을 제공한다.

① 경부 고속 국도가 개통되었다.
② 마산에 수출 자유 지역이 건설되었다.
③ 국가 기간산업인 울산 정유 공장이 가동되었다.
④ 유엔의 지원으로 충주에 비료 공장을 설립하였다.

0602

출제영역 〉 박정희 정부의 주요 각서 이해 정답 ▶ ③

정답찾기 (가) 김종필·오히라 메모(1962), (나) 브라운 각서(1966)
③ 울산 정유 공장 가동(1964)

선지분석 ① 경부 고속 국도 개통(1970)
② 마산 수출 자유 무역 지역 건설(제3차 경제 개발 계획, 1972)
④ 충주 비료 공장 준공(1959)

0603

(가)와 (나) 사이에 있었던 역사적 사실로 옳은 것을 〈보기〉에서 모두 고른 것은?

2013. 국가직 7급

> (가) 이번 4월의 참사는 학생 운동 사상 최대 비극이요, 이 나라의 정치적 위기를 극복하기 위한 중대 사태이다. 이에 대한 철저한 반성 없이는 이 민족의 불행한 운명을 도저히 만회할 길이 없다. 우리 전국 대학교 교수들은 이 비상시국에 대처하여 양심의 호소를 하는 바이다.
>
> (나) 대한민국과 일본국은 양국 국민 관계의 역사적 배경을 고려하며, 선린 관계 및 주권 상호 존중 원칙에 입각한 양국 관계의 정상화를 상호 의망(意望)함을 고려하고, 양국의 공동 복지 및 공동 이익을 증진하고 국제 평화 및 안전을 유지하는데 양국이 … (중략) … 협력하는 것이 중요하다는 사실을 인식한다.

보기
- ㉠ 진보당 사건, 경향신문 폐간이 이어졌다.
- ㉡ 한・일 회담에 반대하여 6・3 시위가 일어났다.
- ㉢ 국가 재건 최고 회의가 구성되어 군정이 실시되었다.
- ㉣ 부산 정치 파동으로 야당 국회 의원이 정치적 공격을 받았다.

① ㉠, ㉡　② ㉡, ㉢
③ ㉡, ㉣　④ ㉢, ㉣

0604

다음과 같이 국회가 구성되었던 시기의 민주화 운동을 〈보기〉에서 모두 고른 것은?

수능 근현대사

구분 선거	국회 의원 총수	유신 정우회	민주 공화당	신민당	민주 통일당	무소속	투표율 (%)
제9대	223	77	73	52	2	19	72.9
제10대	231	77	68	61	3	22	77.1

보기
- ㉠ 긴급 조치 반대　㉡ 유신 헌법 반대
- ㉢ 발췌 개헌 반대　㉣ 4・13 호헌 조치 반대

① ㉠, ㉡　② ㉠, ㉢
③ ㉡, ㉢　④ ㉡, ㉣
⑤ ㉢, ㉣

0605

다음 헌법이 시행된 시기의 사실이 아닌 것은?

2019. 경찰 1차 / 2021. 소방직 유사

> 제39조 제1항 대통령은 통일 주체 국민 회의에서 토론 없이 무기명 투표로 선거한다.
> 제40조 제1항 통일 주체 국민 회의는 국회 의원 정수의 1/3에 해당하는 수의 국회 의원을 선거한다.
> 제47조 대통령의 임기는 6년으로 한다.

① 판문점에서 북한군 30여 명이 도끼와 낫 등으로 유엔군과 한국군을 공격하였다.
② 방직 회사인 YH 무역의 여성 노동자들이 신민당사에서 농성을 벌였다.
③ 북한 민족보위성 정찰국 소속의 무장 공비 31명이 청와대를 기습하기 위해 서울에 침투하였다.
④ 헌법을 부정・반대・왜곡하는 일체의 행위를 금하는 긴급 조치 1호가 공포되었다.

0603

출제영역 현대사의 주요 사건 이해　정답 ▶ ②

정답찾기 (가) 4・19 혁명(1960), (나) 한・일 회담(1965)
㉡ 6・3 시위(1964), ㉢ 국가 재건 최고 회의(1961)

선지분석 ㉠ 진보당 사건(1958), 경향신문 폐간(1959)
㉣ 부산 정치 파동(1952)

0604

출제영역 유신 정부의 정책 이해　정답 ▶ ①

정답찾기 제시된 국회 구성표는 유신 정부(제4공화국) 때의 상황이다. 유신 정우회는 유신 헌법에 따라 대통령의 추천과 통일 주체 국민 회의의 승인으로 선출된 준정당의 교섭 단체이다.

선지분석 ㉢ 이승만 정부, ㉣ 전두환 정부 때의 상황이다.

0605

출제영역 유신 정부의 정책 이해　정답 ▶ ③

정답찾기 제시문은 유신 헌법(1972)으로, 이 헌법은 1972년부터 1980년 제8차 개헌이 이루어질 때까지 시행되었다.
③ 무장 공비의 청와대 기습 사건(1968)

선지분석 ① 판문점 도끼 만행 사건(1976), ② YH 항쟁(1979), ④ 긴급 조치 1호 공포(1974)

0606

(가)에 대한 설명으로 옳은 것은? 수능 근현대사

> **○○일보** 2010년 12월 17일
>
> **대법원, 전원 일치 위헌 판결**
>
> (가) 은/는 위헌이라는 대법원의 첫 판결이 나왔다. 대법원 전원 합의체는 16일, 과거에 당시의 헌법을 비판하고 정부 정책을 비난함으로써 (가) 을/를 위반했다는 혐의로 징역 3년을 선고받은 ○○○씨가 낸 재심에서 무죄를 선고하였다.
>
> 대법원은 판결문에서 대법관 전원 일치 의견으로 (가) 이/가 '당시 헌법에 대한 논의 자체를 전면 금지함으로써 국민의 저항을 탄압하기 위한 것임이 분명하다'고 전제한 후, '규정된 발동 요건을 갖추지 못한 채 국민의 자유와 권리를 지나치게 제한함으로써 헌법상 보장된 국민의 기본권을 침해'하였으므로 위헌이라고 판시하였다.

① 모든 정치 활동을 금지하였다.
② 대통령의 헌법상 권한으로 선포되었다.
③ 언론 기관을 통폐합하는 데 적용되었다.
④ 3선 개헌 반대 운동을 탄압하는 데 적용되었다.
⑤ 통일 주체 국민 회의를 구성하는 근거가 되었다.

0607

그림에 나타난 시기의 정치 상황을 〈보기〉에서 고른 것은?

수능 근현대사 / 2018. 서울시 7급 2차 유사

보기
㉠ 대통령이 국회 의원의 3분의 1을 추천하였다.
㉡ 근대화를 표방하며 민주 공화당이 창당되었다.
㉢ 헌법 개정을 요구하는 민주화 운동이 일어났다.
㉣ 대통령 선거인단이 7년 단임의 대통령을 선출하였다.

① ㉠, ㉡ ② ㉠, ㉢
③ ㉡, ㉢ ④ ㉡, ㉣
⑤ ㉢, ㉣

0608

〈보기〉의 1960~1970년대 전개된 민주화 운동을 시간순으로 옳게 배열한 것은? 2018. 서울시 7급 1차

보기
㉠ YH 여성 노동자들이 야당 당사에서 농성을 시작하였다.
㉡ 삼선 개헌에 반대하는 시위가 전국으로 확산되었다.
㉢ 교련에 반대하는 시위가 계속되고 위수령이 발동되었다.
㉣『동아일보』 기자들이 언론 자유 수호 투쟁을 전개하였다.

① ㉡-㉠-㉢-㉣ ② ㉡-㉠-㉣-㉢
③ ㉡-㉢-㉠-㉣ ④ ㉡-㉢-㉣-㉠

0606

출제영역 유신 헌법의 내용 이해 정답 ▶ ②

정답찾기 제시문의 (가)는 유신 헌법에 포함된 '긴급 조치' 조항이다.

선지분석 ① 유신 헌법 제정 직전의 상황이다.
③ 전두환 정부, ④ 3선 개헌 반대 운동(1969), ⑤ 유신 헌법 내용이다.

더알아보기 **긴급 조치권**
유신 체제하에서 대통령에게 부여된 초헌법적 권한으로, 단순한 행정 명령 하나만으로도 국민의 자유와 권리를 정지할 수 있었다. 1974년 1월부터 1975년까지 총 9차례 선포된 긴급 조치는 유신 반대 운동을 탄압하는 데 악용되었다. ⇨ 2013년 긴급 조치 1·2·9호 헌법 재판관 전원 일치 위헌 결정

0607

출제영역 유신 정부의 정책 이해 정답 ▶ ②

정답찾기 제시된 화보는 유신 체제에 저항하는 민주 인사들이 명동 성당에서 발표한 3·1 민주 구국 선언(1976)의 내용이다. 3·1 민주 구국 선언은 긴급 조치 철폐, 민주 인사와 학생 석방, 박정희 퇴진, 민족 통일 등을 요구하였다.

선지분석 ㉡ 1963년 5·16 군정기, ㉣ 8차 개헌(1980)의 내용이다.

0608

출제영역 1960~1970년대 민주화 운동의 시기순 이해 정답 ▶ ④

정답찾기 ㉡ 삼선 개헌 반대 투쟁(1969) ⇨ ㉢ 교련 반대 시위(1971) ⇨ ㉣ 언론 자유 수호 투쟁(1974) ⇨ ㉠ YH 무역 사건(1979)

더알아보기 **위수령**
- 의미: 육군 부대가 한 지역에 계속 주둔하면서 그 지역의 경비, 군대의 질서 및 군기 감시와 시설물을 보호하기 위하여 제정된 대통령령
- 발동
  - 1965년 한·일 협정 체결 반대 시위
  - 1971년 학생 교련 반대 시위
  - 1979년 부·마 항쟁 시위
- 2018년 국무 회의를 통해 폐지

전두환 · 노태우 · 김영삼 정부, 민주화 운동

0609

다음 사건들을 일어난 순서대로 바르게 나열한 것은? 2016. 서울시 9급

(가) 김영삼 신민당 당수 국회 제명
(나) 김대중 납치 사건 발생
(다) 유신 헌법의 국민 투표 통과
(라) 국민 교육 헌장 제정
(마) 7 · 4 남북 공동 성명 발표

① (라) – (마) – (다) – (가) – (나)
② (라) – (마) – (다) – (나) – (가)
③ (마) – (다) – (라) – (가) – (나)
④ (마) – (다) – (라) – (나) – (가)

0610

밑줄 친 ㉠과 ㉡에 대한 설명으로 옳은 것은? 2014. 국가직 7급

여야 합의하에 조속히 대통령 직선제 개헌을 하고, ㉠ 새 헌법에 의한 대통령 선거를 통해 평화적 정부 이양을 실현토록 해야겠습니다. 오늘 이 시점에서 저는 사회적 혼란을 극복하고 국민적 화해를 이룩하기 위하여는, ㉡ 대통령 직선제를 택하지 않을 수 없다는 결론에 이르게 되었습니다.

① ㉠ – 노태우 정부 시기에 공포되었다.
② ㉡ – 사사오입 개헌으로 시작되었다.
③ ㉠ – 4 · 13 호헌 조치로 효력을 유지하였다.
④ ㉡ – 6 · 10 민주 항쟁의 결실이었다.

0611

다음 선언이 발표된 당시의 정부 시절에 일어난 역사적 사건을 〈보기〉에서 모두 고르면? 2018. 국회직

- 여야 합의하에 조속히 대통령 직선제 개헌을 하고 새 헌법에 의해 대통령 선거를 통해 평화적 정부 이양을 실현토록 해야겠습니다.
- 직선제 개헌이라는 제도의 변경뿐만 아니라, 이의 민주적 실천을 위하여는 자유로운 출마와 공정한 경쟁이 보장되어 국민의 올바른 심판을 받을 수 있는 내용으로 대통령 선거법을 개정하여야 합니다.
- 우리 정치권은 물론 모든 분야에 있어서의 반목과 대결이 과감히 제거되어 국민적 화해와 대단결을 도모하여야 합니다. 그러한 의미에서 과거에 어떠하였든 간에 김대중씨도 사면 · 복권되어야 한다고 생각합니다.

보기
㉠ 금융 실명제 실시　　㉡ 아웅산 묘소 폭파 사건
㉢ 중 · 고생의 교복 자율화　　㉣ 베트남 파병

① ㉠, ㉡　　② ㉠, ㉢
③ ㉡, ㉢　　④ ㉡, ㉣

0609

출제영역 현대사 주요 사건의 시기순 이해 　정답 ▶ ②

정답찾기 (라) 국민 교육 헌장 제정(1968) ⇨ (마) 7 · 4 남북 공동 성명 발표(1972. 7.) ⇨ (다) 유신 헌법의 국민 투표 통과(1972. 11.) ⇨ (나) 김대중 납치 사건 발생(1973) ⇨ (가) 김영삼 신민당 당수 국회 제명(1979)

0610

출제영역 전두환 정부 시기의 민주화 운동 이해 　정답 ▶ ④

정답찾기 제시문은 전두환 정부 시기에 민주 정의당 대표 노태우가 6 · 10 민주 항쟁 결과 발표한 6 · 29 선언문(1987)이다.

선지분석 ① 전두환 정부 시기(1981~1988)에 발표되었다.
② 사사오입 개헌(1954)은 초대 대통령의 중임 제한 철폐에 대한 내용이다. 직선제가 처음 시작된 것은 1차 발췌 개헌(1952)이다.
③ 6월 민주 항쟁은 박종철 고문치사 사건과 전두환의 4 · 13 호헌 조치에 대한 반발로 발생하였다.

0611

출제영역 전두환 정부 시기의 민주화 운동 이해 　정답 ▶ ③

정답찾기 제시문은 전두환 정부 시기에 민주 정의당 대표였던 노태우가 발표한 6 · 29 선언문(1987)이다.
㉡ 아웅산 묘소 폭파 사건(1983)은 전두환 정부 때 발생하였다.
㉢ 중 · 고생의 교복 자율화는 전두환 정부의 정책이다.

선지분석 ㉠ 금융 실명제를 실시(1993)한 것은 김영삼 정부이다.
㉣ 미국의 요청으로 베트남 전쟁에 국군을 파병(1964)한 것은 박정희 정부이다.

0612

대한민국의 현대사 사건들을 발생한 순서대로 가장 적절하게 나열한 것은? 2017. 경찰 1차

> ㉠ 국제 노동 기구(ILO) 가입
> ㉡ 금융 실명제 실시
> ㉢ 경제 협력 개발 기구(OECD) 가입
> ㉣ 대한민국 제14대 대통령 선거 실시

① ㉠ - ㉡ - ㉢ - ㉣　② ㉣ - ㉠ - ㉡ - ㉢
③ ㉣ - ㉡ - ㉢ - ㉠　④ ㉠ - ㉣ - ㉡ - ㉢

0613

밑줄 친 ㉠ 이전의 우리나라 사회 모습으로 옳지 않은 것은? 2014. 계리직

> 해방 이후 우정 사업의 가장 획기적인 성과는 우체국의 대량 증설에 의한 1면(面) 1국(局)주의(主義)의 달성이었다. 농어촌에 별정우체국이 설치되어 우체국이 대폭 증설되었다. 이로써 도시와 농촌 간의 통신 시설을 균형 있게 제공하게 되었다. 이러한 우편망의 비약적인 신장에 힘을 입어 매일 배달제가 실시되었다. 그 후 우리나라 우편 역사상 처음으로 ㉠ 우편번호제가 실시되었으며 서울 중앙 우체국에 컨베이어 시스템이 갖추어짐으로써 우편 작업 기계화의 첫발을 내딛게 되었다. 『한국 우정 100년사』

① 경인 고속 도로 개통
② 흑백 텔레비전 방송 시작
③ 인공위성 우리별 1호 발사
④ 서울 청계천 복개 공사 완료

0614

우리나라 헌법 개정의 주요 내용을 나열한 것이다. 이에 대한 설명으로 옳은 것은? 2012. 경북 교육행정직 9급 / 2019. 서울시 7급 1차 유사

> (가) 발췌 개헌, 사사오입 개헌
> (나) 내각 책임제, 양원제 국회
> (다) 국회 해산권, 긴급 조치권
> (라) 7년 단임제, 대통령 간선제
> (마) 5년 단임제, 대통령 직선제

① (가)의 결과 친일파 청산이 마무리되었다.
② (나)의 배경이 된 사건은 부산·마산 항쟁이었다.
③ (다)로 인해 3선 개헌 반대 운동이 활발하게 전개되었다.
④ (라)는 부정 선거를 규탄하는 시민과 학생 세력에 의해 성립되었다.
⑤ (마)는 4·13 호헌 조치 반대를 위한 6월 민주 항쟁을 배경으로 성립되었다.

0612

출제영역 현대사 주요 사건의 시기순 이해　정답 ▶ ④

정답찾기 ㉠ 국제 노동 기구(ILO) 가입(1991) ⇨ ㉣ 제14대 대통령 선거 실시(1992) ⇨ ㉡ 금융 실명제 실시(1993) ⇨ ㉢ 경제 협력 개발 기구(OECD) 가입(1996)

0613

출제영역 우편번호제 실시 이전의 주요 사건 이해　정답 ▶ ③

정답찾기 ㉠ 우편번호제는 1970년부터 실시하였다.
③ 1992년의 사실이다.

선지분석 ① 1968년, ② 1956년, ④ 1957~1961년의 사실이다.

0614

출제영역 헌법 개정의 내용 이해　정답 ▶ ⑤

정답찾기 (가) 이승만 정부(1차, 2차 개헌), (나) 장면 내각(3차 개헌), (다) 유신 헌법(1972, 7차 개헌), (라) 전두환 정부(8차 개헌), (마) 9차 개헌

선지분석 ① 친일파 청산과 전혀 관계없다.
② 3차 개헌의 배경이 된 사건은 3·15 부정 선거를 계기로 일어난 4·19 혁명이었다.
③ 6차 개헌으로 인해 3선 개헌 반대 운동(1969)이 전개되었다.
④ 4·19 혁명(1960)의 결과 내각 책임제와 양원제 국회를 내용으로 하는 3차 개헌이 이루어졌고 장면 내각이 구성되었다.

0615 □□□

다음 (가)~(라)를 내용으로 하는 헌법이 적용되던 시기에 일어난 사건으로 바르게 연결한 것은? 2017. 지방직 9급

> (가) 대통령의 임기는 7년이며 중임할 수 없다.
> (나) 대통령과 부통령은 국회에서 무기명 투표로 각각 선거한다.
> (다) 대통령과 부통령의 임기는 4년으로 하며, 1차 중임할 수 있다. 단, 이 헌법 공포 당시의 대통령에 대하여 중임 제한을 적용하지 아니한다.
> (라) 6년 임기의 대통령은 통일 주체 국민 회의에서 선출된다.

① (가) – 남한과 북한은 함께 유엔에 가입하였다.
② (나) – 판문점에서 휴전 협정이 체결되었다.
③ (다) – 평화 통일론을 주장한 진보당의 정당 등록이 취소되었다.
④ (라) – 민족 통일을 위한 남북 공동 성명이 발표되었다.

0615

출제영역 헌법 개정의 내용 이해 정답 ▶ ③

정답찾기 (가) 8차 개헌(1980), (나) 제헌 헌법(1948), (다) 사사오입 개헌(1954, 2차 개헌), (라) 유신 헌법(1972, 7차 개헌)
③ 진보당 사건(1958. 1.)에 대한 내용이다. 1952년 제2대 대통령 선거에서 79만 7,504표를, 1956년 제3대 대통령 선거에서는 무려 216만 3,808표를 얻은 조봉암이 1956년 11월 진보당을 결성하고 지방에서 지역당 조직을 확대해 가자, 위기의식을 느낀 이승만 정권은 조봉암을 비롯한 진보당 간부들을 국가 변란, 간첩죄 혐의로 체포하여 조봉암을 사형 집행하였고 진보당의 정당 등록이 취소되었다.

선지분석 ① 1991년 9월, ② 1953년 7월 27일
④ 1972년 7·4 남북 공동 성명으로, 10월 유신 헌법(1972. 10.) 이전의 일이다.

0616 □□□

우리나라의 역대 대통령 선거와 관련된 내용으로 옳지 않은 것은? 2016. 서울시 7급

① 1979년 대통령 선거에서 10대 대통령으로 최규하가 당선되었다.
② 1980년 대통령 선거에서 11대 대통령으로 전두환이 당선되었다.
③ 1978년 대통령 선거에는 민주 공화당 후보로 박정희가 단독 출마하였다.
④ 1972년 대통령 선거에는 민주 공화당 후보로 박정희, 신민당 후보로 김대중이 출마하였다.

0616

출제영역 역대 대통령 선거의 이해 정답 ▶ ④

정답찾기 ④ 1971년 대통령 선거에서 민주 공화당 후보로 박정희, 신민당 후보로 김대중이 출마하여 국민의 직접 선거로 박정희가 7대 대통령에 당선되었다. 그러나 이 선거에서 여촌야도(與村野都) 현상과 영·호남의 지역 차이가 뚜렷하게 나타났다. 이로 인해 박정희 정부는 1972년 유신 헌법을 제정하였고, 새 헌법에 의거하여 1972년 8대 대통령 선거에서 통일 주체 국민 회의는 단독으로 출마한 박정희 후보를 거의 만장일치로 대통령에 선출하였다.

북한 사회주의 체제의 형성과 변화

0617 □□□

다음은 사회주의 체제의 붕괴에 대한 북한의 대응을 보여 주는 글이다. (가)에 들어갈 내용으로 가장 적절한 것은? 수능 근현대사

> 북한은 소련과 동유럽 사회주의 몰락의 원인으로 '제국주의자와 반동들의 책동'을 들었다. 즉, 서방 국가들이 사회주의 국가에 침투하여 인민의 의식을 마비시키고, 반사회주의자들을 부추겨 혼란을 조성시켰다는 것이다. 사회주의 붕괴로 충격을 받은 북한 지도부는 그 같은 몰락을 피하기 위하여 ((가))

① 천리마 운동과 3대 혁명 운동을 시작하였다.
② 사회주의 헌법을 제정하고 주석제를 신설하였다.
③ 농업 협동화 정책을 통해 사회주의 경제 체제를 강화하였다.
④ 북한 체제의 우수성을 선전하고 제한적으로 경제 개방을 추진하였다.
⑤ 김일성 개인숭배에 비판적인 연안파와 소련파를 숙청하여 권력을 강화하였다.

0618 □□□

다음 글과 같은 경제 위기 상황을 극복하기 위한 북한의 노력 과정에 해당하는 것을 〈보기〉에서 모두 고른 것은? 2010. 경북 교육행정직 9급

> 북한의 경제는 생산 수단의 사회적 소유와 중앙 집권적 계획 경제가 가져온 생산력 저하, 동유럽 사회주의 국가의 몰락으로 인한 교역 상대국 상실, 에너지와 원자재 부족으로 인한 공장 가동률의 저하 등으로 1990년 이래 계속적으로 마이너스 경제 성장을 하였다. 그 결과 북한 주민은 식량 부족으로 심각한 어려움에 처하게 되고, 산업 활동은 원자재와 에너지, 외화 부족 등으로 제대로 이루어지지 않았다.

보기
㉠ 외국인 투자법 제정
㉡ 주체사상의 확립
㉢ 천리마 운동의 전개
㉣ 고려 연방제 통일 방안 제시
㉤ 나진·선봉 자유 무역 지대 설치

① ㉠, ㉤　② ㉡, ㉣
③ ㉢, ㉤　④ ㉡, ㉣, ㉤
⑤ ㉡, ㉢, ㉣, ㉤

0617

출제영역 북한의 변천 과정 이해 정답 ▶ ④

정답찾기 1980년대 후반 이래 북한은 계획 경제로 인한 생산력의 저하, 동유럽 사회주의 국가의 몰락으로 인한 교역 상대국의 상실, 냉전 체제의 해체로 인한 외교적 고립, 에너지와 원자재 부족으로 인한 공장 가동률 저하 등의 이유로 계속적인 마이너스 경제 성장을 기록하였다. 북한은 이러한 위기를 극복하기 위해 정치 면에서는 이른바 주체사상을 기반으로 한 '우리식 사회주의'를 제창하였고, 경제 면에서는 제한적인 개방 정책을 추진하였다.

선지분석 ① 천리마 운동(1957~), 3대 혁명 운동(1958), ② 1972년, ③ 1954~1958년, ⑤ 1956년의 사실이다.

더알아보기 북한의 변화

시기	내용
1950년대	• 1인 독재 기반 강화, 반대파 숙청 • 천리마 운동(1957), 3대 혁명 운동(1958, 사상·기술·문화 창조), 산업의 국영화·집단화
1960년대	• 독자적 자주 노선 • 4대 군사 노선, 주체 노선, 남한에 통일 혁명당 조직
1970년대	강경 노선 완화, 실무형 관료와 혁명 2세대 등장, 1972년 최고 인민 회의에서 새 사회주의 헌법 제정, 김일성이 국가 주석으로 유일 체제 구축 ⇨ 부자 세습 체제 확립
1980년대 이후	• 후계 체제 확립: 김일성 ⇨ 김정일 ⇨ 김정은 정권 정식 출범 • 1980년대 이후 경제 침체 ⇨ 중국의 개방 정책을 부분적으로 원용하여 합영법·합작법을 제정하고 외국 기업과의 합작과 자본 도입 적극 추진 • 나진·선봉 자유 경제 무역 지대 설치 공포(1991), 외국인 투자법 제정(1992), 경제 특구 설치[금강산 관광 지구(2002), 개성 공업 지구(2004) 등], 제네바 기본 합의서 체결(1994), 금강산 관광 사업 시작(1998)

0618

출제영역 북한의 변천 과정 이해 정답 ▶ ①

정답찾기 제시문에서 지적한 대로 1990년대의 국제적 상황 변화와 경제적 어려움을 극복하기 위해 북한은 부분적이나마 경제적 개방 정책을 실시하였다. 그 결과 ㉠ 외국인 투자법 제정(1992), ㉤ 나진·선봉 자유 경제 무역 지대 설치(1991) 등을 발표하였다.

0619

북한이 일으킨 사건을 순서대로 바르게 나열한 것은? 2015. 지방직 7급

㉠ 판문점 도끼 만행 사건 ㉡ 1·21 청와대 습격 사건 ㉢ 아웅산 폭탄 테러 사건 ㉣ 대한항공 858편 폭파 사건

① ㉡ - ㉠ - ㉢ - ㉣
② ㉡ - ㉣ - ㉢ - ㉠
③ ㉣ - ㉠ - ㉡ - ㉢
④ ㉣ - ㉠ - ㉢ - ㉡

0619

출제영역 북한의 대남도발 사건 시기순 이해 정답 ▶ ①

정답찾기 ㉡ 1·21 청와대 습격 사건(1968) ⇨ ㉠ 판문점 도끼 만행 사건(1976) ⇨ ㉢ 아웅산 폭탄 테러 사건(1983) ⇨ ㉣ 대한항공 858편 폭파 사건(1987)

통일을 위한 노력

0620

(가), (나)와 같이 통일과 관련된 내용을 합의한 정부에 대한 설명으로 가장 적절하지 않은 것은? 2017. 경찰 1차 / 2016. 경찰 1차 유사

(가) 1. 나라의 통일 문제를 우리 민족끼리 서로 힘을 합쳐 자주적으로 해결해 나가기로 하였다. 2. 나라의 통일을 위한 남측의 연합제 안과 북측의 낮은 단계의 연방제 안이 서로 공통성이 있다고 인정하고, 이 방향에서 통일을 지향해 나가기로 하였다. (나) 1. 남과 북은 서로 상대방의 체제를 인정하고 존중한다. … (중략) … 9. 남과 북은 상대방에 대하여 무력을 사용하지 않으며 상대방을 무력으로 침략하지 아니한다.

① (가) - 해방 이후 최초로 남북 정상 회담이 열렸다.
② (나) - 남북한이 UN에 동시 가입하였다.
③ (가) - 상록수 부대를 동티모르에 파병하였다.
④ (나) - 지방 자치 단체장 선거를 실시하였다.

0620

출제영역 각 정부의 통일 정책 이해 정답 ▶ ④

정답찾기 (가) 6·15 남북 공동 선언(2000) - 김대중 정부, (나) 남북 기본 합의서(1991. 12.) - 노태우 정부
④ 김영삼 정부 때 기초 단체장과 광역 단체장 선거가 실시되면서 지방 자치제가 전면적으로 실현(1995)되었다.

선지분석 ① 6·15 남북 정상 회담(2000, 김대중 정부), ② 남북한 UN 동시 가입(1991, 노태우 정부), ③ 한국군 평화 유지단 상록수 부대의 동티모르 파견(1999, 김대중 정부)

0621

다음은 정부가 발표한 통일 관련 선언문이다. 이에 관한 서술로 가장 옳지 않은 것은?
2015. 법원직 / 2022. 법원직 유사

(가) 쌍방은 다음과 같은 조국 통일 원칙들에 합의를 보았다.
첫째, 통일은 외세에 의존하거나 외세의 간섭을 받음이 없이 자주적으로 해결하여야 한다.
둘째, 통일은 상대방을 반대하는 무력행사에 의거하지 않고 평화적 방법으로 실현하여야 한다.
셋째, 사상과 이념, 제도의 차이를 초월하여 우선 하나의 민족으로서 민족적 대단결을 도모하여야 한다.
(나) 1. 남과 북은 나라의 통일 문제를 그 주인인 우리 민족끼리 서로 힘을 합쳐 자주적으로 해결해 나가기로 하였다.
2. 남과 북은 나라의 통일을 위한 남측의 연합제 안과 북측의 낮은 단계의 연방제 안이 서로 공통성이 있다고 인정하고 앞으로 이 방향에서 통일을 지향시켜 나가기로 하였다.

① (가) 발표 직후, 긴급 조치권이 포함된 헌법 개정이 이루어졌다.
② (나)는 남북한 정부 간에 최초로 공식 합의한 남북 기본 합의서이다.
③ (나) 이후 남북한 이산가족 간의 서신 교환이 실시되었다.
④ (가)와 (나) 사이에 해로를 통한 금강산 관광이 처음으로 시작되었다.

0621

출제영역〉 각 정부의 통일 정책 이해 정답 ▶ ②

정답찾기 (가) 7·4 남북 공동 성명(1972), (나) 6·15 남북 공동 선언(2000)
② 남북한 정부 간에 최초로 공식 합의한 문서는 7·4 남북 공동 성명(1972)이다.
cf 남북 기본 합의서(1991)

선지분석 ① 유신 헌법(1972. 11.), ③ 이산가족 서신 교환(2000. 8.), ④ 금강산 해로 관광(1998) cf 금강산 육로 관광(2003. 2.)

0622

(가)와 (나) 사이의 시기에 있었던 사실을 〈보기〉에서 모두 고른 것은?
2014. 서울시 7급 / 2018. 서울시 9급 · 국회직 9급 · 2012. 지방직 9급 유사

(가) 남과 북은 …… 쌍방 사이의 관계가 나라와 나라 사이의 관계가 아닌 통일을 지향하는 과정에서 잠정적으로 형성되는 특수 관계라는 것을 인정하고, 평화 통일을 성취하기 위한 공동의 노력을 경주할 것을 다짐하면서 다음과 같이 합의하였다.
(나) 남과 북은 나라의 통일을 위한 남측의 연합제 안과 북측의 낮은 단계의 연방제 안이 서로 공통성이 있다고 인정하고 앞으로 이 방향에서 통일을 지향시켜 나가기로 하였다.

보기
㉠ 남북 조절 위원회를 설치하였다.
㉡ 경의선 철도 복원 기공식을 가졌다.
㉢ 최초로 남북한 이산가족의 상봉이 이루어졌다.
㉣ 한반도 에너지 개발 기구(KEDO)가 발족하였다.
㉤ 배를 이용한 금강산 관광이 처음으로 시작되었다.

① ㉠, ㉡ ② ㉡, ㉢
③ ㉢, ㉣ ④ ㉣, ㉤
⑤ ㉠, ㉤

0622

출제영역〉 각 정부의 통일 정책 이해 정답 ▶ ④

정답찾기 (가) 남북 기본 합의서(1991), (나) 6·15 남북 공동 선언(2000)
㉣ 1995년, ㉤ 금강산 해로 관광 – 1998년 cf 육로 관광 – 2003년

선지분석 ㉠ 7·4 남북 공동 성명(1972), ㉡ 2000년 9월, ㉢ 1985년의 사실이다.

0623 □□□

다음의 각 선언에 대한 설명으로 옳은 것은? 2009. 국가직 7급

> (가) 남북한 당국이 서울과 평양에서 7·4 남북 공동 성명을 발표하였다.
> (나) 서울에서 열린 남북한 고위급 회담에서 남북 기본 합의서를 채택하였다.
> (다) 평양에서 남북한 정상 회담을 개최하고, 6·15 공동 선언을 발표하였다.
> (라) 백두산 관광, 서해 평화 지대 창설 등을 내용으로 한 10·4 정상 선언을 발표하였다.

① (가)에서 통일의 과도 단계로 1국가 2체제의 유지에 합의하였다.
② (나)에서 판문점에 남북 연락 사무소를 설치하기로 합의하였다.
③ (다)에서 통일 문제는 6자 회담을 활성화하여 해결하기로 합의하였다.
④ (라)에서 동해선과 경의선 철도 연결 및 시범 운행을 합의하였다.

0624 □□□

남북 관계에서 벌어진 다음 사건들을 오래된 시기순으로 옳게 나열한 것은? 2020. 국회직 9급

> (가) 7·4 남북 공동 성명
> (나) 남북 적십자 1차 회담
> (다) 판문점 도끼 살인 사건
> (라) 북한 핵 확산 금지 조약 탈퇴

① (가) – (나) – (다) – (라)
② (가) – (다) – (나) – (라)
③ (나) – (가) – (다) – (라)
④ (나) – (가) – (라) – (다)
⑤ (나) – (라) – (가) – (다)

0623

출제영역 각 정부의 통일 정책 이해 정답 ▶ ②

정답찾기 ② (나) 남북 기본 합의서에서는 협의 실천 기구인 분과 위원회, 공동 위원회, 남북 연락 사무소에 관한 조항들을 설정하였다.

선지분석 ① 1국가 2체제는 북한의 연방제 통일안이다.
③ 6자 회담은 북핵 문제 해결을 위해 개최되었다(1차 – 2003년, 6차 – 2007년).
④ 동해선과 경의선 철도 연결 및 시범 운행은 10·4 정상 선언(2007. 10.) 이전에 이루어졌다.

0624

출제영역 통일 정책의 시기순 이해 정답 ▶ ①

정답찾기 (가) 7·4 남북 공동 성명(1972) ⇨ (나) 남북 적십자 1차 회담(1972. 8.) ⇨ (다) 판문점 도끼 살인 사건(1976. 8.) ⇨ (라) 북한 핵 확산 금지 조약 탈퇴(1993)

PLUS⁺ 선지 OX 민주주의의 시련과 발전

01 사사오입 개헌에는 국무총리제 폐지, 개별 국무 위원에 대한 불신임 인정 등이 포함되었다. 2021. 국회직 O X

02 진보당 창당과 4·19 혁명 사이 시기에 신국가 보안법이 국회에서 통과되었고, 민주당이 분화되어 신민당이 창당되었다. 2021. 경찰 2차 O X

03 1950년대 정부는 식량 부족 문제를 해결하고자 '쌀이 없는 날'을 정하였다. 2019. 경찰간부 O X

04 대통령과 부통령의 임기는 4년으로 하고, 재선에 의하여 1차 중임을 가능하게 한 헌법은 호헌 동지회 결성 이후 개정되었다. 한능검 O X

05 발췌 개헌과 사사오입 개헌 사이 시기에 김일성이 연안파를 숙청하고 주체 사상을 강조하기 시작하였다. 2020. 국회직 O X

06 제3공화국 시기에 향토 예비군을 설치하였으며, 학도 호국단이 부활되었다. 2020. 경찰간부 O X

07 제4공화국의 대통령은 대법원장과 헌법 위원회 위원장 임명권을 행사할 수 있었다. 2020. 경찰간부 O X

08 통일 주체 국민 회의는 대통령이 의장직을 맡았다. 2022. 경찰간부 O X

09 6월 민주 항쟁의 결과 헌법에 인간의 존엄과 행복 추구권이 신설되고 헌법 재판소가 설치되었다. 2018. 경찰간부 O X

10 김영삼 정부 시기에 「공직자 윤리법」을 개정하여 고위 공직자 재산을 공개하였으며, 「국민 기초 생활 보장법」을 제정하여 저소득층·장애인·노인 복지를 향상시켰다. 2021. 국회직 O X

PLUS⁺ 선지 OX 해설 민주주의의 시련과 발전

01 O 사사오입 개헌이라 불리는 2차 개헌(1954)안은 국민 투표제 신설, 초대 대통령의 중임 제한 철폐, 국무총리제 폐지, 국무원에 대한 연대 책임제 폐지, 개별 국무원에 대한 불신임 인정, 부통령에게 대통령 지위 승계권 부여 등을 주된 내용으로 하고 있다.

02 X 진보당 창당은 1956년이고, 4·19 혁명은 1960년이다. 신국가 보안법 통과는 1958년의 일이나, 신민당이 창당된 것은 1960년 12월의 일로 4·19 혁명 이후의 사건이다.

03 X 쌀이 없는 날을 정한 것은 1960년대 박정희 정부의 정책이다. 박정희 정부는 밀 소비를 촉진시키기 위해 쌀이 없는 날을 정하여 분식 및 혼분식 장려 정책을 추진하였다.

04 X 임기를 4년으로 하고 재선에 의한 중임을 가능하게 한 헌법은 제헌 헌법(1948)이다. 호헌 동지회는 1954년 11월 30일 당시 대통령 이승만의 종신 집권을 노리고 위헌적으로 강행한 사사오입 개헌을 반대하기 위해 결집된 범야당 연합이다.

05 X 발췌 개헌은 1952년 7월이고, 사사오입 개헌은 1954년 11월이다. 김일성이 연안파를 숙청한 8월 종파 사건은 1956년이다.

06 X 제3공화국은 1963년부터 1972년까지이다. 향토 예비군 설치(1968)는 제3공화국 때이지만, 학도 호국단 부활(1975)은 제4공화국(유신 정부) 때이다.

07 O 제4공화국은 유신 체제 시기이다. 유신 헌법 체제 하의 대통령의 권한은 대통령이 국회 의원의 3분의 1을 임기 2년의 유신 정우회 의원이라는 이름으로 직접 임명하고, 법관에 대한 인사권과 긴급 조치권·국회 해산권 등을 통해 사법부와 의회를 통제할 수 있는 절대 권력을 행사하게 되었으며, 이를 '한국적 민주주의'라고 선전하였다.

08 O 통일 주체 국민 회의는 대통령이 회의의 의장이었기 때문에 대통령의 직속 기구나 다름없는 역할을 하였다.

09 X 6월 민주 항쟁의 결과 9차 개헌(1987)이 이루어졌다. 행복 추구권의 신설은 8차 개헌(1980)에 해당한다.

10 X 김영삼 정부 때 공직자의 재산 등록(1993), 금융 실명제(1993) 등을 법제화하고 지방 자치제를 전면적으로 실시(1995)하였다. 그러나 「국민 기초 생활 보장법」은 1999년 김대중 정부 시기에 실시되었다.

MEMO

현대의 경제 · 사회 · 문화

최근 5년간 국가직·지방직 출제 비율

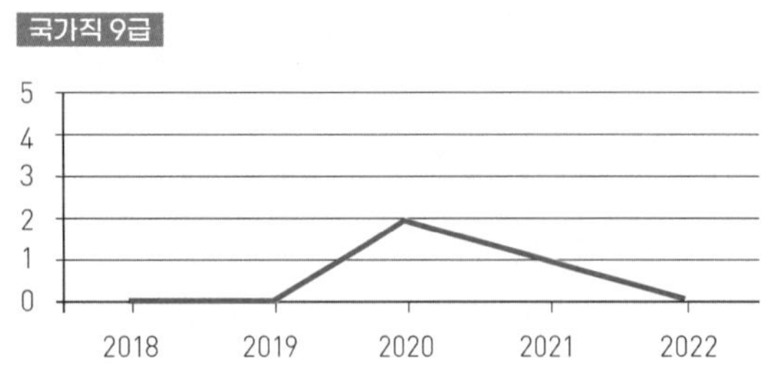

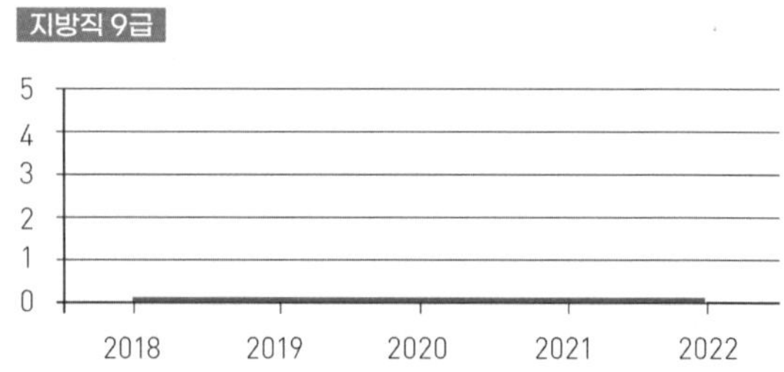

- 최근 5년간 국가직에서 이승만 정부의 경제 정책을 묻는 문제가 출제되었다.
- 지방직에서 2017년에 교육 관련 문제가 이례적으로 출제된 이후에는 이 단원에서 전혀 출제되고 있지 않다.

주요 고난도 문제 키워드

#각 시기별 경제 정책 #시기별 인구 정책 #시기별 교육 정책

고난도 이론 정리 선우쌤 PICK

시기별 경제 정책	
미군정기	• [1] 설립(1946) : 일제의 귀속 재산 소유 · 관리 • 귀속 재산 불하, 귀속 농지 처리 • 미곡 자유화 정책 cf 철도 노동자 총파업(1946. 9.) • 미군정의 정책에 반발, 대구에서 시작하여 전국 확대 • 미곡 수집 폐지, 토지 개혁 실시, 식민지 교육 철폐, 미군정 퇴진 주장
제1공화국	• 미국과 경제 [2] 협정 체결(소비재와 소비재 산업 중심 ⇨ 삼백 산업) • [3] 제정(1949년 제정, 1950년 시행) : 유상 매수, 유상 분배의 원칙
6 · 25 전쟁 후	• 경제 재건 자금 원조 • 제분 · 제당 · 섬유 공업 성장([4] 산업), 화학 · 비료 · 제지 · 고무 · 유리 공업 발전 ⇨ but 제철 · 제강 · 기계 공업 부진
1960년대	• 제1공화국 때 7개년 계획 ⇨ 제2공화국 때 [5] 계획으로 수정 ⇨ 5 · 16 군사 정변 후 군사 정부에서 재수정되어 [6] 년부터 실시 • [7] 주도형 성장 전략, 정부 주도형 경제 체제
1970년대	• 사회의식의 향상과 노동 운동 전개 • [8] 분신자살(1970), 광주(지금의 성남) 대단지 철거민 소요 사태(1971) • 제1차 석유 파동(1973) ⇨ 산유국들의 건설 투자 확대로 극복 • 제2차 석유 파동(1979) ⇨ 경제 위기, 최초 마이너스 경제 성장률(1980)
1980년대	• 중화학 투자 조정, 부실기업 정리, 자본 자유화 정책 • 다국적 기업과 국제 금융 자본 들어옴. • 기술 집약 산업 성장 • 저금리 · 저유가 · 저달러의 [9] 호황으로 고도 성장
1990년대 이후	• 기업의 해외 진출과 무역 대상국의 확대 • 행정 규제 완화, 공기업 민영화, 시장 개방 가속화, APEC 적극 참여, [10] 가입(1996) • 1997년 말 [11] 위기로 IMF 체제 도입 ⇨ [12] 년 8월 IMF 관리 체제 극복(노사정 위원회 구성, 대외 신뢰도 향상, 신자유주의 경제 정책)

정답 1. 신한 공사 2. 원조 3. 농지 개혁법 4. 삼백 5. 5개년 6. 1962 7. 수출 8. 전태일 9. 3저 10. 경제 협력 개발 기구(OECD) 11. 외환 12. 2001

경제 정책

0625 □□□

정부 수립 이후 이승만 정부의 경제 정책에 대한 설명으로 옳지 않은 것은? 2014. 지방직 7급

① 미국과 경제 원조 협정을 체결하여 경제 안정과 시설 복구를 위한 원조를 받았다.
② '귀속 재산 처리법'에 따라 일본인이 소유했던 재산과 공장 등을 민간인에게 불하하였다.
③ '농지 개혁법'을 제정하여 유상 매입, 무상 분배의 농지 개혁을 실시하였다.
④ 금융 기관의 공공성 유지와 경영 건실화를 위하여 '한국 은행법'과 '은행법'을 제정하였다.

0625

출제영역 〉 이승만 정부의 경제 정책 이해 정답 ▶ ③

정답찾기 ③ 유상 매입, 유상 분배의 원칙에 따라 농지 개혁을 실시하였다.

더⊕알아보기 〉 **북한과 남한의 농지 개혁**

구분	북한	남한
시기	1946년 3월	1950년 4월(1949년 제정)
개혁안	토지 개혁법(전 국토)	농지 개혁법(산림, 임야 제외)
원칙	무상 몰수, 무상 분배	유상 매수, 유상 분배
토지 소유 상한선	5정보	3정보

0626 □□□

다음은 어느 전직 공무원의 기록이다. 밑줄 친 ㉠이 운용된 시기의 경제 현상으로 옳은 것은? 2018. 교육행정직 9급

> 재무부 장관에 정식 취임한 나는 ㉠ 미국의 원조 물자 및 잉여 농산물의 판매 대전(代錢)으로 조성된 대충자금의 사용 방안에 관해 미국 측과의 이견조정에 직면하게 되었다. … (중략) … 원조 물자나 잉여 농산물의 판매 대전 중 우리나라가 사용할 수 있는 돈은 반드시 국방비에만 사용할 수 있다는 주장을 내세웠고, 또 우리나라는 이를 미국 측 주장대로 감수하여 온 처지에 있었다.
> 『재계회고』

① 농축산물 수입 개방 반대 운동이 전개되었다.
② 제분, 제당, 면방직 등 삼백 산업이 발달하였다.
③ 금리, 기름값, 달러 인하로 3저 호황을 누렸다.
④ 정부 주도하에 건설 노동자들이 중동에 파견되었다.

0626

출제영역 〉 이승만 정부의 경제 정책 이해 정답 ▶ ②

정답찾기 ㉠의 대충자금이 운용된 시기는 이승만 정부 때이다.
② 해방 후 1950년대에는 미국의 원조 물자를 가공하는 소비재 산업인 이른바 삼백 산업(三白産業)이 기형적으로 발달하였다.

선지분석 ① 농축산물 수입 개방 반대 시위는 1985년에 전개되었다.
③ 1980년대 중반 저금리·저유가·저달러의 3저 호황을 맞아 자동차·가전제품·기계·철강 등의 중화학 분야를 주력으로 고도성장을 할 수 있었다.
④ 1973년 중동 전쟁으로 유가가 폭등하면서 제1차 석유 파동이 일어나자, 산유국들은 건설 투자를 확대하기 시작하였다. 이때 우리 기업이 대거 참여함으로써 중동으로의 진출이 본격화되었고 수많은 건설 노동자들이 중동에 파견되었다.

0627 □□□

다음 법을 시행하기 이전 상황에 대한 설명으로 옳은 것은? 2017. 하반기 국가직 9급

> 제1조 본법은 헌법에 의거하여 농지를 농민에게 적절히 분배함으로써 농가 경제의 자립과 농업 생산력의 증진으로 인한 농민 생활의 향상 내지 국민 경제의 균형과 발전을 기함을 목적으로 한다.
> 제17조 일체의 농지는 소작, 임대차 또는 위탁 경영 등 행위를 금지한다.

① 「반민족 행위 처벌법」의 시효가 단축되었다.
② 제2대 국회 의원 총선거가 실시되었다.
③ 미국의 공법 480호(PL480)에 따른 잉여 농산물이 도입되었다.
④ 국민 방위군 사건이 일어났다.

0627

출제영역 〉 농지 개혁법 시행 이전의 상황 이해 정답 ▶ ①

정답찾기 제시문은 농지 개혁법(1949)으로, 1949년에 제정되고 1950년에 일부 수정되어 시행되었다. 그러나 6·25 전쟁으로 잠시 중단되었다가 전쟁 이후 재개되어 1957년에 완결되었다.
① 「반민족 행위 처벌법」의 시효 단축(1949)

선지분석 ② 제2대 국회 의원 총선거 실시(1950)
③ 미국의 공법 480호(PL480) 제정(1954)
④ 국민 방위군 사건(1951)

PART 08

0628 □□□

다음 (가), (나)의 정책에 대한 설명으로 옳지 않은 것은?

2012. 지방직 7급

(가) 토지 소유자는 조선 총독이 정하는 기간 내에 주소, 씨명, 명칭 및 소유지의 소재, 사표, 등급, 지적, 결수 등을 임시 토지 조사국장에게 신고해야 한다.
(나) 법령 및 조약에 의하여 몰수 또는 국유로 된 토지나 소유권 명의가 분명하지 않은 농지는 정부에 귀속하며, 농지 분배는 1가구당 총 경영 면적 3정보를 초과하지 못한다.

① (가) – 토지세 과세지가 확대되는 계기가 되었다.
② (나) – 임야 소유권 문제는 제외하였다.
③ (가) – 국유지는 동양 척식 회사 등을 통해 일본인에게 불하되었다.
④ (나) – 귀속 농지 분배를 위하여 신한 공사를 설치하였다.

0628

출제영역〉 역대 토지 관련 정책의 이해 정답 ▶ ④

정답찾기 (가) 토지 조사 사업(1910), (나) 농지 개혁(1949년 제정, 1950년 시행)
④ 미군정은 일제 강점기 때 일본인이 가지고 있던 많은 토지를 인수하여 신한 공사(1946)를 설치하였다.

0629 □□□

다음은 대한 제국기 이후 주요 토지 관련 정책을 연대순으로 정리한 것이다. 이에 대한 설명 중 옳은 것을 〈보기〉에서 고르면?

2004. 행정고시

(가) 광무 양전 지계 사업	(나) 토지 조사 사업
(다) 조선 농지령	(라) 농지 개혁

보기
㉠ (나)는 (가)에 비해 지주의 소유권을 강화한 조치였다.
㉡ (다)는 (나)에 비해 지주의 농민 통제권이 강화되었다.
㉢ (다)는 지주의 이익을 제한하여 식민지 통치 기반을 안정시키고자 하였다.
㉣ (라)는 (가)의 정신을 계승하여 경자유전의 원칙을 구현하였다.

① ㉠, ㉡ ② ㉠, ㉢
③ ㉠, ㉣ ④ ㉡, ㉢
⑤ ㉡, ㉣

0629

출제영역〉 역대 토지 관련 정책의 이해 정답 ▶ ②

선지분석 ㉡ 조선 농지령(1934)은 농촌 진흥 운동의 일환으로 제정된 농민층 회유 정책으로, 토지 조사 사업에 비해 지주의 농민 통제권이 완화되었다.
㉣ 광무 양전 지계 사업은 지주 전호제를 인정하여 경자유전의 원칙과는 무관하다.

0630

1960년대 한국 사회에 대한 설명으로 알맞은 것은? 2014. 서울시 7급

㉠ 자립 경제의 기반 구축에 역점을 둔 제1차 경제 개발 계획이 추진되었으며 이에 따라 노동 집약적인 경공업을 집중 육성하였다.
㉡ 근면, 자조, 협동을 구호로 내건 새마을 운동이 추진되어, 농촌 생활 환경 개선과 소득 증대에 일정한 성과를 올렸다.
㉢ 면방직, 설탕, 밀가루 등 이른바 삼백 산업을 중심으로 소비재 산업이 성장하였다.
㉣ 대부분의 노동자들이 낮은 임금과 열악한 노동 조건 속에서 일을 하였으며 법적으로 보장된 권리조차 행사하기 어려웠다.
㉤ 대학교, 전문 대학 등 고등 교육 기관의 숫자가 많이 늘어났으며, 대학 진학률도 크게 높아졌다.

① ㉠, ㉡
② ㉣, ㉤
③ ㉠, ㉢
④ ㉠, ㉣
⑤ ㉡, ㉣

0630

출제영역 〉 1960년대 정부의 경제 정책 이해 정답 ▶ ④

정답찾기 ㉠ 1차 경제 개발 계획(1962~1966), ㉣ 1960년대 제조업에 종사했던 많은 노동자들은 산업화 과정에서 열악한 작업 환경 아래 저임금과 장시간 노동이라는 악조건에 시달려야 했다.

선지분석 ㉡ 1970년대, ㉢ 1950년대, ㉤ 1980년대 사실이다.

0631

(가)와 (나) 노래가 등장했던 시기의 사회 모습으로 옳지 않은 것은?

제5회 한국사능력검정시험 고급

(가) 초가집도 없애고 마을 길도 넓히고,
푸른 동산 만들어 알뜰살뜰 다듬세.
살기 좋은 내 마을 우리 힘으로 만드세.
(나) 긴 밤 지새우고 풀잎마다 맺힌
진주보다 더 고운 아침 이슬처럼
내 맘에 설움이 알알이 맺힐 때
아침 동산에 올라 작은 미소를 배운다.

① 과외가 금지되고 대학 입학 본고사가 폐지되었다.
② 근면, 자조, 협동을 내세운 새마을 운동이 시작되었다.
③ 청바지, 통기타 등으로 상징되는 청년 문화가 등장하였다.
④ 중화학 공업 정책에 따라 남성 노동자의 비율이 늘어났다.
⑤ 종교계와 대학생을 중심으로 유신 반대 운동이 전개되었다.

0631

출제영역 〉 1970년대 경제 정책의 이해 정답 ▶ ①

정답찾기 (가) 새마을 운동(1970), (나) 아침 이슬(1971)
① 1980년대 전두환 정부 때의 일이다.

더⊕알아보기 〉 **새마을 운동 기록물**

새마을 운동은 빈곤 퇴치를 위한 모범 사례로, 아프리카 등 저개발국에서 배우고 있으며 UN에서도 인정받은 국가 발전의 한 모델이다. '새마을 운동 기록물'은 그 역사적 기록물로서, 민관 협력의 성공적 사례라는 점에서 가치를 인정받아 2013년 유네스코 세계 기록 유산에 등재되었다.

0632 □□□

다음은 해방 후 한국 경제 및 경제 정책의 변화와 관련한 기술들이다. 시대순으로 바르게 나열한 것은? 2013. 경찰간부

㉠ 중화학 공업에 대한 과잉·중복 투자로 인하여 한국 경제가 자본 축적의 위기에 몰리자, 정부는 부실기업을 정리하고 이를 토대로 첨단 산업을 중심으로 산업 구조 조정을 적극적으로 시도하였다.
㉡ 외국의 차관으로 경제 부흥을 이룬다고 하는 '경제 개발론'을 바탕으로 '경제 개발 5개년 계획'을 입안하였으나, 정치적 격변의 영향으로 시행에 이르지는 못했다.
㉢ 수출 주도의 경제 성장 정책을 더욱 강화하기 위하여 중화학 공업에 자원을 대거 투입하는 중화학 공업화 정책을 선언하고, 이를 적극적으로 추진하였다.
㉣ 미국의 원조를 바탕으로 삼백 산업(제분, 제당, 면방직) 등의 소비재 산업을 중심으로 한 관료 자본이 형성되었으며, 이는 나중에 외국으로부터 수입을 대체하는 효과를 낳게 되었다.

① ㉣ - ㉡ - ㉢ - ㉠
② ㉠ - ㉢ - ㉡ - ㉣
③ ㉡ - ㉣ - ㉠ - ㉢
④ ㉣ - ㉡ - ㉠ - ㉢

0632

출제영역 〉 해방 후 경제 정책의 시기순 이해 정답 ▶ ①

정답찾기 ㉣ 이승만 정부 ⇨ ㉡ 장면 내각 ⇨ ㉢ 박정희 정부(3차 경제 개발 계획) ⇨ ㉠ 전두환 정부

0633 □□□

한국의 경제 성장과 민주화의 진전에 관한 연대별 설명으로 옳지 않은 것은? 2021. 계리직

① 1960년대 : 노동 집약적 수출 주도형 공업화 전략으로 매년 10% 안팎의 성장률을 기록하였다.
② 1970년대 : 근로 조건 개선을 위한 전태일의 분신은 노동 운동에 대한 관심을 고양하는 계기가 되었다.
③ 1980년대 : 저금리, 저유가, 저달러의 이른바 '3저 호황'에 힘입어 중반 이후 연평균 10%에 가까운 경제 성장률을 기록하였다.
④ 1990년대 : 한때 중단되었던 대통령 직선제를 부활하는 개헌을 통해 정치적 민주화에 진전을 이루었다.

0633

출제영역 〉 시기별 경제 성장과 민주화 진전 관계의 이해 정답 ▶ ④

정답찾기 ④ 1987년 6월 민주 항쟁의 결과 5년 단임의 대통령 직선제 등을 골자로 하는 9차 개헌(1987)이 이루어졌다.

0634 □□□

1950년대 이후 한국 사회의 상황에 대한 설명으로 옳은 것은? 2009. 국가직 9급

① 1950년에 시행된 농지 개혁으로 토지가 없던 농민이 토지를 갖게 되었다.
② 1960년대에 임금은 낮았지만 낮은 물가 덕분으로 노동자들이 고통을 겪지는 않았다.
③ 1970년대에 이르러 정부는 노동 3권을 철저히 보장하는 정책을 채택하였다.
④ 1980년대 초부터는 노동조합을 자유롭게 설립할 수 있게 되었다.

0634

출제영역 〉 시기별 경제 성장과 민주화 진전 관계의 이해 정답 ▶ ①

선지분석 ② 1960년대에 낮은 임금과 높은 물가로 노동자들이 고통을 겪었다.
③ 1970년대에 정부는 노동 운동을 철저히 탄압하였다.
④ 1987년 6월 민주 항쟁 이후 노동 운동이 활성화되면서 노동조합을 자유롭게 설립할 수 있게 되었다.

0635

해방 이후의 경제 정책과 경제생활에 관한 설명으로 옳은 것은?

2008. 지방직 7급

① 1950년대에는 농지 개혁법의 시행으로 농민층의 부담이 경감되고 지주층은 불리해졌다.
② 1960년대에는 두 차례에 걸친 경제 개발 계획으로 경제의 대외 의존도가 크게 완화되었다.
③ 1970년대에는 8·3 조치를 통해 기업에 특혜를 주었고 중화학 공업화를 추진하였다.
④ 1980년대에는 3저 현상에 따른 한국 경제의 고속 성장으로 노동 운동이 위축되었다.

0636

다음 연표에서 (가)~(라)에 들어갈 노동 운동 관련 사건으로 옳은 것을 〈보기〉에서 모두 고르면?

수능 근현대사

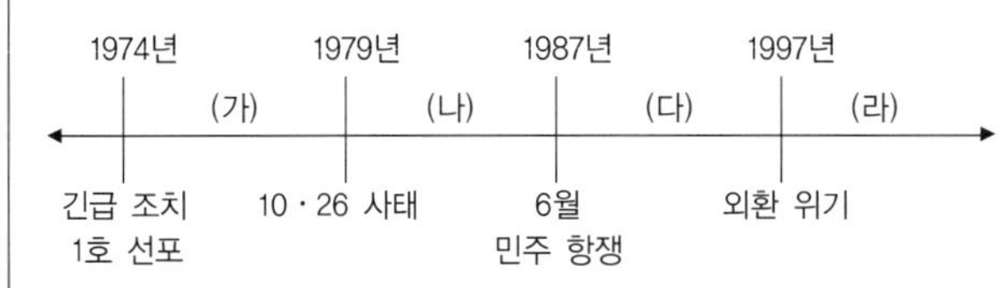

보기

㉠ (가) – 전태일 분신
㉡ (나) – YH 무역 노조원, 신민당사 농성 중 강제 해산
㉢ (다) – 전국 민주 노동조합 총연맹(민주노총) 결성
㉣ (라) – 노사정 위원회 발족

① ㉠, ㉡
② ㉠, ㉢
③ ㉡, ㉢
④ ㉡, ㉣
⑤ ㉢, ㉣

0635

출제영역 해방 후 경제 정책의 이해

정답 ▶ ③

정답찾기 ③ 8·3 조치(1972)는 1972년 초 기업들이 연쇄 도산의 위기에 직면하자, 경제 위기와 사회 갈등을 완화할 목적으로 기업의 사채 원리금 상환을 동결시킴과 동시에 이를 3년 거치 5년 분할 상환하게 하였다. 이 조치로 기업에는 큰 혜택이 돌아갔지만, 사채업자의 사유 재산권을 심각하게 침해하였으며, 이를 계기로 정경(政經) 유착의 병폐가 고착되었다.

선지분석 ① 1950년대에는 농지 개혁법을 통해 소작농이던 농민들이 자기 농토를 가지게 되었다. 하지만 이 농지 개혁은 민족 반역자의 소유권을 인정하였으며 지주에게 유리한 개혁이었다.
② 1960년대 1차·2차 경제 개발 계획으로 대미·대일 의존도가 점점 높아졌다.
④ 1980년대 3저 호황기였던 전두환 정부 시기에 노동 운동은 불법이었고, 1987년 이후 노동 운동이 활성화되었다.

0636

출제영역 시기별 노동 운동의 이해

정답 ▶ ⑤

정답찾기 ㉢ 전국 민주 노동조합 총연맹 결성(1995)
㉣ 노사정 위원회 발족(1998)

선지분석 ㉠ 전태일 분신사건(1970) – (가) 이전
㉡ YH 사건(1979) – (가), 10·26 사태 이전 사건

0637

다음은 연대별 인구 정책을 상징하는 표어이다. 각 연대별로 일어난 일에 대한 설명으로 옳은 것만을 〈보기〉에서 모두 고른 것은?

2017. 하반기 국가직 9급

연대	표어
(가)	덮어 놓고 낳다 보면 거지꼴을 못 면한다.
(나)	딸 아들 구별 말고 둘만 낳아 잘 기르자.
(다)	잘 키운 딸 하나 열 아들 안 부럽다.

보기
- ㉠ (가) 군사 정부가 '경제 개발 5개년'을 추진하였다.
- ㉡ (나) 유신 체제가 성립되었고, 2차례의 오일 쇼크와 중화학 공업 과잉 중복 투자에 따른 경제 불황이 있었다.
- ㉢ (다) 6월 민주 항쟁과 저금리, 저유가, 저달러의 3저 호황이 있었다.

① ㉠, ㉡ ② ㉠, ㉢
③ ㉡, ㉢ ④ ㉠, ㉡, ㉢

0637

출제영역 〉 시기별 경제 정책의 이해 정답 ▶ ④

정답찾기 (가) 1960년대, (나) 1970년대, (다) 1980년대
㉠ 5·16 군정(1961~1963) – 1차 경제 개발 5개년 계획 실시(1962)
㉡ 유신 체제(1972~1979) – 1차 석유 파동(1973), 2차 석유 파동(1979)
㉢ 전두환 정부(1981~1988) – 6월 민주 항쟁(1987), 3저 호황

0638

우리나라의 시기별 교육 변화 양상으로 옳지 않은 것은?

2017. 지방직 7급

① 1960년대 – 중학교 무시험 진학 제도가 처음 실시되었다.
② 1970년대 – 처음으로 고등학교 시험이 연합고사로 바뀌었다.
③ 1980년대 – 학교 교육과 별개로 사교육인 과외가 활성화되었다.
④ 1990년대 – 대학 수학 능력 시험이 실시되었다.

0639

다음 연표에서 (가)~(라)에 들어갈 교육 정책으로 옳은 것을 〈보기〉에서 모두 고른 것은?

2010. 경북 교육행정직 9급

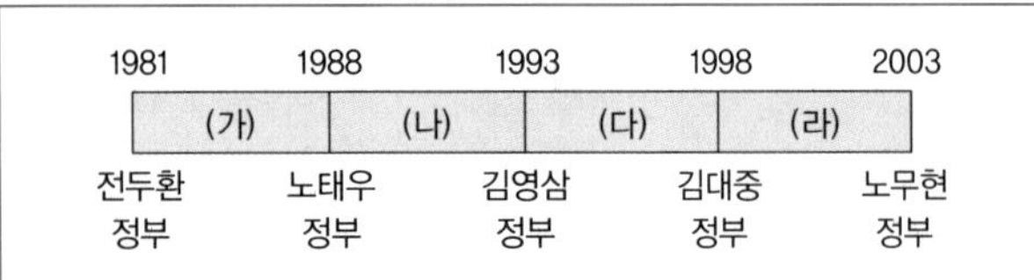

보기
- ㉠ (가) – 과외 금지 및 대학 졸업 정원제 실시
- ㉡ (나) – 수준별 수업 및 학교 정보화 사업 추진
- ㉢ (다) – 대학 수학 능력 시험 제도 전면 실시
- ㉣ (라) – 중학교 의무 교육 전면 실시

① ㉠, ㉡ ② ㉡, ㉢
③ ㉢, ㉣ ④ ㉠, ㉢, ㉣
⑤ ㉡, ㉢, ㉣

0638

출제영역 〉 시대별 교육 정책의 이해 정답 ▶ ③

정답찾기 ③ 1980년대 전두환 정부 시기에는 학교 교육 정상화와 과열 과외 해소 대책으로 과외 전면 금지, 대학 입학 본고사 폐지, 졸업 정원제 등이 실시되었다.

더⊕알아보기 〉 **전두환 정부 시기의 교육 정책**
학교 교육 정상화와 과열된 과외 해소 대책으로 과외 전면 금지, 대학 입학 본고사 폐지, 졸업 정원제 등을 시행하였다. 1985년 도서·벽지 지역을 대상으로 중학교 무상 의무 교육을 처음 실시하였다. 또한, 헌법에 평생 교육의 이념을 규정하고 평생 교육을 정착시키기 위해 노력하였다.

0639

출제영역 〉 시기별 교육 정책의 이해 정답 ▶ ④

정답찾기 ㉠ 과외 전면 금지, 대학 입학 본고사 폐지, 졸업 정원제, 도서·벽지 대상 중학교 무상 의무 교육 – 전두환 정부
㉢ 대학 수학 능력 시험, 중학교 무상 교육 읍·면까지 확대 – 김영삼 정부
㉣ 중학교 무상 교육은 1985년 도서·벽지 지역의 1학년생들을 중심으로 시작된 후 1994년 읍·면 지역, 2002년 시 지역 확대, 2003년 시 지역 2학년 등으로 실시 대상을 확대해 오다가 2004년 노무현 정부 때 전국의 모든 중학교에 무상 교육이 실시되었다.

선지분석 ㉡ 수준별 수업 및 학교 정보화 사업 추진은 7차 교과 과정(1997) 내용으로 (다)에서 비로소 시행되었다.

PLUS⁺ 선지 OX 현대의 경제 · 사회 · 문화

01 농지 개혁법에 의해 분배받은 농지는 분배받은 농가의 대표자 명의로 등록하고 가산으로서 상속이 가능하였다. 2019. 계리직 O X

02 농지 개혁법은 토지 소유의 상한선이 규정되지 않아 실효를 거두지 못하였다. 2008. 계리직 O X

03 이승만 정부는 화폐 남발로 인한 혼란과 인플레이션을 수습하기 위해 실시한 화폐 개혁을 통해 유통을 중지하고 환 단위의 새 화폐로 바꿨다. 한능검 O X

04 1950~1960년대 미국의 잉여 농산물 도입에 의한 저곡가 정책으로 농가 소득이 현저히 증가하였다. 2003. 입법고시 O X

05 제2공화국 시기에 경제난과 실업난을 해소하기 위해 국토 건설 사업을 추진하였다. 2022. 경찰간부 O X

06 제2공화국 시기에 경제 성장률이 떨어지자 정부는 8 · 3 긴급 경제 조치를 발표하였다. 2022. 경찰간부 O X

07 박정희 정권 시기의 경제 개발은 국가가 적극적인 역할을 하였고 국가 소유 기업을 중심으로 경제 성장이 진행되었다. 2007. 국가직 7급 O X

08 박정희 정부의 농촌 새마을 운동을 통해 소비 절약의 실천 등을 명시한 10대 구심 사업을 추진하였다. 2004. 행정고시 O X

09 1980년대 노동조합주의가 비판받으면서 노동조합 조직률이 하락하였다. 2004. 행정고시 O X

10 국민 교육 헌장이 처음 발표된 정부 시기에 문맹 국민 완전 퇴치 5개년 계획을 수립하여 추진하였다. 한능검 O X

PLUS⁺ 선지 OX 해설 현대의 경제 · 사회 · 문화

01 O 분배받은 농지는 농가의 대표적 명의로 등록하고 가산으로 상속은 가능하였다. 단 상환이 완료될 때까지 매매 등을 통한 처분은 불가능하였다.

02 X 농지 개혁은 토지 소유 상한선을 3정보로 규정하였다.

03 O 6 · 25 전쟁 이후 격심한 인플레이션을 수습하여 경제 안정을 도모하기 위해 이승만 정권에서 실시한 화폐 개혁(1953)에 대한 옳은 내용이다.

04 X 미국의 잉여 농산물 도입은 농가 소득을 감소시키고 농민의 생산 의욕을 감퇴시켜 한국을 만성적인 식량 수입국으로 만들었다.

05 O 제2공화국(1960~1961) 시기에 경제 제일주의를 내세운 장면 내각은 농지 정리, 제방, 관개 및 배수, 산림 녹화 등의 국토 건설 사업(1961)을 시행하였다.

06 X 8 · 3 긴급 경제 조치는 박정희 정부 시기의 일이다. 1972년 박정희 정부는 기업의 채무 원리금 상환 부담 경감, 기업의 재무 구조 개선 및 경영 안정화 도모를 위하여 경제의 안정과 성장에 관한 긴급 명령으로 8 · 3 조치를 발표하였다.

07 X 박정희 정권의 경제 개발은 국가가 적극 개입한 것은 맞지만 국가 소유 기업이 아닌, 민간 대기업 중심으로 경제 성장이 진행되었다.

08 X 10대 구심 사업을 추진한 것은 도시 새마을 운동이다. 도시 새마을 운동의 촉진을 위한 10대 구심 사업은 소비 절약의 실천, 준법 질서의 정착, 시민의식의 계발, 새마을 청소의 일상화, 시장 새마을 운동의 전개, 도시 녹화, 뒷골목 정비, 도시 환경 정비, 생활 오물 분리수거, 도시 후진 지역의 개발 등이었다.

09 X 6월 민주 항쟁(1987)의 민주화 바람을 타고 1980년대 후반 노동조합 운동이 활성화되면서 노동조합과 조합원 수가 급증하였다.

10 X 국민 교육 헌장(1968)이 발표된 것은 박정희 정부이다. 문맹 퇴치 5개년 계획(1950)은 이승만 정부 때의 일이다.

선우한국사
기출족보 1500제

기출문제가
예상문제이다!

부록

제1장 유네스코 지정 문화유산 관련 문제
제2장 조선의 문화유산 관련 한능검 문제

CHAPTER

유네스코 지정 문화유산 관련 문제

0640 □□□

유네스코에 등재된 유산으로 옳게 연결된 것은? 2014. 계리직

① 문화유산 – 창덕궁, 영산재
② 무형 유산 – 강강술래, 아리랑
③ 기록 유산 – 훈민정음, 해인사 장경판전
④ 자연 유산 – 창녕 우포늪, 제주 화산섬과 용암 동굴

0641 □□□

유네스코에서는 세계적으로 가장 우수한 기록물을 선정하여 '세계 기록 유산'이라 하고 그 기록물의 보전에 만전을 기하고 있다. 다음 중 우리나라가 보유한 '세계 기록 유산'이 바르게 연결된 것은?

2014. 기상직 9급

① 조선왕조실록 – 비변사등록 – 대동여지도 – 5·18 민주화 운동 기록물
② 삼국사기 – 동의보감 – 직지심체요절(하권) – 난중일기
③ 조선왕조의궤 – 훈민정음 – 목민심서 – 해인사 팔만대장경
④ 승정원일기 – 일성록 – 새마을 운동 기록물 – 5·18 민주화 운동 기록물

0642 □□□

유네스코에서는 세계적으로 우수한 기록물을 선정하여 '세계 기록 유산'이라 하고 그 기록물의 보존에 만전을 기하고 있다. 다음 중 우리나라가 보유한 '세계 기록 유산'이 바르게 연결된 것은?

2012. 경찰간부 / 2012. 경찰 1차 유사

① 조선왕조실록 – 비변사등록 – 대동여지도
② 삼국사기 – 삼국유사 – 직지심체요절
③ 조선왕조의궤 – 훈민정음 – 목민심서
④ 승정원일기 – 일성록 – 동의보감

0640

출제영역 유네스코 문화유산의 이해 정답 ▶ ②

정답찾기 ② 무형 유산 – 강강술래, 아리랑, 영산재

선지분석 ① 문화유산 – 창덕궁, 해인사 장경판전
③ 기록 유산 – 훈민정음
④ 자연 유산 – 제주 화산섬과 용암 동굴

더⊕알아보기 **유네스코 지정 세계 문화유산**

세계 유산 (15개)	석굴암·불국사(1995), 해인사 장경판전(1995), 종묘(1995), 창덕궁(1997), 수원 화성(1997), 경주 역사 유적 지구(2000), 고창·화순·강화 고인돌 유적(2000), 제주 화산섬과 용암 동굴(2007), 조선 왕릉(2009), 한국의 역사 마을: 하회·양동 마을(2010), 남한산성(2014), 백제 역사 유적 지구(2015), 산사·한국의 산지 승원(양산 통도사, 영주 부석사, 안동 봉정사, 보은 법주사, 공주 마곡사, 순천 선암사, 해남 대흥사, 2018), 서원(소수 서원, 도산 서원, 병산 서원, 옥산 서원, 도동 서원, 남계 서원, 필암 서원, 무성 서원, 돈암 서원, 2019), 갯벌(2021) cf 북한 – 고구려 고분군(2004), 개성 역사 유적 지구(2013)
기록 유산 (16개)	훈민정음(1997), 조선왕조실록(1997), 직지심체요절(하권, 2001), 승정원일기(2001), 고려대장경판과 제경판(2007), 조선왕조의궤(2007), 동의보감(2009), 일성록(2011), 5·18 민주화 운동 기록물(2011), 난중일기(2013), 새마을 운동 기록물(2013), 한국의 유교책판(2015), KBS 특별생방송 '이산가족을 찾습니다' 1983년 방영 기록물(2015), 조선 왕실 어보와 어책(2017), 국채 보상 운동 기록물(2017), 조선 통신사 기록물(2017)
무형 유산 (21개)	종묘 제례 및 종묘 제례악(2001), 판소리(2003), 강릉 단오제(2005), 강강술래(2009), 남사당놀이(2009), 영산재(2009), 제주 칠머리당 영등굿(2009), 처용무(2009), 가곡(2010), 매사냥(2010), 대목장(2010), 택견(2011), 줄타기(2011), 한산 모시짜기(2011), 아리랑(2012), 김장 문화(2013), 농악(2014), 줄다리기(2015), 제주 해녀 문화(2016), 씨름(2018), 연등회(2020) cf 북한 – 아리랑(2014), 씨름(2018, 남북 공동 등재)

0641

출제영역 유네스코 문화유산의 이해 정답 ▶ ④

선지분석 ① 비변사등록, 대동여지도, ② 『삼국사기』, ③ 『목민심서』는 유네스코 세계 기록 유산에 해당되지 않는다.

0642

출제영역 유네스코 문화유산의 이해 정답 ▶ ④

선지분석 ① 비변사등록, 대동여지도, ② 『삼국사기』, 『삼국유사』, ③ 『목민심서』는 유네스코 세계 기록 유산에 해당되지 않는다.

0643

□□□

유네스코 '세계 기록 유산'에 등재된 것만을 모두 고른 것은?

2017. 국가직 7급 / 2015. 서울시 9급 유사

㉠ 일성록	㉡ 난중일기
㉢ 비변사등록	㉣ 승정원일기
㉤ 한국의 유교책판	

① ㉠, ㉡　　② ㉠, ㉡, ㉣
③ ㉠, ㉡, ㉣, ㉤　　④ ㉠, ㉡, ㉢, ㉣, ㉤

0644

□□□

㉠~㉣에 대한 설명으로 옳지 않은 것은?

2013. 국가직 9급

유네스코가 세계 문화유산으로 등재한 우리나라의 문화유산은 ㉠ 종묘, 해인사 장경판전, 불국사와 석굴암, 수원 화성, 창덕궁, 경주 역사 유적 지구, ㉡ 고창·화순·강화의 고인돌 유적, 안동 하회 마을과 경주 양동 마을, 조선 시대 왕릉 등이다. 또 훈민정음, ㉢ 조선왕조실록, 승정원일기, ㉣ 직지심체요절, 해인사 고려대장경판 및 제경판, 조선왕조의궤, 동의보감, 일성록, 5·18 민주화 운동 기록물 등이 유네스코의 세계 기록 유산으로 등재되어 있다.

① ㉠ – 조선 시대 왕과 왕비의 신주를 모셨다.
② ㉡ – 청동기 시대의 돌무덤이다.
③ ㉢ – 태조에서 철종 때까지의 역사를 편년체로 기록하였다.
④ ㉣ – 병인양요 때 프랑스군에게 약탈당하였다.

0645

□□□

유네스코 선정 세계 문화유산에 대한 설명으로 옳은 것은?

2009. 국가직 7급

① 창덕궁 돈화문은 팔작지붕의 주심포식 건물로 현존 최고의 궁궐 정문이다.
② 종묘의 영녕전에서는 춘·하·추·동과 섣달에 맞춰 5차례 제례를 지냈다.
③ 불국사는 법화경의 사바세계, 무량수경의 극락세계, 화엄경의 연화장세계를 형상화한 사찰이다.
④ 해인사 장경판전은 온도·습도·통풍을 일정하게 유지하기 위하여 판전 창의 크기를 동일하게 하였다.

0643

출제영역 유네스코 문화유산의 이해　　정답 ▶ ③

선지분석 ㉢ '비변사등록'은 세계 기록 유산에 해당하지 않는다.

0644

출제영역 유네스코 문화유산의 이해　　정답 ▶ ④

정답찾기 ④ 병인양요(1866) 때 프랑스군에게 약탈당한 것은 『조선왕조의궤』이다.

0645

출제영역 유네스코 문화유산의 이해　　정답 ▶ ③

선지분석 ① 창덕궁 돈화문은 다포 양식이다. 고려 후기 원을 통해 들어온 다포 양식은 조선의 건축 양식에 영향을 주었다.
② 영녕전에서는 매년 봄·가을과 섣달에 맞춰 3차례 제례를 지냈다.
④ 해인사 장경판전은 전·후면 창의 위치와 크기가 서로 다르다.

더 알아보기 삼보 사찰

삼보 사찰은 불(佛)·법(法)·승(僧)의 세 가지 보물을 간직하고 있는 사찰을 의미한다. 불보는 중생들을 가르치고 인도하는 석가모니를 말하고, 법보는 부처가 스스로 깨달은 진리를 중생을 위해 설명한 교법, 승보는 부처의 교법을 배우고 수행하는 제자 집단을 말한다.

통도사(불보 사찰)	자장율사가 부처의 진신 사리 봉안
해인사(법보 사찰)	부처의 가르침인 고려대장경(팔만대장경) 보관
송광사(승보 사찰)	고려 16국사(國師) 배출

0646

다음 괄호 안에 들어갈 사항으로 옳은 것만을 〈보기〉에서 모두 고른 것은? 2015. 지방직 9급

> 2000년 12월에 유네스코 세계 유산으로 지정된 경주 역사 유적 지구는 남산 지구, 월성 지구, 대릉원 지구, 황룡사 지구, 산성 지구로 세분된다. 이 중에 남산 지구에 해당하는 문화유산으로는 (　　　) 등이 있다.

보기
- ㉠ 계림
- ㉡ 나정(蘿井)
- ㉢ 포석정
- ㉣ 분황사
- ㉤ 첨성대
- ㉥ 배리 석불 입상

① ㉠, ㉡, ㉢　② ㉠, ㉣, ㉤
③ ㉡, ㉢, ㉥　④ ㉣, ㉤, ㉥

0647

다음 밑줄 친 '이 도시'의 역사적 사실에 대한 설명으로 옳은 것은? 2018. 기상직 9급 / 2018. 경찰 2차 유사

> 이 도시는 2015년 유네스코에서 지정한 우리나라의 12번째 세계 문화유산과 관련된 지역이다. 유네스코는 이 도시의 역사 유적지인 아래 두 곳을 포함해 '백제 역사 유적 지구'를 지정하였다.

공산성

송산리 고분군

① 백제 금동 대향로가 출토되었다.
② 호암사에 있는 정사암에서 중대한 회의가 이루어졌다.
③ 헌덕왕 17년(825) 내물계 후손 김헌창이 난을 일으켰다.
④ 명종 6년(1176) 망이·망소이의 난이 벌어졌다.

0648

다음 유네스코 세계 유산으로 지정된 백제 역사 유적 지구 문화유산 중 부여군에 속한 것만을 모두 고르면? 2018. 국가직 7급

- ㉠ 정림사지
- ㉡ 공산성
- ㉢ 부소산성과 관북리 유적
- ㉣ 송산리 고분군

① ㉠, ㉢　② ㉠, ㉣
③ ㉡, ㉢　④ ㉢, ㉣

0646

출제영역 유네스코 문화유산의 이해　정답 ▶ ③

정답찾기 경주 역사 유적 지구 중 남산 지구의 문화유산은 ㉡ 나정, ㉢ 포석정, ㉥ 배리 석불 입상(배동 석조 여래 삼존 입상)이다.

선지분석 ㉠㉤ – 월성 지구, ㉣ – 황룡사 지구

더⊕알아보기 **경주 역사 유적 지구**

구분	내용
남산 지구	미륵곡 석불·배리 석불 입상, 나정, 포석정 등
월성 지구	월성(신라 왕궁), 계림, 첨성대 등
대릉원 지구	황남리 고분군 등 신라 왕·왕비·귀족 등의 무덤, 금관, 천마도 등
황룡사 지구	황룡사지, 분황사
산성 지구	명활산성

0647

출제영역 유네스코 문화유산의 이해　정답 ▶ ④

정답찾기 밑줄 친 '이 도시'는 공주이다.

선지분석 ①② 부여에 대한 설명이다.
③ 웅천주 도독 김헌창이 공주(웅주)를 근거로 국호를 '장안'이라 하여 난을 일으켰다. 김헌창은 내물계 후손이 아닌 무열왕의 후손으로, 내물왕계에게 빼앗긴 왕위를 되찾기 위해 반란을 일으켰다.

더⊕알아보기 **공주의 역사**
- 구석기 유적(공주 석장리)
- 백제 2차 수도(문주왕): 공주 송산리 고분군[무령왕릉, 6호분(사신도)]
- 고려의 공주 명학소 망이·망소이의 난
- 조선 시대 동학 농민 운동의 공주 우금치 전투(1894)
- 2015년 유네스코 세계 문화유산 등재

0648

출제영역 유네스코 문화유산의 이해　정답 ▶ ①

정답찾기 ㉠ 정림사지, ㉢ 부소산성과 관북리 유적은 부여 지역에 위치하고 있다.

선지분석 ㉡ 공산성, ㉣ 송산리 고분군은 공주 지역에 위치하고 있다.

더⊕알아보기 **백제 역사 유적 지구**

지역	유적	
공주(웅진성)	• 공산성	• 송산리 고분군
부여(사비성)	• 관북리 유적 • 정림사지 • 부여 나성	• 부소산성 • 능산리 고분군
익산	• 왕궁리 유적	• 미륵사지

0649 □□□

세계 유산으로 등재된 것이 아닌 것은? (2019년 12월 31일 기준)

2020. 지방직 9급

① 종묘 ② 화성
③ 한양 도성 ④ 남한산성

0649

출제영역 유네스코 문화유산의 이해 정답 ▶ ③

정답찾기 ③ 한양 도성은 세계 문화유산으로 등재되지 않았다.

0650 □□□

그림과 같이 능(陵)의 구조가 바뀌게 된 직접적인 계기로 옳은 것은? 제13회 한국사능력검정시험 고급

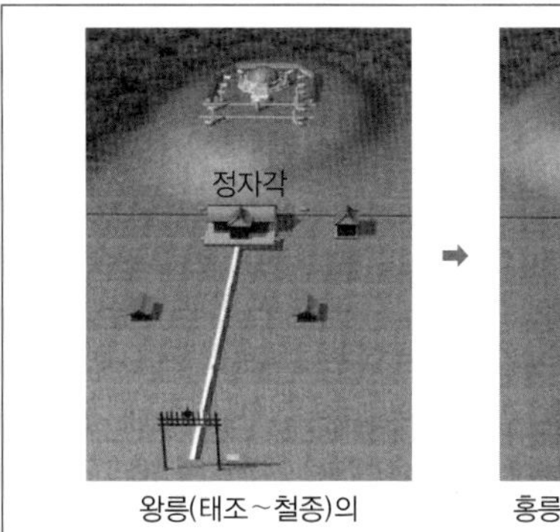

왕릉(태조~철종)의 기본 구조

홍릉 · 유릉(고종 · 순종)의 기본 구조

① 독립 협회가 독립문을 세웠다.
② 한 · 청 통상 조약이 체결되었다.
③ 고종의 인산을 계기로 만세 운동이 일어났다.
④ 고종이 원구단에서 황제 즉위식을 거행하였다.
⑤ 조 · 일 수호 조규에서 "조선은 자주국이다."라고 명시되었다.

0650

출제영역 유네스코 문화유산의 이해 정답 ▶ ④

정답찾기 ④ 대한 제국 시기에 고종과 순종은 황제를 칭하였다. 따라서 능도 황제의 예에 따라 만들었다.

더+알아보기 **황제릉과 왕릉의 차이**

- 왕릉에는 정자각, 황제릉에는 침전이 있다. 정자각은 '바를 정(丁)'자 모양이며, 침전은 '한 일(一)'자 모양의 배전이다. 왕이나 황제가 이곳에서 선왕에게 제사를 지낸다.
- 왕릉은 석물들이 무덤(왕의 무덤을 '능상'이라고 한다.) 주변에 배치되는데, 황제의 능은 석물들이 침전의 앞쪽에 배치된다. 무덤 앞에는 혼유석(일반인의 묘에서 '상석'이라고 부르는 석물)과 망주석을 제외하고는 별다른 석물이 없다. 또한, 석수에 양석과 호석이 없고 대신 기린, 코끼리, 사자, 해태, 낙타, 말 순서로 배치된다.

부록

0651 □□□

조선 시대 의궤에 대한 설명으로 옳지 않은 것은? 2014. 지방직 9급

① 왕실의 행사에 사용된 도구, 복식 등을 그림으로 남겨 놓았다.
② 이두와 차자(借字) 및 우리의 고유한 한자어(漢字語) 연구에도 귀중한 자료이다.
③ 왕실 혼례와 장례, 궁중의 잔치, 국왕의 행차 등 국가의 중요한 행사를 기록하였다.
④ 프랑스 국립 도서관에는 신미양요 때 프랑스군이 약탈해 간 어람용 의궤가 소장되어 있다.

0651

출제영역 조선 의궤의 이해 정답 ▶ ④

정답찾기 ④ 프랑스는 병인양요(1866) 때 강화도 외규장각 도서(『조선왕조의궤』)를 약탈하였다.

0652

조선 시대의 의궤(儀軌)에 관한 설명으로 옳지 않은 것은?

2008. 지방직 9급

① 현재 남아 있는 의궤는 모두 18세기 이후에 만들어진 것이다.
② 국가나 왕실에서 거행한 주요 행사를 기록과 그림으로 남긴 책이다.
③ 강화도 외규장각에 보관되어 있던 의궤들은 병인양요 때에 프랑스군에 의해 약탈당하였다.
④『화성성역의궤』는 화성의 성곽을 축조한 공사에 관한 내용을 기록한 것이다.

0653

조선 시대 의궤에 대한 설명으로 옳지 않은 것은?

2017. 하반기 지방직 9급

① 가례도감의궤는 임진왜란 이후부터 편찬되기 시작하였다.
② 조선왕조의궤는 유네스코 세계 기록 유산으로 등재되었다.
③ 정조 때 화성 행차 일정, 참가자 명단, 행차 그림 등을 수록한 의궤가 편찬되었다.
④ 가례도감의궤의 말미에 그려진 반차도에는 당시 왕실 혼례의 행렬 모습이 담겨 있다.

0652

출제영역 〉 조선 의궤의 이해 정답 ▶ ①

정답찾기 ① 조선 왕조의 의궤는 조선 건국 당시 태조 때부터 만들어졌으나 현재 조선 초기의 의궤는 전해지지 않는다. 현전(現傳)하는 가장 오래된 의궤는 1601년(선조 31) 의인 왕후(懿仁王后)의 장례 기록을 남기기 위해 편찬된『의인왕후산릉도감의궤』와『의인왕후빈전혼전도감의궤』이다.

0653

출제영역 〉 조선 의궤의 이해 정답 ▶ ①

정답찾기 ①『조선왕조의궤』란 조선 왕조가 세워진 첫해부터 멸망 때까지 조선 왕실의 중요한 행사와 나라의 건축 사업 등을 그림과 글로 기록한 책으로, 유교적 전통에 따라 열렸던 임금과 왕비의 결혼, 세자 책봉, 임금의 행차, 장례식 등의 행사가 상세하게 기록되어 있다. 그 종류로는 임금과 왕비의 결혼식 절차를 기록한『가례도감의궤』, 왕세자와 왕비, 빈궁 등의 책봉 과정을 담은『책례도감의궤』, 임금과 왕비의 장례 과정을 기록한『국장도감의궤』 등이 있다.

선지분석 ②『조선왕조의궤』는 그 역사적 가치를 인정받아 2007년 유네스코 기록 문화유산으로 등재되었다.
③『조선왕조의궤』 중『화성성역의궤』에 대한 설명이다.
④『조선왕조의궤』에 나오는 반차도는 궁중의 각종 행사 장면을 그린 것으로, 궁중 행사의 의식과 늘어선 관원들의 배치 상황이 정확히 묘사되어 있어 넓은 의미의 풍속적인 성격을 띤 기록화이다.

0654 □□□

다음 글에서 제시하는 자료와 관련된 설명으로 옳지 않은 것은?

2008. 지방직 7급

> 정조 18년 1월부터 정조 20년 8월에 걸친 성곽의 축조는 큰 토목 건축 공사로서 많은 경비와 기술이 필요하였으므로, 그 공사 내용에 관한 자세한 기록을 남겨야 하겠다는 뜻에서 정조가 편찬을 명령, 1796년 9월에 시작하여 그해 11월에 원고가 완성되었고, 이어 순조 1년 9월에 발간되었다.

① 위의 자료는 『화성일기』에 관한 설명이다.
② 의식 절차와 공사 진행에 관한 절차를 기록하고 있다.
③ 정교한 활자와 높은 수준의 인쇄술을 보여 준다.
④ 각종 건조물과 공사에 사용된 기계·도구 등의 그림이 수록되어 있다.

0655 □□□

우리나라 세계 유산과 세계 기록 유산에 대한 설명으로 옳은 것만을 모두 고르면?

2021. 국가직 9급

> ㉠ 공주 송산리 고분군에는 전축분인 6호분과 무령왕릉이 있다.
> ㉡ 양산 통도사는 금강계단 불사리탑이 있는 삼보 사찰이다.
> ㉢ 남한산성은 병자호란 때 인조가 피난했던 산성이다.
> ㉣ 『승정원일기』는 역대 왕의 훌륭한 언행을 『실록』에서 뽑아 만든 사서이다.

① ㉠, ㉡　　② ㉡, ㉢
③ ㉠, ㉡, ㉢　　④ ㉠, ㉢, ㉣

0654

출제영역 〉 조선 의궤의 이해　　정답 ▶ ①

정답찾기 제시문은 수원 화성 축조 기록인 『화성성역의궤』에 대한 내용이다.
① 『화성일기』는 정조 19년(1795)에 어머니 혜경궁 홍씨의 회갑을 맞아, 어머니를 모시고 경기도 화성에 있는 아버지 장헌 세자(사도 세자)의 능에 참배한 일을 일기 형식으로 쓴 이의평의 기행문이다.

더⊕알아보기 〉 **『화성성역의궤』(2007년 유네스코 세계 기록 유산 등재)**
화성 축성 후 1801년에 발간된 『화성성역의궤』에는 축성 계획, 제도, 법식과 함께 동원된 인력의 인적 사항, 재료의 출처 및 용도, 예산 및 임금 계산, 시공 기계, 재료 가공법, 공사 일지 등이 상세히 기록되어 있어 성곽 축성 등 건축사에 큰 발자취를 남기고 있을 뿐만 아니라 그 기록으로서의 역사적 가치가 큰 것으로 평가되고 있다.

0655

출제영역 〉 조선 의궤의 이해　　정답 ▶ ③

정답찾기 ㉠ 공주 송산리 고분군 중 2기가 전축분, 즉 벽돌무덤(무령왕릉, 6호분)인데, 그중 6호분에는 사신도 등의 벽화가 있다.
㉡ 삼보 사찰은 불(佛)·법(法)·승(僧)의 세 가지 보물을 간직하고 있는 사찰로 통도사, 해인사, 송광사가 우리나라의 삼보 사찰이다. 특히 통도사는 자장이 창건한 절로, 부처의 진신 사리를 봉안한 금강계단을 조성하였다.
㉢ 병자호란(1636, 인조 14년) 때 인조와 소현 세자 등은 남한산성으로 피신하여 45일간 항전하였다.

선지분석 ㉣ 『국조보감』에 대한 설명이다. 『승정원일기』는 승정원에 소속된 주서가 왕과 신하 간에 오고간 문서와 국왕의 일과를 매일 기록한 것이다.

부록

CHAPTER

02 조선의 문화유산 관련 한능검 문제

경복궁

0656 □□□

다음 궁궐에 대한 설명으로 옳은 것을 〈보기〉에서 고른 것은?

제26회 한국사능력검정시험 고급

> ○○일보
>
> 1995년 ○○월 ○○일
>
> 조선 정궁의 위용 회복
>
> 조선의 정궁이 제 모습을 갖춰 가고 있다. 문화체육부가 1990년부터 추진 중인 복원 사업의 첫 결실로 침전 지역이 오는 10월 일반에 공개된다. 지난해 건물 터 발굴 조사를 마친 동궁 지역이 2단계 사업 대상이며, 3단계 태원전 지역 복원은 1997년부터 4년간 추진된다. 또한 조선 총독부 건물이 헐린 자리에는 4단계 공사로 홍례문 등이 복원되어 궁궐 초입의 면모를 갖추게 된다.

보기

㉠ 선조가 거처하면서 정릉동 행궁으로 불렸다.
㉡ 태조 때 한양으로 천도하면서 처음으로 지어졌다.
㉢ 일제의 조선 물산 공진회 개최 장소로 이용되었다.
㉣ 부속 건물로 을사조약이 체결되었던 중명전이 있다.

① ㉠, ㉡　② ㉠, ㉢
③ ㉡, ㉢　④ ㉡, ㉣
⑤ ㉢, ㉣

0656

출제영역 〉 조선 궁궐의 이해　정답 ▶ ③

정답찾기 제시문 중 '조선의 정궁', '태원전 지역 복원', '조선 총독부 건물이 헐린 자리'에서 경복궁을 유추해야 한다.

선지분석 ㉠ 덕수궁에 대한 내용이다. 임진왜란 당시 의주로 피신하였던 선조가 한성으로 돌아온 뒤에 이곳을 임시 거처로 하여 정릉동 행궁이라고 불렸다.

㉣ 중명전은 덕수궁의 별채로, 1901년 황실 도서관으로 지어졌다가 1904년 덕수궁에 화재가 나자 고종의 집무실인 편전이자 외국 사신 알현실로 사용되었다. 1905년 을사조약을 체결한 비운의 장소이기도 하다.

더⊕알아보기 〉 **태원전(泰元殿)**

경복궁의 서북쪽 일대는 왕실에 돌아가신 분이 있을 때 관을 모셔 두는 빈전과 종묘에 모실 때까지 만 2년 동안 위패를 모시는 혼전, 돌아가신 분의 초상화를 모시고 제사를 지내는 영전 등 제사와 관련된 전각들이 자리 잡고 있다.

왕자 출신이 아니었던 고종은 부친 흥선 대원군과 함께 왕권 승계의 정통성 시비에 대응해야 했다. 그 일환으로 태원전을 지어 역대 임금의 초상인 어진(御眞)을 모심으로써 정통성을 확보하려 했다. 1868년(고종 5)에 건립된 것으로 추정되는 태원전에는 태조의 어진을 모셨다. 이후에는 명성 황후의 시신을 모시는 빈전(殯殿)으로도 사용되었다.

0657

다음은 외국인에게 경복궁에 대해 설명한 내용이다. 밑줄 친 (가)~(라)에 대한 설명으로 옳은 것을 〈보기〉에서 고른 것은?

제3회 한국사능력검정시험 고급

> 조선 왕조는 한양으로 천도한 이후 5대 궁궐을 지었는데, 그 가운데에서 법궁이 바로 이 경복궁이고, 나머지는 (가) 이궁으로 사용되었습니다. (나) 경복궁의 정문을 통과하면 가장 먼저 나오는 큰 건물은 바로 왕의 즉위식이나 책봉 등 국가적 의례가 있을 때에 사용하였고, 그 뒤에 (다) 왕의 집무실이 있었습니다. 경복궁은 임금이 거처하는 공간을 기준으로 왕세자는 동쪽에 있어 동궁이라 하였고, (라) 왕비의 거처 공간이 따로 있었습니다.

보기

ㄱ. (가)는 창덕궁, 창경궁, 경희궁, 경운궁(덕수궁)을 말한다.
ㄴ. (나)는 광화문을 가리키며, 좌측에 종묘, 우측에 사직이 배치되었다.
ㄷ. (다)는 근정전을 말한다.
ㄹ. (라)는 교태전으로, 임금이 거처하는 공간의 서쪽에 배치되었다.

① ㄱ, ㄴ
② ㄱ, ㄷ
③ ㄴ, ㄷ
④ ㄴ, ㄹ
⑤ ㄷ, ㄹ

0657

출제영역 조선 궁궐의 이해 정답 ▶ ①

정답찾기 경복궁에 대한 구체적인 지식을 물어보는 난도 높은 문제이다.

선지분석 ㄷ 왕의 집무실은 사정전이다. 근정전은 국가의 의식을 치르고 신하들의 하례와 사신을 맞이하는 곳이다.
ㄹ 왕비의 침전인 교태전은 왕의 침전인 강녕전 뒤에 배치되었다.

더⊕알아보기 **조선의 궁궐**

조선의 궁궐은 크게 정궁(正宮, 法宮), 이궁(離宮), 행궁(行宮)으로 구분된다. 정궁은 수도 중앙의 기본 궁으로 경복궁이다. 이궁은 별궁의 기능을 수행하는 궁으로 창덕궁, 창경궁, 경희궁, 경운궁(덕수궁)이 있다. 행궁은 왕이 도읍 이외의 곳을 거동할 때 일정 기간 머무는 궁으로 수원 행궁, 남한산성 행궁, 북한산성 행궁, 강화도 행궁, 평양 행궁 등이 있다.

0658

자료와 관련된 궁궐에 대한 설명으로 옳은 것은?

제10회 한국사능력검정시험 고급

① 고종이 순종에게 양위하고 머물렀다.
② 규장각으로 사용되었던 건물이 남아 있다.
③ 도성의 북쪽에 있다고 하여 북궐이라고도 불렸다.
④ 일제에 의해 동물원, 식물원, 박물관이 만들어졌다.
⑤ 서운관 앞에 있던 고개에서 궁궐의 이름이 유래되었다.

0658

출제영역 조선 궁궐의 이해 정답 ▶ ③

정답찾기 제시된 자료는 경복궁에 대한 내용이다.

선지분석 ① 덕수궁에 대한 내용이다.
② 규장각은 창덕궁 안에 있다.
④ 창경궁에 대한 내용이다.
⑤ 운현궁에 대한 내용이다. 운현궁은 고종이 왕에 등극하기 전에 살았던 흥선 대원군의 집이다.

부록

0659 □□□

(가)에 들어갈 제목으로 가장 적절한 것은? 제15회 한국사능력검정시험 고급

> (가)
>
> 국보 제224호인 이곳은 외국 사신을 접견하기 위해 만들어졌지만, 임금과 신하가 덕으로써 만난다는 뜻에 맞게 임금과 신하들이 함께 연회를 여는 공간으로도 자주 활용되었다.
> 이 건물은 1412년(태종 12)에 처음 지어졌으며, 임진왜란 때 불에 탄 후, 1867년(고종 4)에 다시 지어졌다. 건물의 1층은 48개의 높은 돌기둥만 세우고 비웠으며, 2층은 마루를 깔아 연회장으로 이용하였다. 마루의 높이를 3단으로 하여 지위에 따라 맞는 자리에 앉도록 하였다.

① 왕실 권위의 상징인 근정전
② 명성 황후의 한이 서린 건청궁
③ 연못과 누각이 어우러진 경회루
④ 초계문신의 자취를 간직한 주합루
⑤ 사대부 저택을 본뜬 창덕궁 후원의 연경당

0659

출제영역 〉 조선 궁궐의 이해 정답 ▶ ③

정답찾기 제시문 중 '외국 사신을 접견하기 위해 만들어진 곳', '2층 건물에 1층은 돌기둥만 있고 2층은 마루를 깔아 연회장으로 이용'이라는 내용을 통해 경복궁 경회루를 유추할 수 있다.

더⊕알아보기 〉 **경복궁**

조선 시대의 궁궐 중 가장 중심이 되는 곳으로, 태조 3년(1394)에 한양으로 수도를 옮긴 후 세웠다. 궁의 이름은 정도전이 『시경』에 나오는 "이미 술에 취하고 이미 덕에 배부르니 군자 만년 그대의 큰 복을 도우리라."에서 큰 복을 빈다는 뜻의 '경복(景福)'이라는 두 글자를 따서 지은 것이다.

중국에서 고대부터 지켜져 오던 도성(都城) 건물 배치의 기본 형식[좌묘우사 전조후시(左廟右社 前朝後市)]을 지킨 궁궐로 경복궁의 주요 건물 배치는 좌우 대칭의 일직선 상으로 놓여졌다. 궁궐의 핵심 공간으로 광화문 – 근정전 – 사정전 – 강녕전 – 교태전이 일직선 상에 놓여 있다.

임진왜란(1592)으로 인해 모두 불에 타 273년간 폐허로 방치되었던 것을 고종 4년(1867)에 흥선 대원군이 다시 세웠다. 그러나 1895년에 궁궐 안에서 명성 황후가 시해되는 사건이 벌어지고, 왕이 러시아 공관으로 거처를 옮기면서 주인을 잃은 빈 궁궐이 되었다.

1910년 국권 강탈 이후 1911년 경복궁 부지의 소유권이 조선 총독부로 넘어가자, 일제는 건물을 헐고 근정전 앞에 총독부 청사를 짓는 등 온갖 파괴 행위를 자행하여 궁의 옛 모습을 거의 없애 버렸다. 1915년에는 조선 물산 공진회를 개최한다는 명목으로 주요 전각 몇 채를 제외하고 90% 이상의 전각이 헐렸다.

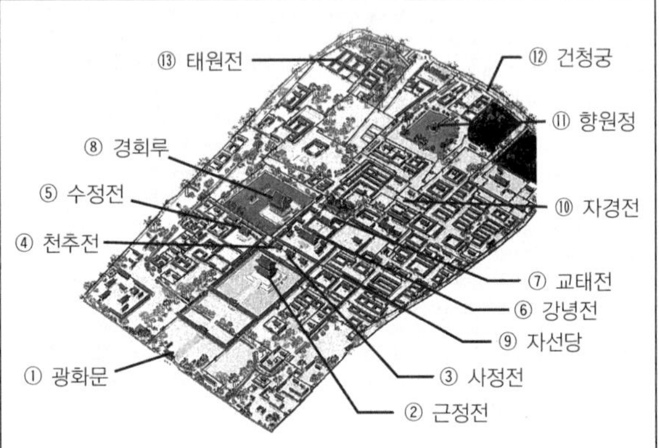

경복궁 배치〈자료 출처: 경복궁(www.royalpalace.go.kr)〉

① **광화문**: 경복궁의 정문
② **근정전**: 정전(正殿)으로 국가 의식을 치르고 신하들의 하례와 사신을 맞이하던 곳 – 양쪽 좌우에 12개씩 24개(정1품에서 종3품까지 좌우 6개씩, 4품부터는 종품 구별 없이 정4품에서 정9품까지 좌우 6개씩)의 품계석 배치
③ **사정전**: 왕이 평상시 거처하면서 정사를 보는 곳으로서 주로 경연이 열림.
④ **천추전**: 사정전의 기능을 보완하는 전각으로 온돌이 설치되어 있음.
⑤ **수정전**: 왕실의 도서를 비치한 곳으로서 세종 때 집현전이 있었던 자리이며, 고종 때 침전과 편전의 역할을 하였던 곳
⑥ **강녕전**: 왕의 침전
⑦ **교태전**: 왕비의 침전
⑧ **경회루**: 중국 사신의 접대나 연회장으로 사용되던 곳
⑨ **자선당**: 왕세자의 생활 공간
⑩ **자경전**: 흥선 대원군이 고종의 양어머니 조 대비(신정 왕후)를 위해 지은 건물
⑪ **향원정**: 고종이 건청궁을 만들 때 지은 정자
⑫ **건청궁**: 고종 내외가 거처하기 위해 지은 별궁으로 명성 황후가 시해당한 곳
⑬ **태원전**: 태조 이성계의 어진을 모신 건물

창덕궁

0660 □□□

다음은 창덕궁 안내도이다. (가)~(마)에 대한 설명으로 옳지 않은 것은?

제7회 한국사능력검정시험 고급

① (가) – 창덕궁의 정전으로 조정의 각종 의식이나 외국 사신을 접견하던 곳이다.
② (나) – 편전이라고도 하며, 왕이 일상적인 업무를 보던 집무 공간이다.
③ (다) – 왕비가 거처하는 내전 중에서 가장 으뜸가는 건물이다.
④ (라) – 정조가 자신의 왕권을 강화하기 위한 기구를 두었다.
⑤ (마) – 영조가 자신의 거처로 삼기 위해 지은 양반 저택이다.

0660

출제영역 〉 조선 궁궐의 이해 정답 ▶ ⑤

정답찾기 ⑤ 연경당은 1828년 순조의 아들 효명 세자가 아버지 순조에게 존호(尊號)를 올리는 의례를 행하기 위해 창건한 건물로, 사대부 양반의 집을 본떠 사랑채와 안채를 중심으로 구성되었으며 단청을 하지 않았다.

더⊕알아보기 〉 **창덕궁**(유네스코 세계 문화유산)

창덕궁은 조선 제3대 태종이 1405년 이궁(離宮)으로 지은 궁궐로서, 경복궁의 동쪽에 위치한다 하여 창경궁과 함께 동궐로 불렸다. 임진왜란 때 모든 궁궐이 불에 타자 광해군 때 다시 지었으며, 이후 고종이 경복궁을 중건하기까지 법궁(法宮)의 역할을 하였다. 조선 궁궐 중 가장 오랜 기간 동안 임금들이 기거한 곳이다. 또한 창덕궁은 우리나라 궁궐의 비정형적 조형미를 대표하고 있다.

- **돈화문**: 창덕궁의 정문
- **인정전**: 창덕궁의 중심 건물로서 조정의 각종 의식과 외국 사신 접견 장소로 사용되던 곳
- **선정전**: 왕의 집무실(편전), 청기와 건물
- **희정당**: 조선 후기에 왕이 평상시에 거처하던 곳(본래 침전으로 사용되었으나, 편전인 선정전이 비좁고 종종 국장을 위한 혼전으로 사용되어 편전의 기능을 대신하게 됨.)
- **대조전**: 왕비의 침전
- **성정각**: 세자의 동궁
- **선원전**: 역대 임금과 왕비의 초상화를 모시던 건물
- **창덕궁 후원**: 창덕궁 북쪽에 창경궁과 붙어 있는 우리나라 최대의 궁중 정원. 부용지 · 주합루 · 애련지 · 의두합 · 연경당 · 존덕정[정조의 『홍재전서』에 실려 있는 시 '만천명월주인옹자서(萬川明月主人翁自序)'가 걸려 있는데, 이 시는 공중에 뜬 밝은 달이 지상의 모든 시내를 비추듯 태극이라는 정점에 선 자신의 정치가 모든 백성들에게 고루 퍼져 나간다는 뜻으로 정조의 왕권 강화와 개혁 의지를 보여 줌.] · 옥류천 등이 있음.

▲ 동궐도(東闕圖, 창덕궁 대조전 일대)

0661

(가)~(마) 문화유산에 대한 설명으로 옳지 않은 것은?

제13회 한국사능력검정시험 고급

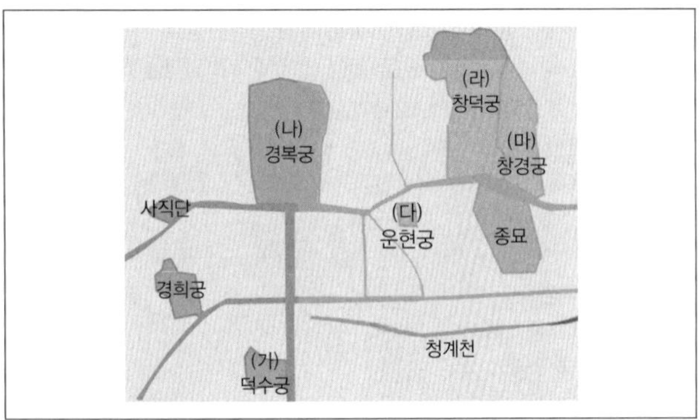

① (가) – 황제의 집무실 용도로 석조전을 지은 곳이다.
② (나) – 미·소 공동 위원회가 개최된 곳이다.
③ (다) – 서원 철폐 등의 개혁을 논의한 곳이다.
④ (라) – 정조의 개혁을 뒷받침해 준 규장각이 있는 곳이다.
⑤ (마) – 일제가 격을 낮추기 위해 동물원을 만든 곳이다.

0662

밑줄 그은 ㉠을 지도에서 옳게 찾은 것은? 제17회 한국사능력검정시험 고급

제1차 역사 동아리 답사

주제 : 조선의 궁궐을 찾아서

1997년 세계 문화유산에 등재된 ㉠ 이 궁궐은 태종 때에 창건되어 가장 오랜 기간 동안 왕들이 거처한 곳입니다. 임진왜란으로 폐허가 된 후 재건과 중건 과정을 거쳤으며, 정조 때에는 후원의 부용지를 중심으로 부용정, 주합루, 서향각이 세워졌습니다. 또한 일제 강점기에는 순종이 여생을 보낸 궁이기도 합니다.

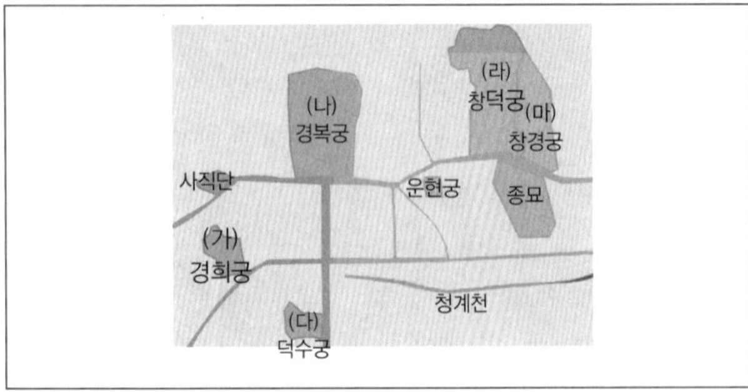

① (가) ② (나)
③ (다) ④ (라)
⑤ (마)

0661

출제영역 조선 궁궐의 이해 정답 ▶ ②

정답찾기 ② 미·소 공동 위원회가 개최된 곳은 (가) 덕수궁 석조전이다.

더+알아보기 운현궁

조선 제26대 임금 고종의 생부인 흥선 대원군의 저택으로서, 고종이 탄생하여 즉위하기 전 12살까지 살았던 잠저이기도 하다. 서운관(書雲觀, 관상감의 별칭)이 있는 앞의 고개라 하여 운현(雲峴)이라 불렸다. 고종이 즉위하자 이곳에서 흥선 대원군이 정치를 하였고, 궁궐과 직통으로 연결되었다. 흥선 대원군은 1882년(고종 19) 임오군란 때 여기서 청나라 톈진으로 납치되었다. 한때는 궁궐에 견줄 만큼 크고 웅장하였다고 하며, 정원 등은 잘 보존되어 고종이 소년 시절에 자주 오른 노송(老松)이 현재까지 남아 있다. 흥선 대원군의 집과 1910년대 새로 지어 덕성 여자 대학교 본관으로 사용하던 서양식 건물을 합쳐 사적 제257호로 지정하였다.

더+알아보기 창경궁

창경궁은 세종 대왕이 상왕인 태종을 모시고자 1418년에 지은 수강궁이 그 전신이다. 이후 성종 대에 와서 세조의 비 정희 왕후, 덕종의 비 소혜 왕후, 예종의 비 안순 왕후를 모시기 위해 명정전, 문정전, 통명전을 짓고 창경궁이라 명명했다. 창경궁은 임진왜란 때 전소된 적이 있고 이괄의 난이나 병자호란 때에도 화를 입었다. 또한, 숙종 때의 인현 왕후와 장희빈, 영조 때 뒤주에 갇혀 죽임을 당한 사도 세자의 이야기 등이 창경궁 뜰에 묻혀 있다. 일제 강점기에 일제에 의하여 창경원이라 격하되고 동물원으로 탈바꿈했으나, 일제의 잔재를 없애기 위한 온 겨레의 노력으로 1987년부터 본래 궁의 모습을 되찾게 되었다. 홍화문, 명정전(조선 왕조의 정전 중에서 가장 오래된 건물), 통명전, 양화당, 춘당지 등이 있으며 구름다리를 통하여 종묘와 드나들 수 있게 되어 있다.

0662

출제영역 조선 궁궐의 이해 정답 ▶ ④

정답찾기 제시문의 '가장 오랜 기간 동안 왕들이 거처한 곳', '부용정', '주합루(규장각이 있던 건물)'에서 밑줄 그은 '이 궁궐'이 창덕궁임을 유추할 수 있다.

덕수궁

0663

다음은 어느 궁궐의 문에 대한 신문 기사이다. 이 궁궐과 관련된 사실로 옳은 것을 〈보기〉에서 모두 고른 것은?

제2회 한국사능력검정시험 고급

> 6월 초 수리에 들어간 이 궁의 대한문은 일제 침략과 관련해 그 이름에 관한 오해에 시달려 왔다. ○○○교수는 …… 『경운궁중건도감의궤(慶運宮重建都鑑儀軌)』의 기록을 근거로 이 같은 억측들을 일소했다. 의궤의 한 구절이 "황제는 천명(天命)을 받아 유신(維新)을 도모하여 법전인 중화전(中和殿)에 나아가시고, 다시 대한정문(大韓正門)을 세우셨다."라며 대한문의 의미를 밝혀 놓았다. 그는 "하늘에 제를 올리는 일은 황제만이 할 수 있다."라며 "대한문은 본디 고종이 황제에 즉위하여 하늘을 향해 제를 올렸던 환(원)구단을 향하고 있었으므로, 큰 하늘을 떠받든다는 뜻으로 이름을 바꾸었다."라고 설명했다. ○○일보, 2004. 6. 22.

보기

㉠ 1860년대 흥선 대원군이 왕실의 권위를 높이려고 중건하였다.
㉡ 1895년에 을미사변으로 명성 황후가 시해되었다.
㉢ 1897년에 고종이 러시아 공사관에서 옮겨와 국정을 처리하였다.
㉣ 1946년에 제1차 미·소 공동 위원회가 열렸다.

① ㉠, ㉡　② ㉠, ㉣
③ ㉡, ㉢　④ ㉡, ㉣
⑤ ㉢, ㉣

0663

출제영역 〉 조선 궁궐의 이해　정답 ▶ ⑤

정답찾기 제시문은 덕수궁 대한문에 대한 설명이다.
㉢㉣ 1897년 고종이 러시아 공사관에서 경운궁(덕수궁)으로 환궁하여 국정을 처리하였고, 1946년 1차 미·소 공동 위원회가 덕수궁 석조전에서 개최되었다.

선지분석 ㉠㉡ 경복궁에 대한 설명이다.

0664

(가)~(마)와 관련된 역사적 사실로 옳지 않은 것은?

제7회 한국사능력검정시험 중급

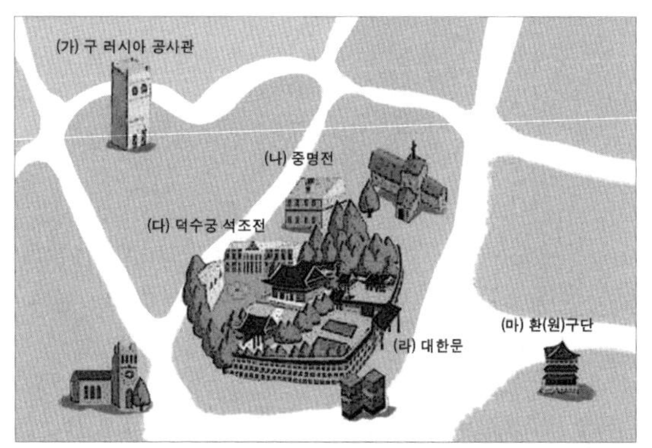

① (가) – 임오군란 때 명성 황후가 피신한 곳이다.
② (나) – 을사조약이 체결된 곳이다.
③ (다) – 미·소 공동 위원회가 열린 곳이다.
④ (라) – 3·1 운동이 일어난 주요 장소의 하나이다.
⑤ (마) – 고종이 황제로 즉위하고 하늘에 제사를 지낸 곳이다.

0664

출제영역 〉 조선 궁궐의 이해　정답 ▶ ①

정답찾기 ① 러시아 공사관과 관련된 사건은 아관 파천이다. 임오군란 때 명성 황후는 충주 민응식의 집에 숨어 지냈다.

선지분석 ② 을사조약은 1905년 (나) 경운궁(덕수궁) 중명전에서 강제 체결되었다.
③ 1차 미·소 공동 위원회가 개최된 곳은 (다) 덕수궁 석조전이다.
④ 3·1 운동은 태화관과 탑골 공원에서 시작되었다.
⑤ 고종은 러시아 공사관에서 경운궁(덕수궁)으로 환궁하고, (마) 원(환)구단을 축조하여 황제 즉위식을 거행하였다.

한양 도성 배치 이해

0665

다음 지도를 보고 추론한 내용으로 적절하지 않은 것은?

제7회 한국사능력검정시험 고급

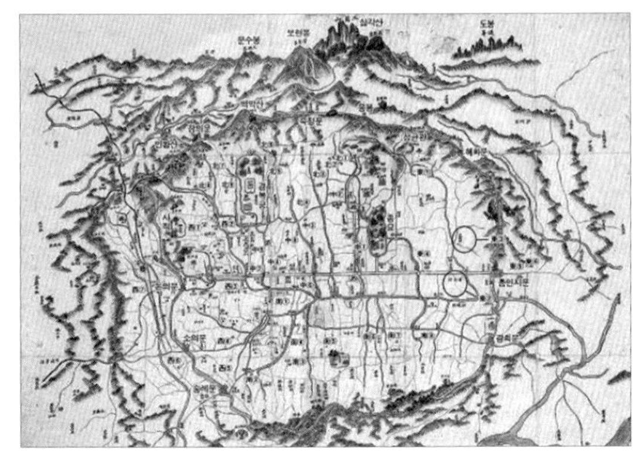

① 경복궁 앞쪽에 6조 거리가 형성되었다.
② 명당수인 한강이 도시를 가로질러 흐르고 있다.
③ 정궁인 경복궁 좌우에 종묘와 사직을 배치하였다.
④ 최고 교육 기관이었던 성균관에는 문묘가 설치되었다.
⑤ 백악, 낙산, 목멱산, 인왕산을 연결하는 성곽을 쌓았다.

0666

(가) 유적에 대한 설명으로 옳은 것은? 제10회 한국사능력검정시험 고급

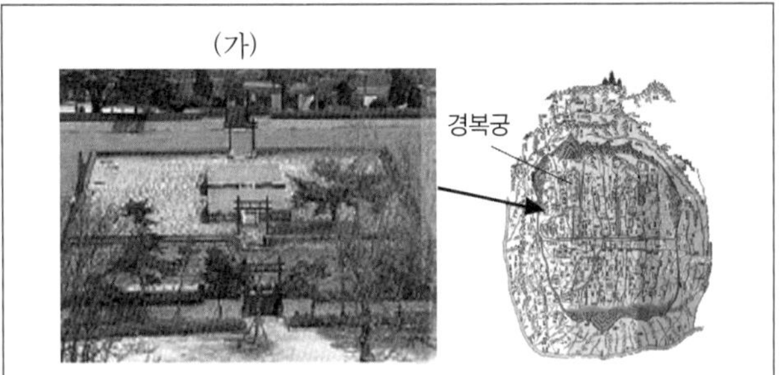

① 왕실의 신주를 봉안하고 제사를 지냈다.
② 소격서에서 주관하는 초제를 거행하였다.
③ 토지신과 곡식신에게 풍요를 기원하였다.
④ 신농씨에게 제사를 지내고 왕이 친경하였다.
⑤ 성균관 유생들이 공자에 대한 제사를 지냈다.

0665

출제영역 〉 한양 도성의 이해 정답 ▶ ②

정답찾기 제시된 화보는 조선 후기 김정호의 '수선전도'로, 조선의 도성 배치에 대한 기본 형식을 이해해야 하는 문제이다.
② 도성(사대문 안)을 가로지르는 하천은 청계천이다. 한강은 사대문 밖, 즉 도성 밖에서 흐르고 있다.

더⊕알아보기 〉 조선의 한양

1394년 한양으로 천도한 조선 왕조는 평원에 위치한 중국의 도시와는 다르게 명당으로서의 풍수지리적 특성을 살려 주위의 산을 백악산[祖山]·목멱산[案山, 일명 남산]·낙타산(좌청룡, 일명 낙산)·인왕산(우백호)으로 배치하고 둘레 18km의 성벽을 쌓았다.
도성 안에는 경복궁을 비롯한 궁궐(창덕궁, 창경궁, 경희궁, 경운궁)을 두었고 '좌묘우사 전조후시(左廟右社 前朝後市)'를 중요시하는 『주례』에 입각하여, 경복궁의 왼쪽에는 종묘를, 오른쪽에는 사직을 두었다(⇨ 좌묘우사). 또 경복궁 앞에는 조정의 관아(6조)를 두고, 그 후방에 생활 공간인 시전을 두었다(⇨ 전조후시).

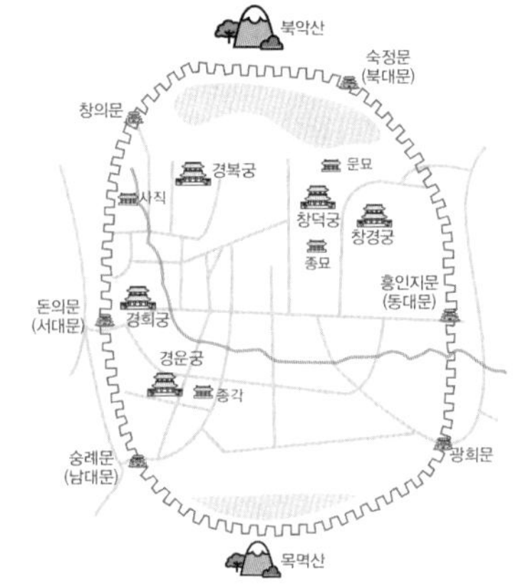

▲ 조선의 궁궐 배치도

• **한양의 성문**: 오행 사상에 따라 인(仁, 동)·의(義, 서)·예(禮, 남)·지(智, 북)·신(信, 중앙)의 5덕(德)을 표현하여 동대문[흥인지문(興仁之門)], 서대문[돈의문(敦義門)], 남대문[숭례문(崇禮門)], 북대문[숙정문(肅靖門)], 보신각(普信閣)을 세웠다. 4대문 사이에는 동소문[홍화문(弘化門) ⇨ 혜화문(惠化門)], 서소문[소의문(昭義門)], 남소문[광희문(光熙門)], 북소문[창의문(彰義門)]을 두었다.

0666

출제영역 〉 한양 도성의 이해 정답 ▶ ③

정답찾기 제시된 지도는 조선 후기 김정호의 '수선전도'이며, (가)는 사직단이다. 경복궁은 중국에서 고대부터 지켜져 오던 도성(都城) 건물 배치의 기본 형식[좌묘우사 전조후시(左廟右社 前朝後市)]을 지킨 궁궐로, 궁의 왼쪽에는 역대 왕들과 왕비의 신위를 모신 종묘가 있으며, 오른쪽에는 토지와 곡식의 신에게 제사를 지내는 (가) 사직단이 자리 잡고 있다.

선지분석 ① 종묘, ② 강화도 마니산 참성단, ④ 선농단[농사 신인 신농(神農)과 후직(后稷)에 제사 지내는 곳], ⑤ 성균관 문묘(서울 종로 명륜동 소재)에 대한 설명이다.

MEMO

선우빈 교수

주요 약력

- 現, 박문각 남부고시학원 한국사 대표교수
- EBS 9·7급 공무원 한국사 10년 강의(2008~2016, 2018년)
- 2006년 방송대학TV 공무원 한국사 전임교수
- 중등 2급 정교사[사회(역사)]

주요 저서

[이론서]

간추린 선우한국사 압축기본서(박문각)
선우빈 선우한국사 기본서(박문각)
단기완성 한국사능력검정시험 심화(박문각)
선우한국사 핵심사료 450(박문각)

[문제집]

선우한국사 기출족보 1500제(박문각)
선우한국사 기적의 실전 300제(박문각)
선우한국사 기적의 봉투 모의고사(박문각)
NETclass 한국사 틈새 공략 문제Zip(박문각)

[요약집]

한국사 연결고리(박문각)
한국사 확인학습노트(박문각)

동영상강의 www.pmg.co.kr
선우한국사 카페 cafe.naver.com/swkuksa
You Tube 채널 선우빈 한국사

2023
선우한국사 기출족보 1500제 ❷ 심화편

초판인쇄 | 2022. 9. 26. **초판발행** | 2022. 9. 30. **편저자** | 선우빈 **발행인** | 박 용
발행처 | (주)박문각출판 **등록** | 2015년 4월 29일 제2015-000104호
주소 | 06654 서울시 서초구 효령로 283 서경 B/D 4층 **팩스** | (02)584-2927
전화 | 교재 주문·내용 문의 (02)6466-7202

저자와의 협의하에 인지생략

정가 40,000원(1·2권) ISBN 979-11-6704-930-8
ISBN 979-11-6704-928-5(세트)